Philippe Jaenada fait une entrée remarquée en littérature en 1997 avec *Le Chameau sauvage*, couronné par le prix de Flore. La drôlerie, l'humour désespéré et une grande modernité caractérisent ses textes.

Philippe Jaenada

LA PETITE FEMELLE

Julliard

Photographies : droits réservés

TEXTE INTÉGRAL

ISBN 978-2-7578-6040-3
(ISBN 978-2-260-02133-9, 1re publication)

Pour Anne-Catherine,
Émilie, Magda
et Lucette

« Je vous assure que j'ai passé la nuit avec lui. »

Pauline Dubuisson, 18 novembre 1953.

Le malaise en prologue

Je suis comme les bébés, quand la nuit tombe, j'ai besoin d'un whisky. Eux, les pauvres, ne peuvent que pleurer, hurler, gémir pour les plus coriaces, passer seuls ce moment bancal, triste et inquiétant de la fin du jour – on m'en parlait, je n'y croyais pas jusqu'à ce que je le constate sur mon fils, lors de ses premiers mois sur terre : dès qu'on commence à respirer, on a sombrement, profondément conscience d'un malheur vers dix-sept heures en hiver, plus tard en été, la sensation de perdre quelque chose. Ensuite, avec l'âge et l'entraînement, on se débrouille, certains passent des coups de fil ou regardent n'importe quoi à la télé, d'autres se mettent à courir autour du pâté de maisons en tenue de sport, ma femme joue de la trompette, les plus fatalistes ou les plus faibles boivent quelques verres. De whisky, donc, pour moi. Ça m'aide, m'éloigne, estompe le changement de lumière, mais à cinquante ans, vingt ans, comme à six mois, même enfoui, le malaise persiste. Surtout, ces temps-ci, quand je pense à Pauline Dubuisson.

La hyène, la salope. Une misérable petite putain. Une fille sans âme, une garce, un monstre. Une meurtrière qui a tué plus qu'un homme, qui a tué la pureté. Mauvaise, féroce, perverse, diabolique, insensible, amorale, tous ces mots lui ont été appliqués, plutôt jetés dessus, dans la presse et dans les rues, partout en France.

Madeleine Jacob, chroniqueuse judiciaire sans pincettes ni scrupules, a écrit dans *Libération* (le journal qui a été créé dans la clandestinité en 1941 et a couvert l'après-guerre jusqu'en 1964, pas celui de Sartre et July) : *Orgueilleuse, obstinée, sensuelle, égoïste, méchante et comédienne. Tout cela se lit au premier regard sur le visage pâle, émacié, de Pauline Dubuisson.* C'est bien, de se contenter du premier regard, Madeleine, ça évite de perdre du temps avec les traînées dans son genre. Dix ans après, ce lexique et le premier regard lui suffisaient encore. Dans un livre relatant quelques "grandes affaires" qu'elle avait suivies de son œil de spécialiste, le chapitre consacré à Pauline Dubuisson comportait à peu près les mêmes mots – la liste saoule : *glacée*, *lointaine*, *hautaine*, *méprisante*, *ingrate*, *cruelle*, *cynique*, d'un *orgueil maladif. Il y a en elle comme un besoin, peut-être inconscient, de s'affranchir de sa condition de fille.* (Quoi ? Quel culot.) Et même quarante ans plus tard, loin de la haine épidermique du début des années cinquante, avec le recul qui devrait calmer, laisser affleurer la lucidité, Jean Cau, qui avait pourtant écrit de belles pages six ans plus tôt sur Bruno Sulak, faisait part de ses états d'âme d'homme sensible dans *Paris-Match*, le 15 août 1991 : *Même en évoquant les crimes les plus affreux, on a envie d'y comprendre quelque chose, d'être tant bien que mal un peu avocat de la défense, de glisser un brin de pitié ici ou là* (tant de bonté émeut). *Avec Pauline, avec cette dure garce, ça ne marche pas. J'ai beau me tâter le cœur, il reste froid.* Il se l'est sans doute tâté encore un peu en vain, jusqu'à sa mort, deux ans après ces lignes.

Il n'y a pas que les injures et la brutalité des jugements portés sur elle. Il y a les mensonges. Dans les articles qu'ils ont écrits au sujet de Pauline Dubuisson, je crois que Madeleine Jacob et Jean Cau ont menti – et il ne s'agit ni de mensonges par omission, ni d'approximations psychologiques, ni d'interprétations tordues, mais de véritables mensonges, bien purs, comme affirmer que la voisine a une moto rouge alors qu'elle a un vélo vert. Et pas seulement eux, presque toute la presse de l'époque, les petites mains du fait divers et les habitués du tribunal, les deux romanciers qui se sont penchés sur elle. Mais peut-être qu'ils ne savaient pas. Les journalistes qui se contentent de relayer les informations transmises par la police, de faire écho à la rumeur publique ou de recopier les propos de leurs confrères sont des tocards (et je sais de quoi je parle, j'en suis un), mais pas tous des menteurs – certains si, dont le seul objectif est d'exciter la foule, de lui lancer de la chair à mordre. Plus grave car à la source, je crois que les inspecteurs qui ont enquêté sur l'affaire ont menti également – n'exagérons pas (mes potes flics du bistrot d'en bas, Pupuce en tête, ne me le pardonneraient pas), disons plutôt qu'ils ont orienté les témoignages, écarté ce qui les gênait, déformé les faits. Pire, je crois que les avocats et les magistrats qui l'ont jugée, massacrée, ont menti. Les défenseurs de la Loi, les chevaliers intègres de la Justice, je crois qu'ils ont menti sciemment, en toute connaissance de cause puisqu'ils ont lu le dossier (espérons) : ils ont triché dans l'enceinte du plus grand tribunal de France, pour écraser une jeune femme de vingt-six ans comme une punaise.

Dans l'arène du Palais de Justice de Paris, Pauline Dubuisson a combattu toute seule, en éclaireuse, face à une génération entière, celle d'avant-guerre, face même à des centaines d'années de vertu hypocrite (de mes fesses) et de domination masculine, face à une société qui ne voulait pas d'elle, qui ne voulait pas des filles comme elle – que le ciel l'en préserve. Elle n'était que ça, une fille, autant dire pour eux presque rien, mais elle les a regardés droit dans les yeux, les vieux maîtres, vaillamment, irrévérencieuse, elle n'a jamais baissé la tête, ne s'est jamais tordu les doigts en sanglotant de honte, comme doit le faire une femme, elle n'a pas poussé de cris hystériques ni jamais ne les a suppliés de lui pardonner, et cette résistance frontale, cette insolence les a rendus fous. De rage. Ils l'ont vaincue, évidemment, ils l'ont détruite.

Tout un monde l'a vaincue, l'éclaireuse. Mais sans vouloir jouer les sociologues de cafétéria ni les benêts rêveurs, quand je pense à elle aujourd'hui, c'est-à-dire souvent, je me dis que même si elle n'en a jamais rien su, c'est elle qui a gagné. Il a fallu quelque temps mais elle s'est démultipliée, les rues sont pleines de paulines.

Car je ne crois pas qu'elle ait été mauvaise, perverse, insensible et cruelle, comme on l'a si souvent dit : je crois même qu'elle était l'opposé de tout cela. Je n'en suis pas sûr, car elle est avant tout déroutante, difficile à cerner, à comprendre, si l'on s'en tient aux témoignages de ceux qui l'ont connue, même les plus proches : les images qu'ils donnent de Pauline sont contradictoires, voire souvent contraires, et dressent d'elle, juxtaposées, un portrait impossible – ça ne colle pas, c'est comme si Machin et Bidule, les deux frères de Tartempionne, vous jurent l'un qu'elle est brune et l'autre qu'elle est chauve. Il faut que j'essaie de savoir.

Dans le TGV qui m'emmène vers Rennes, où je vais consulter son dossier de prisonnière (elle a été détenue de l'autre côté, à Haguenau, en Alsace, mais la maison centrale n'y existe plus et les archives ont été transférées à Rennes, où l'on enferme les femmes aujourd'hui), je pars à l'envers, vers l'ouest au lieu de l'est, et j'ai le sentiment un peu absurde de me déplacer à l'envers aussi dans le temps, d'aller vers elle. J'ai réservé une chambre d'hôtel dans cette ville que je ne connais pas, où personne ne peut me joindre (je n'ai pas de téléphone ni d'ordinateur portable), où surtout personne ne m'attend, si ce n'est le responsable des archives départementales, le gardien des traces des morts.

En ouvrant ma canette de bière dans le train, en mordant dans ce qui est présenté comme un sandwich rare au pain unique en son genre, au fromage réputé, provenant sous le manteau de je ne sais où, et au jambon de je ne sais quel porc prestigieux, assis le corps mou et les yeux par la vitre sur je ne sais quelle campagne filante, je décide de penser sérieusement à Pauline. C'est facile, depuis des mois, je suis au bord de l'obsession, vacillant. (Anne-Catherine, ma femme, ne peut pas m'en vouloir : Pauline, c'est à peu près elle cinquante ans plus tôt.) Je ne cherche pas de communication transcendantale, de communion mystique – sublime – entre l'artiste (dont l'âme est très mobile et dotée de pouvoirs fantastiques, on apprend ça à l'école) et le fantôme de son personnage, mais je me dis qu'il faut que je m'avance vers elle, pour la voir. (Ça peut sembler mystique, je reconnais, mais non : j'y vais en train.) Que j'essaie de la comprendre. Qu'une fois face à elle (dans une salle d'archives à Rennes ou à Paris, dans une cage d'escalier du XVe arrondissement ou dans mon lit avec une pile de journaux et de vieux livres, mes lunettes sur le nez), je ne la regarde pas d'un œil grave, noir, comme tant d'autres, elle a eu sa dose ; mais légèrement, le plus légèrement possible. Avec un mélange de bienveillance et de détachement (ça devrait aller – il me semble que c'est ce qu'on doit s'efforcer de faire avec tout le monde, avec les vivants qu'on croise). Que j'essaie de la comprendre.

Ce qu'il faut surtout, pour parler technique, c'est que je n'invente, ne truque rien, là aussi elle a eu sa dose. Que je m'efforce d'être le plus précis, le plus juste, le plus fidèle qu'on puisse être si loin dans son futur. (Pas question de prétendre détenir une quelconque vérité, je suis un petit gars simple et modeste, mais juste : ne pas raconter de salades. Paul Valéry aurait déclaré ou écrit, mais personne ne dit où, je ne trouve pas et j'ai la flemme de chercher partout (que ce soit lui ou ma tante n'a pas tant d'importance, du moment qu'on est d'accord) : « Il y a plus faux que le faux, c'est le mélange du vrai et du faux. » Je suis l'ami de la fiction, je le jure (je passe mon temps à lire des romans, policiers par exemple, et suis toujours épaté d'y – comment dire ? – croire, de m'intéresser à des faits imaginaires ou de m'inquiéter pour des gens qui n'existent pas, comme un enfant devant *Bambi*), mais qu'on s'approprie l'existence et l'âme de quelqu'un et qu'on en fasse ce qu'on veut, je ne sais pas, ça me gêne un peu. Dans le roman *La Ravageuse*, publié près de trente ans après la mort de Pauline, Jean-Marie Fitère la fait parler à la première personne, et invente les trois quarts de sa vie et de ses pensées. C'est le coup de main de l'artiste à la pauvre et simple mortelle – « J'ai arrangé un peu la réalité mais c'est pour ton bien, si tu étais là tu me remercierais. » (J'ouvre cette parenthèse un an après la phrase qui précède (je suis en train de terminer le livre). Je viens de lire un roman de Jean-Luc Seigle sur Pauline Dubuisson, sorti cette semaine. Le principe narratif est le même que celui de Fitère. J'ai d'abord pensé retirer les mots écrits ci-dessus, pour ne pas donner dans la petite bataille ridicule genre cour de récré d'école primaire de littérature, mais dans son avant-propos, il consacre un passage aux biographies, ou du moins aux livres qui ne s'attachent qu'aux faits : il considère qu'ils constituent un *crime littéraire* (me voilà mal barré), dont l'arme est, paradoxalement, estime-t-il dans ces lignes préliminaires, *une écriture sans vie, à la différence du roman* – c'est de bonne guerre. Donc bon, je laisse les miennes, de lignes. (Viens là, vas-y, viens là.) *Je vous écris dans le noir* a la qualité, rare, de "défendre"

Pauline, mais à peu près tout ce qu'on y trouve sur elle est – non pas approximatif, imprécis ou décalé : volontairement faux (de son point de vue, Seigle a raison puisque la vérité, qu'on ne peut qu'approcher comme au zoo les tigres, qu'on n'attrape et n'étreint, n'obtient évidemment jamais, n'est pas dans l'intention de son livre, il cherche avant tout à faire le portrait d'une femme, à la recréer – mais on a déjà beaucoup recréé Pauline, on n'a même fait que ça). Il y a de la vie dans ce roman, c'est sûr, je le reconnais de bon cœur, serrons-nous la main, mais ce n'est pas celle de Pauline Dubuisson.) Ce qu'on a dit et ce qu'on dit encore parfois (donc) de la vie de Pauline Dubuisson est plus faux que faux – pas de bol ; je n'aimerais pas que ça arrive à ma mère, ni à moi : *Philippe Jaenada, saltimbanque au cœur tendre, était un grand amateur de vodka-fraise et de courses de cochons*.) Pour essayer de ne trahir ni Pauline ni mon projet, il faut que je sois rigoureux et – comme un petit chercheur en blouse blanche (au cœur tendre, allez) qui baisse le nez sur son microscope – soucieux des détails. Où se trouve le diable, paraît-il.

Chapitre premier

Tout à signaler

Dans une chambre du deuxième étage de la villa Les Tamaris, au 63 digue de Mer, à Malo-les-Bains, Pauline remet sa culotte. Elle est fière d'elle, je pense. Dans son dos, terrassé, nu sur le lit en champ de bataille, le jeune soldat allemand, l'aide du major qui occupe la villa depuis dix mois, respire bruyamment, ruisselant de sueur. Elle est trop forte.

Pauline se penche pour récupérer son soutien-gorge sur le tapis, mais au moment de l'agrafer, elle change d'avis et le lance derrière une chaise : demain matin, ça fera enrager la femme de ménage, cette vieille peau qui ne peut pas la supporter – Germaine Charrignon, quarante-neuf ans, dont le mari est prisonnier en Allemagne, et qui n'a donc aucune ressource, est obligée de travailler pour les Boches. Quand elle a vu entrer la gamine dans cette maison, au début, elle a bien essayé de lui faire la morale, elle a même failli la gifler lorsqu'elle a découvert, la première fois, l'état de la chambre après son passage, mais elle s'est retenue, elle ne peut pas se le permettre, elle est dans le camp des vaincus. Et cela n'aurait servi à rien, car Pauline s'en fout, de son regard sévère et de ses leçons à la noix, elle a sa conscience pour elle : c'est son père qui l'a envoyée ici.

Elle ramasse sa robe, la secoue un peu – une robe à fleurs, c'est bientôt le printemps – et l'enfile en souriant, amusée à la pensée de sortir tout à l'heure, sous les yeux outrés de la Charrignon et de la mère Druaert, la patronne croulante de l'hôtel du Nord, mitoyen de la villa (aujourd'hui, c'est un immeuble d'habitation avec des bureaux au rez-de-chaussée, étonnamment nommé La Vigie), puis sous les yeux acides de tous ceux qui la croiseront sur les cinq cents mètres qui la séparent de chez elle, au milieu des ruines, sans soutien-gorge. De toute façon, elle n'en a pas besoin, ses seins sont fantastiques, elle s'en félicite tous les matins devant le miroir. Pas énormes, mais très fermes. La semaine prochaine, elle fêtera ses quatorze ans.

Ça commence mal. J'assure que je ne vais rien inventer ni truquer, et me voilà à parler du jeune soldat ruisselant de sueur, de la robe à fleurs (bleues ?) que secoue Pauline et de ses seins pas énormes mais très fermes. Le reste est authentique, la villa Les Tamaris, le début du mois de mars et bientôt quatorze ans, Germaine Charrignon, le soutien-gorge par terre, mais si je me mets (c'est tentant) à imaginer les halètements du soldat ou le sourire de Pauline quand elle enfile sa culotte, je me retrouve vite à écrire *Passion sous les bombes* ou *Sensuelle Insoumise* et plus personne ne me fait confiance – surtout pas elle (or les femmes mortes, c'est comme les chats, on ne peut pas les approcher si elles n'ont pas confiance). Soyons sérieux.

Pauline Dubuisson est née le 11 mars 1927 à Malo-les-Bains (dix mois après Marilyn Monroe et quatre avant Simone Veil), et ce n'est pas n'importe qui : son arrière-arrière-grand-oncle, Thomas Gaspard Malo, est le fondateur de la commune – aujourd'hui rattachée à Dunkerque. Dans son enfance, sur la pelouse de ce qu'on appelle le "Petit parc" de Malo, elle joue au cerceau, ou à un truc dans le genre, sous le buste de son ancêtre, ça doit faire bizarre. (J'imagine mon fils taper dans un ballon avec ses potes au square Villemin, le long du canal Saint-Martin, devant la statue de sa grand-mère qui a fondé Paris, il serait tous les jours capitaine de l'équipe, sûr.) Thomas Gaspard, né en 1804, n'était pas n'importe qui non plus : son père était le tout dernier corsaire de Dunkerque, un siècle après Jean Bart, Guillaume Gaspard Malo, une pointure des vagues, un cador buriné qui ne savait pas lire mais n'avait peur de rien – aucun rapport, d'ailleurs, savoir lire n'a jamais empêché d'avoir peur (je dirais même au contraire, mais bref). Né en 1770 à Dunkerque, où il mourra soixante-cinq ans plus tard, Guillaume Gaspard a commandé douze navires au cours de sa carrière, bataillant rudement en particulier contre ces cochons d'Anglais, leur voguant furieusement au train pendant vingt ans et leur montrant souvent qui c'est Gaspard.

Le problème, c'est qu'il a commis une drôle de bourde : il a marié une Rosbif. Avant même le début des hostilités avec la perfide Albion, ce couillon n'a rien trouvé de mieux à faire, à vingt et un ans, que d'aller se laisser passer la corde au cou à Hitcham, un trou paumé du sud-est de l'Angleterre, près de la station balnéaire de Felixstowe. Il a épousé une certaine Mary Parker (on ne fait pas plus anglais, il les accumule), qu'il avait probablement déshonorée trois mois plus tôt lors de l'une de ses balades de beau marin français – "Connaissez-vous Paris ?" – sur le bord de mer du Suffolk. Or à mon avis, même si je ne peux rien affirmer, coucher avec l'ennemi, c'est rarement source de chance. Ça sent même pas mal la malédiction à venir.

Cette trahison anticipée ne lui a pas porté directement préjudice, on ne lui en a pas voulu, puisque ce n'est qu'un peu plus d'un an plus tard que les Anglais ont décidé de guerroyer contre ces excités de Froggies, mais d'un point de vue, comment dire, magique, c'est une autre histoire. D'abord, cinq ans plus tard, c'est à Clacton-on-Sea, une autre station balnéaire toute proche de Felixstowe (il n'y a pas de hasard), que Guillaume Gaspard Malo a subi sa plus humiliante défaite. À bord d'un lougre baptisé *Les Grâces*, il s'est fait courser par le capitaine Robert Adams sur son cotre *Viper*, beaucoup plus rapide. (Un cotre qui poursuit un lougre, on savait s'amuser, à l'époque.) Bien qu'il ait fait jeter toute la cargaison du navire par-dessus bord (la déroute totale, pour un corsaire) dans l'espoir de gagner quelques nœuds, Guillaume Gaspard se faisait rattraper et a dû se résoudre à échouer son bateau entre Clacton-on-Sea et Felixstowe puis à se mettre à courir vers l'intérieur des terres avec ses hommes, avant de se faire coincer par une population aussi peu compréhensive que francophile, et emprisonner.

Mais ça, ce n'est rien, une (mauvaise) fortune de mer, de guerre, ça fait partie du métier. Dans la catégorie retour de bâton, il y a plus sournois. Guillaume Gaspard et Mary Parker ont eu sept enfants, tous nés à Dunkerque, où le corsaire avait ramené sa belle et la tasse de thé qui allait avec. Ayant fait (bonne) fortune en pillant les navires de capitaines moins redoutables que Robert Adams, puis devenu armateur en association avec Célestin Lefebvre, un vieux renard du littoral, et regrettant sur le tard de ne pas être capable de déchiffrer facilement les noms de rues de sa ville natale (au moins, en mer, il n'y a pas de panneaux), il a permis à ses rejetons de faire les plus belles études possibles, les plus chères. Dans un premier temps, cette ingénieuse idée a donné de bons résultats. Ses filles ont réussi de beaux mariages et ses fils se sont plutôt bien débrouillés de leur côté aussi, notamment Thomas Gaspard et Célestin Thomas : ils ont fondé ensemble une manufacture de toile à voiles à Dunkerque, Célestin Thomas a été élu maire de Coudekerque-Branche, commune voisine, et Thomas Gaspard, député du Nord à l'Assemblée nationale, devenu riche grâce à tout un tas de commerces (de la morue aux ponts métalliques, en passant par la construction de bateaux et de chaudières à vapeur), a acheté 641 hectares de dunes sur le territoire de Coudekerque-Branche, le 11 février 1858, avec un plan en tête : y faire pousser de la luzerne. Ça devrait rapporter, la luzerne. Malheureusement, des clous – même pas. Trop de vent, trop de sel, un sol trop meuble, je ne suis pas un spécialiste de la luzerne (loin s'en faut), mais voilà, ça rate. Têtu, il retente le coup avec des saules et des pins maritimes : ça rerate. Qu'est-ce que c'est que ces dunes ? Faut pas les chercher, les Malo : il les rase entièrement, les dunes, les aplanit et les découpe à la hache en parcelles qu'il revend à des particuliers qui rêvent de belles villas en bord de mer. Ses amis des milieux politique et artistique parisiens se précipitent et, chacun essayant de rendre le voisin jaloux, font construire tous azimuts une tripotée de villas aux styles différents – la villa Les Tamaris, entre autres, où la lointaine descendante de Thomas Gaspard découvrira les joies et forces du sexe. Rosendaël, le hameau rattaché à Coudekerque sur lequel se développe cette station balnéaire surgie du sable, devient autonome en 1860, et le front de mer étant rapidement saturé, Gaspard (je vais l'appeler Gaspard, c'est plus simple) fait don à la mairie de plusieurs zones de son petit royaume, pour que soient percées rues et avenues. Il inaugure un hippodrome, le brave homme, des investisseurs parisiens font bâtir un bel et grand établissement de bains de mer, la Villa des Dunes, qui deviendra un casino, et tout ce qui porte un haut-de-forme ou un maillot rayé afflue. En 1891, sept ans après la mort de Gaspard, son créateur nul en luzerne, cette partie de Rosendaël devient à son tour autonome. On trouve un nom assez logique à cette nouvelle commune : Malo-les-Bains. On parle à ce moment-là de « la reine des plages du Nord ».

On pourrait se dire, à première vue, que courage et fureur maritime font bonne descendance, même lorsqu'on a pris le risque fou de culbuter une fille de l'ennemi, mais ce serait loucher sur le bout de son nez. Il faut au moins une génération pour que la malédiction, qui a tout son temps, se mette en branle. Au cours de mes recherches, j'ai trouvé une *Note sur la situation familiale de Pauline Dubuisson*, apportée au dossier par un inspecteur de police de Dunkerque. Sous le titre *Ascendance supérieure*, on lit :

Branche Dubuisson :

Deux parties :

Branche Dubuisson proprement dite : Rien à signaler.

Branche Lefebvre (grand-mère paternelle de Pauline Dubuisson) : Tout à signaler.

Edouard Célestin Malo (cousin germain de l'arrière-grand-père de Pauline Dubuisson) : Nettement déséquilibré. Connu sous le nom de "Le fou Malo".

Suzanne Marie Malo (sœur du précédent) : A dû être pourvue d'un conseil judiciaire pour faiblesse d'esprit.

Alexandre Lefebvre (arrière-grand-père de Pauline Dubuisson) : a terminé sa vie fou.

Sophie Adolphine Lefebvre-Dubuisson (grand-mère de Pauline Dubuisson) : Crises d'absence complète répétées.

Eugénie Lefebvre (grand-tante) : toujours considérée comme "détraquée", est décédée dans cet état devenu chronique.

Alexandre Benoît Malo-Lefebvre (grand-oncle) : Tenu pour un esprit sérieusement original. Décédé en état de semi-folie.

Dans cette famille peu stable, c'est donc Sophie Adolphine qui a fait la jonction avec la branche Dubuisson. Le 16 juillet 1881, elle a épousé un Émile qui s'était lancé dans les travaux publics au moment de l'essor de Malo-les-Bains, venait de perdre sa femme et cherchait une remplaçante. Protestant calviniste pur et dur, issu d'une famille où la rigueur, l'obéissance et l'hygiène mentale tenaient lieu de qualités nécessaires et suffisantes, il ne savait certainement pas ce qu'il faisait en unissant sa lignée, machinalement, à celle des Malo. La malédiction se frottait les pattes.

Avant de mourir et de le laisser se jeter seul dans les pattes en question, sa première épouse, Louise, lui avait donné un fils, quatre ans plus tôt : ils l'avaient prénommé Émile, comme lui, c'est le plus simple. Pas de souci pour celui-ci, il deviendra ingénieur des Arts et Manufactures, président de la chambre de commerce de Dunkerque, et père de deux bonnes graines.

Le 28 juin 1882, onze mois seulement après son mariage avec la souvent "absente" Sophie Adolphine, faut pas traîner, Émile Dubuisson Sr. obtenait un deuxième enfant, André (le futur père de Pauline, on y arrive). Puis une fille, Suzanne.

André Dubuisson, élevé surtout par son père, dans la froideur et même une sorte d'indifférence (il l'a plus ou moins laissé pousser tout seul, autre chose à faire qu'apprendre la vie à un mioche), mais probablement marqué tout de même par les flottements imprévisibles de sa mère, a pris son temps avant de choisir une compagne, peut-être dans un effort louable pour corriger le tir, en tout cas pour ne pas reproduire l'étourderie de papa, engendrée par la hâte de se remettre en couple. Après de brillantes études, comme son demi-frère Émile, à l'École centrale des Arts et Manufactures de Paris, dont il est lui aussi sorti ingénieur, il a repris avec celui-ci, et avec succès, l'entreprise de travaux publics fondée par leur père. Ensuite, à vingt-huit ans, il a porté son choix sur une demoiselle Hélène Hutter, de six ans sa cadette, qui présentait apparemment toutes les garanties : sérieuse, réservée, semblant avoir compris que la place idéale pour une femme se trouve dans l'ombre de son mari, et issue d'un élevage de bons protestants (il y a plus de pasteurs dans sa famille que de saucisses à Francfort), elle devrait convenir. Ses parents (qui étaient cousins) disaient affectueusement d'elle qu'elle avait « l'esprit artiste » – c'est jamais bon, André aurait dû se méfier.

Le plus inquiétant, tapi sous les apparences, c'est que si la famille d'André a la malédiction sur le dos, celle d'Hélène ne paraît pas non plus particulièrement favorisée par le sort. (Dans sa note d'ascendance familiale, l'inspecteur dunkerquois écrit : *Branche Hutter : Rien à signaler.* Il aurait dû creuser un peu.) Parmi ses cinq frères et sœurs, le petit Pierre est mort à quatorze mois, la petite Aimée à douze ans, la petite Madeleine à quinze, et le jeune René ira se faire pulvériser pour la France en 1916, dans les Vosges, juste après avoir épousé sa cousine Marguerite, qui mourra quelques mois après lui, suicide ou chagrin, je ne sais pas. (Autant côté Malo (et donc Dubuisson), la décadence semble tombée du ciel ; autant, côté Hutter, on l'a un peu cherchée : les époux Marguerite et René, les malheureux, étaient doublement cousins, car non seulement leurs grands-pères respectifs étaient frères, mais les femmes de ceux-ci, les grands-mères, étaient sœurs. Lesquelles sœurs étaient les cousines germaines des frères qu'elles ont épousés, leur père étant le frère de la mère de leurs maris (ils cherchent les embrouilles, on ne peut pas dire le contraire). Et c'est de là que vient Hélène.)

Mariés à Malo-les-Bains au printemps 1910, Hélène et André auront quatre enfants, fruits, donc, de la folie et de la malchance. D'abord trois en rafale : le 21 mai 1911 naîtra Gilbert (qui ne leur donnera pas beaucoup de satisfactions – j'ai changé le prénom, car il a eu pas mal d'enfants lui aussi et je ne suis pas certain de n'avoir que des douceurs à écrire à son sujet), le 8 juillet 1912, François (qui mourra jeune) et le 8 mars 1914, Vincent (qui mourra jeune). Au début du mois d'août suivant, à trente-deux ans, André a dû enfiler un uniforme bleu horizon et s'en aller régler leur compte aux Fritz. Il en ressortira en 1918, non seulement vivant mais colonel du génie et officier de la Légion d'honneur. Après un certain temps de récupération, long mais compréhensible, il fécondera Hélène une dernière fois. Ils habitent à ce moment-là dans ce que les gens du coin appellent le « chalet russe », une belle maison de bois construite à l'époque de Gaspard, au 23 de la place du Kursaal, au bord de la mer, tout près du casino. Le 11 mars 1927, à l'hôpital de Rosendaël, Hélène met Pauline au monde.

Chapitre deux

Normale, volontaire parfois

Bien que renommés et respectés dans le coin, d'une part en raison de leur glorieuse ascendance, le buste et tout le toutim, d'autre part grâce au palmarès professionnel et militaire d'André (dans une enquête confidentielle réclamée bien plus tard par l'administration pénitentiaire, un fonctionnaire local écrira : *Cette famille est très honorée par les habitants un peu simples de Malo*), les Dubuisson vivent repliés sur eux-mêmes, peu amènes, presque enfermés dans leur grande maison de bois, à l'écart des ordinaires, c'est-à-dire des vulgaires et des faibles. Hélène, simple présence vaporeuse, mélancolique, évoluant mollement dans les parages de son mari, se plonge tout entière dans la religion, sa seule source de joie, d'intérêt, de bonheur intérieur. Elle ne vit pour rien d'autre, pas même pour ses enfants (dont l'homme se charge), en groupie sombre de l'église réformée de Dunkerque. À cette époque-là, avant les drames, il lui arrive encore toutefois de manifester un peu d'entrain quand le Seigneur l'appelle, comme lors des fêtes annuelles de la paroisse à Malo, où elle fait ce qu'elle sait le mieux faire, peut-être même la seule chose qu'elle sache faire, qui l'extrait du néant : elle joue du violon. « C'était merveilleux », se souviendra l'un de ses neveux, Alain Hutter. Mais en dehors de ces petites sauteries bigotes, elle ne sort pas de chez elle. Aussi curieux que ce soit quand on fait partie de l'une des familles les plus en vue d'une petite ville, quasiment personne à Malo ne la connaît.

Un esprit brillant. Remarquable, même. C'est ainsi que Simone France, fine, juste et sensible plume (si l'on convient parallèlement que Pinochet était un ange froufroutant), voix d'or du magazine *Détective*, décrira André Dubuisson en octobre 1953. Elle lui prête toutes les qualités que l'on puisse souhaiter pour un homme, un vrai. Il en a, c'est sûr, mais pas que. Intelligent et cultivé, rude, exigeant et directif, il est par conséquent autoritaire (il a dressé ses trois fils (essayé, du moins) comme un gradé dresse des demi-portions de troufions à l'armée – sa femme, elle, n'a pas présenté de difficulté, elle ne bouge pas une oreille) et plus qu'orgueilleux, méprisant à l'égard de tout ce qui n'est pas, selon lui, à son niveau.

Il regrette sans doute que son père Émile ne lui ait appris qu'à obéir, mécaniquement, et rien d'autre de la vie. Il ne commettra pas la même erreur, il guidera ses enfants vers ce qu'il estime bon pour eux : le dessus du lot. Mais avec la même méthode que son père, la seule qu'il connaisse, sèche, rigide, les sentiments sous le tapis. J'imagine à peu près parce que j'en côtoie une tripotée, de protestants purs et durs : toute ma belle-famille. Les protestants (du calme, il faut que je prenne garde à ne pas généraliser – c'est pas gagné) sont évidemment aussi émotifs, aimants et instables que n'importe qui, mais le dissimulent souvent sous quelques couches de métal. Si l'on s'en tient à la surface, des notions assez humainement utiles et répandues ailleurs comme le plaisir ou la diplomatie quotidienne (celle qui évite par exemple de dire à sa tante que le pull qu'elle vous offre pour votre anniversaire est ridicule) semblent avoir été oubliées, balayées au fil des générations. On est franc, dur, différent. Il y a cependant, je crois, ou il y avait, des nuances importantes entre calvinistes et luthériens. En tout cas (du calme), entre la famille alsacienne de ma femme et les Dubuisson. Dans la famille alsacienne de ma femme, sa mère surtout, on baisse la tête (je vais me faire déchiqueter à Noël), on respecte l'autorité, du moins on fait comme si, on ne cherche pas à remettre en question ni même à contredire celui qui est au-dessus de soi : on apprend aux jeunes à rester à leur place, on leur explique que si plus tard ils donnent satisfaction à leur patron, ils auront réussi leur vie. Chez les Dubuisson, c'est à peu près l'inverse : André apprend à ses enfants à dédaigner les autres, à pousser celui qui est au-dessus de soi pour prendre sa place. Ce sont deux variantes opposées d'une forme d'insensibilité sociale (simulée, je suis sûr). Par ailleurs, une chose qui n'est pas très en vogue chez les protestants, c'est le pardon. (Mon fils, baptisé protestant pour faire plaisir à ma belle-famille (en ce qui me concerne, je ne voyais pas de raison d'empêcher farouchement qu'on lui balance trois gouttes d'eau sur la tête, et moins encore de me soucier que ce soit de l'eau catholique ou protestante) est furax et nous en veut à mort : catholique, il pouvait faire n'importe quelle bêtise, il lui suffisait d'aller se confesser et le ciel lui foutait la paix ; protestant, il doit traîner la moindre boulette toute sa vie comme un boulet. Bon, en réalité, il s'en tape, il ne croit pas plus en Dieu qu'en Fifi Brindacier (Pippi Langstrumpf du côté de l'Alsace), mais c'est pour le principe.) Le pardon, chez la plupart des protestants, c'est à soi qu'on ne l'applique pas sur un claquement de doigts. Chez les Dubuisson, c'est aux autres.

(Il faut que j'ouvre ici une parenthèse qui n'a pas tout à fait sa place dans l'histoire, mais je ne peux pas faire autrement car il vient de m'arriver quelque chose de bouleversant, effrayant même, aux frontières du surnaturel – sans exagérer. Il s'agit de saucisses. Il y a cinq minutes, j'ai reçu un e-mail de mon ami Richard Gaitet, dit Chante-Fort, écrivain de talent et animateur sur Radio Nova. Il m'explique qu'il organise une soirée de lecture, qui sera diffusée en direct sur Nova, en partenariat avec un food-truck de hot-dogs. Jusque-là, rien de très effrayant, mais voici le principe : toutes les personnes qui viendront lire un extrait de roman contenant le mot *saucisse* se verront offrir un bon hot-dog. Je lui ai répondu (du tac au tac) que tiens, c'est drôle, je l'ai écrit hier matin, le mot *saucisse*, dans le cadre d'une judicieuse comparaison avec les pasteurs. Ça m'a amusé, mais pas à proprement parler bouleversé, tout de même – j'en ai vu d'autres, je suis buriné. C'est après que ça fait peur. De nature curieuse, je me suis dit : "Voyons s'il n'y a pas le mot *saucisse* dans un autre de mes livres." J'ai donc tapé *saucisse* dans la zone de recherche du dossier qui contient tous mes livres sur mon ordinateur. Mes yeux se sont écarquillés comme des soucoupes volantes : j'ai écrit huit romans jusqu'à présent, neuf en comptant celui-ci, je les ai vus s'afficher les uns après les autres. J'ai mis un moment à encaisser : de 1997 à nos jours, alors que mes histoires ne se déroulent jamais dans l'univers de la charcuterie, et que personne de ma famille, ni même plus généralement de mon entourage, n'a jamais confectionné ni vendu la moindre saucisse, ni n'a été pasteur, je n'ai pas publié un seul roman qui ne contienne pas le mot *saucisse* (et je jure sur la tête de mon fils (ce que je n'ai pas l'habitude de faire, mais à situation extrême, serment extrême) que ce n'est pas volontaire – il faudrait que je sois malade). Enfin, ce n'est pas tout à fait exact : dans *Vie et mort de la jeune fille blonde*, sorti en 2004, il n'est pas question de *saucisse*. (*La Petite Femelle* est en revanche en train de battre des records.) C'est d'ailleurs celui de mes romans qui s'est le moins bien vendu, nettement. Refusant d'admettre ce que la logique était en train de me ricaner à l'oreille (je ne vends des livres que s'ils parlent de saucisse ?), j'ai vérifié si je n'y avais pas évoqué une chipolata, une merguez, des choses comme ça… Bien m'en a pris. Dans *Vie et mort de la jeune fille blonde*, le roman apparemment sans saucisse, on trouve une *Knacki Herta*. La version commerciale de la saucisse. Lourde erreur. J'ai écrit autre chose, *Les Brutes*, en collaboration avec Dupuy & Berberian, ce n'est pas un roman mais une nouvelle associée à leurs dessins, plus courte donc, plus condensée. Pas de saucisse dedans. En revanche, ce démon qui s'est sans doute invité en moi m'a fait y glisser, sans obligation particulière évidemment, un *saucisson*. La version dense de la saucisse. Je… j'ai du mal à y croire. Dans TOUS mes livres ? Essayez de vous mettre deux secondes à ma place. Je suis peut-être comme possédé par les saucisses.)

Le colonel André Dubuisson est austère, il est même à l'austérité ce que l'eau est à l'humidité, grand, très maigre, laid, de petits yeux rapprochés, le visage minéral et creusé, les cheveux ras. Mais j'ai une photo de lui en uniforme : au fond de ses yeux flotte quelque chose d'incertain, d'un peu perdu, au loin, de désespéré dès le départ. Peut-être est-ce une trace de sa mère, de certains de ses ancêtres : en fixant la photo suffisamment longtemps et avec le plus d'objectivité possible, ce qui n'est pas facile, on le démasque, on le devine inquiet et cherchant à le cacher, sensible malgré lui, fragile. Dans la vie de tous les jours, son amour-propre, son ambition et son autorité lui servent probablement de bouclier, ou plutôt d'armure, de la même manière que son uniforme de colonel camoufle peut-être, je n'en sais rien, un torse malingre, un corps souffreteux. Je pense que c'est un homme gentil. Mais il faut bien gratter. Ses deux passions, ce sont les chevaux et surtout les bateaux, qui ont fait l'honneur et la réputation de sa famille. Le salon du chalet russe est empli de belles maquettes en bois qu'il met des semaines à confectionner.

Au printemps 1927, treize ans après le dernier garçon, surgit sa première fille. André a quarante-cinq ans. La naissance de Pauline va animer cette sensibilité enfouie en profondeur, qui le restera d'ailleurs, et éveiller sa part – étrangement – féminine (étrangement car d'après moi, ceux qui le croisent à Malo-les-Bains doivent le trouver féminin comme un marteau-piqueur allemand). Dès les premiers jours, il l'aime comme la mère juive de légende aime son fils. Il va faire n'importe quoi.

Pauline est apparue sur terre au milieu des belles Années folles, mais belles, elles ne le seront pas pour elle, et il s'en faudra de beaucoup. Son père intrigué la regarde sortir de son état de bébé et, même si cela paraît déconcertant et presque risible, il se retrouve en elle : il sent qu'elle a son tempérament, les mêmes possibilités que lui. Les trois garçons ne lui ont pas donné cet espoir, Gilbert semble un peu fainéant et ne s'intéresse à rien, François est un bon petit soldat mais manque de caractère, et Vincent est un rêveur (le 21 mai 1927, jour de l'anniversaire de son grand frère Gilbert, il a treize ans quand le *Spirit of Saint-Louis* de Charles Lindbergh passe au-dessus des côtes françaises, un peu avant vingt heures, après avoir traversé l'Atlantique depuis New York : Vincent n'aura plus qu'une envie, qu'un but, voler), un fantaisiste dont on peut craindre qu'il soit "tombé sur sa grand-mère", Sophie Adolphine. Si André ne se trompe pas, Pauline n'est pas comme eux. Elle est meilleure.

Sa mère, qui erre près d'elle sans vraiment la voir, se rappellera tout de même que « petite, Pauline était normale, volontaire parfois, mais sans excès ». Son père va se charger de la modeler sur cette bonne base. Il compte en faire en quelque sorte son double féminin (on prend ce qu'on trouve), mais en l'améliorant : sans cette émotivité, cette faiblesse intérieure qui le handicape selon lui. Dans l'enquête sociale sollicitée par la prison de

Haguenau, que je consulte le matin à Rennes, après une longue soirée à traîner seul dans les bars de la ville à la recherche de bon whisky utile et une nuit de mauvais sommeil la télé allumée (libre et mal à l'aise), presque seul dans une grande et belle salle d'archives, lumineuse, je lis : *Il l'a formée comme il aurait souhaité l'être.*

Il va se jeter sur elle, en fait. Son intention de départ n'est pas mauvaise, il veut la protéger, plutôt lui apprendre à se protéger elle-même, lui donner des armes dont elle aura besoin et en faire ainsi une personne qu'on ne blessera pas, mais les hôpitaux psychiatriques et les trottoirs où les corps tombés du septième s'écrasent sont pavés de bonnes intentions de départ. Pour être certain de ne pas rater son grand œuvre, André va prendre toute l'éducation de sa fille en main. Première décision : elle n'ira pas à l'école. Cela lui évitera tout risque de contamination mentale (les enfants, ça joue, c'est idiot, c'est sale, c'est faiblard). Hélène ne cherche même pas à discuter. Dans son merveilleux rapport de 1951, l'inspecteur-chef Jean Barrière (j'ai changé le nom, ce n'est pas du luxe), principal enquêteur sur l'affaire L27501, décrira la mère de Pauline de cette mâle et affectueuse manière : *Une brave femme dont la personnalité était effacée par celle de son mari. Bonne épouse, elle n'a pas essayé de réagir et a laissé à son mari le soin de s'occuper de l'éducation des enfants.* Dans ces années-là, et pour quelques-unes encore, c'est la définition consacrée de la "bonne épouse" : celle qui n'essaie pas de réagir quand son mari décide un truc.

Pour la partie purement scolaire, André embauche une préceptrice expérimentée qui viendra tous les jours au chalet russe, sauf le week-end. Elle est chargée de truffer Pauline de connaissances, comme on entre, entrera, dans le futur, des données dans un ordinateur

– les enfants sont des ordinateurs, ils avalent tout sans broncher puis stockent et classent automatiquement. Elle la remplit sans traîner, inutile de se calquer sur le rythme arbitraire et prudent de l'école communale, qui produit des semi-crétins mous. Très tôt, dès ses trois ans, elle lui apprend le calcul, la lecture et l'écriture bien sûr, mais aussi l'histoire et la géographie, l'anatomie, et surtout, l'employeur insiste là-dessus, lui qui n'a pas eu la chance d'être correctement formé, l'anglais et l'allemand (papa a du flair). Pauline est bonne élève, elle enregistre tout, son père n'a pas misé sur elle à tort. Du point de vue de la fillette, c'est un peu moins réjouissant, elle passe ses journées presque entières enfermée dans le salon triste et sombre du chalet à assimiler puis réviser ses leçons, cernée de meubles cirés, des napperons de la mère, d'obscurs tableaux équestres et des maquettes du père, alors que la vie, la lumière, la mer et les enfants qui jouent sont à deux pas, mais tu verras, tu me remercieras plus tard.

Quand il rentre du boulot le soir, André ne lui apporte pas beaucoup de distraction. Le travail élémentaire effectué, il s'occupe quant à lui des aspects plus philosophiques de l'éducation, de l'abstrait, de l'âme : ce qui fera vraiment la différence. Il veut lui donner des muscles mentaux, des idées fortes que rien ni personne ne pourra entamer. Après avoir jeté un coup d'œil fier et satisfait sur ses cahiers (et sans l'avoir embrassée en arrivant, prise dans ses bras ni même touchée, jamais, car le contact humain s'apparente toujours plus ou moins à de la tendresse, émanation pernicieuse de la part féminine, l'ennemie interne – rien n'est plus dangereux que la part féminine, mais il veille), il entreprend de lui apprendre la vie. Et pour commencer par du facile, la première chose que lui inculque le colonel émotif, c'est que la vie est un combat. Même un enfant peut comprendre ça. Et même un enfant, à moins d'être complètement stupide, se doute bien que s'il y a combat, il est préférable de le gagner.

Comme elle est petite – elle a six ou sept ans à ce moment-là, il ne faut pas non plus trop en demander –, il lui décrit les troupes en présence le plus simplement possible : d'un côté, il y a les forts, et de l'autre côté, il y a les faibles. Pas la peine de réfléchir longtemps pour deviner qui s'en tire le mieux. (La petite Pauline hoche la tête, je suppose.) Non seulement, donc, il convient de devenir intrinsèquement fort soi-même, il fait tout pour l'aider sur ce point, mais ce n'est malheureusement pas suffisant, on ne peut pas lutter seul : si possible, il faut toujours essayer de se mettre du côté des autres forts. Ce sont eux qui récoltent le meilleur de la vie, du monde. Tu comprends ? Je suis fort, tu es forte, nous aimons les forts. Maintenant, va dormir.

Le lendemain ou la semaine suivante, il affine et précise en creux, pour que tout soit bien clair dans l'esprit de sa fille. Qui sont les faibles ? Les faibles, ce sont ceux qui se lais sent aller, d'une manière générale. Foutus, ceux-là – donc méprisables. Ceux qui n'étudient pas assez, évidemment, qui manquent d'ambition, mais aussi ceux qui ont peur, qui hésitent, ceux surtout qui laissent paraître leurs sentiments, leurs émotions. Car les forts s'en servent pour les écraser, profitant de la moindre faille. (J'imagine, à deux mètres de là dans le salon plongé dans la pénombre, on entend la respiration régulière d'Hélène, ses chaussons qui traînent sur le parquet.) Ce que Pauline doit impérativement acquérir, c'est la faculté de contrôler ses réactions spontanées, de réprimer ses élans (elle saisit bien le sens : elle a souvent envie, par exemple, de se blottir contre son père, mais elle n'en a pas le droit), elle doit réussir à ne rien extérioriser, à se montrer indifférente en toute circonstance. À la guerre comme partout, les armes sont indispensables, mais dans le combat plus subtil de la vie, on est encore trop vulnérable sans un masque. C'est très important. Maintenant, va dormir.

Que ça lui plaise ou non, Pauline n'oubliera jamais ça. C'est une petite fille, elle accepte et retient par nature, comme on retient pour toujours qu'il faut s'habiller pour sortir ou regarder la couleur du petit bonhomme avant de traverser. Elle écoute son père, rien d'autre.

Mais le masque, ce sera pour plus tard, elle n'en a pas l'utilité maintenant – hormis pour montrer à son père que tout va bien comme ça, lui faire croire qu'elle n'a besoin de rien d'autre que ce qu'il lui donne, ni de la compagnie d'autres enfants, ni de marques d'affection de sa part. La première conséquence, inévitable, de l'enseignement d'André, qui ne l'avait peut-être pas consciemment prévu, c'est le regard que porte Pauline sur sa mère. Il ne se l'avoue pas mais il lui apprend, comme sur un sujet d'étude simple, proche et disponible, à mépriser sa mère. Hélène est l'incarnation de cette faiblesse qu'il lui décrit comme à la fois dégradante et handicapante. Réservée, plaintive, humble et obéissante : voilà exactement ce qu'il ne faut pas devenir.

Même s'il est pédagogue comme je suis ballerine russe, André n'est pas idiot et se rend tout de même compte qu'il demande de gros efforts à sa fille pour le suivre, si jeune, sur ce chemin, lui prend beaucoup de temps et la prive d'une partie (certes futile) de son enfance. D'un côté, il a bonne conscience, il sait que c'est pour son bien (tout ce qu'il désire, c'est qu'elle soit supérieure aux autres, seuls les mous et les asservis congénitaux pourraient lui reprocher ça), de l'autre, son amour pour Pauline l'adoucit malgré lui, il sent confusément que ce n'est pas évident pour elle, d'autant qu'il ne rigole pas quand il s'agit de lui faire entrer des idées dans le crâne : il faut que ça entre, qu'elle le veuille ou non. Pour compenser, il la traite comme un être exceptionnel, lui passe tous ses caprices (de plus en plus fréquents, forcément), en fait à la fois sa prisonnière et la reine de la maison. Seul éducateur, il alterne très équitablement l'autoritarisme et le laxisme. On imagine ce que cela peut causer dans la tête d'une personne de sept ans. Mais c'est le seul moyen qu'il a trouvé pour se sentir le droit de construire sa fille comme un bateau, de la blinder comme un cuirassé, ou de la dresser comme un pur-sang, de lui apprendre à gagner. Tout à son travail de petit créateur amateur, il oublie juste que les meilleurs des pur-sang se cabrent et ruent, souvent plus que les autres d'ailleurs, et que même un cuirassé peut couler, c'est la mer qui décide.

Au début de l'année 1934, Émile, le père d'André, meurt paisiblement où il est né, à Malo-les-Bains, de vieillesse. Heureux homme.

À moins de cinq cents mètres de chez les Dubuisson confinés, vivent les huit cousins et cousines de Pauline, les enfants de Jean Hutter, le frère d'Hélène. Il est courtier maritime, adjoint au maire de Malo-les-Bains et conseiller municipal, c'est le seul de la fratrie Hutter à ne pas avoir été frappé par la fatalité ni déglingué par la consanguinité, et de lui s'étendra la seule branche stable, normale, de la famille. Il a épousé Alice, la fille de Paul Gounelle, l'ancien pasteur de Dunkerque qui a pas mal bourlingué – à quarante ans, en 1910, il a été nommé au temple Sainte-Marie, à Paris, puis mobilisé en 1914, aumônier militaire à Casablanca en 1915, et après un séjour à Toulon, il retournera définitivement à Paris, rue Ledru-Rollin, où il accueillera Pauline pendant quelques jours du printemps 1951. Les Hutter habitent rue Gustave-Lemaire, une belle et grande maison bourgeoise sur trois étages, où sont nés Hélène, Jean et leurs quatre frères et sœurs, à l'époque où Malo-les-Bains n'existait pas encore, ainsi que les huit enfants du couple Alice et Jean, après la séparation de la ville avec Rosendaël. Pour l'instant, tous ces marmots sont petits, joyeux, insouciants au moins, et s'amusent sur la grande plage de Malo. Pauline n'a pas souvent le droit de se joindre à eux. (Elle se promène parfois le dimanche sur la digue, seule avec sa mère, ce n'est pas gai mais au moins elle voit l'eau, qui ondule jusqu'à l'horizon, la surface et tout ce qui vit en dessous. Elle préférerait l'Atlantique, gigantesque, qui va au bout du monde, mais la mer du Nord c'est déjà pas mal, même si ça ne mène que vers le Grand Nord, c'est toujours mieux que la pauvre Manche.) Lorsque son père l'autorise à accompagner ses cousins, tous les lendemains de Saint-Glinglin, elle essaie de se trouver des points communs avec Alain, né un an après elle (qui deviendra pasteur), et surtout avec Anne-Marie, la grande de dix ans, ou la petite Mireille, qui vient d'entrer en maternelle. Elle a certainement envie d'en trouver, des liens, des passerelles, mais ce n'est pas simple. Elle ne se sent pas comme eux, comme elles, elle a du mal à les comprendre, à s'intéresser à leurs jeux naïfs (elle n'a, c'est un peu mélo à dire, jamais joué à rien), même Anne-Marie lui paraît puérile. Rapidement, elle ne manifeste même plus le désir de les voir. Pourtant ce sont des filles comme elle, à l'origine, il n'en faudrait peut-être pas beaucoup pour qu'elles se rapprochent, que Pauline s'aperçoive qu'une autre évolution est possible, mais elle n'en aura pas le temps, il est déjà presque trop tard – et de toute façon, elles seront bientôt chassées par la guerre. Pauline non. Elle ne retrouvera vraiment ses cousines que dix-sept ans plus tard, dans des circonstances peu enthousiasmantes.

Dans sa quête de repères autres que le colonel de réserve André Dubuisson, elle ne peut s'attacher qu'à ses grands frères, en particulier François et Vincent (moins Gilbert, qui est une copie dénaturée de son père et ne présente donc pas grand intérêt pour elle), bien que le premier vienne de se marier et de s'engager dans la marine, deux unions qui le tiennent souvent loin de la maison, et que le second, qui partira dans quelques mois pour son service militaire, soit toujours, même entre les quatre murs du chalet russe, un peu dans les nuages. Ils lui paraissent plus libres qu'elle, plus mobiles et lumineux, ce sont des enfants d'avant la Première Guerre. Elle les prend pour points d'appui, les admire et garde les yeux sur eux, comme sur un autre bateau à l'horizon quand on a le mal de mer.

Le 4 juillet 1934, Marie Curie meurt à soixante-six ans dans un sanatorium de Haute-Savoie, victime des radiations qu'elle étudiait depuis des années. Il faudra encore bien du temps avant que beaucoup d'autres femmes prennent confiance en elles.

Pauline découvre que l'on peut sortir de l'isolement et de l'enfermement, de l'immobilité, sans bouger, en se glissant dans les livres, et utilise pour cela tous ceux qu'elle trouve dans la bibliothèque de son père. Rien de sensationnel ni de très enivrant, mais tout de même quelques histoires, des voyages sur les océans, quelques aventures qui lui donnent de l'air. Elle lira jusqu'à la fin de ses jours. André ne l'en empêche pas, il n'empêcherait pas sa fille de se barbouiller de confiture des pieds à la tête si elle voulait, mais il remplit sa mission en lui fournissant une information sans laquelle on part vite en cacahuète : « Attention, la vie n'est pas un roman. » Son fils Gilbert est tout à fait d'accord, et expliquera plus tard : « Sa conception de la vie a été faussée car elle s'en est fait une idée à travers les romans. » Ah, voilà, on se demandait pourquoi elle avait une conception de la vie un peu particulière.

Chapitre trois

Orgueilleuse et renfermée

À l'été 1935 (dont le premier jour voit apparaître à Cajarc, dans le Lot, une petite Françoise Quoirez, qui prendra dix-huit ans plus tard le nom proustien de Sagan), Pauline vient d'avoir huit ans quand son père comprend qu'elle n'avancera plus si elle reste à la maison. Il lui a transmis le principal, les trucs et astuces du colonel pour faire usage de ses forces et masquer ses faiblesses, il lui semble qu'elle a bien compris et retenu la leçon. (Il a raison. Pauline est fabriquée, maintenant, il n'est plus possible pour elle de revenir en arrière, pas plus que n'importe qui, passé par l'école, ne peut plus se résoudre à admettre que deux et deux font six ou que la Lune est plate. Il va falloir qu'elle fasse avec.) Quant à la préceptrice, elle est arrivée au bout de ce qu'elle pouvait lui enseigner, elle ne serait pas à la hauteur pour la suite de son instruction.

Pas tout à fait de gaieté de cœur, André se voit donc obligé d'inscrire sa pouliche au collège Lamartine, un établissement pour filles seulement, après avoir obtenu une dispense pour qu'elle passe son certificat d'études avant l'âge. Elle y est externe, en classe de septième, avec près de deux ans d'avance. Évidemment, dès le début, ça se passe mal. Toutes ses voisines de pupitre et de cour de récré sont plus âgées qu'elle, mais elles lui semblent à moitié demeurées, ne savent pas résoudre une équation, ne parlent pas un mot d'allemand et passent leur temps libre à sauter à la corde. Il faut se mettre à la place de Pauline, elle sait déjà à l'endroit et à l'envers tout ce que les profs tentent patiemment de faire entrer dans le ciboulot de ses copines potentielles, elle a lu tout Jules Verne quand Évelyne et Françoise froncent les sourcils en feuilletant *Bécassine*, et surtout, dans la cour, où la nature s'exprime, elle se sent comme la marquise de Sévigné dans un vestiaire de foot ou Napoléon dans un bac à sable. Deux ans plus tôt, c'était encore jouable, mais là : foutu.

Étant donné que sa mère ne lui porte pas plus d'attention qu'à un vase et que son rude pygmalion de père n'a pas jugé indispensable de lui apprendre les rudiments de la marelle ou le maniement délicat des poupées, préférant l'emmener sur ses chantiers ou lui expliquer de manière ludique le fonctionnement des armes, elle ne connaît rien aux distractions de base des filles – c'est peut-être ce qui en fera plus tard une jeune femme si différente des autres, si peu encline à l'humilité ménagère, la minauderie et la soumission à l'autorité masculine, avec vingt ans d'avance (cette fois) sur son temps, mais à l'école, ça la pousse simplement à se comporter comme un garçon, seul au milieu des bambines, et pas un garçon très ouvert ni très doux. Car ledit rude pygmalion lui ayant fermement déconseillé toute forme d'indulgence envers les faibles, les inférieurs, elle ne se donne pas la peine de paraître amicale, ni ne serait-ce que compréhensive. Elle choque élèves et professeurs, on la trouve anormale, sèche, brutale, déjà même cynique selon certaines dames psychologues (cynique à huit ans, ça glace un peu, ça fait Chucky poupée sanglante). Elle s'adaptera peu à peu, mais en tout cas : bravo papa, bon boulot, la petite écrase tout le monde et tout le monde la déteste. Parmi les plus lucides et mesurées de celles qui l'ont côtoyée lors de ces premières années en milieu humain, une Jacqueline Dekeyser qui était dans sa classe la décrira ainsi : « Elle était studieuse, intelligente, distante, orgueilleuse et renfermée. » D'un point de vue strictement scolaire, rien à dire, tous les profs sont d'accord, elle est parfaite, aussi douée que bosseuse, les heures de cours sont presque des loisirs pour elle. Hélène, la maman toujours attentive et à la pointe de l'information, dira d'elle à cette période : « Il me semble que Paulette était une élève moyenne. »

Elle n'aime pas son prénom, Pauline. Elle préfère qu'on l'appelle Paulette. Mystère et boule de gomme.

Chapitre quatre

Instable

Le mercredi 11 mars 1936, le jour où Pauline fête ses neuf ans (*fête* est sans doute utopique, Hélène lui fait peut-être une tarte au sucre mais j'imagine mal les chapeaux pointus multicolores et les tirs de boulettes à la sarbacane dans le salon sinistre), Vincent, le plus jeune de ses frères, vingt-deux ans depuis trois jours, le premier descendant du corsaire à ne pas avoir choisi la mer mais l'air, s'écrase lors d'un vol d'entraînement pendant son service militaire, et meurt. Pour Pauline, c'est une enclume qui lui tombe du ciel sur la tête. Le seul être léger de la famille, son point de fuite et sa petite lumière, disparaît en un battement de paupière, un fracassement de tôle. Elle ne comprend pas, sonnée, elle mettra des semaines à retrouver un état à peu près normal – mais modifié, une forme d'insouciance et d'assurance s'est éteinte en elle : on n'était pas dans le clan des forts, des blindés que rien n'atteint ? À quoi sert de se donner tant de mal, de se priver de tout pour se consacrer entièrement à la préparation au combat, s'il suffit qu'un avion tombe, qu'un moteur ait un raté pour qu'on soit anéanti ? Elle vacille. On vacille bien, à neuf ans. (C'est à neuf ans aussi qu'Anne-Catherine, la femme de ma vie et c'est rien de le dire, a découvert, en voyant sa mère se traîner en vain aux pieds de son père dans l'entrée de leur maison, que l'amour n'a rien d'éternel malgré les apparences cotonneuses, rien de sûr malgré les efforts, que tout peut se déchirer d'une minute à l'autre : qu'on peut être abandonnée – ce qu'elle n'a jamais oublié et qui m'a valu bien des soucis.) Pauline ne pourra pas oublier non plus, qu'elle essaie ou non : elle ne se réjouira plus jamais vraiment le jour de son anniversaire, ni ne le fêtera avec quiconque, et dans sa famille, on ne le lui souhaitera plus que tristement, ou la veille.

Dans l'enquête que lui a commandée la centrale de Haguenau, le fonctionnaire de Malo (qui signe *A. Lefebvre*, je ne sais pas si c'est un proche de la famille, qu'il semble bien connaître, c'est possible, peut-être un cousin de la branche Lefebvre) écrit pudiquement qu'à la mort de son frère, qu'elle *aimait profondément*, Pauline est *extrêmement affectée*. Dommage que cette enquête ait été demandée trop tard, après le procès, après que la presse et l'opinion publique ont crié leur colère, puis oublié la salope, dommage aussi qu'elle soit restée confidentielle et que personne d'autre que le directeur et le psychiatre de la centrale ne l'ait eue sous les yeux, car je n'ai lu ça nulle part ailleurs, même son avocat n'en a pas parlé. Pour les policiers, les journalistes, les chroniqueurs judiciaires et les magistrats qui l'ont condamnée, Pauline était une fille « sans cœur » (allez hop), qui n'a toujours pensé qu'à elle-même et n'a jamais rien éprouvé, à l'égard de qui que ce soit, qui puisse s'approcher de l'amour ou du chagrin.

André, certainement en miettes à l'intérieur, reste stoïque, métallique au-dehors, encaisse et ne verse pas une larme. C'est le moment ou jamais de montrer le bon exemple à sa fille. Elle extériorise, c'est normal, elle est petite, il ne lui en veut pas, mais il faut qu'elle s'endurcisse encore.

Hélène est à des lieues de profondeur de ces calculs. Elle n'était déjà pas bien vive ni solide, grisaille amorphe dans les couloirs de la maison, elle se laisse à présent aller sans plus de retenue, son petit dernier mort, et sombre tout à fait dans la neurasthénie et l'apathie. Pauline, c'est désormais une certitude, n'a plus rien à attendre de ce côté-là.

Quelques mois plus tard, Gilbert, le grand frère, qui travaille avec son père, épouse à Malo une demoiselle du coin, Solange (je change son prénom comme celui de son mari, même si c'est moins utile en ce qui la concerne), fille d'un médecin de Dunkerque – un mariage réussi, donc, qui ne fait pas de mal au blason de la famille, entrepreneur de travaux publics et médecin étant deux des professions les plus sûres et recherchées. Ils emménagent à quelques coups de pédale de la place du Kursaal, dans une maison toute proche de celle des cousins Hutter, au 6 rue du Maréchal-Pétain.

Lorsqu'elle rend ses premières visites à ses beaux-parents, Solange est d'abord décontenancée par l'existence « austère et cloîtrée » qu'ils mènent, mais aussi par la petite Pauline. Elle la trouve trop gâtée, ce qui surprend quand on connaît les parents, capricieuse par conséquent, « excessive » et, plus étonnamment selon elle, « instable ». Elle lui fait un peu de peine. Elle se souviendra devant un inspecteur parisien de ce qu'elle a pensé, sans trop creuser, face à ce comportement déséquilibré : « De fait, elle ne vivait qu'avec des grandes personnes. »

Le clairvoyant Lefebvre de l'enquête emploiera le même mot qu'elle, décrivant Pauline à cette époque comme *insatisfaite et instable*, et trouvera lui aussi une phrase d'ambiance, sombrement poétique, à la flamande, pour évoquer plutôt les à-côtés de la source de son humeur orageuse ou maussade : *Elle a toujours vécu près de cette plage du Nord, assez lugubre l'hiver.*

Mais même si on se contente de regarder le tableau de loin, d'un œil distrait, on n'a pas envie de se précipiter à la place de la petite fille : elle ne vivait qu'avec des grandes personnes, près de cette plage du Nord assez lugubre l'hiver. On peut être de bonne humeur, ça plombe. Un dimanche soir, ça ne pardonne pas.

Et ça ne va pas s'éclaircir ni s'arranger, tout penche à l'intérieur comme autour, l'instabilité se répand. En 1937, on sent bien remonter l'onde nauséeuse du côté de l'Allemagne – mais de ces remous, Pauline n'a pas conscience, pas plus que les autres filles de sa classe, qui chantent gaiement dans la cour :

On n'a jamais vu ça,
Hitler en pyjama,
Et Mussolini,
Et Mussolini en chemise de nuit !

En revanche, ce qui bouge en elle, elle le perçoit nettement, quoique sans comprendre d'abord. Elle demande à sa mère, qu'elle peut encore distinguer au fond du gouffre, de lui apprendre à coudre et à cuisiner – je suis consterné de devoir écrire ça ici, je vais passer dans seize secondes pour un ardent défenseur de la théorie sur la nature domestique des femmes, mais je ne peux pas faire autrement, c'est elle qui le dit : elle lui demande de lui apprendre à coudre et à cuisiner (disons plus clairement et sûrement qu'elle demande à sa mère de lui apprendre ce que son père n'est pas capable de lui apprendre, tandis qu'elle si, et que si elle avait pu lui demander, à sa mère, de lui apprendre à danser ou à rendre un garçon fou, elle l'aurait probablement fait), et quelques semaines plus tard, à dix ans et demi seulement, elle a ses premières règles. (Et voilà, pan, sentant qu'elle va devenir femme, elle apprend à faire la cuisine.)

On ne l'y a pas préparée, mais le sang qui coule tout à coup entre ses jambes ne l'inquiète ni ne l'émeut tant que ça. Elle est robuste, elle a appris à faire face, ce n'est pas une tache dans sa culotte qui va la déstabiliser. Mais ce qui se passe dans son cerveau, c'est plus compliqué. Cette puberté éclair (elle a des seins et des hanches avant que sa mère n'ait eu le temps d'aborder le chapitre des omelettes) est la première explosion, interne, dans la vie de Pauline. On l'a élevée comme un garçon, mais elle est une fille. Vue de l'extérieur, bien qu'elle ressemble à un mec comme Greta Garbo à Johnny Weissmuller, elle est dure, cinglante et insensible, mais elle est une fille – et pas des moins tendres, au fond. Elle doit continuer à retenir toute manifestation affective, mais les hormones sexuelles et leurs cousines l'envahissent à grande vitesse et lui injectent des flots d'émotivité dans tout le corps et la tête, elle vibre. Ce que redoutait le plus son père est en train de se produire malgré ses efforts : la part féminine passe à l'attaque, libérée, avec plus de force encore qu'il pouvait le craindre, car Pauline est une fille contrariée. Elle devient une bombe.

Pour tenter de garder le contrôle de la situation et ramener sa pauvre enfant sur de bons rails, André commet une erreur de plus, et pas de la petite boulette d'épicerie fine : il lui met tout Nietzsche entre les mains, à onze ans. Rien ne presse, qu'elle pioche, qu'elle picore… Le surhomme, la volonté de puissance, tout ça, ça ne peut pas lui faire de mal. Rien de spécialement masculin là-dedans, attention, l'éternel retour c'est sympa aussi, il s'agit juste de réussir sa vie. Lis un peu avant d'éteindre.

(J'avais à peu près le même âge que Pauline quand ma tante Dominique m'a présenté Claude François comme ce que la terre pouvait porter de plus proche du divin, de l'indiscutable. (Chacun ses maîtres.) Quarante ans plus tard, et bien que j'espère avoir vaguement évolué depuis, quand j'entends, par hasard, *Belinda* ou *Je viens dîner ce soir*, j'ai le cœur qui bat plus vite et les larmes aux yeux.)

Je ne peux qu'imaginer Pauline, un mètre quarante, ouvrir dans son lit, ou dans le silence cafardeux du salon familial, *Généalogie de la morale* ou *Par-delà bien et mal*. Je ne sais pas exactement ce qu'elle a lu. Pas tout, peut-être les bases, le plus simple, si on peut dire – elle n'a certainement pas tout compris, ce qui est encore plus dangereux à cet âge. Elle a dû reconnaître, par exemple dans les passages concernant la morale des forts et la morale des faibles, l'inspiration des enseignements de son père (c'est lui, son mentor, qui lui a transmis, confié ces ouvrages impressionnants, elle s'en fait sans doute une sorte de seconde Bible – bien que ce ne soit pas pile-pile le mot qu'aurait choisi Nietzsche, je pense). Elle n'a pas pu passer à côté du concept de la volonté de puissance, que je ne vais pas essayer d'expliquer précisément ici (j'en serais tristement incapable) mais je présume qu'elle a été marquée par des phrases de ce genre : *La vie est essentiellement l'effort vers plus de puissance*, et je suis sûr qu'elle a compris qu'il ne parlait ni de puissance financière (il écrit d'ailleurs dans *La Volonté de puissance* que *ce qui se paie n'a guère de valeur*) ni de pouvoir politique ou quel qu'il soit, mais de libération personnelle, d'affranchissement des contraintes morales, religieuses et autres. (C'est ce qu'on veut sauf une mauvaise idée. Nietzsche n'a jamais réussi à devenir un surhomme, loin de là, mais je suis convaincu (bien qu'étant spécialiste de son travail autant que de physique quantique) qu'il était, au moins, un bon gars. *Je frémis à la pensée de tout l'injuste et l'inadéquat qui un jour se réclamera de mon autorité*, écrit-il dans une lettre à une amie. Et il ne pensait pas qu'à André Dubuisson.)

Dans cette période de mutation, Pauline n'a pu qu'approuver l'idée selon laquelle celui qui veut se libérer recherche instinctivement l'opposition : *La volonté de puissance ne peut se manifester qu'au contact de résistances : elle cherche ce qui lui résiste* – elle n'a pas lu cette phrase telle quelle, notée par Nietzsche dans ses carnets et publiée plus tard, mais assimilé ce qu'elle résume : elle cherchera, consciemment ou non, ce qui lui résiste. Elle a admis facilement que la vie oscillait entre plaisir et déplaisir – le déplaisir étant *tout sentiment de ne pouvoir résister ou maîtriser*. Il est enfin à peu près certain qu'elle s'est intéressée à ce qui concernait le suicide, son père, qui considérait cet acte comme naturel et parfois salutaire, ayant déjà évoqué le sujet avec elle (il expliquait à sa fille de dix ou onze ans : « Le suicide est une chose simple, concevable et permise » – on se détend, le soir après la soupe). D'abord, en tant que simple perspective, c'est utile : *La pensée du suicide est une consolation puissante, elle aide à passer plus d'une mauvaise nuit*. Plus concrètement, dans *Ainsi parlait Zarathoustra*, Nietzsche suggère de mourir quand on a atteint le maximum de ses possibilités, quand on ne peut plus progresser. (Au passage, il n'a pas suivi lui-même son propre conseil, puisque dès 1883, dix-sept ans avant sa mort (naturelle, si on veut – d'un AVC ou assimilé), il écrit à une amie qu'il n'a plus aucune raison de vivre, *ne fût-ce que six mois de plus* (il a repoussé l'échéance pendant pas mal de semestres : trente-quatre fois). Il a passé les huit dernières années de sa vie moins actif qu'une courgette, et avait même cessé de « progresser » près de douze ans avant sa mort : il n'a plus rien écrit depuis le jour de janvier 1889 où il a pété les plombs dans une rue de Turin, sautant au cou d'un cheval que son cocher fouettait jusqu'au sang, criant et pleurant sur son encolure – bon gars. Le psychiatre italien qui l'a examiné peu de temps après a noté : *Le patient prétend être un homme illustre et ne cesse de réclamer des femmes.*

Diagnostic : faiblesse du cerveau.) Dans *Le Crépuscule des idoles*, il affine cette notion de maximum, qui n'est pas toujours très élevé, notamment pour les *faibles*, les *ratés* et les *malades* (il écrit cela quelques semaines avant de réclamer des femmes à Turin), *parasites de la société*, qui ont *perdu le sens de la vie, le droit à la vie*, et pour qui il devient donc *inconvenant de vivre plus longtemps*. Ces mots se gravent dans l'esprit de Pauline comme sur la gomme-laque d'un 78-tours. Un peu déformés, vraisemblablement. Hélène, sa mère, qui n'a jamais lu Nietzsche, en entendra un écho un jour de l'été 1949, lors d'une de ses très rares conversations intimes avec sa fille. Elle y fera allusion dans une déposition à la police : « Elle admettait le suicide quand on ne peut atteindre le but qu'on s'est fixé. »

Tout cela va bien dans le sens de papa, l'effet devrait être positif. Mais tête de linotte, André a encore oublié que Pauline était une fille (il n'est manifestement pas si futé qu'on le croit, il faudrait insister longtemps pour qu'il capte). Or je ne suis pas sûr que cette autre linotte de Friedrich, concentré sur son travail, ait pris en compte, vers la fin du XIXe siècle, la possibilité d'être lu par des femmes – il faut dire qu'en ce temps-là, hormis quelques privilégiées bien installées, elles n'avaient pas souvent l'occasion de passer deux heures avec un bon bouquin, on (nous, les hommes, les chefs) les rappelait vite à l'ordre. Son œuvre, en effet, n'est pas exactement un manuel de puissance à l'usage des dames. Lacune, je dirais. Car c'est bien beau, l'homme qui accroît sa puissance à tour de bras, se libère de tout et veut répéter sa vie à l'infini tellement elle est formidable, mais sa femme, qu'est-ce qu'elle devient ?

Soyons juste, Friedrich Nietzsche ne considère pas les femmes comme négligeables. Au contraire, il les estime indispensables : elles suscitent le désir chez l'homme, et lui permettent ainsi de s'affirmer, d'accroître sa puissance, d'oublier le déplaisir (si elles se laissent faire) et donc d'augmenter sensiblement le plaisir de sa vie, à l'homme. Leur émancipation, ce n'est pas trop son truc, il lève les yeux au ciel quand on lui parle d'égalité, mais les femmes n'ont pas à se plaindre, car elles sont fortes, affirme-t-il à la surprise générale. D'une force un peu particulière, cependant : la force de leur faiblesse (celle dont l'homme raffole). Elles ne sont fortes que parce qu'elles sont faibles, et à condition de le rester. Si la femme essaie de se comporter de manière masculine, elle perd cette force – et tout intérêt. (L'une de ses proches amies, Malwida von Meysenbug, celle à qui il a écrit qu'il n'avait plus de raison de vivre ne serait-ce que six mois, était une féministe engagée. Soit elle était d'une indulgence hors du commun, soit vraiment elle devait le trouver très, très bon gars, pour que ça passe.) Cette force évidemment vient du cul. Et le philosophe ne crache pas sur les joies du sexe, il incite même à prendre très sérieusement en considération cet aspect de la vie, puisque c'est par là que les femmes, ses amies, trouvent le moyen de s'épanouir : dans la satisfaction de procurer bonheur et puissance à l'homme, donc, mais aussi, plus simplement et égoïstement, dans la sexualité en tant qu'activité physique (rien ne leur fait plus de bien). Si avec ça elles ne sont pas heureuses… Mais tu penses, elles veulent toujours plus. Il ne faut pas céder. Dans *Par-delà bien et mal*, il écrit que l'homme (le vrai, celui qui est doué d'un *esprit profond*, d'un *désir profond*, et d'une *bienveillance profonde* dont la meilleure expression est la *sévérité*, la *dureté*) *doit voir dans la femme une propriété, un bien qu'il convient d'enfermer, un être prédestiné à la sujétion et qui s'accomplit à travers elle*. (Napoléon Bonaparte disait à peu près la même chose, mais dans un but principalement reproductif : *La femme est donnée à l'homme pour qu'elle lui fasse des enfants. Elle est donc sa propriété comme l'arbre fruitier est celle du jardinier.*)

Pauline doit tiquer un peu. À onze ou douze ans, on n'est pas ravie d'apprendre qu'on trouvera son bonheur, sa place en tout cas, dans l'enfermement et la soumission. L'accroissement souhaitable de la puissance, la confrontation aux résistances, le suicide quand il n'y a plus rien à attendre, et entretemps la sexualité pour s'épanouir à tous points de vue, d'accord, elle note, mais l'obéissance et la sujétion obligatoires, ça coince. Nietzsche aurait dû se montrer plus prévoyant : lus par une femme, ses préceptes et théories se retournent et se mordent la queue. Pauline, qui n'est pas bête ni docile, va fusionner et accommoder tout cela à sa manière. Bouge pas, Frédo.

Chapitre cinq

Convenable mais nerveuse

Remuée, transformée, Pauline reste calme malgré tout. L'évolution de son corps et de son esprit n'influe pas sur son comportement, quelques mois passeront avant qu'elle s'harmonise. Elle joue encore la petite fille modèle, quoique lunatique, et quand on lui en laisse l'occasion, elle profite de quelques dernières récréations de son âge.

Au début de l'été 1939, la famille est invitée par Jean Hutter, le frère d'Hélène, à une grande soirée musicale donnée au casino de Malo-les-Bains après des travaux de réfection et d'amélioration (dont les amateurs de jetons multicolores et de music-hall ne bénéficieront pas longtemps, tout partira en fumée). En tant qu'adjoint au maire, il a pu obtenir des places gratuites. Le couple Hutter et leurs huit enfants s'y rendent, Pauline sort une carte caprice et réussit à décrocher la permission de les accompagner, et bien que cela n'ait rien de religieux, Hélène, apathique mais mélomane, fait un effort. Je pense qu'André reste à la maison : je fixe trois minutes la photo sur laquelle il pose en uniforme, et je l'imagine se dandiner sur la musique autant que trotter nu dans les rues en chantant *Viens Poupoule*.

Depuis peu, le baccara et la boule ont remplacé le jeu des petits chevaux (ce qui a dû donner un bon coup de fouet à l'établissement, les enjeux baissaient, la lutte sans merci pour rentrer à l'écurie ne passionnait plus que trois mémés), mais ce soir-là, c'est dans la grande et belle salle dancing Art déco (où il est désormais interdit de fumer – ça y est, le monde déraille (et ne se doute pas que le tabac est l'un des maux les plus agréables, les plus anodins qui le menacent)) que tous se pressent et gigotent en écoutant sur scène, entre autres, Charles Trenet, un jeune cinglé de vingt-six ans qui s'agite sous son chapeau et secoue toutes les jambes de la piste. C'est l'une des dernières soirées d'insouciance pour ces provinciaux tranquilles réunis au bord de la mer du Nord, qui ont sorti ce jour-là leurs plus belles tenues de leurs armoires sans penser qu'ensuite elles pourriraient des années dans la naphtaline, ou qu'elles brûleraient bientôt. Pour Pauline, *Je chante*, *Boum !* ou *Y a de la joie* marquent la fin de l'enfance, bonjour bonjour les hirondelles.

Le 1er septembre, mobilisation générale. Le 3, déclaration de guerre à l'Allemagne, qui fait le cador en Pologne. À cinquante-sept ans, le colonel de réserve André Dubuisson doit reprendre du service, propulsé à la tête d'un régiment du génie (j'ai sept ans de moins que lui, et je me verrais plutôt escalader l'Everest en talons aiguilles que partir maintenant à la guerre), tout comme ses deux derniers fils, Gilbert, peu gradé, et François, commandant en second d'un sous-marin. L'oncle Jean Hutter, lui, est mobilisé dans les services de décryptement, à Épernay, mais refuse de laisser les siens derrière lui : il n'a pas grande confiance en l'armée française et redoute un tourisme allemand de masse du côté de Dunkerque – pas bête. Il envoie donc sa femme Alice et les enfants vivre dans le Sud, près de Montpellier, dans la maison où ils passaient leurs vacances d'été jusqu'alors (pour les Dubuisson, non, jamais de vacances). L'épouse de François le sous-marinier part avec leurs trois enfants à Moulins, où elle a de la famille, et Solange, la femme de Gilbert, avec les leurs en Bretagne. À Malo-les-Bains, de toute cette grande famille, il ne reste plus que Pauline et sa mère.

À la rentrée 1939, le collège Lamartine est fermé : il n'y a plus assez de professeurs ni d'enfants dans les alentours pour que toutes les écoles restent ouvertes, Pauline entre donc au collège Jean-Bart, dans le centre de Dunkerque, un vaste et beau bâtiment qu'on appelle ici le "grand collège", mixte. Enfin des garçons. Plus coquette et séductrice depuis quelque temps (elle commence à choisir ses vêtements elle-même, soigne sa coiffure, passe plus de temps devant le miroir – son père n'est plus là pour la rappeler à la rigueur et maîtriser sa part féminine qui joue des coudes), elle n'en est cependant pas encore à essayer de les attirer dans ses bras. Elle n'a quand même que douze ans et demi. Mais c'est avec eux qu'elle s'amuse, qu'elle discute. Il y a désormais autour d'elle de plus grandes filles, moins neuneus qu'à Lamartine (Jean-Bart emmène les élèves jusqu'à la terminale), mais elle ne se sent pas d'affinités avec elles. Elle ne veut pas se renier ni se transformer en garçon manqué, mais le principal exemple dont elle dispose de ce que peut devenir une fille à cette époque, c'est sa mère : effacée, faible, presque esclave (une véritable héroïne nietzschéenne). Ce n'est pas très tentant. Non, ce que préférerait devenir Pauline, c'est ce que seront les femmes dans trente ou quarante ans.

Celles qui n'ont pas ces tentations avant-gardistes, à Jean-Bart, ne l'aiment pas. Elle est même carrément détestée par certaines de ses condisciples, qui ne supportent pas qu'elle les regarde de haut (on les comprend, ce n'est jamais agréable, il y a des claques qui se perdent – Pauline sait parfaitement cacher ses faiblesses mais n'a pas encore appris à faire de même avec ses forces, et à ne pas faire étalage de ce qui la distingue des autres) et ne lui pardonnent pas l'intérêt manifeste que lui portent les garçons ; elle est plus superficiellement jalousée par d'autres, qui se sentent écrasées par ses résultats scolaires. Cela dit, même si elle reste assez facilement la meilleure de la classe, insurpassable en langues vivantes et en philosophie, très sûre et détendue en sciences quand ses voisines s'arrachent les cheveux, la professeure d'histoire, Mme Simone Damman (peu importe, mais lorsqu'on peut, ne serait-ce que furtivement et pour quelques lecteurs, ressortir le nom d'une personne du grand magma des morts, autant le faire, ça ne coûte rien), estimera, quand on lui posera la question, que si Pauline était effectivement au-dessus des autres ces années-là, éveillée et brillante, c'était plutôt dû à sa précocité (merci papa), à sa faculté de travail et à une « volonté de bien faire » peu commune. En réalité, dénudée de ces qualités acquises, Pauline était une élève « moyenne », à peu près comme les autres (sa mère avait raison, je suis mauvaise langue).

Dès le début de la guerre, la région, toute proche de la Belgique tampon, est considérée comme zone d'évacuation éventuelle. On ne force pas les gens à faire leurs valises, mais on le leur conseille plutôt deux fois qu'une lorsque c'est possible : s'il prenait aux Allemands l'idée saugrenue de contourner la ligne Maginot, comme il pourrait prendre à un renard l'idée saugrenue d'entrer dans un poulailler grillagé par la porte ouverte, il ne ferait sans doute pas bon traîner dans le coin. Ceux qui ont de la famille en lieu plus sûr, ou une bonne petite maison de campagne quelque part, seraient bien avisés d'aller y passer quelques mois, le temps que ça se calme. Après les premiers départs impulsifs de septembre, l'écoulement de la population se poursuit donc régulièrement : la ville de Dunkerque, par exemple, comptait environ trente et un mille habitants en août 1939, et moins de quinze mille à la fin de l'année. Les durs ou les sentimentaux qui restent, pas écervelés tout de même et peu optimistes, s'organisent. Ils construisent des abris publics, consolident leurs caves. Ils se servent du sable disponible en grande quantité aux alentours pour remplir des centaines de sacs dont ils protègent, prévoyants, les bâtiments et monuments publics. C'est comme équiper les poules de petits casques en cuir quand le renard approche.

Seule avec sa mère, soirs noirs, Pauline se met à écouter de la musique, surtout classique, les disques de ses parents, et à lire pour éviter le cafard, beaucoup : la bibliothèque paternelle ne suffit plus, elle achète un roman par jour, André ne les a pas laissées sans le sou en partant, elle commence à se passionner pour la littérature policière – je ne sais pas précisément ce qu'elle lit, je ne vais pas inventer, mais étant donné son âge, et le fait que la Série Noire n'existe pas encore, je pense qu'elle épuise surtout Conan Doyle, Agatha Christie, Leroux et Leblanc, des auteurs de ce genre. (J'ai lu une définition du roman policier, donnée en 1929 par un certain Régis Messac (que je ne connais pas plus que sa cousine mais dont le nom est inscrit au Panthéon dans la liste des *Écrivains morts pour la France*, où je ne figurerai jamais – plutôt dans celle des *Écrivains morts en talons aiguilles*) : *Un récit consacré avant tout à la découverte méthodique et graduelle, par des moyens rationnels, des circonstances exactes d'un évènement mystérieux.* Ça me plaît. Tout comme celle, plus tard, l'année de ma naissance, de Boileau et Narcejac : *Le roman policier est une enquête, à coup sûr, mais une enquête qui a pour but d'élucider un certain mystère, un mystère en apparence incompréhensible, accablant pour la raison.* Bref.)

Pauline demande chaque semaine à sa mère de l'accompagner au cinéma, mais Hélène traîne les pieds, c'est souvent débauche et compagnie. Bientôt, la question ne se posera plus.

Aux environs de Pâques 1940, pour l'une des dernières fois de sa vie, Pauline Dubuisson fait bonne impression. Un M. Georges Huret (ne me remercie pas, veinard, lève la tête et sors du magma), qui est venu rendre visite à mère et fille avec sa femme, la marraine de François, dira qu'il l'a trouvée « convenable ». Plus exactement : « Elle était intelligente, c'était une jeune fille convenable mais nerveuse, peut-être excessive. » C'est un mot qui revient souvent dans les témoignages au sujet de Pauline : « excessive ». Mais par rapport à quoi ?

Chapitre six

Recroquevillée

Le 10 mai 1940, après des bombardements massifs et foudroyants, la Wehrmacht enragée entre aux Pays-Bas, en Belgique et au Luxembourg, la botte lourde. Beaucoup d'habitants fuient vers la France, surtout les Belges, qui n'ont pas oublié ce qu'on a appelé les "atrocités allemandes" en août 1914 : leurs parents ou ceux qui auraient pu le devenir se sont fait fusiller par milliers, juste pour leur montrer qui c'est Helmut, et plus de quinze mille de leurs maisons ont été détruites. Cette fois, ils n'attendront pas qu'on les colle au mur. Le 12 mai, mille cinq cents d'entre eux arrivent en bout de course à Dunkerque, accompagnés de quelques Hollandais. Pauline a treize ans depuis deux mois, elle les regarde éberluée se répandre dans les rues de Malo, épuisés par deux ou trois jours de marche ininterrompue, sales et loqueteux, déroutés. Pour la première fois de sa vie, elle éprouve de la pitié, même si c'est peut-être le même genre de pitié que devant un petit chat blessé ou un cheval battu, pour la première fois elle ne méprise pas les plus faibles qu'elle – ils sont plus que faibles, brisés. Et pour la première fois de sa vie, la dernière aussi, elle se dispute violemment avec sa mère. Car ces premiers vaincus cherchent des refuges, ils ne peuvent pas aller plus loin : Pauline aimerait les accueillir au chalet russe, en héberger le plus possible, il y a de la place, remplir la maison. Mais Hélène ne veut pas en entendre parler, elle ne se sent pas de taille à aider qui que ce soit. En l'absence de son père, Pauline a facilement pris le pouvoir face à elle, elle pense donc être capable de triompher sans mal de cette résistance inhabituelle, elle insiste, s'énerve et tempête, mais elle n'a pas encore assez de consistance et d'assise pour jouer l'homme de la famille, et pour une fois, Hélène tient bon, soutenue par la perspective terrifiante de devoir vivre avec quatre ou cinq barbus dépenaillés. Elle laisse sa fille crier et regarde ailleurs.

Ça ne doit pas arranger l'opinion que Pauline a depuis longtemps de sa mère. Non seulement elle est faible, à la limite ce n'est pas de sa faute, mais elle refuse d'aider les autres faibles, elle n'a même pas ce courage, cette force par défaut. Jamais ça.

Hélène ne peut toutefois pas l'empêcher de sortir dans les rues, lâche-moi, de rejoindre les lieux publics où ceux qui n'ont pas trouvé d'hébergement sont regroupés, et d'aider à soigner, dans la mesure de ses jeunes moyens, les blessés et les malades, petite infirmière volontaire qui étrenne sa panoplie.

Dès le lendemain, les vert-de-gris entrent en France, vicieusement : à côté de la ligne Maginot, les salauds. Ils franchissent la Meuse à Sedan puis montent vite et fort vers le nord-ouest, trop vite et trop fort pour les Français et les Anglais, dépassés, qui résistent de leur mieux mais se font balayer comme des moutons sur un parquet et n'ont d'autre choix que de se replier en catastrophe vers Lille puis Dunkerque – qui ne sait pas ce qui l'attend. La drôle de guerre est finie, on a bien rigolé, feu à volonté.

Selon la tactique efficace employée en Belgique, aux Pays-Bas et au Luxembourg, les Allemands commencent par des bombardements aériens intenses avant d'avancer leurs troupes au sol. Ils appellent ça le blitz-krieg, la guerre éclair. On ne peut pas mieux dire. C'est la deuxième explosion dans la vie de Pauline, extérieure celle-là, et cataclysmique. Dans la nuit du 18 au 19 mai 1940, l'enfer descend du ciel sur Dunkerque, un furieux orage de bombes incendiaires s'abat jusqu'au matin sur la ville et les communes voisines. Les premières tombent rue Clemenceau, à un kilomètre du chalet russe, où des immeubles brûlent. Aussitôt après, à six cents mètres d'Hélène et Pauline, on dénombre les premiers morts : quarante soldats sont tués dans la caserne Guilleminot (un collège, aujourd'hui), où ils étaient arrivés de Lille le jour même. Les réserves de pétrole de Saint-Pol-sur-Mer sont en flammes et dégagent une épaisse fumée noire qui s'étend au-dessus de la côte, les maisons sautent les unes après les autres à Rosendaël et à Malo-les-Bains, on arrête de compter les morts. Et au milieu des déflagrations, sous la pluie de feu, sans doute recroquevillées quelque part dans un abri souterrain, une pré-adolescente et sa mère dépressive.

Les divisions allemandes arrivent de partout à la fois. Le 20 mai, deux sont à Abbeville, au sud-ouest de Dunkerque, d'autres descendent par le nord-est, venant des Pays-Bas : il ne reste plus aux Alliés, pour éviter d'être broyés, qu'un couloir d'une trentaine de kilomètres de large qui relie Lille à Dunkerque, la porte vers l'Angleterre. Dès que Lille cède, tous se précipitent ou clopinent vers la mer, seule issue, vers les plages, dont celle de Malo, où Pauline voit arriver non plus quelques Belges aux abois mais des centaines de milliers de soldats vaincus, désarmés, cassés. Comme beaucoup de ses voisins, elle essaie de se rendre utile, elle consacre toute son énergie à courir d'un presque-mort à l'autre, mais c'est une petite cuillère dans un raz-de-marée. Et pendant ce temps, les bombes et les obus pleuvent toujours, la ville tombe en gravats, les blindés allemands se rapprochent vite, de tous les côtés, et la poche dans laquelle peuvent se regrouper leurs ennemis en déroute se resserre d'heure en heure. Hitler demande à son armée leur « anéantissement ».

De l'autre côté de la Manche, dans une galerie souterraine du château de Douvres où est installé le quartier général britannique, à vingt-six mètres sous terre, le vice-amiral Bertram Ramsay prépare l'évacuation des deux cent cinquante mille guerriers de Sa Majesté George VI, dangereusement coincés. Les Français auraient préféré une puissante contre-attaque vers le sud, l'intérieur des terres, mais les Français n'ont pas que de bonnes idées, on commence à s'en rendre compte, c'est presque perdu d'avance et surtout trop risqué : si l'on ne parvient pas à les tirer de là, s'ils sont anéantis comme le souhaite le tendre Hitler ou simplement faits prisonniers, les Allemands n'auront plus qu'à embarquer en sifflotant *Heili Heilo* pour aller envahir tranquillement l'Angleterre. Cette extraction massive et périlleuse de troupes (chercher comment sortir rapidement deux cent cinquante mille bonshommes par la mer doit faire mal à la tête), dont dépend peut-être le sort du monde, est baptisée l'opération *Dynamo*, car un ancien groupe électrogène du château, datant de la Première Guerre mondiale, se trouve dans la salle où gambergent les stratèges.

Les premiers bateaux à traverser vers Dunkerque et ses environs immédiats sont de gros bâtiments, des navires de guerre pour la plupart, mais on comprend vite que ça ne suffira pas, et surtout que ce n'est pas bien pratique : d'une part, ils ne peuvent pas approcher suffisamment des plages pour permettre un embarquement express (on immerge des dizaines de camions alignés pour créer des sortes de jetées de fortune, mais elles tiennent moins de la jetée, même de fortune, que du pont de singe), d'autre part ils sont trop imposants et trop lents pour ne pas servir de cibles de foire aux avions de la Luftwaffe, les Allemands bien sûr ne regardant pas tout cela les bras croisés en hochant la tête : leurs Stuka tournent en boucle au-dessus des plages et enchaînent carton sur carton. Les bateaux coulent, les cadavres flottent.

Le 24 mai, les rampants de fer de la Wehrmacht ne sont plus qu'à quinze kilomètres de Dunkerque, à Bourbourg : c'est à peu près mort. Et c'est là que cette patate d'Hitler (andouille) commet une erreur qu'il ne se pardonnera pas de sitôt – les soirs suivants, sûr, il écume et trépigne en pyjama dans sa chambre en se foutant des baffes, tout rouge. Pour être honnête (même avec Hitler, allez), l'idée ne vient pas de lui mais il l'approuve. Le bon Gerd von Rundstedt (j'ai une photo de lui sous les yeux, je me sens bizarre), qui dirige l'assaut sur la France, suggère que ses collègues Reinhardt et Guderian, à la tête de l'avancée sur Dunkerque, s'autorisent une petite pause. Il redoute une contre-attaque alliée de grande ampleur, à tort donc, et craint que les divisions arrivées sur place encore plus vite que prévu ne soient pas assez soutenues : on ferait bien d'attendre quelques renforts avant de se jeter sur l'ennemi comme des dingues, non ? Son Führer, qui était peut-être sur un autre truc en même temps à ce moment-là, accepte distraitement. (Non, en réalité, il est nerveux, il a peur de se planter (c'est souvent comme ça qu'on se plante), il est obsédé par la conquête de Paris, qui serait une belle victoire personnelle – ses lauriers élyséens. Économiser un peu les hommes et le matériel, ne pas les user en se précipitant, ne pourra que s'avérer bénéfique quand il s'agira d'attaquer les choses sérieuses.) Habitué aux gros sabots, il ne prend pas en compte la finesse et la légèreté de l'esprit anglais (aux semelles de crêpe – dans les livres que je lisais quand j'étais petit, le héros malin ou le fourbe insaisissable portaient toujours des semelles de crêpe, ça m'a marqué à vie (comme Claude François, ou Nietzsche pour d'autres) : je ne peux pas penser à des semelles de crêpe sans voir un type qui se glisse habilement quelque part, dans la nuit) : il estime que trois ou quatre jours de répit ne suffiront pas aux Britanniques, loin s'en faudra, pour embarquer ces centaines de milliers d'hommes sur de gros navires lourds qu'on dégomme comme on veut.

Mais c'est le temps qu'il fallait aux Anglais bien chaussés pour organiser leur coup de génie. Le 26 mai, à 18 h 57, les premiers *little ships* prennent la mer : Bertram Ramsay et ses têtes pensantes ont eu l'idée d'envoyer vers Dunkerque tout ce que les côtes anglaises, de Felixstowe à Folkestone en passant par l'embouchure de la Tamise et Clacton-on-Sea (où Guillaume Gaspard s'est fait gauler, mais on oublie, c'était une autre époque), comptent de petits bateaux maniables et rapides, des chalutiers, des dragueurs d'huîtres, des ferries, des bateaux de plaisance, des barges de la Tamise et même des canots de sauvetage ou des voiliers (voire des cotres), des centaines d'embarcations de toute sorte auxquelles se joignent des françaises et des belges. Elles peuvent entrer dans le port ou s'approcher jusqu'à la plage et repartir vite, dès qu'elles ont fait le plein de soldats défaits, qui s'y entassent sous les yeux de Pauline peut-être, en tout cas sous les bombes qui continuent de tomber sur le bord de mer – et c'est pas fini.

Le lendemain, quand les Allemands réalisent qu'ils sont en train de se faire rouler dans la chapelure (Hitler se tape la tête contre un mur, en pyjama), ils remettent leurs blindés en branle (deux divisions françaises sont restées à l'arrière pour tenter de les ralentir, deux vaillantes belettes contre un troupeau d'éléphants), et surtout ils redoublent et intensifient les attaques aériennes : le 27 mai est la journée la plus effroyable de toute cette bataille, les civils s'enferment dans les caves et les abris (mille cinq cents personnes sont réfugiées dans les sous-sols de l'hôtel de ville de Rosendaël quand il est frappé par quatre roquettes et presque entièrement détruit : pas une seule ne sera gravement blessée), la plupart des gens ne veulent plus en sortir et y vivent jour et nuit, au-dessus d'eux la ville s'effondre, la gare et l'hôpital militaire de 1674 ne sont plus que des ruines, comme la chambre de commerce, l'arsenal, la poste, le grand théâtre municipal de Dunkerque, les musées, les casernes, le collège Jean-Bart. Et plus modestement, le chalet russe, place du Kursaal.

Dans la nef principale de l'église de Rosendaël, au matin de ce 27 mai, un officier français est agenouillé, seul, priant pour je ne sais quoi (mais on imagine à peu près). Le curé est sorti sur le parvis, il attend un convoi funèbre qui ne viendra sans doute jamais, étant donné ce qui tombe sur la ville – même les croque-morts ont un petit faible pour la vie. Un obus traverse le toit de l'église et tombe pile sur le gradé en prière – en tout cas pas loin : il le tue, et seulement lui. Soit Dieu a déjà compris que c'était plié pour les Français, du point de vue militaire (c'est probable : ce genre de pronostic, c'est le b.a.-ba pour Dieu), soit l'officier s'est planté quelque part – "Notre Père qui êtes aux cieux, que votre nom soit sanctifié, que votre volont... Que votre règne ? Grrr, chaque fois j'inverse. Enfin bref..."

Toutes les petites communes du littoral sont en feu, ce sont les bombes incendiaires qui causent le plus de dégâts : elles sont légères, un ou deux kilos, chaque avion peut en emporter un grand nombre et les balancer comme on jette des grains de riz, à intervalles d'une dizaine de mètres. En tombant, elles émettent un sifflement sinistre, une sorte de longue plainte animale qui se mêle aux sirènes affolantes des Stuka en piqué. Des habitants réfugiés dans les caves de leurs maisons (dont de nombreuses sont en bois, à Malo, les premières construites quand Gaspard créait la ville en vendant des parcelles de sable) meurent étouffés sous les incendies. Dans les rues, dans la fumée noire, des gens couverts de suie ou de sang courent ou errent hagards au milieu des flammes et des explosions, zombies perdus qui n'ont plus que leurs vêtements et leurs chaussures, ils ne savent pas où aller, où fuir.

"Apocalyptique", on emploie ce mot parfois pour peu de chose, mais je n'en vois pas d'autre qui pourrait illustrer mieux ce qu'ont dû ressentir les assiégés sous le, bon, déluge incendiaire. Si ce n'est qu'à l'origine l'apocalypse est une révélation. Pour eux, ça ne doit ressembler qu'à la fin de tout, à la mort en action partout, sauvage. Je me demande ce qu'éprouve une fille de treize ans prise au milieu de cette folie meurtrière – ce que le bruit incessant et tonitruant des détonations, des sirènes et des immeubles qui s'écroulent ; ce que la vision des victimes du carnage, des corps mutilés et des survivants terrifiés ; ce que la peur lucide d'avoir atteint déjà la fin de sa vie et la perspective de mourir brûlée ou déchiquetée peuvent causer dans un cerveau presque neuf. Je ne saurai jamais. Mais d'une manière ou d'une autre, il me semble que pour elle, en elle, il se passera quelque chose de l'ordre d'une révélation.

Dans le port et sur les plages, c'est pire. Les dizaines de milliers de soldats qui attendent d'embarquer sur les little ships sont des proies idéales pour les bombes et les mitrailleuses des avions, et après qu'ils ont réussi à monter à bord d'un dragueur de mines, d'une péniche ou d'un ferry, parfois en repoussant à l'eau ceux qui essayaient de passer devant eux pour se glisser aux dernières places, ils sont plus vulnérables encore. Plus de deux cents bateaux ont déjà coulé ou brûlé avec leur cargaison d'hommes en uniforme.

Parmi ceux qui attendent leur tour, certains se sacrifient d'une manière difficilement concevable – pour un type comme moi du moins, hors de la guerre et de toute façon pas spécialement téméraire. Leur fusil-mitrailleur en mains, ils se plantent debout sur le sable, face à un Stuka qui fonce sur eux en canardant la plage en enfilade, et lui tirent dessus aussi longtemps qu'ils peuvent, c'est-à-dire, le plus souvent, jusqu'à ce qu'ils prennent une rafale dans la poitrine. Je ne sais pas, et là encore ne saurai jamais (à cinquante ans, enraciné avec ma femme et mon fils dans notre appartement parisien et ne m'arrachant à notre pâté de maisons que deux fois par an, cela supposerait un basculement très spectaculaire de mon existence), le courage, le désespoir ou l'inconscience qu'il faut pour se dresser debout seul face à la mitrailleuse d'un avion en rase-mottes. De jeunes Français se joignent à eux et meurent ainsi, criblés à dix-huit ou vingt ans, pour protéger sans illusion une opération de sauvetage dont ils ne peuvent pas bénéficier. Car pour l'instant, seuls les Anglais sont autorisés à se sauver.

À partir du 28 mai, les évacuations de jour sont arrêtées, c'est un jeu de massacre bien trop facile pour les Allemands, les morts alliés se comptent par milliers : les bateaux n'effectueront plus leur circuit que de nuit. Les naufrages diminuent, le nombre de soldats extraits à l'heure augmente, d'autant que l'épaisse fumée qui s'élève des villes et du port obscurcit encore le ciel et aveugle les avions, mais d'autres problèmes apparaissent. À terre, l'atmosphère est tendue (le jour où l'on organisera le premier championnat du monde des euphémismes, cette phrase pourra se présenter sûre d'elle et décontractée, il n'y aura pas photo). Entre les civils et les militaires d'abord, car dans la panique, c'est chacun pour sa peau, les soldats qui se ruent vers la mer n'hésitent pas, pour se nourrir, à piller les commerces et les maisons des habitants qui ne sortent plus des abris – plusieurs boulangers qui mériteraient une statue de bronze dans les rues de Dunkerque ou de Malo continuent à faire du pain jour et nuit quand tout le reste de la population, à raison, se terre, et le distribuent à ceux qui n'ont rien mangé depuis trois ou quatre jours (le 28 mai 1940, entre deux fournées, un héroïque Jules Butez meurt sous les décombres de sa boulangerie bombardée, à Rosendaël – il ne sera pas le seul du métier, mais le nom des autres ne s'est malheureusement pas frayé un chemin jusqu'en 2014). Entre les militaires eux-mêmes, les conflits au bord de l'eau prennent une sale tournure, car Belges et Français sont bien gentils, mais ils commencent à trouver un peu regrettable de devoir rester là à se faire exterminer pendant que tous leurs homologues britanniques, comme on dit à la télé, sont dans la queue pour rentrer chez eux. Ils protestent, s'énervent, des bagarres éclatent (comme si un ennemi aérien impitoyable ne suffisait pas – on dira ce qu'on voudra, rien ne vaut un bon coup de poing), certains tentent de s'incruster sur les bateaux mais sont repoussés brutalement et finissent, en nette infériorité numérique, par se regrouper près des dunes en petits essaims écœurés, ils se sentent abandonnés, quota de pertes laissé sur le sable – ils ont participé eux aussi à cette (courte) guerre, peut-être moins brillamment et efficacement qu'ils n'auraient dû mais c'est avant tout la faute de leurs dirigeants d'opérette, et ce n'est pas une raison pour les livrer aux Allemands, eux, comme s'ils ne valaient rien.

Le 30 mai, le port de Dunkerque est encombré par de trop nombreux navires échoués dans sa rade, il est de plus en plus difficile d'y entrer : l'évacuation s'effectuera désormais principalement par les plages, où le foutoir s'installe vite. Churchill obtient de l'état-major allié que quelques Français puissent commencer à monter sur les petits bateaux salvateurs, en partie pour éviter que la rancœur qui s'étend légitimement dans leurs rangs ne tourne pour de bon à la colère et à l'affrontement direct avec ses troupes.

Le 2 juin, l'ancienne Villa des Dunes, le fort chic établissement de bains de mer devenu l'imposant mais élégant casino de Malo, cède sous les bombes incendiaires (il s'était déjà pris un gros obus dans le buffet en juin 1917, la guerre ne respecte rien). Tout brûle, les boiseries et les tapis, les cartes et les jetons (même les petits chevaux dans l'ombre de leur placard), la toiture s'effondre, la sublime salle Art déco est entièrement détruite. Et le tabac n'y est pour rien. (Au contraire, si l'humanité fumait un peu plus, elle serait peut-être un peu moins nerveuse.)

Ce jour-là, alors que le cauchemar assourdissant, sanglant et destructeur dure depuis une semaine, les derniers soldats britanniques quittent le sol français les pieds mouillés. Depuis le 26 mai, deux cent dix mille ont rejoint leur pays sur des coquilles de noix. Par esprit de fair-play bienvenu, Churchill décide que le va-et-vient de ses little ships continuera aussi longtemps qu'il sera possible, afin de donner aux Français encore sous le feu, qui ont protégé comme ils pouvaient les arrières de son armée et donc largement contribué au succès de l'opération, une chance d'échapper aux mâchoires nazies. Ce ne sera pas possible bien longtemps, mais au total et très précisément, cent vingt-trois mille quatre-vingt-quinze d'entre eux ont pu embarquer. (Le cent vingt-trois mille quatre-vingt-seizième s'est probablement arraché les cheveux, mais il aurait pu éviter de se faire mal : après quelques jours de repos dans le sud de l'Angleterre, la grande majorité de ses camarades chanceux ont été redéversés sur les côtes bretonnes et normandes pour continuer bravement la guerre. Pendant, quoi, dix, douze jours. (Pétain a capitulé le 22 juin.) Ils ont tous fini dans des camps de prisonniers.)

Au soir du 3 juin, il ne reste évidemment plus grand monde dans la région pour continuer à résister, les deux pauvres divisions françaises se font réduire en copeaux par les gros panzers du général Guderian : un dernier bateau a le temps de partir, dans la nuit, à 3 h 40, chargé de Français éreintés qui osent à peine y croire (à juste titre) et, sur les premières vagues, adressent de petits signes désolés à leur pote qui s'arrache les cheveux.

Les bombardements cessent. Les habitants sortent des caves. À dix heures du matin, les Allemands entrent dans Dunkerque. Marcel Godaert, un cheminot de Saint-Pol-sur-Mer, ancien poilu de 14-18, patriote et impulsif, sort son vieux fusil et tire sur le premier Boche qu'il voit passer devant chez lui. Il le tue. Un de moins, mais ce ne sera pas suffisant. Marcel est aussitôt empoigné par les Boches qui suivent et fusillé sur place. Son fils de dix-neuf ans, Louis, aussi.

Les trente-cinq mille et quelques soldats, français pour la plupart, résidus de l'opération *Dynamo*, qui errent anxieux dans les rues ou se sont instinctivement réfugiés sur les plages, dont celle de Malo sous le regard de Pauline, comme dans l'espoir de voir un yacht ou un chaland pris de remords venir les chercher à la dernière minute, sont tous faits prisonniers et envoyés directement dans des camps.

Ce 4 juin dans l'après-midi, le drapeau à croix gammée flotte à cinquante-huit mètres au-dessus de Dunkerque, au sommet du beffroi du XIIIe siècle, ou de son souvenir : les charpentes du clocher ont brûlé et il ne reste rien du carillon de quarante-neuf cloches qui était l'un des plus célèbres de France (au XIXe siècle, un jeu de grandes tablées consistait à s'embrasser vite les uns après les autres, chacun sa voisine ou son voisin – une sorte de ola de baisers –, on appelait ça : faire le carillon de Dunkerque).

Avec du recul, on dira, à tort ou à raison, que cette évacuation de grande envergure par petits bateaux, improbablement réussie dans des conditions de fin du monde, a changé l'orientation et l'issue de la guerre, même si elle était la conséquence d'un échec stratégique peu reluisant et avait toutes les allures d'une débâcle. On parlera d'ailleurs du « miracle de Dunkerque ».

Le repaire des puissants corsaires a été ravagé en quelques jours. Le port n'est plus qu'une vaste zone fantôme, parsemée de grues noires et bancales, de bennes et de silos éventrés, d'entrepôts à moitié rasés et de cadavres de bateaux. À Malo-les-Bains, sur trois mille dix maisons ou immeubles, six cent cinquante-six ont été totalement détruits, mille sept cent quarante-quatre gravement endommagés, et six cent dix plus légèrement – aucun n'est tout à fait intact. À Rosendaël, les proportions sont à peu près les mêmes, et l'on aligne huit cent vingt morts civils dans les rues encombrées de pierres et de gravats. Beaucoup ne peuvent pas être identifiés, on doit se résoudre à les jeter sans tarder dans des fosses communes pour éviter des épidémies, sans cercueil ni prêtre. Dans l'agglomération, en comptant les militaires, onze mille corps sont dans les décombres.

Revenus en surface au milieu des Allemands, les habitants encaissent et s'entraident : on essaie de loger ceux qui ont perdu leur maison, on organise des soupes populaires, on distribue rapidement la viande des chevaux ou des bovins tués ou presque dans la bataille de neuf jours, on tente évidemment de soigner au mieux les innombrables blessés, brûlés, amputés, mourants, des êtres abîmés par milliers dont on ne peut entasser qu'une petite partie dans les hôpitaux qui fonctionnent encore à Dunkerque ou dans les environs, de Grande-Synthe à Zuydcoote – couchés par terre dans tous les bâtiments publics à peu près entiers, plus de dix mille sont en attente d'un lit, d'un docteur, d'une infirmière. Pauline aide de son mieux.

C'est durant ces jours dans le sang et les gémissements qu'elle prend la décision de devenir médecin. (Un étudiant qui ne lui a jamais adressé la parole, qui ne l'a même jamais vue et n'a entendu que vaguement parler d'elle, affirmera au cours d'une déposition à la police qu'elle « concevait la médecine sur un plan purement mathématique ». Ce ne peut être qu'une hypothèse, plutôt saugrenue puisqu'il ne la connaissait pas – il sera d'ailleurs le seul à exprimer cet avis, même parmi ceux qui ont côtoyé Pauline pendant des années à la fac, mais la presse se chargera de le relayer et de l'étoffer un peu pour la forme (c'est un détail croustillant et utile pour mieux cerner la personnalité froide et calculatrice de cette garce) : on ajoutera un peu partout un aspect financier qui va bien avec l'idée de mathématique, on sait bien ce que ça palpe, un toubib, et dans *Détective*, Simone France, sublime d'intégrité, ira jusqu'à inventer un dialogue, qu'elle mettra entre guillemets et fera bien entendu passer pour authentique, entre Pauline et son amoureux. Quand il lui dit que la médecine est pour lui un sacerdoce, elle répond, en voiture Simone : « La médecine, une charité, un art ? Es-tu bête ! La médecine ne doit pas s'encombrer de pitié : un malade est un cobaye, sinon nous n'avancerons jamais ! ») À treize ans, perturbée, choquée par la mort et la souffrance qui l'entourent mais sans s'encombrer de pitié, donc, Pauline décide de passer sa vie à soigner des gens. Sa mère essaie mollement, une ou deux fois, de l'en dissuader, en lui expliquant que les études sont trop longues pour une femme, mais elle l'écoute à peine et n'abandonnera jamais cet objectif. Hélène précisera : « Elle m'a dit que c'était la seule chose qui l'intéressait. »

Elle a trouvé une direction à prendre. Mais à prix fort, la rétine marquée, l'âme endommagée. (Geneviève Dewulf, une femme de quarante-cinq ans liée à la famille par son amie Solange, la femme de Gilbert, est plus perspicace et sensée que ce dernier dans l'analyse des déséquilibres et fragilités de Pauline. Elle a quitté Dunkerque au début de la guerre, en 1939, et n'a revu la jeune fille qu'à la fin, bien changée. Elle sera l'une des rares à ne pas lui cracher dessus : « Elle a été très mal élevée par son père, qui l'aimait beaucoup, lui laissait faire tout ce qu'elle voulait et lui demandait seulement de bien travailler. Les bombardements qu'elle a subis et la vie spéciale qu'elle a menée ensuite ont faussé son éducation et empêché qu'elle ait une saine conception de la vie. ») Pauline fera avec. De ce début de printemps, il lui reste surtout un goût de massacre, et de défaite.

Chapitre sept

Plutôt... sympathique

En cet été 1940, sur une corniche au sommet d'un petit immeuble, une jeune fille insouciante en maillot de bain fait la belle au soleil. C'est Pauline.

Elle est debout et tourne le dos à la pente du toit de tuiles et à deux cheminées de briques, la corniche est large et surplombe une terrasse, côté cour d'une étroite maison de trois étages, au 6 de la rue du Maréchal-Pétain. Elle ne court aucun danger mais l'image est étonnante, de cette baigneuse sur le toit.

Elle porte un maillot une pièce, à fines rayures en chevrons, en coton épais mais très ajusté, elle est coiffée à la mode du moment, le front dégagé, les cheveux en une sorte de rouleau au-dessus, et ondulés derrière, jusqu'aux épaules. On comprend que c'est encore une petite fille parce qu'elle porte des socquettes blanches dans ses sandalettes – hormis ce détail plouc, enfantin, on lui donnerait bien dix-sept ou dix-huit ans, elle a de longues jambes, elle pourrait être pin-up débutante. (Alphonse Boudard, dans un article plein de sensibilité bourrue écrit en 1990 pour *Le Nouveau Détective* (adieu, Simone France...), commentera la photographie abîmée que je regarde en ce moment : il sait probablement que Pauline n'avait que treize ans lorsqu'elle a été prise, mais ça ne l'empêche pas d'évoquer *une photo en maillot plutôt... sympathique.* (C'est amusant, d'ailleurs, hasard ou nécessité de maquette, ou autre chose, la reproduction publiée dans le journal est coupée au niveau des mollets : on ne voit pas les sandalettes ni les socquettes blanches.))

Elle rit en regardant un appareil photo qu'elle tient dans les mains (il est petit pour l'époque, ce doit être une acquisition récente de la famille, l'un des derniers modèles sortis), tandis qu'un autre l'immortalise adolescente. Sur la terrasse en contrebas, qu'on ne voit pas, il est possible que se trouvent quelques officiers allemands (c'est peut-être même l'un d'eux qui la photographie), à boire un verre au soleil en discutant avec André, de retour de déroute : après la guerre, plusieurs voisins habitant sur cour se feront un devoir d'indiquer aux autorités qu'ils l'ont vue de nombreuses fois « avec les Boches » sur cette terrasse, « en petite tenue » – et même, diront les plus vertueux, « nue » (on se représente bien la scène, la gamine à poil sur le toit au milieu des militaires en uniforme, un broc à la main : “Encore un peu de citronnade, Herr Müller ?”).

Elle rit ou sourit mais ne lève pas les yeux vers l'objectif, ce qui lui donne un air un peu timide. La petite femelle qui sait qu'on la regarde.

Moins de trois semaines après l'entrée des Allemands dans Dunkerque, le maréchal Pétain a donc signé l'armistice et la reddition tête basse de l'armée française, pendant qu'à Malo-les-Bains, Hélène et sa mère, sans abri après la destruction totale du chalet russe, emménageaient dans la rue qui porte son nom, au numéro 6, chez Solange et Gilbert (elle en Bretagne, lui encore sous les drapeaux en berne). L'immeuble n'a pas été trop touché par les bombardements et se trouve dans un quartier agréable, à deux cents mètres de la mer. Pauline occupe une chambre au deuxième étage, sobrement meublée d'un petit lit, d'une bibliothèque et d'une commode, Hélène attend son mari au premier.

Dès le mois de juillet, les départements du Nord et du Pas-de-Calais ont été rattachés au Reich, et le secteur littoral classé en zone rouge : la population n'a plus le droit de circuler sans laissez-passer. Le couvre-feu est fixé à vingt heures dans toute l'agglomération dunkerquoise, l'été ne s'annonce pas très festif. De toute façon, le 22 juillet, après à peine plus d'un mois de répit, ce sont à présent les Anglais qui commencent à bombarder le port que les Allemands ont entrepris de retaper.

Les cousins Hutter de Pauline, eux, sont toujours dans leur maison de vacances, près de Montpellier, plus tranquilles. De manière étonnante, pour ne pas dire paranormale, un après-midi du mois d'août, alors qu'ils sont allés en vélo faire des courses à Ganges, la petite ville voisine, ils voient passer leur oncle, André Dubuisson, en uniforme de colonel. Il est seul, il a perdu son régiment, le pauvre bougre. Il les salue, il a pris un coup de vieux sur la cafetière.

Il rentre à Malo vers la fin du mois, peu de temps après son fils Gilbert. Les deux hommes ont le moral en compote – Gilbert est tout de même bien content que la guerre soit terminée, pour lui du moins, mais André a plus de mal à digérer ce qui s'est passé : la déculottée, pan. Nietzsche n'a pas pu grand-chose pour lui (mais la philosophie, de manière plus générale, perd toujours sensiblement de son utilité face aux mitraillettes et aux chars, et les philosophes eux-mêmes, pourtant virtuoses de la discipline, sont transformés en passoires comme les autres), le voilà tout à coup dans le camp des faibles, des vaincus, et pas qu'un peu : rentre chez toi, tocard, et ne moufte pas.

Il est tout de même fier et heureux de retrouver sa fille grandie (un peu trop peut-être), d'apprendre qu'elle a caracolé en tête de sa classe comme un pur-sang pendant toute l'année scolaire, et de constater qu'elle paraît solide, déjà sûre d'elle, audacieuse et débordante de volonté, comme il en rêvait. Son système d'éducation a fonctionné. Mais de son côté, quel regard peut-elle porter sur lui, désormais ? ("Papa ?") Certainement le regard que porterait un apprenti boxeur sur son professeur et maître qui se ferait démolir le beignet et envoyer au tapis pour le compte au premier round. ("Coach ?") Elle ne comprend plus. Elle n'a pas vraiment conscience qu'il n'y est pour rien, que les soldats ne font qu'obéir. Et si c'était le cas, elle n'en serait pas moins perplexe face à son père, et face à tout ce qu'elle a appris jusqu'à présent. Obéir ? Perdre ?

Le destin n'est pas tendre avec Pauline. C'est très précisément à l'âge où les jeunes filles entrent en vibration, se mettent à ne plus penser qu'aux garçons et à leurs tentants mystères, qu'elle assiste à la débandade d'une foule d'Alliés sombres, sales et boiteux en fuite, qui ne lui inspirent que de la pitié (c'est déjà beaucoup, mais ça fait peu palpiter les gamines), et à l'arrivée quasi simultanée d'une puissante armée de grands jeunes hommes blonds et beaux, ou bruns et beaux d'ailleurs, musclés, souriants, au regard sûr et aux épaules droites dans leur uniforme impeccable. Ce sont eux dont parlait son père, les forts, ceux vers qui il faut aller. On lui reprochera comme un crime impardonnable cette attirance pour l'ennemi de la France, mais comment peut-elle réfléchir en Française avant de réagir en fille (un garçon, ce serait pareil : est-ce qu'on imagine un huitième de seconde un adolescent de quatorze ans, disons, au même stade de la puberté, dont la ville serait envahie par des milliers de grandes blondes en minijupe et corsage entrouvert sur des seins abondants, rayonnantes et disponibles, demandeuses même, ne pas avoir envie de les approcher parce qu'elles sont ennemies de son pays, est-ce qu'on serait horrifiés qu'il se laisse émouvoir et ne pense pas plutôt à la patrie ?), comment peut-elle, à peine sortie de l'enfance, suivre un drapeau avant de suivre son instinct, sa nature ? Mon fils Ernest est en troisième, ses amies ont un an de plus que Pauline, je les vois souvent, Anaïs, Léna, Juliette, l'honneur de la France n'est pas encore très bien classé dans la liste de leurs préoccupations principales. Le désir de Pauline pour les envahisseurs n'est ni patriotique ni moral, c'est sûr, elle le sait ou le sent peut-être, mais la norme morale est une bien fragile barrière, à cet âge, elle est même au contraire un petit obstacle agréable à franchir, gaiement, temps de guerre ou pas : de qui tombent amoureuses les filles de treize ou quatorze ans ? De jeunes notaires, de petits ministres en herbe ? Pas tellement, plutôt de ceux que la morale des adultes réprouve, justement, des rebelles, des « jeunes voyous ». Pauline se fout de ce qu'on dit d'elle, de ce qu'on dira d'elle dans dix ans (là, elle a tort, même si elle a raison), elle est fière des regards allemands sur son nouveau maillot de bain, elle sourit en baissant les yeux sur la terrasse de la rue du Maréchal-Pétain.

Le destin faisant rarement les choses à moitié, la puberté de Pauline et l'échange sur la plage des possibilités masculines en présence coïncident avec un troisième facteur déstabilisant : le retour d'André déconfit et la confusion que cela occasionne dans l'esprit de sa fille. (À croire que les circonstances font un concours.) Il était son seul guide, sa seule valeur sûre, son modèle – apparemment pas valable, puisque laminé. Désorientée, elle va se faire confiance, se laisser aller. Et même si une lointaine sensation d'erreur possible la retient encore (je n'en sais rien), André va se charger d'écarter lui-même ces scrupules diffus, en lui montrant que les Allemands non seulement ne sont pas haïssables, mais sont souhaitables : en manque de puissance, il a besoin d'eux, de ce qu'ils représentent symboliquement mais aussi de ce qu'ils peuvent lui apporter. Il sera l'un des tout premiers habitants de Malo à inviter des officiers chez lui. Il fera pire encore pour Pauline.

La rentrée scolaire n'a pas lieu cette année-là, le collège Jean-Bart ayant été détruit, et les bombardements alliés s'intensifiant de jour en jour (en octobre, par exemple, on dénombre quarante-six victimes civiles parmi la population dunkerquoise : le ciel menaçant ne pousse pas à laisser les marmots se balader dans les rues). Un professeur ne baisse pas les bras, un M. Petit – mais costaud : il tient à tout prix à permettre aux enfants dont les parents ne sont pas partis de continuer à étudier, et il y parvient. Le collège Lamartine est occupé par les Allemands, les autres établissements alentour sont trop détériorés pour accueillir les élèves, il finit donc par installer une classe, c'est mieux que rien, dans les bureaux d'une usine abandonnée, l'usine Weill, qui fabriquait de la toile de jute – elle a été bâtie par des Alsaciens, attirés par les succès dans ce commerce des frères Gaspard et Célestin Malo, les fils du corsaire et arrière-arrière-grands-oncles de Pauline. Les cours commencent au début du mois de novembre 1940, avec quelques élèves seulement, parmi lesquels Pauline ne figure pas. Une année de perdue ne lui sera pas réellement préjudiciable, et son père a besoin d'elle. (L'année en question sera en fait plus que préjudiciable, elle enclenchera sa descente vers les bas-fonds de l'opinion publique, sinon aux enfers, et causera sa perte. Il faut toujours aller à l'école, les enfants.)

Car André a décidé de relancer son entreprise de travaux publics, dont bureaux et entrepôts ne sont plus que pans de murs et tas de pierres. Son demi-frère Émile s'estime trop âgé pour repartir de zéro avec lui (c'est en tout cas l'explication qu'il donnera au policier qui l'interrogera, peut-être pour ne pas enfoncer son frangin

– il est assez probable qu'il ait en réalité refusé de travailler avec l'occupant teuton, a fortiori pour l'aider à se protéger des Alliés), c'est donc seul qu'André repart au charbon, au béton, à cinquante-huit ans. (Les locaux de la société Dubuisson seront de nouveau entièrement démolis en 1944 – quand ça veut pas…) Les Allemands sont très demandeurs, comme les belles blondes à poitrine extraterrestre mais de façon plus terre à terre, il faut réparer les bâtiments qui peuvent leur servir, remettre le port et diverses infrastructures indispensables en état, et édifier quelques fortifications de base (la construction du gigantesque mur de l'Atlantique ne débutera que deux ans plus tard, mais on commence déjà à se prémunir d'un éventuel retour de bâton de ces foutues mules d'Anglais). Le boulot ne manque pas, c'est l'eldorado pour qui ne fait pas de chichis de bonne conscience (blague à part, il faut reconnaître à la décharge d'André (il en aura bien besoin) que c'était soit ça, soit rien : si on voulait travailler, et on avait rarement le loisir de ne pas vouloir, c'était avec les Boches ou pas du tout, en particulier à Dunkerque et sur toute la zone côtière – j'ai contacté par Internet un fort sympathique M. "Alfred", originaire de Malo, dont le père, qui devait nourrir sa famille mais refusait tout emploi ayant un lien quelconque avec l'armée ou la défense allemandes, n'a rien trouvé avant la fin de l'année 1941). Le hic, c'est qu'André ne parle pas un mot d'allemand. Heureusement, sa fille, si.

Lorsqu'il est convoqué par l'un des responsables de l'état-major pour négocier un marché, ou se rend de lui-même dans ses bureaux ou ses appartements pour expliquer un devis ou des plans, il emmène toujours Pauline avec lui, c'est son petit soldat. Elle l'accompagne de bon cœur, ces sorties la distraient (de longs mois d'automne et d'hiver oisifs à Dunkerque sous l'Occupation, on préférerait se casser une jambe ou deux) et lui permettent, pour la première fois, de se sentir utile, indispensable même à son père. Accessoirement, et sans doute pas tant que ça, les regards que ne manquent pas de poser sur elle les jeunes soldats de la Kriegsmarine, enrôlés au service des officiers plus âgés en tant qu'aides ou secrétaires, ne font qu'ajouter au plaisir de ces expéditions commerciales avec papa. Quelle jeune fille resterait indifférente à l'attention d'un beau matelot ? Bien sûr, comme le note Alphonse Boudard : *Allemand, le matelot. Faut dire qu'à cette époque-là, ils étaient souvent comme ça, les matelots qu'on trouvait dans l'Hexagone.* (Intelligence et Sensibilité sont mère et tante d'Indulgence. Boudard aurait quelques raisons, plus que d'autres, de mépriser Pauline, lui qui est entré dans la Résistance à dix-sept ans – mais non.)

Elle traduit parfaitement les échanges entre son père et ses clients, elle est toujours disponible et souriante, discrète et très présente à la fois, elle devient vite familière des lieux dans lesquels ils se rendent et les commanditaires l'apprécient : de plus en plus régulièrement, quand il est occupé ailleurs et si la mission est simple, André l'envoie seule chez les Allemands. Elle est son assistante, son émissaire. Elle obtient de très bons résultats. Des trois ou quatre entreprises de travaux publics encore en activité dans la région, c'est celle des Dubuisson qui décroche le plus de contrats. On peut espérer qu'André oublie de se demander pourquoi, mais il est plus probable qu'il préfère consciemment ne pas y penser – à la guerre comme à la guerre. Quelque temps plus tôt, il a transmis à sa fille l'une de ces règles de vie auxquelles il continue désespérément de s'accrocher : « Triomphe d'abord des hommes, ensuite fais-en ce que tu veux. » Là, il est encore plus difficile de croire qu'il n'a pas mesuré la portée de ce qu'il lui conseillait. Si l'on est vraiment d'une indulgence de dalaï-lama, on peut supposer qu'il ne parlait, d'une manière abstraite, que de séduction ; ou bien d'ascendant, d'une manière générale, si l'on admet qu'il continuait à considérer le soldat Pauline plutôt comme un garçon ; mais rien n'est sûr.

De son côté, Pauline ne peut pas ignorer sa force, ses armes. Elle est jolie, elle le sait, le remarque dans les miroirs animés que sont les matelots et leurs vieux supérieurs, elle fait bien plus que son âge, mais c'est surtout son caractère, ce qu'il diffuse à son insu dans son attitude et ses yeux, qui la rend irrésistible. Dans ces années-là, on dit, au bas mot, qu'elle a du chien. (En réalité, elle a surtout du chat.) Dès ses premières visites seule, elle constate sans peine un changement de comportement de ses interlocuteurs (de plus en plus animés), une ambiance plus détendue – ou plus exactement, un déplacement de la tension. Se demande-t-elle pourquoi son père, qui se soucie tant d'elle, l'envoie implicitement au tapin ? Se dit-elle que s'il a autre chose à faire, c'est pour ne pas voir ça ? Elle est très jeune, peut-être que non. Quoi qu'il en soit, et même si elle ne le considère plus comme un mentor fiable, elle tient à se montrer digne de ses enseignements.

C'est sur la digue de Mer, à la villa Les Tamaris, où s'est installé comme chez lui un major que les Dubuisson invitent souvent rue du Maréchal-Pétain le dimanche après-midi, qu'elle ressent le plus fortement l'ambiguïté de la tâche que lui confie son père. Le major, une cinquantaine d'années bien tassée, a les pupilles qui suintent quand elles suivent chacun de ses pas dans son salon, où elle déambule l'air de rien. Elle s'en moque, je pense, peut-être aux deux sens du terme. En revanche, l'aide du major, un jeune homme forcément plus attrayant qui la reluque comme son chef (mais on ne peut pas nier qu'il y ait suintement et suintement, selon l'âge), l'intéresse davantage. D'une part, elle a certainement envie de tester sur lui son pouvoir magique, qui pourrait faire d'elle une vraie bonne guerrière, si elle en croit son intuition ; d'autre part, sans chercher midi à pas d'heure, elle est tout simplement sensible à son charme.

Souvent, le soir, au Bistrot Lafayette, en bas de chez moi, je bois un verre avec une femme du tonnerre, qui s'appelle Lucette. Elle est née en 1928, c'est-à-dire un an après Pauline. (C'est un drôle de sentiment, de parler avec elle. Mais je ne pense pas que Pauline lui ressemblerait si elle vivait encore aujourd'hui. Lucette est joyeuse, elle parle à tout le monde, mange au Subway d'à côté quand elle n'a pas envie de rentrer chez elle, et les soirs de fête au bistrot, elle danse avec des jeunes (dans mon genre) jusqu'à deux heures du matin, toujours un pied levé malgré ses quatre-vingt-six ans, toujours de bonne humeur et optimiste – même si depuis quelques semaines, elle s'aperçoit qu'elle perd rapidement, et tristement, la mémoire. Mais peut-être qu'en 1941, Pauline lui ressemblait encore un peu – de nature, si ce n'est par leur éducation.) Lorsque les Allemands sont entrés en France en mai 1940, son père a été fait prisonnier, envoyé en Allemagne, et sa mère a quitté Paris, avec elle évidemment, pour s'installer à Surgères, en Charente-Maritime, où ses grands-parents possédaient une petite maison. Elle était située juste en face du grand camp d'internement où étaient regroupés tous les prisonniers de guerre de la région (pas grand-chose de plus qu'un vaste champ devenu un terrain vague, sur lequel on a élevé rapidement des baraquements, et qu'on a entouré de murs et de grillages). De sa fenêtre du deuxième étage, elle voyait les prisonniers errer toute la journée, abattus et misérables. Quand je lui ai demandé ce que pouvait ressentir une ado, entre douze et seize ans, dans ce contexte et notamment par rapport aux hommes, elle a fixé quelques instants la table du café, pour se propulser en arrière dans le temps (elle se souvient bien mieux des années quarante (au point de me citer le prénom de ses copines de collège ou de me décrire la tenue que portait le présumé collabo qui a été fusillé sous ses yeux à la Libération, dans la rue, après un “procès” expédié en quelques minutes par des types qui étaient juges et impartiaux comme je suis esthéticienne et vierge) que de ce qu'elle a bien pu manger à midi ou de l'adresse du bistrot (elle habite à deux cents mètres mais est parfois obligée de téléphoner à Fred, le patron, avant de sortir de chez elle, pour qu'il lui rappelle le chemin à prendre pour venir), puis elle m'a expliqué d'abord que dans son cas, c'était un peu particulier : son père étant prisonnier, elle ne les aimait pas du tout, ces types qui le retenaient loin d'elle. Mais ensuite, concentrée dans un effort d'objectivité, elle m'a dit que – pour une toute jeune fille, pas pour les adultes bien sûr – les Allemands ne paraissaient pas si méchants que ça. Il n'était pas évident, quand on ne connaissait presque rien à la vie, de faire la part des choses. Par exemple, ils volaient de la nourriture ou du bétail aux habitants, disons qu'ils se servaient sans demander la permission, mais les FFI aussi – qui en avaient tout autant besoin et n'hésitaient pas davantage. Lorsque sa mère lui expliquait qu'il n'y avait que des topinambours pour le dîner parce qu'on leur avait vidé le garde-manger, elle en voulait aux pilleurs, point. Mais surtout, elle était quotidiennement au contact des soldats ennemis, car ils avaient réquisitionné de nombreuses chambres “chez l'habitant” dans son quartier. Ce qui l'avait étonnée, Lucette, c'était de découvrir qu'un grand nombre de ces hommes « semblaient n'avoir pas du tout envie de faire la guerre » (comme des gens normaux, donc) et auraient beaucoup donné pour qu'elle s'arrête et qu'on les laisse rentrer chez eux, auprès de leur famille, de leurs amis, de leur fiancée, « à faire des choses tranquilles, tu vois ? » (J'ai offert une bière – elle aime bien ça de temps en temps – à celle qu'aurait pu être Pauline, si Paris était tout petit et les bouteilles très grandes.) « Au début, quand ma mère nous a fait fuir Paris, je croyais, mais non, ce n'étaient pas des brutes sanguinaires qui ne pensaient qu'à tuer, pas tous. » Toutefois, Lucette n'a jamais ne serait-ce que songé à essayer de séduire un Allemand, sans parler de coucher avec, mais ça ne l'empêchait pas de les regarder. La plupart étaient jeunes, athlétiques, « plutôt pas mal, il faut reconnaître », ils se tenaient bien, ils étaient toujours impeccablement habillés – « Et puis tu sais, ça paraît un peu bête, on ne le dit jamais, enfin moi je ne l'entends jamais, mais ce qu'il y avait aussi avec les Allemands, c'est qu'ils étaient très polis. Beaucoup plus que les Français. »)

L'aide du major a dû demander très poliment, car Pauline ne tarde pas à lui céder (tout en se disant, ma main à couper à l'Opinel, que c'est lui qui plie, lui qui succombe) : dès le mois de février, elle se laisse entraîner dans sa chambre – elle attaque et prend possession de sa chambre. (Et découvre alors, sans parler de sexe, le plaisir indéniable du contact physique entre êtres humains, qu'elle n'a jamais connu, même petite.) Germaine Charrignon, la femme de ménage dont le mari est prisonnier en Allemagne, la voit plusieurs fois par semaine pénétrer dans la villa (qui ne se trouve qu'à cinq cents mètres de chez les Dubuisson), où elle reste de plus en plus longtemps. Elle en a des haut-le-cœur et ne se gêne certainement pas pour le montrer (pour le dire, si – le courage a les limites que lui impose la raison), je suis sûr que soixante-quinze ans plus tard, les murs de la maison gardent les traces de balles de ses regards. Pauline est ce qu'on veut mais pas écervelée, elle doit savoir qu'elle a basculé, qu'elle a franchi une ligne invisible et avance désormais en terrain miné. D'ailleurs, la femme de ménage la trouve « nerveuse et autoritaire ». Un après-midi, Pauline vient la voir dans la cuisine et lui propose de gagner « beaucoup d'argent » (il ne peut s'agir que de quelques pièces ou billets, cette exagération enfantine donne un frisson). Prudemment, Germaine, qui en aurait bien besoin, même d'un demi-cochon-tirelire, lui demande ce qu'elle devrait faire pour ça. C'est facile, il lui suffit de monter la prévenir rapidement si quelqu'un d'étranger à la maison veut entrer. (Pauline n'est pas du genre à se soucier du jugement des autres et des on-dit, elle a été façonnée pour ça, elle ne peut donc craindre, à mon avis, que l'arrivée de son père ; ce qui tendrait à prouver qu'elle ne considère pas qu'elle lui rend service, qu'elle ne le soupçonne pas de l'envoyer ici et de la laisser faire par intérêt, même honteusement.) Germaine, on la comprend, refuse « énergiquement » – elle emploiera cet adverbe, c'est sa manière de se trouver une place, à son niveau, dans la résistance active – et Pauline ne peut que hausser les épaules. Il faudra simplement qu'elle tende l'oreille quand elle est à quatre pattes, rien de sorcier.

Le jeune assistant du major, lui, n'a pas ces appréhensions : il demande même à la femme de ménage de partir chaque jour le plus tôt possible, dès qu'elle a fini son travail dans la maison, sans attendre l'heure habituelle. Ça l'arrange plutôt, Germaine. Et le lendemain matin, quand elle arrive, il n'est pas rare qu'elle trouve la chambre du matelot en grand désordre, les draps par terre, des bouteilles vides, une fois même un soutien-gorge de jeune fille.

À la fin de la déposition recueillie par le commissaire Jean Guibert, chef de la sûreté urbaine de Dunkerque, le 18 janvier 1952, elle conclura : « En résumé, je peux vous certifier que malgré son jeune âge, Pauline Dubuisson a eu une conduite scandaleuse pendant l'Occupation. » (“À cause de son jeune âge”, ça marchait aussi, il me semble.)

Pauline, elle, après plusieurs déclarations contradictoires aux policiers sur l'identité de son premier amant (ce point semble passionner tout le monde – "Allez, vas-y, à quel âge ? Dis-nous, fais pas ta timide !"), prétendra qu'elle ne sait plus quand ni avec qui elle a perdu sa virginité. C'est faux aussi, sûrement, mais je pense que c'est une manière de leur suggérer d'aller se faire foutre. Vieux vicelards. (Comme le major allemand, d'ailleurs, qui faute d'avoir pu se l'envoyer lui-même, a sans doute dû se contenter de quelques branlettes dans sa bibliothèque en pensant qu'à l'étage au-dessus, une petite pute française de quatorze ans à peine se faisait tringler par son assistant.)

Ça y est, Pauline, comme on dit dans ces années-là, est « tombée aux hommes ». (C'est charmant, on imagine la vraie jeune fille pure, dans son costume de plumes blanches, voleter tout près des anges et soudain, aspirée par le mal et choisissant de s'arracher les ailes plutôt que de se marier devant Dieu à la première émotion, la malheureuse dégringole dans la fosse aux hommes (nus, suants et priapiques – les Allemands, n'en parlons pas…), plus bas que tout, pervertie, perdue – Madeleine Jacob, sœur d'armes de Simone France mais de plus noble réputation, écrira dans *Libération* : *Il eût été sage de combattre aussitôt ses instincts de fille à soldats* (des instincts bien accompagnés par papa, et de fille à soldats parce que les maîtres nageurs ou les musiciens de bal ne couraient pas les rues) : *une fille de quatorze ans qui prend de coupables ébats avec des soldats allemands relève au moins de la psychiatrie.* Avec des Français, ça irait, je suppose, même s'il faudrait la gronder un peu pour la forme.) Blanche Druaert, la patronne de l'hôtel du Nord, qui jouxte la villa, dira qu'elle la voyait presque journellement rendre visite à l'aide du major (c'est un de ces jours-là, le 28 mars 1941, que Virginia Woolf se suicide, en laissant un mot à son mari : *J'ai la certitude que je vais devenir folle*), mais aussi se promener en tenue de bain sur le bord de mer avec d'autres membres de la Wehrmacht, alors que tout le secteur de la digue avait été interdit aux civils peu de temps après l'entrée des Allemands dans la ville. Il est donc possible, même si je n'ai pas trouvé d'autres témoignages dans ce sens, que le matelot de la villa n'ait pas été le seul à profiter de ses bonnes dispositions de circonstance avant ses quatorze ans (j'ai oublié de préciser un détail, important pour confirmer que Pauline n'est pas à ce moment-là la victime impuissante des hommes (bavant et déchaînés dans la fosse), si ce n'est naturellement celle de son père, et qu'il est bien question de volonté – même faussée – de sa part : elle lui a fait croire, au marin, comme elle le fera croire aux suivants, qu'elle est née en 1925 et non 1927, qu'elle va donc sur ses seize ans – à cette époque, autant dire : vas-y Jeannot, vas-y Günter, je suis mûre). Peu importe, il suffit d'un seul, et peu importe l'âge aussi (ne jouons pas les vieux vicelards en quête de précisions savoureuses) : à ce stade de sa vie où Pauline, comme vous, moi, et les autres, doit quitter l'enfance, regarder autour d'elle, prendre la lumière et faire ses premiers pas dans une autre dimension, à ce stade de sa vie, un peu plus prosaïquement, où elle commence à baiser à droite et à gauche, tout ce qui l'entoure est plongé dans le noir, le vert-de-gris au mieux, ça sent la mort partout, Malo-les-Bains et Dunkerque sont tétanisées de méfiance et de haine, et toute la France autour : pareil. (Mon fils Ernest entre dans cette zone de métamorphose, c'est difficile, je le vois (et je me souviens, bien que le sentiment d'inquiétude et de malaise se soit utilement estompé dans ma mémoire, de mes propres années de puberté, désastreuses), même à Paris en temps de paix dans un environnement à peu près serein, c'est le bazar à l'intérieur et la surface est vulnérable : ce bouleversement intime immergé dans le contexte glauque et violent de l'Occupation dans le Nord, au secours.)

Pauline fera comme les pieds de vigne qu'on plante sous des tas de pierres (eux, pour leur bien, du moins celui du vin qu'ils produiront), elle va s'endurcir malgré elle, sa sexualité aussi. Elle s'aperçoit vite de deux choses : d'abord, que les garçons n'ont pas les entraves, les réticences et pudeurs des filles convenablement élevées, ils utilisent leur propre corps sans se poser de questions, prennent ce qu'on leur propose et profitent simplement du plaisir que cela procure ; ensuite, revers de cette heureuse médaille, qu'il est assez simple de les conquérir (de triompher d'eux, dirait son père, à qui elle compte bien donner satisfaction), puisque justement, ils ne se posent plus beaucoup de questions à partir du moment où une fille soulève sa jupe. Cette seconde découverte n'est pas tombée entre les jambes d'une sainte, elle la ravit : elle ne se privera pas de la mettre à profit (c'est trivial et peu gratifiant, peut-être, mais dans un monde où pour l'instant la grande majorité des femmes n'a pas d'autre droit que celui de choisir, si le mari est gentil, la couleur des vêtements du petit et ce qu'on met dans la soupe – pas même celui de décider ou non de se reproduire, d'ouvrir un compte bancaire ou de travailler si l'homme ne veut pas, ni de voter, encore heureux –, ça ne se refuse pas, ça peut s'avérer utile : dans un premier temps, son corps lui servira d'outil de pouvoir). Quant à sa première observation, cette faculté des hommes à disposer d'eux-mêmes la conscience tranquille, elle est toute prête à faire pareil, mais elle risque de se heurter à quelques résistances de la société (et si elle le pressent, elle ne croit pas si bien pressentir). Elle pourra être supérieure à eux, dans la mesure où elle n'aura qu'à montrer les genoux et claquer des doigts pour les rendre fébriles et dociles, mais leur égale, c'est une autre paire de bas.

D'un autre côté, est-ce réellement ce qu'elle souhaite ? (Être leur égale, ça ne fait pas de doute, mais baiser quand elle veut, juste pour le plaisir ?) Je n'en sais évidemment que ce que m'en dit ma tête (autre chose, ce serait plus fiable – tant pis, c'est la vie), mais je ne suis pas certain qu'elle soit capable de se laisser aller tout à fait, de jouir l'esprit béat, de n'être qu'agréablement animale. À cause – pas besoin de diplôme de psycho-gynécologie – de son éducation, du bourrage de crâne effectué par son père, qui lui a appris à ne manifester aucune émotion, à n'en ressentir aucune si possible ; à cause aussi, probablement, des conditions pour le moins particulières dans lesquelles a débuté sa vie sexuelle, et du jeune âge auquel on l'a foutue dans les pattes du loup – qu'elle a embrassé sans se faire prier.

(J'en ai connu, des filles qui se laissaient allonger trop jeunes, par qui voulait et avec le sourire. (J'en ai d'abord connu, au même âge qu'elles, sans coucher moi-même avec, j'étais trop timide et gourd, mais je les observais et les écoutais du mieux que je pouvais. J'en ai connu quelques-unes ensuite quand nous avions dix-huit ou vingt-cinq ans elles et moi, elles n'étaient plus ces "filles faciles" (disaient les vieux, "salopes" les jeunes) du collège mais me parlaient de ces éparpillements sexuels de début d'adolescence, et parfois, sans généraliser bien sûr, j'en constatais les conséquences malheureuses entre mes bras d'athlète.) Souvent, à treize ans, baiser n'a rien à voir avec le cul, avec le plaisir. Ni même avec le désir, et encore moins le vice. Enfonçons une porte ouverte, c'est juste un moyen de se faire aimer, d'intégrer en tout cas un groupe voire un monde qu'on pense difficilement accessible autrement, on a les moyens qu'on peut, mais je crois que c'est surtout une manière, maladroite, de penser à autre chose qu'à soi-même, de s'abrutir l'esprit et le reste pour ne pas souffrir, une occupation pour ne pas tomber : la plupart des filles frénétiquement précoces sont mal dans leur peau, il suffit de plisser les yeux pour le voir, il se dégage d'elles, toujours, une sorte de détresse, de panique face à la vie. Comme si elles se tournaient le dos, à elles-mêmes (pas évident), et se lançaient vers tous les lits ou les banquettes arrière qu'on leur propose.

Dans ma classe de quatrième ou de troisième, je ne sais plus, il y en avait une, Laurence, intelligente, les cheveux courts, dont la rumeur, à mon avis fondée, au moins en partie, disait qu'elle se faisait « trombiner » (pardon mais c'est d'époque) par tous ceux qui demandaient – sauf nous, comme par hasard, trop jeunes et coincés (de toute façon, je ne sais pas ce que j'aurais fait d'elle à cet âge-là sous ma couette Lucky Luke – je lui aurais tripoté les oreilles pendant deux heures, je pense), elle n'acceptait que les vieux, à partir de la seconde. Elle nous invitait chez elle le mercredi après-midi (elle ne connaissait pas son père et sa mère était toujours alitée), nous parlait de ses « amants » du moment et, presque chaque fois, se déshabillait pour nous montrer ses seins, dont elle était très fière ; elle gardait sa culotte, toujours noire (ce qui nous impressionnait, c'est la couleur du vice assumé), mais ces séances de strip-tease nous tenaient bien la semaine, le soir dans notre chambre junior après avoir éteint la lumière. Au milieu de l'année de troisième, elle a disparu. Certains, les informés, les chefs, ont affirmé qu'elle était partie faire une carrière de star du porno à Paris (nous habitions en grande banlieue, New York ou Tokyo nous auraient fait le même effet que Paris). À quatorze ans. Le pire, c'est que nous l'avons cru, tous. Nous n'avons plus jamais eu de nouvelles de Laurence, elle a pu devenir mère de cinq enfants à Montfermeil, fantôme de peep-show ou dentiste.)

Chapitre huit

En scabreuse posture

L'un des soldats qui tournent autour de Pauline sort du lot. Il n'a pas la même attitude que les autres, il est plus doux, ou disons plus galant, et plus cultivé. Il ne cherche pas uniquement à lui écarter les jambes à la hussarde entre deux garde-à-vous et ne l'englue pas d'œillades libidineuses quand il la croise : il paraît déplacé dans le tas de troufions en rut, presque désuet. Il n'a pourtant que vingt-trois ans, il s'appelle Hans-Joachim et vient d'une famille de pasteurs (ça continue à pulluler dans cette histoire, les pasteurs). Étudiant en médecine, il vient d'être appelé dans la Kriegsmarine à Malo, au service d'un officier.

Presque tous les jours, il voit passer Pauline devant la maison où on l'a installé. Pour aller de la rue du Maréchal-Pétain à la villa Les Tamaris, elle emprunte d'un pas léger la rue du Maréchal-Foch. C'est là qu'il vit, au numéro 17, dans une belle villa de style Art nouveau dont on a réquisitionné pour lui le deuxième étage, son supérieur ayant élu domicile dans une maison voisine. Au rez-de-chaussée et au premier vivent les Vaillant, de vagues relations d'André Dubuisson avant la guerre, qui ont pris leurs distances ces derniers temps, depuis qu'il a retrouvé du galon, si on peut dire. Pauline (elle a fêté son quatorzième anniversaire, je vois bien un petit goûter sur la terrasse au-dessus de la cour, avec le gratin allemand – mais très informel, Oberst Schmidt, c'est juste pour faire plaisir à la petite) connaît leur fille Maud, qui a deux ans de moins qu'elle, et cinq ou six si l'on ne tient pas compte de l'état civil – elle la considère donc comme un bébé mais il lui arrive encore, quand elle oublie de jouer son rôle de femme fatale, de discuter ou de s'amuser avec elle à l'occasion. Un jour de juin où elle s'arrête sur le trottoir de la rue du Maréchal-Foch pour lui parler avant d'aller se faire secouer digue de Mer, Hans-Joachim descend pour lier connaissance.

Les jours suivants, il guette son passage, ils échangent quelques mots (elle lui dit qu'elle a seize ans et qu'elle s'appelle Jacqueline Dubuisson – elle ne supporte toujours pas Pauline, ou peut-être l'identité, l'enfance que ce prénom représente, et Paulette est réservé à la famille), ils s'apprécient, se trouvent des points communs, elle l'interroge inlassablement sur ses études de médecine (sans doute un peu trop pour lui, qui, bien que désuet, n'en a pas moins quelques pulsions éloignées de la dissection et du squelette), et ils finissent par décider de se retrouver plutôt au square Rombout, près de la place du Kursaal, où ils seront plus tranquilles pour bavarder, à l'abri au moins des regards de la mère de Maud, Thérèse, sévère derrière les voilages du rez-de-chaussée. Le square se situe à cent mètres à peine de chez Pauline, on ne peut pas dire par contre qu'elle cherche à se cacher de sa famille ou de ses voisins. Elle y revoit Hans le lendemain après-midi. Et demain, même heure ?

C'est lors de leur rendez-vous suivant dans ce jardin, le 10 juin 1941 à 16 h 15, que la vie de Pauline va prendre, sans qu'elle le sache, sans que personne le sache encore, sa couleur définitive. Il ne se produit qu'un petit événement de rien du tout, pourtant : un policier français passe par là. Mais cette scène sera racontée dix ans plus tard dans à peu près tous les journaux de l'Hexagone, elle sera portée au dossier d'instruction, mentionnée lors de son procès pour assassinat comme symbole de son ignominie, puis reprise dans les deux livres qui lui seront consacrés et la plupart des articles ultérieurs, jusqu'à soixante-dix ans après que le policier a eu l'idée de se promener entre les arbres – on en parlera toujours légèrement, pour se détendre entre deux vilenies plus graves, mais toujours quand même. Que s'est-il passé dans le square Rombout ?

C'est l'inspecteur-chef Barrière qui lèvera le voile le premier, dans son rapport du 30 avril 1951. Pour une fois, il se montrera plutôt mesuré, écrivant que l'inculpée a été *surprise dans un bas-fond de square, à l'âge de quatorze ans, en compagnie d'un soldat allemand.* On note tout de même que l'homme est habile et conscient du pouvoir subliminal des mots, il aurait pu s'essayer à la littérature : il n'exprime rien de particulièrement scandaleux, mais l'emploi de *bas-fond* (qui n'est pas indispensable (ce n'est quand même pas une fosse, j'ai vu des photos du square (qui n'existe plus), on peut tout juste lui prêter de vagues cuvettes), surtout dans une phrase aussi peu précise – c'est comme s'il tenait à souligner que le rendez-vous avait lieu sous un chêne pédonculé des Flandres) laisse indiscutablement une trace poisseuse dans l'esprit du lecteur. D'ailleurs, les trois psychiatres chargés d'examiner Pauline, qui rédigeront leur rapport deux mois plus tard, l'entameront en recopiant un résumé de celui de Barrière, qui leur a été remis par le cabinet du commissaire divisionnaire Lucien Pinault, responsable de l'enquête : en mélangeant ce que suggèrent *bas-fond* et *en compagnie de*, ce résumé nous apprend que Pauline a été *surprise par un gardien de parc dans les bras d'un soldat allemand.* On approche. L'année suivante, le 8 avril 1952, dans son ordonnance de transmission de la procédure, le juge d'instruction Louis Grenier, correct, peu enclin aux approximations et aux sous-entendus de roman de gare, fera disparaître cet épisode nébuleux (depuis quelque temps, on tape sans honte sur les juges d'instruction comme sur des enclumes (qui n'ont pas vraiment les moyens de répondre), mais dans cette affaire en tout cas, celui-ci sera le seul intervenant important – je vais l'écrire en majuscule, ça prend une seconde : le SEUL – à faire preuve d'une réelle honnêteté, intégrité, impartialité : de professionnalisme, donc), mais ledit épisode nébuleux remontera à la surface, coriace, dans l'acte d'accusation rédigé le 16 juillet 1952 par le procureur général, qui signalera sans autre précision que Pauline a fait l'objet d'un rapport en juin 1941 *pour son inconduite*. Ce n'est pas faux mais c'est flou (à la David Hamilton), hypocritement pudique, ça entrouvre des portes : l'inconduite d'une jeune fille de quatorze ans, miam. Ce n'est cependant pas assez clair et trop mou pour la presse, qui va arranger ça.

Simone France, sur qui l'on peut toujours compter, ouvre le feu dans *Détective*, avec un petit résumé assorti d'une parenthèse (Simone est mon idole) de son cru : *À quatorze ans, un gardien du parc de Dunkerque la surprend dans les bras d'un soldat allemand ("dans les bras" n'étant qu'un pudique euphémisme).* Ne voulant pas se laisser distancer par sa consœur de bas étage, elles n'ont pas élevé les chiens écrasés ensemble, Madeleine Jacob contre-attaque dans *Libération*, en ajoutant une note psychologique et un détail sensationnel (qui montre, au passage, qu'elle a eu accès à certaines pièces du dossier qui ne figurent dans aucun rapport récapitulatif, puisqu'elle est la première à s'en servir – à s'en servir à sa sauce, aigre), prouvant qu'elle était quasiment cachée dans un buisson du square, derrière eux, mais aussi qu'elle sait ce qui s'est passé ensuite – c'est le boulot d'une bonne journaliste : tout voir, tout entendre, tout savoir. Comme tata Simone,

Madeleine évoque l'intimité dans laquelle se trouvaient les amants coupables quand la Loi leur est tombée dessus, situant l'action le soir plutôt que l'après-midi, ça ne mange pas de pain, puis raconte la discussion que Pauline a eue avec le policier une fois que son matelot a déguerpi la queue entre les jambes. *C'est avec un plaisir non dissimulé qu'elle déclina son identité. Annoncer en une telle circonstance qu'on est la fille du considérable M. Dubuisson était pour elle source de particulier contentement.* Ça ne suffit pas, bien sûr, le mépris hilare de la fille à papa pour ce misérable fonctionnaire, il faut un bonus de cynisme, et de débauche surtout, rien de meilleur. Donc, *en enfouissant son petit museau dans le bouquet de fleurs que lui a apporté l'Allemand* (je rappelle que nous sommes ici dans la presse sérieuse, de qualité), *elle crâne : « C'est mon quatrième rendez-vous de la journée ! »* Et pour finir, Madeleine Jacob tempère gentiment, car elle connaît la vie et rien des faits, gestes et pensées de Pauline ne lui échappe : *Il semble que ce jour-là, Pauline Dubuisson se soit vantée… Le scandale est son affaire. Elle s'amusait à scandaliser ce policier français.* (La précision de la nationalité en fin de charge, l'air de rien, n'est pas anodine : Pauline haïssait la France et ses représentants, c'est clair.)

Et voilà, c'est parti. La presse de ce début des années cinquante emboîte énergiquement le pas de Simone et Madeleine, on ne va pas se priver d'une anecdote à la fois si pimentée et si parlante, qui montre à merveille, si l'on sait faire son travail de journaliste avec un minimum de talent, comment le passé peut illustrer le présent (on est ce qu'on a toujours été), et l'écho va se perpétuer pendant des décennies, voire s'amplifier – puisqu'il y a prescription. Dans un numéro hors-série de *Paris Jour* consacré à “L'affaire Pauline Dubuisson”, en 1977, elle ne crâne plus, *elle ricane et fanfaronne : « C'est mon quatrième rendez-vous de la journée ! »* Même ce vieux briscard d'Alphonse Boudard suit le mouvement, en 1990 : *Un gardien de square l'a trouvée, dit-on, occupée à faire l'amour avec un matelot de dix-neuf balais* – certains ne s'encombrent pas de *dit-on*. En août 1991, dans l'article de Jean Cau pour *Paris-Match*, qui fait partie d'une série sobrement intitulée *Les anges du mal*, l'homme qui se tâte le cœur et ne peut presque jamais s'empêcher de glisser un brin de pitié ici ou là nous rappelle que *dès l'âge de quatorze ans, la puberté lui met le diable au corps*, et on la retrouve dans le square Rombout, non plus seulement dans les bras de l'Allemand mais *en scabreuse posture* (en levrette, Jean, tu crois ?). Un mois plus tard, quand paraît *La Ravageuse* de Jean-Marie Fitère, sous-titré *Le roman vrai de Pauline Dubuisson* (c'est bien trouvé, *roman vrai* – dans une autre vie, travaillant par exemple dans un magasin de meubles, il aurait sans doute vendu des fauteuils de "cuir en skaï"), elle n'a toujours pas bougé du square (c'est le cas de le dire, car mystérieusement, nous ne sommes plus, dans ce roman vrai, le 10 juin 1941 mais le 10 juin 1942 – et dans l'année écoulée, quelqu'un a dû graffiter la plaque du nom du square Rombout, qui est devenu le square Gombout, *lieu de belles promenades vivifiées par l'âpre vent des Flandres* mirlitonne Fitère). Lorsque le policier (il ne l'est plus, d'ailleurs : le brave homme, qui s'appelle soudain Jules, se retrouve gardien de jardin public, et amputé de la jambe gauche) arrive *dans l'un des endroits les plus touffus du square*, il tombe sur *un couple perdu dans une furieuse mêlée* (pudique euphémisme, j'imagine) – ça commencerait à devenir carrément comique (bientôt le fouet en plein air), si ça ne concernait pas une *vraie* personne. L'année suivante, dans *L'Affaire Pauline Dubuisson*, un récit pourtant mieux documenté et moins hystérique que le précédent, les *deux gardiens de la paix* inventés par Serge Jacquemard la découvrent, plus techniquement, *accouplée avec un matelot de la Kriegsmarine*. Ils n'ont pas de seau d'eau froide sous la main, mais ce n'est pas grave car le marin *s'éloigne précipitamment* pendant que Pauline *rabaisse sa jupe, remet ses vêtements en ordre, hautaine, arrogante*. Quand l'un des policiers la sermonne, *elle lance avec morgue : « Et alors ? C'était mon quatrième dans la journée !* » (La disparition de *rendez-vous* est astucieuse.) Pour terminer, en 2012, les auteurs du livre *Femmes criminelles de France*, tenant à se démarquer de tous ces gratte-papier qui ne font que répéter ce qu'a écrit le précédent, supprimeront enfin cette scène pornographique. Pour changer, lorsque Pauline est surprise dans le square, où se trouve apparemment un bassin, *elle se baigne nue devant les yeux concupiscents de jeunes garçons de la ville.*

Tout cela vient bien de quelque part, on n'a pas pu inventer cet épisode devenu culte et fabuleux au fil des années. Non, c'est sûr, tout cela vient de quelque part. Pauline n'en a jamais parlé (et lors du procès, quand le président du tribunal, ami de l'exactitude administrative, lui demandera comment s'appelait le marin (« Klein, je crois ? »), elle affirmera même qu'elle ne s'en souvient plus (« C'était il y a douze ans… »), ce qui est faux, on le verra, mais ils peuvent toujours se brosser l'hermine pour qu'elle leur confie des détails de ce genre), et Hans-Joachim pas Klein est retourné en Allemagne quelques mois plus tard, il n'en a donc jamais parlé non plus. La troisième personne présente, ce 10 juin 1941 à 16 h 15 square Rombout, c'est le policier. On devine que c'est de lui que vient "tout cela", puisque l'inspecteur-chef Barrière et le procureur général mentionnent un rapport rédigé sur l'incident. Et on a raison. Il ne s'appelle pas Jules (et il a ses deux jambes, j'espère pour lui – même si elles ne lui servent plus à grand-chose aujourd'hui) mais Omer. C'est bien, Omer. Omer Wilst. (C'est tellement bien que ça fait faux, roman américain de John

Irving par exemple, mais non.) Et son rapport, court, seul témoignage authentique de ce qui s'est passé dans le square ce jour-là, se trouve tout bêtement dans le dossier d'instruction. Pas mal de personnes ont donc pu le consulter, mais la fée grabataire de la Postérité ne s'est pas penchée sur le cercueil d'Omer, on a balayé son travail d'un revers de main agacé et on l'a oublié (même l'étrange avocat de Pauline, maître Baudet, n'a pas estimé utile de s'appuyer dessus pendant le procès pour corriger deux-trois erreurs). C'est mon cauchemar, ça, la fée grabataire qui fait la moue, hésite, secoue la tête et préfère aller s'envoyer une tartelette au salon de thé céleste le plus proche. Donc : Justice pour Omer Wilst !

Dunkerque le 10 juin 1941
RAPPORT
L'Inspecteur de la Sûreté WILST Omer
à
Monsieur l'Inspecteur Principal Chef de la Sûreté

J'ai l'honneur de vous faire connaître ce qui suit :

Ce jour à 16 h 15, passant square Rombout à Dunkerque, j'ai remarqué que la nommée DUBUISSON Pauline, Andrée, née le 11 mars 1927 à Malo-les-Bains, fille de André et de HUTTER Hélène, étudiante, domiciliée chez ses parents 6 rue du Maréchal-Pétain à Malo-les-Bains, se trouvait dans un bas-fond dudit square en compagnie d'un marin allemand.

Ce marin venait de lui offrir un bouquet de fleurs.

Interpellée, elle m'a déclaré qu'elle était en connaissance avec ce militaire depuis quelques jours, qu'elle était venue seulement quatre après-midi à cet endroit, mais qu'elle ne s'était jamais livrée à aucun geste déplacé.

Le marin, dès qu'il a eu connaissance de ma profession, s'est retiré en disant en allemand à la jeune fille : « Au revoir. »

DUBUISSON Pauline est en possession de la carte d'identité N° 2682 délivrée par M. le Commissaire de Police Malo-les-Bains, en date du 10 février 1941.

L'Inspecteur de la Sûreté
Omer Wilst

Ceux qui ont écrit que Pauline était en train de se faire sauvagement besogner dans un lieu public en plein après-midi, qu'elle avait envoyé paître le fonctionnaire français, sûre de n'avoir rien à craindre puisqu'elle était une puissante Dubuisson, et lui avait quasiment craché au visage que c'était son quatrième soldat de l'après-midi, n'ont pas tous lu ce rapport, d'accord – cela dit, quand on ne sait pas… Bon. Mais Madeleine Jacob ? Cette femme dont Wikipédia indique qu'elle était *une figure du Palais de Justice de Paris*, tout en rappelant *l'esprit particulièrement vindicatif de ses articles*, cette infatigable batailleuse que Céline lui-même a honorée d'un surnom (*la muse des charniers*), elle l'a lu, ce beau texte d'Omer Wilst, c'est une certitude. Elle est la seule à mentionner le bouquet de fleurs (dans lequel Pauline enfouit son petit museau), elle introduit la notion, devenue très populaire, de « quatrième rendez-vous » : elle n'a pas inventé ces détails, elle a eu le rapport d'Omer sous les yeux d'une manière ou d'une autre, noté ce qu'il contenait, et tout en sachant l'effet que produirait son article sur l'opinion publique, ayant conscience qu'elle ciblait une jeune femme de vingt-cinq ans bien vivante dont il fallait décider de la suite de l'existence, cette prêcheuse de la psychiatrie pour les filles frivoles a choisi de déformer la réalité, et pas au petit burin d'artiste, de mettre Pauline en situation *un peu trop intime* avec le marin, et de transformer les quatre après-midi de rendez-vous avec le même homme en quatrième rendez-vous de la journée avec des hommes différents, c'est bien plus intéressant. Tout en expliquant que la petite arrogante se vante, par simple goût du scandale. Fumier, Madeleine.

Chapitre neuf

Légère

Pauline ne peut évidemment pas savoir l'importance malsaine que prendra plus tard pour elle ce petit contrôle d'identité sans conséquence immédiate. Son père est convoqué par le commissaire (pas Hans, puisqu'il n'est pas question d'ébaucher le froncement d'un sourcil devant l'occupant détourneur de mineur), même si celui-ci ne se fait certainement pas d'illusions quant aux possibilités qu'il a de le déstabiliser, et moins encore de le menacer de quoi que ce soit. André prend acte du rapport rédigé au sujet de sa fille et rentre chez lui. Il la met peut-être brièvement en garde concernant sa conduite en public, mais il est très probable que cela n'aille pas plus loin : d'abord parce que, sous une apparence volontariste, je le crois plutôt fataliste (il dira un jour, se l'appliquant assurément à lui-même : « Cette guerre a anéanti toutes les valeurs ») ; ensuite parce qu'il se retrouve face à ce qu'il a créé, une fille qui ne se laisse pas sermonner en baissant les yeux, qui n'est déjà plus perméable à la morale bourgeoise et religieuse ; enfin parce que des soldats allemands, de toute façon, elle en voit des ribambelles à la maison, dont Hans devient d'ailleurs assez vite un habitué, Pauline l'ayant présenté à ses parents dès les premiers jours de leur amourette. (Je pense qu'elle est un peu amoureuse de lui. À quatorze ans, il faut tomber amoureux, c'est comme ça, et vers qui d'autre que lui pourrait-elle diriger cette charge interne de sentiments qui ont besoin de s'exprimer ? Il est jeune et beau, fort, romantique – et étudiant en médecine, un rêve pour elle.)

André ne doit pas accorder beaucoup d'attention à ce jeune homme qui ne peut rien lui apporter de concret (il semble convenable et sous le charme de sa fille, on ne lui demande rien d'autre), mais Hélène, en revanche et curieusement, sort un peu de son isolement déprimo-religieux (bientôt, elle n'essaiera même plus) pour jouer comme elle peut le rôle de future belle-mère. Issu d'une longue lignée de pasteurs, il ne peut être que de bonne nature, et s'il peut remettre Pauline sur le droit chemin, c'est-à-dire en faire une épouse, proche de Dieu, dans pas si longtemps, et lui ôter du même coup de la tête ces envies rebelles de faire carrière dans la médecine, elle ne trouvera rien à y redire.

Pauline et Hans s'amusent durant tout l'été, ils restent de longues heures à profiter de la vie avec les plus joyeux des Allemands au café Delporte, digue de Mer (l'un des rares établissements où l'on peut encore passer du bon temps après le couvre-feu, puisqu'il est situé dans une zone interdite aux civils – aujourd'hui, coupé en deux, il a été remplacé par un snack et un restaurant : L'Odyssée, *Bar Friterie de la Digue*, et Le Greco, *Spécialités Franco-Grecques*), ils vont danser avec d'autres "filles à soldats" de Malo (il faudrait être très naïf ou de mauvaise foi pour penser que Pauline était la seule jeune habitante de cette enclave à se laisser tenter par l'uniforme ennemi) chez Irène, une vieille dame pimpante du quartier qui possède un tourne-disque et de nombreux 78-tours – mais rien de bien lubrique dans ces après-midi dansants, puisque Maud, la petite Vaillant, douze ans, y participe aussi, comme on va apprendre à se maquiller chez une copine. À la fin de l'été, Hans a fini sa cour, dans les formes, et Pauline lui rend désormais visite assez régulièrement dans sa chambre au deuxième étage de la villa, rue du Maréchal-Foch. Quand Thérèse, la mère de Maud, y trouve après son passage des sous-vêtements féminins (Pauline a la manie d'oublier sa culotte ou son soutien-gorge dans les chambres, ça doit vouloir dire quelque chose), elle interdit à sa fille de continuer à la fréquenter – ce qui n'est pas idiot : Maud a pu grandir calmement, même si tout est relatif dans ce contexte vénéneux et sinistre, poursuivre son existence comme tout le monde, se marier, avoir des enfants, des petits-enfants, des arrière-petits-enfants, et aux dernières nouvelles, en 2011, elle était toujours en vie et habitait encore Dunkerque. Sa mère Thérèse tente bien de chasser Pauline de sa villa, mais le deuxième étage est réquisitionné, il ne lui appartient plus, elle doit se contenter de lui faire savoir que ça ne lui plaît pas, ce qui fait à la jeune fille une belle jambe qu'elle avait déjà.

En septembre 1941, elle reprend les cours – ce n'est pas en se faisant grimper dessus tous les jours par un futur médecin qu'on devient médecin soi-même. En un an, M. Petit, le vaillant professeur, a eu le temps d'aménager correctement les locaux de l'usine Weill, qui peuvent désormais accueillir un peu plus de deux cents élèves venus de toute l'agglomération, et de remotiver quelques confrères et consœurs. Pauline, bien qu'ayant connu durant l'année écoulée quelques agitations qui vous changent une femme, une fille, qui vous changent n'importe qui d'ailleurs, est restée la même dans le cadre de la scolarité. Elle n'a toujours aucun mal à suivre les cours, et ne s'intéresse pas beaucoup à ses voisins et voisines de classe ; s'il faut, elle fréquente les garçons de préférence, ou les filles plus âgées. Ce qui s'ajoute maintenant à l'opinion plus que fraîche que les autres avaient d'elle alors, c'est la rumeur, très certainement répandue par leurs parents : cette petite traînée arrogante couche avec les Boches. Et il est évident qu'on lui prête plus de deux ou trois liaisons vicieuses, les voisins bavards dont la fenêtre donne sur la terrasse de la rue du Maréchal-Pétain ne doivent pas se priver de fantasmer. On imagine le regard haineux (pas forcément réprobateur, mais haineux) des petits groupes de filles dans la cour de récré : coucher avec un apprenti boulanger ou un jeune résistant à quatorze ans serait déjà condamnable, elles osent à peine y penser le soir, mais alors avec un nazi, qu'on lui jette des pierres. Pauline s'en tape complètement, je pense. Les petites poules n'inquiètent pas la petite panthère. Alphonse Boudard trouvera de bons mots pour elle : *une surdouée sauvage*.

Sa mère, pendant ce temps, flottant neurasthénique dans sa vapeur noire et son amour de Dieu, est à peu près la seule de toute la ville à ne se rendre compte de rien : « Je la croyais sérieuse, je n'ai jamais remarqué qu'elle ait fait des choses anormales. Mais il est vrai qu'elle était excessive en toute chose. Je n'ai jamais pu l'élever dans la religion. Elle ne se livrait pas à moi. J'ai peu d'instruction, elle se trouvait pour cela beaucoup plus proche de son père. »

La vie à Malo-les-Bains et dans les environs n'est pas encore cauchemardesque, même si les Allemands interdisent à peu près toute distraction et toute vraie liberté aux habitants, et si les bombardements anglais sont de plus en plus fréquents (surtout sur le port et les infrastructures côtières de la Wehrmacht, que les civils n'ont pas le droit d'approcher), mais on ne baigne tout de même pas dans l'allégresse rose et le bien-être permanent. Heureusement, le maréchal est là. Pour soulager le cœur de ses chers concitoyens en difficulté (s'ils se montraient un peu moins grognons, aussi, ça irait peut-être mieux), il fait gentiment envoyer, pour Noël, quatre-vingt mille litres de vin rouge à Dunkerque. Ça aidera à oublier un peu la viande, le lait, le beurre, tous ces trucs-là. Mais les camions partent un peu tard (ils ne vont pas se plaindre, en plus ?), et l'hiver 1941-1942, d'abord très doux, tourne au vinaigre glacial le 10 janvier : beaucoup de routes ne sont plus facilement praticables, et le bon rouquin salvateur, qui réchauffe l'âme et les tripes, n'arrivera à destination que le 15 février.

Plus embêtant, la plupart des canaux du Nord ayant gelé, les péniches censées apporter le charbon restent bloquées. Là-haut, ça caille dur. Surtout quand on a l'estomac vide. Or de ce côté-là, sauf sans doute pour la famille Dubuisson et ses semblables, qui sont à proximité de la part du lion (ils ne mangent pas comme les Allemands, mais peuvent au moins compter sur la part du renard), c'est disette et serrage de ceinture pour de longs mois encore – années, s'ils savaient... On abat massivement les animaux des fermes avoisinantes pour essayer de nourrir à peu près correctement la population (dans un premier temps, le boudin est une bonne solution, il n'y a bien entendu pas assez de porcs pour distribuer gros jambons et bons jarrets à tous, on opte pour le boudin aux oignons, plus économique en sang, mais rapidement, la pénurie d'oignons complique même cette alternative de fortune – quant aux porcs qui restent, on ne trouve plus grand-chose pour les engraisser), on a bientôt désossé tout le cheptel de bovins mâles et il faut commencer à manger les vaches laitières, ce qui réduit assez logiquement l'approvisionnement en laitages. De plus, les producteurs ne s'estimant, à juste titre, pas assez payés pour le lait, ils préfèrent pour la plupart en faire du beurre ou du fromage, plus faciles à vendre au marché noir : les enfants pauvres n'avaient qu'à naître dans une famille plus aisée, ou ailleurs. Les légumes verts, ça court les champs comme les fils d'évêques, et même les réserves de pommes de terre s'épuisent. On distribue des légumes secs à tour de bras. Et, joie, le gouvernement envoie des wagons et des wagons de topinambours et de rutabagas. Wunderbar !

Le 26 février 1942, Pauline fait l'objet d'un deuxième rapport de police. En réalité, ce n'est pas tout à fait exact: ce sont ses parents et son grand frère Gilbert qui sont visés, et pas qu'un peu, par ce rapport, davantage que Pauline, mais policiers, journalistes et magistrats préféreront lui donner le premier rôle et ne pas évoquer André ni Gilbert une seule fois – dans une vie, les erreurs de jeunesse s'effacent si vous n'en commettez pas d'autre; mais si vous braquez une banque un jour, ou par malheur tuez quelqu'un, on insistera lourdement, d'un air entendu de spécialiste des parcours humains, sur le fait que vous avez volé la gomme de votre voisin de table en CM2 ou que vous avez été pris d'un fou rire lors de l'enterrement de votre grand-mère, à sept ans.

À Malo comme partout ailleurs sous l'Occupation, il y a ceux qui résistent dans l'ombre à l'ennemi, ceux qui baissent la tête et attendent que ça passe, ceux qui s'adaptent peu glorieusement à la situation, comme André Dubuisson, et ceux qui profitent de l'atmosphère trouble pour se glisser dans les failles et tourner facilement mal. Parmi eux, se faufile une certaine Paulette N. (voilà un prénom de rebelle, pas un truc de vioque comme Pauline), vingt-trois ans, mariée à un sous-officier français qui croupit dans un camp de prisonniers en Allemagne. Elle est retournée vivre chez ses parents, tout près de la rue du Maréchal-Pétain, et dès l'arrivée des occupants à Dunkerque, elle a laissé sa vie sage derrière elle afin de devenir prostituée pour Allemands, on fait ce qu'on peut. C'est là qu'apparaît Gilbert, elle l'a rencontré entre deux séjours à l'hôpital pour diverses maladies vénériennes, ils se voient très régulièrement – c'est pourquoi le rapport épingle le frère de Pauline : il côtoie une pute, on ne peut pas laisser passer ça ! Gilbert fréquente également un certain Victor D., catalogué pour ses activités de marché noir, auxquelles il prendrait part, ainsi que Marcel C., véritable homme à tout faire et fournisseur des Allemands, en nourriture et en femmes, un *triste individu* qui habite la maison mitoyenne de celle des Dubuisson et qui était, avant-guerre, *le pourvoyeur des maisons malfamées de la place*. Le rapport conclut au sujet de Gilbert, après avoir rappelé que ses parents ont été parmi les premiers à accueillir des Allemands chez eux, peu de jours après leur arrivée en ville, que *le sieur Dubuisson est connu à Malo-les-Bains comme un paresseux et pour se livrer au libertinage et à une débauche en chambre close. Le départ de son épouse ne serait pas étranger à la conduite du mari mais, au contraire, on y décèlerait presque la raison.* Rien de grave là-dedans (c'est plutôt le délateur qui m'écœure – même si, pour le coup, on ne peut pas l'accuser de collaboration, il faut même lui reconnaître un certain courage (laidement employé, mais tout de même), puisque tout ce qu'il dénonce concerne la proximité scandaleuse de ces personnes avec l'envahisseur), mais c'est l'occasion de glisser quelques mots sur Pauline, pour la postérité. Le chef de la Sûreté de Dunkerque, auteur du rapport mais pas très bien documenté, la dit *âgée de seize ou dix-sept ans*. Il prévient d'emblée qu'elle *se conduit très mal*. Et précise que *cette fille a été l'une des premières femmes* (fille ou femme ?) *qui aient fréquenté les soldats de l'armée d'occupation*. Moins malhonnête, moins misogyne ou moins simple d'esprit que ceux qui la jugeront pour de bon, il prend soin d'en faire porter la responsabilité à ses parents plutôt qu'à elle : *Bien considérés avant la guerre, s'ils paraissent tout ignorer de la conduite de leurs enfants, Gilbert et Pauline, ils tolèrent et entretiennent leurs vices. En effet, il est inconcevable que des gens de cette condition puissent recevoir continuellement chez eux des marins allemands, sans suspecter leur fille de liaisons intimes.* Ensuite, il informe le commissariat central que Pauline a été vue sur la terrasse de l'immeuble de ses parents, l'été dernier, *en caleçon de bain, avec des marins.* Et pour finir, il donne *deux indications sérieuses qui nous permettent de considérer cette jeune fille comme une femme légère* (cet homme a vraiment un problème avec l'adolescence féminine – quand donc la jeune fille devient-elle réellement femme, nom de Zeus ?) *au point de vue mœurs.* La première, c'est *la fréquentation continuelle de sa maison par le nommé C. Marcel* – si ce n'est pas une preuve, ça... La seconde, la voici : *Au cours de mon enquête, j'ai appris de source sérieuse mais strictement confidentielle que la jeune Pauline Dubuisson avait eu un « accident », il y a un mois environ, alors qu'elle prenait son bain. Dans le voisinage, il serait question d'un accident dû à une émanation de gaz ? C'est le docteur Flouquet qui a été appelé. Ce praticien devant alléguer du secret professionnel, je me suis gardé de lui rendre visite.* Dans le genre indication sérieuse, c'est du lourd. Ce qu'il dit explicitement, ce n'est rien d'autre que ça : il y a eu un problème avec le chauffe-eau de la salle de bains (c'est mou, comme témoignage de sa qualité de femme légère au point de vue mœurs). Mais implicitement, là ça y va. Les guillemets pour le premier *« accident »* mais pas le deuxième, l'étrange point d'interrogation après ce dont il est question dans le voisinage, le praticien qui n'a pas le droit de dire la vérité... Ce qu'il sous-entend à la fourbe, c'est qu'elle a fait une fausse-couche en prenant son bain, et c'est d'ailleurs ainsi que ceux qui liront ce rapport le traduiront, explicitement cette fois (le juge d'instruction, dans la commission rogatoire visant à entendre le docteur, écrira que le chef de la Sûreté *insinue que Pauline Dubuisson aurait fait à cette époque une fausse-couche, accidentelle ou provoquée*), ce qui aura des conséquences à la fois immédiates et à retardement. Mais quand on ne se gardera pas de lui rendre visite, au praticien, délié de son secret professionnel par Pauline elle-même, il expliquera que c'était bien un malaise dû à un dysfonctionnement du chauffe-eau et à une émanation de gaz, et qu'il a dû faire une injection d'huile camphrée à la jeune fille pour qu'elle reprenne connaissance. On n'en parlera pas lors du procès (de ce rapport, si, mais pas de l'émanation de gaz). Pour une raison simple : en parcourant les innombrables pièces versées au dossier, le procureur général, ou plutôt celui qui a fait le travail pour lui (l'avocat général Raymond Lindon, un homme délicieux qui devait rêver chaque nuit de la tête de Pauline qui se vide de son sang dans le panier de la guillotine), a souligné en rouge les passages significatifs, utiles pour établir l'acte d'accusation. Par exemple, dans le rapport de l'ami Omer, peu juteux pour l'accusation (au contraire, tout sec et ratatiné), pas le début d'un coup de crayon rouge, laissons les ragots s'amplifier. En revanche, dans celui de ce 28 février 1942, s'il a laissé de côté tout ce qui concernait Gilbert ou les parents Dubuisson, il a soigneusement mis trois phrases en valeur : celle qui dit que Pauline a été l'une des premières femmes à fréquenter des Allemands ; celle qui la repère en tant que femme légère au point de vue mœurs ; et enfin celle de l'accident entre guillemets (le trait rouge s'arrête juste avant la supposition de l'émanation de gaz).

À propos de cet accident, Pauline, qui était donc inconsciente lorsque le docteur Flouquet est arrivé, confiera des années plus tard qu'il lui a permis de s'apercevoir que la mort par le gaz était sans doute l'une des plus « douces » : elle se souviendra vaguement de s'être « endormie », sans douleur, presque agréablement même. Elle ne l'oubliera pas.

(Je me pose des questions de conscience sur ce que j'ai recopié de ce rapport, au sujet de Gilbert. Je ne ferais pas dans le genre délateur, moi aussi ? Mais Gilbert, qui ne s'appelait d'ailleurs pas Gilbert, est mort depuis un moment, son âme est tranquille, celle de sa femme Solange qui ne s'appelait pas Solange, et que leurs enfants et petits-enfants me pardonnent, ils devraient avoir une autre raison de lui en vouloir, peut-être, que la simple fréquentation d'une prostituée (qui sont des filles au moins aussi sensibles et compréhensives que les podologues ou les épicières) et ses activités de marché noir (qui était après tout le seul moyen de ne pas laisser les Allemands rafler le meilleur de la nourriture) : il n'a pas bougé le petit doigt d'un millimètre pour défendre sa sœur quand la France entière lui tombait dessus, il l'a même enfoncée en répétant avec les loups qu'elle n'était qu'égoïsme et vénalité, il a prétendu qu'il n'était pas au courant qu'elle fricotait avec l'ennemi (« Ce n'est qu'après la guerre que j'ai appris la mauvaise conduite de ma sœur » – c'est comme si le frère de Laure Manaudou affirmait qu'il n'a appris qu'elle se débrouillait pas mal en natation qu'en entendant à la radio qu'elle se retirait des bassins), et s'est regardé tranquillement dans le miroir après avoir insisté à plusieurs reprises, je l'ai déjà écrit, et c'est pour cela que j'ai cité les passages le concernant, sur la manière peu saine dont Pauline abordait la vie à cette période.)

Ce rapport, insignifiant si on ne le lit pas que d'un œil, poursuivra Pauline comme une grosse mouche butée. Dans un premier temps, il causera son exclusion du lycée. Ou plutôt, c'est ce qu'on écrira et dira, unanimement : « À la suite d'un rapport témoignant de sa conduite scandaleuse sous l'Occupation, Pauline Dubuisson est passée en conseil de discipline et a été exclue du collège Jean-Bart. » Tout est faux dans cette phrase accréditée par tous. Sa conduite scandaleuse, d'accord, le moins qu'on puisse dire est que Pauline a provoqué le scandale, mais que le rapport en témoigne ça c'est beaucoup dire. Un caleçon de bain, un triste individu qui fréquente son frère et une émanation de gaz, voilà en réalité tout ce qu'on y trouve en matière de révélations fracassantes et déshonorantes. C'est d'ailleurs pour cette raison que Pauline n'est pas passée en conseil de discipline, et n'a pas été exclue du collège Jean-Bart. Car c'est faux également (mais allez, on lui reproche bien pire, elle ne va pas nous faire un fromage pour cette approximation). Le premier jour du procès, quand le président du tribunal, évoquant les saletés de sa jeunesse, conclura en lui assenant : « D'ailleurs, vous avez été exclue du collège ! », Pauline se contentera de répondre tranquillement, toujours calme face aux excités de la condamnation, refusant d'entrer dans leur jeu, détachée ou désabusée : « Pas tout à fait. »

Pourtant, dans presque toutes les dépositions des habitants de Malo-les-Bains, après les déclarations du genre : « La rumeur publique lui prêtait des relations intimes avec les soldats de l'armée d'occupation », on peut lire en substance : « Ce que je sais, en tout cas, c'est qu'elle a été exclue du collège Jean-Bart. » Les professionnels, sources plus sûres, confirment : Mme Damman, la prof d'histoire qui trouvait Pauline brillante et pleine de bonne volonté, dépose elle aussi dans ce sens, mais précise que « cette mesure n'a pas été rendue publique (ça s'est pas mal su, quand même...) par considération pour sa famille et en raison de ses rapports avec les Allemands ». C'est sympa, ça, déjà – un peu trouillard, un peu lâche (on donne un coup de bâton à la petite, on courbe l'échine devant les chefs), mais sympa. Bon, ce qu'il faut dire tout de même, c'est que Mme Damman n'avait pas Pauline dans sa classe à ce moment-là, pour une raison toute bête : elle avait quitté Dunkerque. Mais le principal de Jean-Bart, Paul Bize, est le meilleur témoin qu'on puisse trouver, forcément : « Elle a été traduite devant le conseil de discipline en raison de sa mauvaise conduite à l'extérieur, et exclue de l'établissement. » Ouf, maintenant on est sûrs. Ah, un petit truc étonnant, dans cette déposition du 5 avril 1951, juste un détail : « Je ne l'ai pas connue. » Allons bon. Une élève passe en conseil de discipline, se fait virer, mais le proviseur ne l'a jamais vue ? Pas de panique, ça s'explique facilement : il n'était plus en poste depuis un bout de temps, lui non plus (on se souvient que c'est le courageux Petit qui dirigeait les cours à ce moment-là – dans une ancienne usine de toile de jute, au fait, pas au « collège Jean-Bart » dont on aurait chassé l'indigne). Et puis alors ce qui est dommage, dit l'ex-principal, c'est que « je ne puis vous donner aucun renseignement sur ses dates d'entrée et de sortie de l'établissement, les archives ayant été détruites pendant la guerre ». Ça, ce n'est pas très important, pour le coup : les archives ont été détruites avec le collège, fin mai 1940, près de deux ans avant l'exclusion imaginaire de Pauline.

L'inspecteur Barrière a dû ressentir, au flair, la fragilité de ces témoignages indirects, car dans son long rapport de fin d'enquête, bizarrement, il les contredit – c'est audacieux. Il écrit : *La mesure fut discrète, et le conseil de discipline ne fut pas réuni.* C'est surtout, je pense, pour le principe, histoire de montrer à peu de frais qu'il ne se fie pas tout à fait à ces gens qui n'étaient pas là, car à la ligne précédente, il affirme quand même, avec d'autant plus de légitimité qu'il va prouver juste après ses facultés de discernement et son impartialité en démentant une partie des dépositions, que *le proviseur de cet établissement décida de l'exclure.*

Le seul qui aurait pu départager ces experts peu compétents, c'est évidemment M. Petit. Mais on n'a pas essayé de le retrouver – il y en a tellement, des Petit. On finira cependant par connaître la vérité, au deuxième jour du procès, quand l'avocat de Pauline, qui n'a pas tout fait de travers, fera citer Paul Bize à la barre. Une fois qu'il lui aura expliqué que c'est tout de même un peu important, cette histoire d'exclusion pour comportement odieux, et que lorsqu'on témoigne sous serment devant une cour de justice, on ne peut pas certifier authentique ce que nous a raconté la fille de la fromagère, l'ex-principal reconnaîtra qu'il n'en sait rien, en réalité, qu'il l'a seulement entendu dire ici et là, et qu'à sa véritable connaissance, non, « Pauline Dubuisson n'a pas été exclue du lycée ». (Mais on ne va pas s'éterniser là-dessus, elle s'est fait basculer par les Frisés, oui ou non ?)

On n'était pas obligé d'en venir à cette petite humiliation publique du représentant de l'Éducation nationale, Pauline avait déjà expliqué ce qui s'était passé à un fonctionnaire de police, mais il n'était peut-être pas assez influent – et puis si on commence à croire ce que disent les accusés… Son père a bien été convoqué au collège, du moins à l'usine qui en tenait lieu, on lui a fait part non pas du rapport (il risquerait de se fâcher) mais de la visite récente du chef de la Sûreté – il était venu enquêter et en avait tiré les deux phrases suivantes : *Dans l'établissement, on s'est réservé à son sujet. Aucune remarque n'a été faite jusqu'ici, sinon quelques absences pour maladie* (au lieu de dire qu'on n'a rien à lui reprocher, ce qui est le cas, il choisit cette drôle de formulation, *on s'est réservé à son sujet*, qui laisse délicatement entendre qu'on n'a préféré ne pas tout dire). C'est face à ces inquiétudes tremblantes de la direction du lycée, à ces remontrances déguisées et sans preuve, et sachant que sa fille n'y sera plus traitée comme les autres, qu'André Dubuisson décide, lui-même, de la retirer de l'usine Weill. Mais pas tout de suite. Elle finit tout de même l'année scolaire.

Il aura le temps de reprendre son éducation en main à la rentrée prochaine (ça tombe bien, elle aurait dû entrer en classe de première et passera donc la première partie de son baccalauréat à la fin de l'année, ça ne rigole plus), car, personnage aussi imprévisible que sa fille le deviendra, il prend une curieuse décision au début du mois d'avril 1942 : il ne veut plus travailler pour les Allemands. Non pas pour des raisons morales ou patriotiques, ce n'est pas son genre ni celui de son maître Nietzsche, mais simplement parce que les autorités occupantes refusent de lui payer ses "indemnités de bombardement". Il a pas mal de défauts, André, mais c'est un homme dur, droit, qui ne se laisse pas marcher sur les pieds, même si cela comporte quelques risques – j'imagine qu'il n'est pas évident de dire à un colonel nazi : « Tu me paies pas tout ce que tu me dois ? Trouve quelqu'un d'autre, bonhomme. » (Ils ont trouvé (sans lui en vouloir d'ailleurs) : l'entreprise Dubuisson a été remplacée, en particulier pour les travaux sur le port, par celle d'un dénommé Victor Ployart – qui, du coup, participera à la construction du mur de l'Atlantique, qui débute, et sera jugé pour cela en décembre 1945, alors qu'André Dubuisson ne sera jamais inquiété.)

André n'a donc officiellement plus besoin de l'assistance particulière de sa fille, mais il est déjà bien trop tard pour la vertu et la réputation de Pauline, la torpille est lancée. Ce qui est déconcertant, c'est que même si la fréquentation des officiers ne lui est plus nécessaire d'un point de vue commercial, il continue pourtant à les recevoir régulièrement chez lui. Je pense que ce sont plutôt Gilbert et Pauline qui ont pris le relais des invitations, lui pour s'assurer la protection de l'occupant et poursuivre ses activités parallèles sans être inquiété, elle pour officialiser auprès de ses parents sa relation avec Hans, tout en leur donnant la possibilité de continuer à faire mine de la croire platonique. J'ai en effet du mal à imaginer qu'un ancien colonel rigoriste et une bigote en dépression prennent plaisir à convier des ribambelles de marins à venir se détendre chez eux.

Chapitre dix

Douce et aimante

Les Allemands ne tiennent peut-être pas sévèrement rigueur à André de les avoir plantés du jour au lendemain, mais la fin de leur collaboration a malgré tout une conséquence immédiate : puisqu'il n'est plus en affaires avec eux, on oblige la famille à quitter la rue du Maréchal-Pétain, trop proche de la mer et donc dans une zone où les civils ordinaires ne sont pas admis. Pauline, Hélène, André et Gilbert emménagent au 13 rue Rombout (qui porte le même nom que le square mais en est éloignée de cinq cents mètres, à l'intérieur de la ville), où ils resteront six mois. C'est aussi bien pour eux, car en ce début de printemps 1942, les bombardements alliés se multiplient dans les alentours du port, les batteries antiaériennes allemandes se déchaînent jour et nuit, les avions de la RAF arrosent plus large, des immeubles du bord de mer sont détruits et le nombre de morts augmente chaque jour. Même si on passe entre les bombes, la vie dans ces quartiers est devenue trop angoissante, usante, électrisée plus encore par la tension croissante qui met les soldats vert-de-gris sur les nerfs. Rue Rombout, on entend le bruit des explosions, c'est tout.

Le 24 avril, l'un de ces officiers que le stress rend féroces (mais qui devait être déjà de nature bien machiavélique, ou doté d'un humour à la Staline) s'habille en civil et, de sa propre initiative, va frapper à la porte de la famille Finot, non loin de chez les Dubuisson. Il se fait passer pour un aviateur ou un parachutiste anglais, isolé, apeuré. Sans hésiter un instant, le père, Raymond Finot, le fait entrer rapido et accepte de le cacher dans le grenier. Quelques minutes plus tard, une dizaine de soldats pénètrent dans la maison et arrêtent tout le monde. Raymond est battu à mort sur place, et étranglé pour faire bonne mesure. (Son corps ne sera rendu à sa famille que le 5 mai. Le docteur Félix Vautrin (qui reviendra dans quelques années dans ce récit, sous des traits moins dignes) refusera non sans honneur et témérité de signer le permis d'inhumer que tenteront de lui imposer les Allemands. Il fait partie d'un réseau de la résistance, le NAP, Noyautage des administrations publiques.) Pour leur bienveillance et leur courage, les quatre autres personnes présentes ce soir-là, le cousin de Raymond, Auguste Finot, une voisine, Raymonde Pruvost, et son fils Robert, ainsi qu'un ami de Raymond, Maurice Blanckaert, sont déportées dans les jours qui suivent. Le fils Pruvost sera fusillé à Dortmund en novembre 1943. Maurice Blanckaert ne résistera pas aux traitements inhumains du camp de Sonnenburg, en Pologne. Seuls le cousin Auguste et Raymonde Pruvost reviendront après la guerre.

En août 1942, munie de l'ausweis adéquat facilement obtenu par papa, Pauline prend le train toute seule, à quinze ans mais éveillée comme à vingt, pour aller passer des vacances chez sa tante Suzanne, la sœur d'André, à Saint-Marcel, petite ville coupée en deux par la ligne de démarcation, tout près de Chalon-sur-Saône. Dans le compartiment de deuxième classe, elle est assise en face d'un agent de change de cinquante-six ans qui rentre à Lyon, où il habite, après quelques jours à Paris pour affaires. Pour passer le temps, ils entament une discussion de voyage. Il s'appelle Paul Chabredier. Pauline ne lui révèle que son prénom (Paulette), mais lui parle longuement des bombardements sur Dunkerque, de la vie difficile « là-haut » (moins pour elle que pour d'autres, je ne suis pas sûr qu'elle le précise), de ses études « presque terminées », de son envie de devenir médecin. Il dira : « Sa conversation dénotait une intelligence supérieure. » J'espère qu'il ne sait pas que cette Paulette n'a que quinze ans, car il fait peu de doute qu'il ne la regarde pas seulement comme une lycéenne à la conversation intéressante, Paul Chabredier. Pour Pauline, en revanche, c'est juste un vieux monsieur sympathique, son père en version plus agréable et souriante. Avant qu'elle ne descende à Chalon, il lui note son adresse lyonnaise sur un morceau de papier (43 rue de la Bourse), qu'elle empoche distraitement. (Plus j'avance avec Pauline, plus je réalise que les moindres actes d'une vie, anodins ou pas sur le moment, sont épinglés sur nous comme des poids de plomb le jour où on déraille et où tous les regards se tournent vers nous – c'est ce qui s'est passé pour elle en tout cas, on a transformé et alourdi tout ce qu'elle a fait ; même quand c'était : rien. Je me demande, en regardant en arrière, ce qu'on épinglerait sur moi.) Dans une chambre de la maison de Saint-Marcel, chez Suzanne et son mari Julien, vit également Sophie Adolphine, la grand-mère de Pauline, la porteuse de malédiction, dont les "absences" sont devenues permanentes et qui cessera tout à fait d'exister quatre ans plus tard, au même endroit.

À son retour, en septembre, c'est donc son père qui se charge de lui enseigner ce qu'elle aurait dû apprendre en classe de première. Ce n'est pas très compliqué, elle a déjà toutes les bases nécessaires, plus même qu'il n'en faut à ce stade, il suffit de se procurer les manuels scolaires pour ne pas s'éloigner du programme du bac. Sa mère, toujours dans un autre monde, s'en aperçoit à peine. Moins de dix ans plus tard, elle ne s'en souviendra presque plus : « Ce doit être mon mari qui a préparé la seconde partie de ses études. »

Ça ne va pas s'arranger pour Hélène. Le 8 novembre, au large de Casablanca, lors de l'opération *Torch* (le débarquement allié en Afrique du Nord), son fils François meurt dans le sous-marin qu'il commandait en second, coulé par erreur par l'aviation américaine. Si même les descendants des ardents corsaires Malo sont envoyés par le fond, c'est vraiment que quelque chose va de travers. Hélène, à qui il n'en fallait pas tant que ça, ne s'en relèvera jamais et poursuivra son existence, de très longues années encore, pas plus vivante qu'une ombre. André, qui tente de rester fidèle à ses principes, parvient de nouveau à ne rien montrer de sa tristesse. Sa réputation n'était déjà pas très bonne à Malo, on le prend désormais, plus qu'un collabo, pour un homme glacé, sans âme, pas plus affecté par la mort de son deuxième fils que par celle d'un lapin sur le bord de la route. Pauline l'imite de son mieux, mais le choc est violent, elle a maintenant perdu ses deux seuls repères aimables (de loin, c'était plus facile et fort encore), tout ce qu'elle avait de guides bons à suivre. Il lui reste un père rude et distant, une mère fantomatique (elle expliquera un jour à une femme devenue momentanément sa confidente : « Mon père ne voyait en moi qu'un cerveau, et ma mère ne me voyait pas du tout »), un frère veule, et des camarades de classe puérils. Au chagrin, à la solitude, s'ajoute un désarroi mental qu'il devient cette fois presque impossible de surmonter. Vincent et François ont été tués, détruits, bien plus qu'André vaincu au retour de la guerre, ils sont passés pour toujours du côté des vulnérables, des morts. Les valeurs transmises par son père sont donc bel et bien n'importe quoi. Je crois que la seule solution à sa portée pour ne pas se désintégrer est de se dire que si les hommes de sa famille, formés pour le combat, pour être solides, ne sont pas invincibles, aucun autre ne l'est non plus. Elle a les moyens de le prouver, elle sait où est, jusqu'à sa génération, la force des femmes ; et la faiblesse des hommes. Mais peut-être est-elle loin de ces pensées pragmatiques et stratégiques, et tout simplement meurtrie. Quoi qu'il en soit, elle fait face, avec une robustesse extérieure étonnante pour une jeune fille. Georges Huret, un homme de trente-cinq ans dont la femme était la marraine de François, qui l'a vue dans les jours douloureux qui ont suivi l'annonce de la mort du sous-marinier, dira : « Elle a apporté une note de gaïeté dans la vie de ses parents, durement éprouvés par la mort de leurs enfants. Elle a toujours semblé gaie, même quand elle était la seule à les soutenir. Jamais elle n'a paru triste. » Quand on sait, quand on saura, la détresse dévorante qui l'infestera jusqu'à la fin de ses jours, la lutte sans espoir qu'elle mènera toute sa vie contre la peur du naufrage et de la désolation, sa terreur du néant, lire ces phrases sur sa gaieté fait, comment dire, drôle.

André approuve assurément l'attitude de sa fille, et surtout, privé de ses deux fils militaires, encombré du troisième et désœuvré lui-même, il ne peut plus que se tourner entièrement vers elle et reporter toutes les attentes de sa vie sur elle. Il l'encouragera, lui, à avancer sans hésiter sur la voie de la médecine.

À la fin de l'année 1942, ils sont obligés de déménager une nouvelle fois. Les attaques alliées continuent à s'intensifier, jusqu'à devenir quotidiennes (elles visent à présent tous les bâtiments où les Allemands sont susceptibles de se regrouper ou d'entreposer des armes, ainsi que les voies de communication – il n'est pas rare qu'elles causent la mort de vingt, trente ou quarante habitants en une journée, vivre dans les environs du port prend des allures de roulette russe), et de son côté, la Wehrmacht commence à dynamiter des quartiers entiers de Malo, pour avoir une vue totalement dégagée sur la mer, qui l'inquiète de plus en plus. La famille se déplace donc à Rosendaël, 53 quai Vauban (aujourd'hui quai aux Fleurs), à deux kilomètres des plages. Ils y resteront jusqu'à la fin de l'Occupation – ou presque. Et après la guerre, quand on autorisera la population à revenir dans la ville saccagée, Gilbert s'installera dans cette habitation quelconque, basse, tout en largeur, avec sa femme Solange et leurs trois puis cinq enfants.

Peu après ce nouveau déménagement, Hans-Joachim est muté ailleurs, je ne sais où. Pauline ne le reverra jamais. Un petit pincement au cœur, à mon avis. Peut-être plus. Pourtant, il lui écrira trois lettres en 1947 et elle ne lui répondra qu'une fois, laconiquement (mais ce sont ces lettres qui me font penser qu'elle n'aura pas oublié son prénom quand on le lui demandera lors du procès).

N'ayons pas peur des déclarations choc ni des opinions anticonformistes : Internet est un truc dingue. Soixante-treize ans après qu'un jeune matelot allemand, parmi des centaines de milliers, a offert un petit bouquet de fleurs à Pauline dans un square de Malo-les-Bains, je l'ai retrouvé. Pas le petit bouquet de fleurs, le jeune matelot. Sa trace, en tout cas. J'ai appris, en lisant les lettres qu'il lui a envoyées, qu'il s'appelait Hans-Joachim Trucmuche (je ne donne pas son nom, il n'aurait peut-être pas aimé, je ne sais pas), j'ai cherché sur Google. J'ai découvert, ému (on n'est pas de bois), qu'il était né en 1918 près d'Erfurt, en Thuringe, que son père était pasteur, et que ses parents avaient divorcé lorsqu'il avait quatre ans. Il a obtenu la première partie de son diplôme de médecine en 1941 à Iéna, dans la future Allemagne de l'Est, et a pu reprendre ses études à Leipzig au bout de deux ans de mobilisation dans l'armée de son pays. C'est dans cette ville qu'il a épousé une Eva, un an après son dernier baiser à Pauline, le 13 décembre 1943 (ils auront six enfants, le premier en juin 1945), qu'il a passé la seconde partie de son diplôme en 1944 et qu'il a ouvert son cabinet en 1947. À la retraite, il s'est passionné pour la généalogie, a effectué des recherches considérables, pas seulement au sujet de ses propres ancêtres, et en a publié le résultat dans un ouvrage qui sert aujourd'hui de référence à de nombreux historiens familiaux. Un brave homme, intelligent, simple et tranquille, qui est mort entouré de l'amour des siens, comme on dit vite fait (mais ce n'est pas rien), le 13 août 1993 – et tout cela n'a depuis longtemps, depuis un dernier après-midi sur un lit du deuxième étage d'une villa de Malo-les-Bains en décembre 1942, plus rien à voir avec Pauline, qui a mené sa pauvre vie de son côté.

Pendant que la Résistance s'organise (fin 1942, on ne compte encore que cinquante résistants actifs, dans toute l'agglomération de Dunkerque), Pauline se console de l'absence de Hans et étend son réseau de conquêtes – une femme qui vit dans la même maison que les Dubuisson, Lucie Fermon, témoignera : « Je savais par la rumeur publique qu'elle entretenait des relations plus qu'amicales avec les soldats allemands, et je l'ai moi-même aperçue plusieurs fois avec des officiers. » Elle est montée d'un cran. Elle devient en particulier la maîtresse (je n'emploie pas ce mot sans mal, elle a quasiment l'âge de mon fils) de l'un des personnages les plus puissants de la ville, le commandant Hubert, que le maire de Rosendaël, Hilaire Vanmairis, décrit dans son journal comme *un grand Prussien, beau, élégant, très distant, qui parle un français approximatif*.

Depuis quelque temps, peut-être pour digérer le départ de Hans, Pauline a entamé la rédaction d'un genre de journal de bord intime, dans un petit carnet dont on parlera beaucoup (je l'ai cherché partout et j'ai fini par retrouver sa trace). Assez rapidement, il semble que ce journal perde sa fonction de soutien sentimental et qu'il y soit assez peu question de battements de cœur. Elle y note, paraît-il, le nom de ses amants, ainsi que ses impressions et appréciations, surtout techniques, prétendront ceux qui en citent des extraits inventés et ne l'ont jamais lu (je ne le lirai jamais non plus et c'est dommage, ma curiosité naturelle et parfois malsaine me démange, j'aurais aimé apprendre que le commandant Hubert avait une bite de belette ou que le lieutenant von Tartempion n'enlevait pas sa casquette au lit). D'après les deux ou trois seules personnes qui l'ont feuilleté (avec horreur, disent-ils – et Greta Garbo a des poils dans le dos), elle y consigne également les reproches peu appuyés de son père, qui se résument à cette phrase résignée : « De mon temps, ce sont des choses qui ne se faisaient pas. » (L'inspecteur-chef Barrière, agressif et impitoyable avec Pauline, est beaucoup plus indulgent avec son papa (si on ne se serre pas les coudes entre hommes, c'est la bérézina), qu'il présente dans son rapport comme *un homme très intelligent, cultivé, fier et autoritaire, bravant l'opinion*, et auquel on ne peut pas vraiment en vouloir de ce laxisme à l'égard de sa fille, ni de son laisser-aller général, puisqu'il a été *marqué par la mort de ses enfants et l'hostilité voilée mais certaine de ses compatriotes pendant l'Occupation.* C'est gentil, on ne peut pas dire le contraire.)

Pauline est précoce, radicale, et immergée dans un contexte morbide qui n'incite pas à la demi-mesure délicate, mais je pense qu'elle n'est pas la seule fille, ces années-là, vingt-cinq avant 68, à vouloir instinctivement changer, de manière brusque ou maladroite en ce qui la concerne, les rapports établis, déséquilibrés, entre hommes et femmes. Les hommes ont été battus, humiliés, ils sont pour la plupart soumis à la puissance ennemie, c'est aux femmes de s'endurcir, de se redresser en ces temps de déconfiture. Certaines le paieront cher, mais il me semble qu'une modification s'amorce comme clandestinement, dans les chambres des filles, de quelques-unes, qu'une agitation flotte. Une tante du M. Alfred, veuve de la Première Guerre, avec qui j'ai correspondu sur Internet, expliquait à sa fille à la fin de la Seconde : « Trente amants riches et passionnés valent mieux qu'un honnête mari besogneux et exigeant. » Au début des grands changements, pour prendre le virage, c'est toujours simpliste et violent. Il n'y a pas que les amants dans la vie – et trente, c'est un peu beaucoup, je dirais.

Les femmes, comme les autres, ont intérêt à se fortifier car les premiers mois de 1943 (le 19 janvier, au Texas, bien loin, naît Janis Joplin), la situation à Dunkerque et ses environs se dégrade encore, les Alliés bombardent maintenant toute l'agglomération – la seule journée du 15 février, par exemple, deux cents bombes tombent sur le port et vingt-neuf sur les villes, dont neuf à Rosendaël, une cinquantaine d'immeubles d'habitation sont détruits, vingt-deux personnes sont tuées, près de trente grièvement blessées. Les rations de viande ont pris un nouveau coup de massue, et tombent à soixante grammes avec os par semaine (la moitié de la moyenne française, déjà bien faible) et trente grammes de charcuterie, c'est-à-dire une toute petite tranche de jambon. C'est aussi en février 1943 qu'est instauré le STO, le gouvernement de Vichy ayant "négocié" l'échange de cinquante mille prisonniers en Allemagne contre cent cinquante mille ouvriers français qui partiront y travailler. Les fournées sont régulières depuis Dunkerque, l'inquiétude et la colère grandissent chez les jeunes hommes, qui ont envie de faire partie de la prochaine comme de se faire briser les rotules, et les familles en général. Jusqu'à présent partagée, la population excédée se braque comme un seul homme ou presque contre Pétain et se tourne, en grande majorité, vers Londres et de Gaulle (les Dubuisson, pas spécialement). Dans son rapport bimestriel d'information, rédigé le 25 mai 1943, le sous-préfet de Dunkerque, Roger Constant, écrit avec un brin d'agacement et d'incompréhension : *Je dois signaler le peu d'empressement manifesté par les assujettis aux lois sur l'orientation de la main-d'œuvre et le Service du travail obligatoire.* (Quelle bande de feignasses.) Mais il sent tout de même le vent tourner lentement, avec la présence quasi permanente des Alliés dans le ciel, et commence à prendre ses précautions. Alors qu'en janvier, il parlait de *la masse* pour désigner les civils, entêtés à ne pas obéir sans broncher à *l'autorité occupante*, ces deux expressions disparaissent et sont remplacées dans ses rapports à partir de l'été, adaptées. Le 25 juillet 1943, il écrit : *Les événements militaires de ces dernières semaines ont été accueillis avec joie par la population* (ex-*masse*, à qui il donne aussi désormais le titre plus noble d'*opinion publique*) *qui espère une fin prochaine des hostilités. Le recrutement des jeunes gens a suscité un profond mécontentement dans tous les milieux, qui se traduit par une haine sourde contre l'envahisseur* (ce salopard) *et même contre le gouvernement.* (Nommé préfet du Morbihan l'année suivante, il sera rétrogradé sous-préfet à la Libération, mais cette prudence bien inspirée lui vaudra malgré tout de ne pas être autrement inquiété, on jugera qu'il a eu *une attitude correcte du point de vue national* et il poursuivra finalement sa carrière dans le privé.)

En juin, après dix mois de travail avec son père, Pauline passe la première partie de son baccalauréat (latin, grec, histoire, géographie), non pas les doigts dans le nez car c'est une jeune femme élégante, mais en sifflotant.

Au début du mois de juillet, elle part en vacances à nouveau toute seule, à Lyon cette fois, peut-être chez son oncle et ses cousins Hutter, qui se sont installés depuis deux ans à Tassin-la-Demi-Lune (quand j'ai posé la question par mail au pasteur Alain Hutter, âgé d'un an de moins que Pauline, il m'a affirmé qu'il ne l'avait jamais revue après le départ de sa famille de Malo-les-Bains, en 1939 (il m'écrit exactement : *Plus tard, nous l'avons perdue*) ; je n'ai aucune raison de mettre sa parole en doute, mais c'est un peu surprenant dans la mesure où elle ne connaissait personne d'autre à Lyon, où elle retournera d'ailleurs en 1946, chez eux précisera-t-elle cette fois – il ne s'en souvient peut-être plus, il était très jeune, et conclut de toute façon le dernier mail qu'il m'a adressé par : *Je ne pense pas qu'il faille revenir sur ces tristes épisodes*, ce avec quoi je ne suis pas tout à fait d'accord, bien sûr, mais chacun fait comme il veut, surtout avec sa cousine). Le 13 juillet, elle écrit à Paul Chabredier, le « vieux monsieur » du train dont elle a conservé l'adresse, qu'elle est à Lyon et s'y ennuie, ils pourraient peut-être se voir, elle aimerait rencontrer sa famille. Ils se donnent rendez-vous devant la Bourse, juste en face de chez lui, mais ne discutent finalement que quelques minutes, Paul dégage sûrement de petits effluves de cafard, ils se séparent sur le trottoir et ne se reverront que sept ans plus tard. En attendant, valise en main, elle retourne dans le cloaque de Dunkerque.

« Ce n'était pas la place d'une jeune fille », dira Geneviève Dewulf, l'amie perspicace de la famille. « J'ai entendu les mauvaises choses qu'on disait sur Pauline, mais je n'y ai pas attaché beaucoup d'importance, car elle n'était pas la seule sur qui l'on disait du mal. Elle avait une grande fraîcheur d'esprit, c'est aussi pour cela que je n'ai pas voulu croire ce qu'on disait d'elle. Elle était toujours très élégante, mais ses tenues n'avaient jamais rien de choquant. Elle était aussi très douce et aimante vis-à-vis des enfants. Les enfants l'aimaient beaucoup. »

Chapitre onze
Amazone

Léonce Baron, un érudit de la région, historien, ancien bibliothécaire et archiviste de Dunkerque, qui mourra le 13 mars 1945 à soixante-quinze ans, deux mois avant la libération de la ville qu'il aimait, la décrit en septembre 1943 dans un rapport pour le bulletin de la Commission historique du Nord : *Le port et la ville ne sont plus qu'un monceau de ruines ; les rues n'existent plus ou sont désertes ; la population est en exil. Ce n'est partout que misère et désolation.* C'est là-dedans que Pauline doit devenir une femme, pas le choix, on ne peut pas se mettre sur pause et reprendre sa vie après la guerre à l'âge qu'on avait avant. Et devenir une femme, non, ce n'est pas qu'apprendre à faire la cuisine et à écarter les jambes. Elle lit de plus en plus, toujours un peu de philosophie mais aussi des romans historiques, elle continue à découvrir la littérature policière, son genre préféré, va au cinéma quand elle peut, ça devient difficile, passe des heures à écouter les disques classiques de ses parents, c'est moins dangereux, et se perfectionne dans de nombreux domaines moins éthérés. D'ailleurs, l'auteur de l'enquête sociale demandée par Haguenau écrira cette phrase magnifique : *Elle aimait aussi beaucoup la musique classique, ce qui ne l'empêchait pas de faire admirablement bien la cuisine, de confectionner des robes et d'arranger son intérieur avec beaucoup de goût.* Une merveille. *Ce qui ne l'empêchait pas* est formidable – et osé, A. Lefebvre s'élance contre tout bon sens : quoi, une femme pourrait aimer la musique sans que cela nuise à ses qualités et devoirs naturels ? (Je ne me lasse pas de relire cette phrase, que les dadaïstes n'auraient pas reniée, comme disons : "M. Louis aimait les girafes, ce qui ne l'empêchait pas de chanter remarquablement.") Cette enquête est certainement ce que j'ai lu de plus "gentil", de plus réfléchi à propos de Pauline, mais M. Lefebvre était tout de même bien ancré dans son époque.

Le 10 octobre 1943, Charlotte Salomon meurt enceinte, gazée le jour même de son arrivée à Auschwitz, à vingt-six ans, en laissant sept cent soixante-neuf tableaux peints en dix-huit mois ; et le 19, Camille Claudel, soixante-dix-huit ans, s'éteint mal nourrie à l'hôpital psychiatrique de Montfavet, près d'Avignon, où elle est enfermée depuis près de trente ans.

La pression augmente et tout empire autour de Pauline pendant qu'elle arrange son intérieur avec beaucoup de goût en écoutant Mozart, les bombes anglaises ont détruit de nombreuses canalisations, les habitants doivent vivre sans gaz pendant deux semaines à la fin de l'été et, plus grave, toute l'agglomération est privée d'eau pendant près d'un mois et demi, les citernes et les puits sont vite mis à sec, la vie devient, comme sur une planète inadaptée, impossible. Il va falloir faire quelque chose, ou mourir comme une plante.

Le 19 janvier 1944, Hitler pique une crise et serre rageusement les boulons : onze villes côtières françaises, sur la mer du Nord, la Manche et l'Atlantique, de Dunkerque à Royan, sont transformées en forteresses (des *Festungen*, dans la langue de Nietzsche), chacune dirigée par un commandant qui jure à son Führer de la tenir jusqu'au bout, jusqu'à la mort, quoi qu'il arrive. À Dunkerque, la "poche", d'environ vingt kilomètres le long de la côte sur huit de profondeur à l'intérieur des terres, est confiée à l'autorité du colonel Hugo Ewringmann, qui ne tiendra pas longtemps – trop mou, je présume.

Évidemment, ça ne change pas les problèmes d'approvisionnement et les conditions de survie dans ce bunker géant, au contraire. Il serait aussi risqué que stupide de garder enfermés les civils qui n'ont rien à faire là, sources potentielles de coups tordus et ventres stériles à remplir au détriment de ceux, jeunes et précieux, des soldats du Reich. Il est donc décidé de procéder à ce que les Allemands appelleront l'évacuation des bouches inutiles. Le 11 février, l'Oberfeldkommandantur 670 (le nom seul donne envie de partir – à Valparaiso ou Kuala Lumpur) de Lille diffuse l'avis suivant : *Les actions offensives auxquelles on peut s'attendre selon la propagande ennemie obligent à évacuer une certaine zone de la côte française du Nord. Sont éloignées toutes les classes de la population qui ne sont pas utilisées au maintien de l'administration encore nécessaire après l'évacuation, à l'économie et aux organisations sociales.* Les épouses de ces utilisés peuvent rester également, ainsi que leurs enfants de moins de six ans. Tous les autres sont envoyés vers deux départements d'accueil, l'Aube et la Côte-d'Or (la SNCF met sur les rails une centaine de trains spéciaux), ou ailleurs s'ils ont de la famille qui peut les héberger. Il restera moins d'un quart de la population, et plus un seul élève à l'usine Weill. Pauline, qui a un peu plus de six ans, devrait partir (d'autant que son père a provisoirement fermé son entreprise et n'est donc pas plus nécessaire aux Allemands qu'un chien sans pattes, et que les Dubuisson ont de la famille à Lyon, à Moulins, à Chalon-sur-Saône et en Bretagne). Mais non. Le commandant Hubert la considère peut-être comme "bouche utile". Ou bien André a-t-il gardé suffisamment de bonnes relations avec certains officiers pour qu'on l'autorise à ne pas quitter un endroit où se trouve à peu près tout ce qu'il lui reste. Pour une raison ou une autre, Pauline, André, Hélène et Gilbert ne bougent pas du quai Vauban.

Ceux qui restent auront besoin de nerfs solides. Le trop tendre colonel Ewringmann est envoyé se faire tanner le cuir sur le front de l'Est, et remplacé à la tête de la forteresse par le colonel Christian Wittstatt, un dur qui n'a jamais lu *Bambi* ; de nombreux quartiers de Dunkerque, Malo, Coudekerque-Branche ou Rosendaël ont été totalement vidés ; on ne peut plus circuler sans laissez-passer spécifiques ; l'agglomération, militarisée jusqu'au moindre coin de rue, devient une vaste caserne, et dès le 12 avril, pour achever de l'isoler, débute l'inondation de toute la zone intérieure des polders, appelée là-bas la zone des « wateringues » (des fossés de drainage qui permettent en temps normal d'assécher ces terrains trop humides), ce qui crée dans les terres une barrière aquatique de vingt kilomètres de large, parallèle à la côte – je ne sais pas si c'est très clair, mais en résumé, la forteresse a toujours vingt kilomètres de large (ou de long, bref), mais seulement trois ou quatre de profondeur (ou d'épaisseur), elle est maintenant prise en sandwich, bordée et protégée d'un côté par la mer, de l'autre par les champs inondés – des champs qui pour certains ont été minés au préalable, c'est plus sûr. (Une petite pause instructive et légère dans cette description trop technique – je m'en rends bien compte – et confuse : quand j'ai écrit un peu plus haut, pour expliquer que le colonel Wittstatt était une brute dénuée d'émotions, qu'il n'avait jamais lu, au hasard, *Bambi*, je suis allé vérifier, inculte, sur Wikipédia, que c'était bien un roman et qu'il avait été écrit avant la guerre. Oui, donc : il a été publié en 1923 et son auteur s'appelle Felix Salten, c'était un ami d'Arthur Schnitzler et de Thomas Mann, lequel admirait son travail. Directeur du PEN

Club autrichien (un club international d'écrivains, "poets, essayists, novelists"), il a été viré par les nazis pour *manque de caractère* (comme Ewringmann, dans un autre domaine). La véritable raison est apparue deux ans plus tard, en 1936, quand Hitler a interdit tous ses livres, dont son best-seller, *Bambi*, accusé d'être *une allégorie politique sur le traitement des Juifs en Europe*. Voilà. Hitler a censuré *Bambi*.) À chaque marée, pour en revenir au terrain, les Allemands ouvrent toutes les écluses et l'eau de mer envahit les champs (le 10 juin, par exemple, l'eau montera, en plusieurs endroits, de soixante-quinze centimètres en une seule journée). Les plaines disparaissent, les agriculteurs doivent quitter leurs exploitations, même celles qui ne sont pas totalement submergées – vingt grammes de sel par litre d'eau, c'est bien trop pour les cultures et le bétail. Le seul avantage de ces inondations massives et irresponsables, c'est qu'on trouve de petits poissons de mer un peu partout, il suffit parfois de se baisser pour les ramasser, c'est toujours ça dans l'assiette.

On isole aussi les habitants enracinés, de manière moins tangible : du 15 au 20 avril 1944, tous les postes de TSF de Dunkerque et des communes voisines leur sont confisqués. Car on sent bien que le Reich est en train de les perdre, ces insensés, ces ingrats.

Que fait Pauline dans cette prison à ciel ouvert ? Du cheval. Le commandant Hubert lui apprend à se servir d'une arme, à tirer sur des bouteilles ou des pots de fleurs, devenus déplacés dans ce décor (elle montre de bonnes dispositions pour cet exercice, deviendra très adroite et précise, et étonnera tous ses copains de fac en les ridiculisant sur les stands de tir de la fête foraine de Lille), et à monter à cheval. Ils se promènent côte à côte sur leurs montures, sur la plage quand le ciel est dégagé, sans avions, et même parfois dans les rues de Rosendaël. Ça ne fait pas bon effet, non, on ne peut pas dire, mais elle aime ça et s'en fout – elle aime le cheval et se fout du regard des autres. Une quadragénaire qui habite non loin de chez les Dubuisson, au 33 quai Vauban, Georgette B., déclarera : « Elle était très distante, comme tous les Dubuisson, je ne l'ai jamais approchée et ne puis rien vous dire quant à son caractère. Mais personnellement, je l'ai vue faire du cheval avec le commandant de la place, un sieur Hubert. » C'est une déposition faite le 5 avril 1951, devant le commissaire Jean Guibert, chef de la sûreté urbaine de Dunkerque. (Elle ne le dit pas mais Georgette le connaît bien, le sieur Hubert : son mari travaille pour lui, il s'occupe à la mairie de la paie des ouvriers employés par les Allemands.) Convoquée de nouveau le 18 janvier 1952, je ne sais pas pourquoi, par le même commissaire, elle dira à peu près la même chose dans les mêmes termes, en précisant tout de même un peu : « Personnellement, je l'ai vue faire de l'équitation en tenue d'amazone avec un certain Hubert, officier allemand. » En tenue d'amazone ? On veut bien qu'elle s'amuse à provoquer le passant, la Pauline, mais de là à enfiler un de ces accoutrements féminins du XIXe siècle, avec la veste baleinée, fortement cintrée, et la jupe ample et longue qui cache même les chaussures, il y a quelques pas de cheval. Pourquoi revenir au commissariat seulement pour cette précision farfelue ? Précision qui sera étonnamment reprise dans le rapport final de l'inspecteur-chef Barrière, pour montrer l'arrogance de Pauline à l'égard de ses concitoyens plus patriotes, et même lors du procès, à l'occasion d'un petit dialogue enlevé entre elle et le président du tribunal, Raymond Jadin :

— On vous a vue faire de l'équitation avec les Allemands.

— J'en avais toujours eu très envie.

— Vous montiez des chevaux allemands en amazone. (J'aime cette indication de la nationalité des chevaux – traîtresse jusque dans le monde animal.) Cette photographie en témoigne.

— En amazone, moi ? (Pauline prend la photo qu'il lui tend.) C'est une photo de ma mère, qui date d'avant 1914.

Bien, les serviteurs de la justice, la vraie, la pure, l'éternelle. Incapables de distinguer l'accusée de sa mère. Ni un cliché du début du siècle, le décor et les accessoires qu'on y remarque, d'une photo qui daterait de dix ans à peine. On voit qu'ils prennent les choses à cœur, au sérieux – c'est la moindre des choses, ils vont tout de même décider du sort, de la vie d'une femme. Du côté de Georgette et du commissaire Guibert, c'est encore plus intéressant. Neuf mois après la première déposition, on ajoute cette tenue d'amazone. Ça ne s'invente pas, Georgette a forcément vu la photo – c'est-à-dire qu'on la lui a montrée, c'est la police, avant la justice, qui l'a en sa possession. Et cela devient, bien qu'en toute connaissance de cause : « Personnellement, je l'ai vue… » ? Ce n'est pas faux, mais ne faudrait-il pas préciser « en photo » ? (Sinon, je vais affirmer de manière officielle : « Personnellement, j'ai vu les Beatles traverser Abbey Road. ») Ce n'est qu'un détail dérisoire, bien sûr, cette tenue d'amazone, mais justement : pour bien enfoncer Pauline, on magouille jusque dans les détails dérisoires.

Dans son échange avec le président Jadin, Pauline répond très simplement à la question, qui n'en est pas une – à l'affirmation désapprobatrice au sujet de ses balades sur cheval boche : « J'en ai toujours eu très envie. » Pour elle, à vingt-six ans encore, c'est une réponse et une raison valables, suffisantes. C'est ce qu'on lui a appris. Le journaliste Pierre Scize (Michel-Joseph Piot de son vrai nom, allez comprendre), dans un texte figurant parmi les moins mensongers, les plus objectifs, bien rares, qui aient été écrits sur Pauline, commentera : *Son désir est sa loi.* Il a raison, on l'a formée pour fonctionner comme ça, c'est devenu son moteur, elle oublie de se demander si c'est normal, convenable et prudent. Son désir est sa loi (je plagie un peu).

Brigitte Bardot croisera la vie de Pauline Dubuisson en 1960, et y jouera un rôle considérable, désastreux. Mais deux ans avant cela, elle tournera dans un film de Claude Autant-Lara, *En cas de malheur*, adapté du roman éponyme de Georges Simenon, écrit en 1955, deux ans après le procès de Pauline (dont je suis sûr qu'il s'est au moins indirectement inspiré, même si l'histoire n'a rien à voir). Bardot y incarne Yvette, une jolie jeune femme libre et volage, un peu écervelée, qu'un vieil avocat (il doit avoir mon âge, misère), maître Gobillot, joué par Jean Gabin, prend sous son aile, et pas que son aile. Elle le trompe sans trop de scrupules, en particulier avec un étudiant en médecine (ce n'est peut-être pas qu'une coïncidence) nommé Mazetti, qui ne supporte plus qu'elle se fasse entretenir par l'ancêtre libidineux (moi), et insiste pour qu'elle le quitte et vienne vivre avec lui. Elle refuse, les deux jeunes gens discutent en dansant :

« Qu'est-ce que ça te donnerait de plus, d'habiter avec moi ? Au bout d'un mois, tu le regretteras.

— Non.

— Ou alors c'est moi qui le regretterai. Je me connais. Je ne suis pas faite pour vivre avec un homme.

— Toutes les femmes sont faites pour ça.

— Pas moi. Tu vois, tu ne m'as pas comprise.

— Et lui, il t'a comprise ?

— Oui, il m'a comprise, lui. Je suis une petite femelle, il faut me laisser faire ce que j'ai envie. »

Chapitre douze

Souillée

Le 6 juin 1944, les Alliés débarquent en Normandie, puis prennent Caen, passent la Seine et remontent vers le nord. On commence enfin à se réjouir à Dunkerque (c'est malheureusement très prématuré) et, sentant que la défaite allemande est proche, on retourne sa veste quand c'est nécessaire, comme on peut. Le nouveau sous-préfet, André Portal, témoignera de ces revirements accélérés dans son rapport bimestriel du 29 juillet : *Pendant la dernière quinzaine écoulée, le principal sujet des conversations a été la proximité de la fin de la guerre. On estime que l'Allemagne se trouve actuellement dans la même situation qu'au mois de juillet 1918, et on a vu dans l'attentat fomenté contre Adolf Hitler* (le 20 juillet 1944, une bombe a blessé légèrement le petit moustachu : l'instigateur de ce crime, le colonel et comte von Stauffenberg, sera fusillé le soir même, à trente-six ans – Hitler fera répandre ses cendres dans un champ de déversement des eaux d'égout) *un signe avant-coureur de la débâcle. Plus personne, pas même les partisans de la collaboration franco-allemande, ne croit à la possibilité d'une victoire allemande, et cette pensée réjouit l'ensemble de l'opinion. On remarque avec ironie que les gens réputés précédemment comme « collaborateurs » commencent à renier leurs anciennes opinions et à souhaiter la victoire anglo-américaine.*

Cependant, on dit que ce n'est pas ce reniement de la dernière heure qui les empêchera de devoir rendre des comptes le moment venu. (Certains s'en tireront pas mal, quand même.) Pauline n'est pas du genre girouette – et de toute façon, il n'y a rien de politique ni de calculé dans ses liens avec les Allemands, elle ne va pas retourner sa culotte. Ces enthousiasmes ou craintes, ces voltes et conversions apeurées, elle s'en fout, ce n'est pas son problème : fin juin, elle passe comme une fleur la deuxième partie de son baccalauréat (philo, sciences, langues vivantes) – c'est surprenant dans une ville où il n'y a plus de lycée (elle obtient peut-être une autorisation spéciale de sortie de la forteresse, je ne sais pas), mais toujours est-il que son diplôme date bien de juin 1944. Son père André ne s'affole pas, ne se renie pas non plus. Ce qui l'intéresse et lui fait plaisir, c'est que sa fille ait eu son bac.

À partir du 23 août, l'agglomération dunkerquoise est encerclée par les Alliés, le courrier ne passe plus à l'extérieur. Paris est libéré le surlendemain, la joie déferle dans les rues, les drapeaux français, les filles dans les bras des soldats, la foule aux balcons, de Gaulle triomphant, les fleurs et les chewing-gums, toutes ces images lumineuses d'allégresse et de soulagement qu'on a vues des centaines de fois depuis soixante-dix ans. Au même moment, Rosendaël ou Malo-les-Bains sont à des milliers de kilomètres, sur une autre planète, dans la pénombre et la peur. Il y reste peu de résistants, les hommes de quinze à trente-cinq ans sont étroitement surveillés, la plupart des réseaux ont été décimés, démantelés, parfois infiltrés par de jeunes venimeux de la région enrôlés par l'Abwehr, le service de renseignement allemand. Quelques-uns survivent malgré tout, tapis, téméraires et déterminés. Quand on les débusque et les démasque, on les fusille dans la journée, après quelques minutes passées devant un tribunal de guerre, même si rien d'autre ne pèse sur eux que des soupçons. Car le colonel Wittstatt, roi de la forteresse, veut se faire bien voir du patron, faire le beau devant Hitler. En effet, le 5 septembre, le Nord et le Pas-de-Calais ont été libérés, et Wittstatt craint que de hauts gradés en repli sur Dunkerque, comme le général von Kluge et le contre-amiral Frisius, qui sont en ville depuis deux jours, ne soient nommés à sa place. Le 6 septembre, par exemple, il fait exécuter huit garçons d'une vingtaine d'années parce qu'il a peur de perdre son poste, ce basset.

Toute la région du Nord a été reconquise par les Alliés, à l'exception des forteresses de Calais et de Boulogne-sur-Mer, qui sont attaquées – on se rend compte à cette occasion que les faire tomber n'est pas de la tarte, ce qui n'est pas de bon augure pour celle de Dunkerque, que les Canadiens encerclent pourtant, à un jet de catapulte : ils ont déjà réussi à reprendre de petites communes avoisinantes, comme Esquelbecq, Bourbourg, Bergues ou Loon-Plage, la suite et fin semble n'être plus qu'une question de jours et de tonnes de bombes.

Le 6 septembre, après l'exécution des huit jeunes résistants, le maire de Rosendaël fait redistribuer à leurs propriétaires, de sa propre et seule initiative, tous les postes TSF confisqués. C'est un drôle de bonhomme, Hilaire Vanmairis. À soixante ans, et bien que maire, donc en contact permanent et étroit avec l'ennemi sur les nerfs et surméfiant, il a accepté de rejoindre le seul groupe de résistance encore en activité dans sa ville. (Le 24 juin 1940, son fils de sept ans, réfugié avec sa mère à Watten, à une vingtaine de kilomètres de Dunkerque, a reçu deux éclats d'obus allemands dans le ventre ; il est mort dans ses bras le 29 du même mois, à l'hôpital de Rosendaël, avant d'être enterré dans une petite caisse en bois construite rapidement par un voisin. *Il faut avoir vécu de tels moments*, écrit-il, *pour se rendre compte de la haine mortelle que je vouais aux*

Allemands, qui avaient également tué, en 1914, mon plus jeune frère.) Les jeunes du réseau, ceux qui seront fusillés ensuite, ont refusé qu'il participe aux actions proprement dites, bien trop dangereuses à son niveau, mais il les aide à sa manière : il a "recruté" l'adjoint et le secrétaire de sa mairie, qui l'ont suivi de bon cœur, contourne comme il peut les directives autoritaires de l'occupant à l'encontre de la population, cache un parachutiste australien dans les combles du château Loubry, où passent des Allemands du matin au soir puisqu'il fait office de nouvelle mairie depuis que l'ancienne a été bombardée, et dans une cave de cette dernière, plus imprudent encore, il retient prisonnier un soldat de la Kriegsmarine que les jeunes ont kidnappé.

Le 9 septembre au soir, le colonel Wittstatt, toujours en quête d'un sussucre du Führer, se rend chez le maire Vanmairis, lui annonce qu'il a pris neuf otages au hasard parmi les habitants et qu'il les fera exécuter le lendemain à midi si tous les hommes oisifs de quinze à soixante ans, dont il craint la perfidie, n'ont pas quitté Rosendaël à cette heure-là : « Quand j'étais en poste en Normandie, des bandits de Français en civil m'ont tué de braves et courageux soldats. » (Ah les salauds, les tricheurs.) « Si mon prédécesseur n'a pas réussi à faire évacuer la commune par les hommes en état de porter les armes, moi j'y arriverai. » Pour tenter de le calmer et de gagner du temps, le maire lui explique qu'on ne peut tout de même pas les envoyer errer sur les routes, où vont-ils aller, tous ces oisifs ? « N'importe où, en Normandie si vous voulez. Ils partiront une valise à la main, l'endroit où vous les enverrez ne m'intéresse pas. Il faut qu'ils partent, ou j'exécuterai les otages. » Le lendemain matin, sept cents hommes quittent Rosendaël (ils ne vont pas jusqu'en Normandie, ils sont récupérés par les Canadiens juste après les zones inondées) et les neuf otages de Wittstatt sont libérés.

Ce jour-là, en guise de petite revanche (même si, après tout, les sept cents évacués sont bien mieux avec les Canadiens qu'à l'intérieur de la forteresse), le rebelle Hilaire fait distribuer dans sa ville les cinquante-six jours de vivres "de sécurité" que les Allemands gardaient en réserve, afin qu'ils ne soient pas entièrement consommés par les soldats. Le commandant Hubert, partenaire de tir et d'équitation de Pauline, sursaute dans ses bottes quand il l'apprend et le fait convoquer immédiatement (dans un bureau où le mari de Georgette B. est en train de donner leur paie à une centaine d'ouvriers qui font la queue dans le couloir). Devant tout le monde, écrit Hilaire, *il prend son air hautain de hobereau prussien* et lui demande d'un ton supérieur et menaçant qui l'a autorisé à offrir toute cette nourriture aux civils. Personne, lui répond-il, il a décidé ça tout seul. Le commandant s'étrangle et l'informe qu'elle était réservée aux troupes allemandes, qu'il ne fasse pas celui qui n'était pas au courant, et qu'il va l'arrêter, ça va pas traîner. Hilaire Vanmairis rétorque, devant tout le monde aussi : « Maintenant que je sais que ces denrées étaient destinées à vos soldats, je suis encore plus heureux de les avoir distribuées. » À sa sortie du bureau, il est salué par tous les ouvriers, qui lui sourient et lui serrent la main. Les vivres ne sont pas récupérés chez les boulangers, les épiciers ou les particuliers qui les ont reçus en cadeau. Et le maire n'est pas arrêté. Pas trop vache, Hub.

Hubert et Hilaire, de toute façon, sont convaincus tous les deux que Dunkerque ne va pas résister plus de quelques jours aux attaques alliées : les Canadiens, bien plus nombreux que les Allemands, encerclent la ville de tous côtés sauf celui de la mer, et il est peu probable qu'ils attendent des mois en tapotant du pied et en se contentant de balancer un obus toutes les deux heures.

Le soir du 10 septembre, Lucien Beurey est à sa fenêtre. C'est un homme de trente-six ans, un employé de la Raffinerie de pétrole du Nord, fraîchement chômeur, et l'un des derniers résistants qui n'aient pas été arrêtés ou tués. Il n'a plus grand-chose à faire, il se sent un peu seul. Sa famille a été évacuée en février avec les bouches inutiles. Pour s'occuper, et surtout parce qu'il sait combien la durée de vie moyenne d'un résistant, même relativement désœuvré, est courte dans les parages, il tient un journal pour sa femme et ses filles, avec qui il ne peut pas correspondre autrement puisque le courrier est coupé, en se disant qu'elles garderont une trace de ses derniers jours, s'il est en train de les vivre. Sur un cahier d'écolier, il note : *19 h : Marinette passe sous mes fenêtres accompagnée de deux fantassins. Décidément, rien n'arrêtera la vie galante de cette jeune femme !* Une pensée pour Marinette.

Hilaire et Hubert ont raison, les Canadiens ne vont pas attendre des mois en tapotant du pied. Ils vont partir.

Le général anglais Montgomery, qui dirige les opérations par là-haut, a impérativement besoin de contrôler un grand port de la mer du Nord pour appuyer l'entrée de ses troupes en Allemagne. Celui d'Anvers paraît bien plus simple à prendre que celui de Dunkerque (qui est en ruine, en plus, il faudrait tout remettre en état de fonctionnement, voire reconstruire), il décide donc de concentrer toutes ses forces sur la Belgique. Le 14 septembre, il envoie un ordre au commandement des troupes canadiennes : *Dunkerque doit être abandonné pour un règlement ultérieur.* Et hop, le gros des assiégeants alliés plie armes et bagages et, après quelques derniers jours de bombardements intenses, les Canadiens montent le long de la côte, laissant derrière eux les Dunkerquois sacrifiés par stratégie, coincés dans une forteresse qui va y gagner un surnom peu rassurant, « le front oublié ». (« Hé oh ? Il y a quelqu'un ? »)

L'inquiet colonel Wittstatt se méfie (Qu'est-ce que c'est que cette ruse ?) et achève de faire miner toute l'agglomération. Sortir de chez soi devient un acte héroïque (Pauline ne peut plus faire de cheval, tant pis), mais la vie se complique aussi pour les soldats de la Wehrmacht, qui commencent à déprimer sec et dont une bonne partie aurait préféré qu'on en finisse (ils n'ont jamais juré à personne de tenir la forteresse jusqu'à la mort, eux), que ces ramollos de Canadiens fassent leur boulot et qu'ils puissent se constituer tranquillement prisonniers, comme il se doit quand tout est foutu. Le 19 septembre, Lucien Beurey écrit sur son cahier: *Hier, à 22 h, une cuisine roulante hippomobile est entrée dans le champ de mines de la rue Thiers, à Saint-Pol: un des chevaux a été tué, l'autre blessé a dû être abattu, un soldat a été tué, projeté sur le toit d'une maison voisine. Les chevaux tués ont été débités sur place par la population: en moins d'une heure, tout avait disparu.*

Le lendemain, Wittstatt voit toutes ses illusions lui tomber dans les chaussettes: le contre-amiral Friedrich Frisius (qui deviendra bientôt vice-amiral, promotion bien méritée), quarante-neuf ans, est nommé à sa place, par le big boss Führer, à la tête de la forteresse – il a manigancé, usé de ses relations à Berlin, c'est un malin. Engagé dans la marine allemande à dix-huit ans, en 1913, il a commandé la défense maritime du Pas-de-Calais à partir de 1941 et s'est replié sur Dunkerque, où il est arrivé quinze jours plus tôt, quand les Alliés ont pris possession de la région. C'est un véritable psychopathe (pour tout dire, je ne sais pas exactement quelle étiquette lui collerait sur le front un spécialiste des questions psychiatriques, mais il a de sérieux problèmes mentaux, un hamster s'en rendrait compte). Rasé sur le côté gauche du crâne, il rabat une longue mèche gominée sur le côté droit et, même si je sais qu'il ne faut pas juger sur les apparences, il a une tête d'immonde pervers. À Dunkerque, on regrettera vite Christian Wittstatt et sa méchanceté puérile et désespérée.

Se sentant abandonnés, terrifiés par le bouquet final des Canadiens (le 20 septembre, une bombe tombe juste devant l'épicerie *Au roi du saucisson*, ces bouffeurs de burgers ne respectent rien), qui est suivi d'attaques aériennes intensives pour bien montrer qu'on ne laisse pas tomber la ville (alors que si), et pressentant peut-être que Frisius est un dingue, six mille cinq cents civils se sauvent clandestinement de la poche, de nuit, entre le 20 et le 29 septembre. Le 28 avant l'aube, Paul Brisswalter, l'ex-directeur de la centrale électrique de l'usine Lesieur, se joint à un cortège de personnes effrayées, à bout de nerfs – des *bêtes traquées*, note-t-il dans son journal. Les fuyards (ça fait péjoratif, mais ils ont bien raison de se tirer de là (et d'autres bien tort de rester)) traversent la zone inondée (certains, écrit Brisswalter, ont enlevé leurs chaussures à cause de l'eau et avancent pieds nus) et atteignent les lignes alliées, où des FFI à brassard contrôlent leurs cartes d'identité, car des soldats allemands en civil, sensés, se sont glissés parmi eux. Ils sont ensuite transportés en camion jusqu'à Pitgam ou Esquelbecq. Ces villages sont à dix kilomètres à peine de Dunkerque, mais il y règne une folle atmosphère de fête et de lumière, des drapeaux français sont accrochés partout, tout le monde semble heureux et de Gaulle, véritable star, est dans toutes les conversations. Paul Brisswalter entend des éclats de rire autour de lui pour la première fois depuis des mois. Ils sont conduits dans un refuge où ils vont passer la nuit mais où, d'abord, on leur donne à manger, de la nourriture normale, en bonne quantité, pour la première fois depuis des mois aussi. La forteresse leur paraît déjà dans une autre dimension, tragique.

Pauline, bien que privilégiée (pas pour longtemps), est encore là-bas, dans le vacarme de l'enclave de guerre, presque seule, au milieu des flammes et de la fumée noire.

Les Allemands brûlent eux-mêmes des pâtés de maisons entiers de Rosendaël ou de Malo-les-Bains, notamment aux abords du quartier général de Frisius, de l'hôpital et des immeubles qui abritent les principaux services de la Wehrmacht. Quand Hilaire Vanmairis et l'abbé Demulier (l'un des rares prêtres à n'avoir pas quitté l'agglomération) viennent s'en étonner et surtout s'en plaindre auprès du colonel von Einem, le bras droit de Frisius, celui-ci leur répond que c'est pour éviter que les Alliés aient l'idée de les bombarder – comme à Calais, où ils ont littéralement incendié toute la ville. (Si une nuit, dans un quartier borgne, vous voyez avancer vers vous cinq ou six types énervés et patibulaires, défoncez-vous violemment la tête contre le premier mur venu, ça leur enlèvera l'envie de vous taper dessus.) Selon des soldats allemands catholiques – ils sont peu nombreux – qui se confieront par la suite à l'abbé Demulier, Frisius aurait même l'intention de brûler tous les bâtiments qui ne sont pas occupés par ses troupes (il a dû finir par se rendre compte que c'était moins astucieux que ça en avait l'air : les avions n'auraient plus eu qu'à lâcher quelques bombes sur les rares immeubles encore debout – c'est ici que ça se passe, envoyez).

Ce jour-là, dans son appartement, Einem est avec une très jolie fille, une Normande de dix-huit ans. Il l'appelle « chère enfant », elle lui servait de cuisinière, à lui et à ses principaux lieutenants, lorsqu'ils étaient en Normandie – et pas que de cuisinière. Ils l'ont forcée à les suivre quand ils se sont repliés sur Dunkerque. Hilaire Vanmairis écrit dans son journal : *Pauvre fille, hélas, comme d'autres Françaises, souillée par ces brutes.* Pas toutes. Marinette en a fait un métier, et

Pauline, bien qu'insidieusement poussée au début, est à présent plutôt volontaire – mais c'est toujours, au moins en partie, pour aider papa : la vie est plus facile quand on fait plaisir aux officiers.

Canadiens et Anglais continuent à frapper la forteresse, de loin. Lucien Beurey note : *19 h : trois nouvelles attaques aériennes ont eu lieu depuis 18 h. Dans une maison, on joue de l'accordéon.*

Il y avait jusqu'alors environ trois mille soldats allemands sur place. Ils sont rejoints par les vaincus de Boulogne-sur-Mer et de Calais, ce qui porte leur nombre à douze mille. C'est mieux pour tenir le siège, mais on ne peut plus nourrir tout le monde. Frisius, qui a été nommé vice-amiral le 30 septembre et se sent maître du monde, prend la décision de faire évacuer entièrement l'agglomération qu'il contrôle, où vivotent encore un peu plus de dix-huit mille personnes. Il fait rédiger une lettre en français par Hilaire Vanmairis, dans laquelle il propose à ceux qu'il considère comme les agresseurs, les barbares, une trêve de trois jours qui permettra à la Croix-Rouge de venir chercher les blessés, et surtout à toute la population de partir – en revanche, il refuse tout échange de prisonniers, estimant qu'il ne récupérerait que des déserteurs qui ont fui la ville en douce.

L'évacuation commence le 3 octobre à dix-huit heures. De nombreux habitants refusent de partir, croyant encore que la libération de la ville n'est qu'une question de jours et ne voulant pas, après avoir enduré son occupation durant plus de quatre ans, livrer maintenant, à deux doigts de la quille, leur maison aux pillards allemands, mais Frisius n'est pas du genre à se laisser attendrir : tout le monde dehors. Une longue procession de libérés amaigris, livides et mal en point, dépités d'abandonner leur ville ou soulagés d'échapper à l'oppression nazie, se dirige vers les lignes alliées. Deux enfants naissent pendant cette trêve, sur le chemin de la liberté (ils ont soixante-dix ans aujourd'hui, s'il ne leur est rien arrivé), et un vieil homme meurt, en pestant contre la malchance et le destin cruel, je suppose.

Le 5 octobre au matin, Hilaire Vanmairis se présente au quartier général de Frisius : le vicaire de la paroisse de Saint-Zéphirin, l'abbé Vanhems, a été arrêté par les Allemands, soupçonné d'espionnage, et s'ils ne le libèrent pas dans les heures qui viennent, il ne pourra évidemment pas quitter la ville avec ses ouailles – *la ville devait être vide pour 16 h et le passage des lignes s'achevait à 18 h*, écrit-il. Le vice-amiral à autre chose à faire, il l'envoie bouler. Hilaire a donc l'idée d'aller voir Émile Flecq, le directeur de l'hôpital de Rosendaël, et de lui demander de l'introduire auprès de celui qui va bientôt lui succéder en tant que médecin-chef, le colonel Domnick. *Cet officier* (Domnick) *nous reçut correctement. J'obtins qu'il intervînt en faveur de l'abbé Vanhems. M. Flecq profita de cette entrevue pour demander au médecin-chef de détériorer le moins possible son établissement, ce que celui-ci promit de faire.* (Au même moment, le commandant Hubert se rend au 53 quai Vauban, chez les Dubuisson, et passe plus d'une heure à discuter avec André et sa fille.) L'abbé est relâché peu de temps après et fait sa valise sans demander son reste, accompagné par le maire Vanmairis, Émile Flecq le directeur de l'hôpital, l'ensemble des médecins qui y officiaient, et toute la population. Ou plutôt, pour être précis :

Chapitre treize

Hystérique

presque toute la population. Au total, en trois jours, dix-sept mille cinq cent vingt-deux personnes ont été évacuées, dont Hélène Dubuisson, ou ce qu'il en reste. Elle échoue tout près de là, à Esquelbecq – chez un cousin, je crois, sans en être sûr, un membre de la famille en tout cas. Comme sept cent quarante personnes seulement (sur cent mille avant la guerre), Pauline est restée au milieu des mines, ainsi que son père et son frère Gilbert. Elle a espéré tout l'été pouvoir s'inscrire à la faculté de Lille pour y passer son PCB (le diplôme "physique, chimie, biologie", qui clôt l'année de préparation aux études de médecine), mais cela n'a pas été possible. Elle a une autre idée. Les récents bombardements alliés, quoique peu convaincus et principalement destinés à effrayer la galerie, ayant fait de nombreux blessés (l'enfer s'est déchaîné sur dunkerque, titre *La Voix du Nord*), et la grande majorité du personnel de l'hôpital de Rosendaël ayant quitté les lieux, elle s'y fait embaucher comme infirmière amateur, disons, sur les conseils et avec l'aide du commandant Hubert, qui la présente au médecin-chef W. Domnick (je n'ai pas réussi à trouver son prénom, on peut l'appeler Werner, Wilfried, Walther ou Wolf, comme on veut. Werner, allez). Pour lui, l'aide est plus que bienvenue, et pour elle, qui ne dévie jamais de sa trajectoire lorsqu'elle s'est fixé un but, ce sera, sans cynisme, une expérience utile, un moyen d'avancer vers ce qui la passionne, de progresser, même sans être scolarisée.

Le 6 octobre, la première brigade blindée indépendante tchécoslovaque, commandée par le général Aloïs Liska, remplace les Canadiens et une partie des Anglais autour de Dunkerque, appuyée par quelques centaines de Français, pour la plupart des volontaires issus des FFI, mal équipés et vivant dans des conditions d'hygiène pitoyables, qui accueillent de leur mieux les évacués de la forteresse.

En raison de l'encadrement militaire et du contexte particulier dans lequel s'effectue cette libération anticipée, les cas de femmes tondues sont rares dans la région – mais pas inexistants. Un mois plus tôt, par exemple, le 8 septembre, lors de la reconquête de Gravelines par les troupes canadiennes, quelques FFI de la dernière demi-heure (ce sera prouvé par la suite) s'emparent de deux jeunes femmes qui ont quitté Dunkerque quelque temps plus tôt pour revenir vivre avec leurs parents. C'est chez eux qu'ils viennent brutalement, hargneusement les chercher, pour les emmener d'abord dans l'école de filles de la ville, où elles sont retenues, insultées, frappées et barbouillées de croix gammées, puis les conduire dans un cinéma où un public avide de vengeance et de saines distractions a été convié par le bouche à oreille. Sur la scène, deux hommes déguisés en coiffeurs les tondent sans ménagement, sous les rires et les applaudissements des spectateurs ravis, puis elles sont photographiées pour qu'on n'oublie jamais et traînées sur la place de l'hôtel de ville de Gravelines, sous la pluie, les crachats, les injures et les condamnations à mort lancées par des enragés à l'âme pure qui n'ont jamais entendu parler d'elles. Quelques habitants protestent, peu nombreux. Les justiciers ivres morts finissent par les libérer en fin de soirée, avec la satisfaction du devoir accompli.

Un an plus tard, le journal *Nouveau Nord* publiera une enquête prouvant qu'elles n'avaient rien fait, ni touché un Allemand ni dénoncé qui que ce soit.

Il est bien possible que Marinette, qui ne songeait pas à se cacher, soit elle aussi passée par ce genre d'humiliation machiste (même les épouses convenables qui hurlent à la salope sont machistes, épagneules dociles de leur mari) après l'évacuation de ce début octobre. J'espère évidemment que non – et de toute façon, même si rien ne justifie un châtiment d'une telle bassesse, elle ne faisait que son métier. À ce compte-là, il aurait également fallu tondre tous les épiciers ou les bouchers de France qui ont vendu des petits pois ou du mou de veau aux Allemands.

Pauline, son père et son frère quittent le quai Vauban : ils sont autorisés à s'installer dans l'enceinte même de l'hôpital de Rosendaël, 92 avenue Foch (aujourd'hui avenue de Rosendaël), épargné jusqu'à maintenant par les attaques alliées. Tout le monde a fui la ville. Comment expliquer qu'André laisse sa femme partir avec toute la population et reste là avec ses deux enfants alors qu'il n'a strictement plus rien à y faire, et que le monde libre est à un quart d'heure de marche ? D'autant que c'est extrêmement dangereux, les témoignages des rares personnes encore présentes dans la forteresse se rejoignent : quand on se couche vivant le soir, on a le sentiment d'avoir eu de la chance. Les Allemands, du moins leurs chefs, sont devenus paranoïaques et prêts à tout, et les Alliés ne vont pas s'encombrer longtemps de scrupules pour une petite poignée de civils, alors que douze mille militaires ennemis à portée d'obus tiennent l'un de leurs derniers bastions en France. Frisius s'est retranché dans son quartier général, installé dans les sous-sols du casino de Malo en ruine, et n'en sort qu'en cas d'absolue nécessité. André n'a certainement pas peur de mourir, il s'agit peut-être même pour lui d'une forme de suicide indirect, mais quels risques fait-il prendre à ses deux derniers enfants ? Étant donné son caractère, le blindage qu'il s'est forgé, je ne pense pas non plus qu'il refuse de bouger de là par crainte des représailles de ses concitoyens “à la sortie”. Il les regarderait de haut et assumerait. Mais alors, comment expliquer cette décision insensée de s'enfermer avec les futurs parias ? Ce n'est qu'une hypothèse, mais je crois qu'il ne veut ou ne peut tout simplement pas revenir en arrière, se déjuger : ce serait admettre qu'il n'a pas choisi la bonne voie, comme font toujours les forts. Au moins, ses enfants et lui ne feront pas partie des convertis de la veille du Jugement dernier.

Le docteur Félix Vautrin, le résistant (vrai, celui-là) qui a entre autres refusé le permis d'inhumer réclamé par l'officier machiavélique qui avait exécuté le naïf et charitable Raymond Finot, a quitté la ville, comme tous ses confrères français, le 5 octobre. C'est à Pauline, qui soigne des hommes en lambeaux (boches, certes), qu'il reprochera amèrement, haineusement, d'être restée dans la poche de Dunkerque à ce moment-là, et non pas à son père. Comme si elle était toute seule, comme si c'est elle qui avait décidé, comme si une fille de dix-sept ans, surtout en 1944, pouvait être tenue pour responsable des actes de sa famille, plus condamnable qu'un homme mûr et dominateur, ingénieur et ancien colonel de soixante-deux ans. (Mais le docteur Vautrin n'est pas à une exagération près. Dans une déposition, il dira qu'il connaît Pauline depuis 1940 ou 1941, et pourra affirmer, en tant que médecin : « Elle m'a produit l'impression d'une hystérique, mythomane, ambitieuse, douée d'une grande volonté, voulant toujours être en vedette. » Ça y va, on dirait un rapport d'expert psychiatre. Il a d'ailleurs dû étudier la patiente de près, car il précisera, sûrement dans le but d'éloigner toute idée de circonstances atténuantes : « Elle n'est pas

démentielle. » (Ces phrases sont soulignées en rouge dans sa déposition, et l'inspecteur-chef Barrière les citera dans son rapport, précédées de ce commentaire : *Le docteur Vautrin, qui connaît bien Pauline Dubuisson, en a fait un portrait assez saisissant.*) Il peut se permettre ce diagnostic, donc, puisqu'il la connaît bien. En tant que résistant, masqué bien sûr, mais n'hésitant pas à afficher ouvertement, et courageusement c'est vrai, son opposition à l'envahisseur, il est peu probable qu'il ait passé beaucoup d'après-midi à boire le thé avec des officiers nazis chez les Dubuisson. C'est donc qu'il devait être le médecin traitant de Pauline, voilà. Cette réflexion est aussi venue à l'esprit du commissaire Jean Guibert,
qui a recueilli cette déposition de 1951, car après que Félix Vautrin l'a relue et signée, il remet la feuille dans la machine et lui pose la question qu'il avait oubliée, en une sorte de post-scriptum. Eh bien non. « Je n'ai jamais traité Pauline Dubuisson, l'opinion que j'émets est la déduction de ce que j'ai pu voir et entendre sur elle, ainsi que de son comportement dans la vie. » On ne peut cependant l'accuser d'approximation dans ses conclusions d'expert, car il apporte une preuve scientifique de ce qu'il dit : « Elle n'était pas sérieuse, tout le monde le savait. »)

L'hôpital déborde littéralement de blessés (on a dû annexer l'hospice voisin pour les caser tous), c'est donc à bras ouverts que le médecin-chef Domnick accueille la volontaire, il lui en faudrait dix ou vingt comme elle. Il l'installe dans une chambre voisine de son appartement. André et Gilbert sont également logés dans le bâtiment, ensemble, mais dans une autre aile. Le colonel Werner Domnick est un homme plutôt doux, intelligent, cultivé, grand, de belle allure. Il a cinquante-cinq ans, c'est-à-dire plus de trois fois l'âge de Pauline – elle lui en donne quarante ou quarante-cinq, c'est la fourchette qu'elle estimera quand on lui posera la question lors des interrogatoires, elle n'apprendra qu'il en avait dix de plus que lors du procès. Elle ne voit d'abord en lui qu'un homme de science, aux ordres de qui elle travaille, elle envie son savoir médical et sa culture, sa façon de diriger calmement l'hôpital surpeuplé, elle le respecte et le considère peut-être, ne nous avançons pas, comme une version "réussie" de son père : il a son autorité, son assurance, des connaissances équivalentes, mais il est plus attentif, chaleureux, et n'a pas son parcours malchanceux et dégringolant (ça va venir, les surhommes finissent toujours pas se prendre un pot de fleurs sur la tête).

Assez rapidement, quelque chose se décale en elle, elle le regarde autrement. (Quant à lui, n'en parlons pas. Ce n'est pas bien, de désirer une fille de dix-sept ans quand on en a cinquante-cinq, c'est très mal, sale bonhomme, mais enfin elle est là, jolie et disponible, toutes les nuits seule à deux mètres de lui, avec l'accord de son père, elle ne se prive certainement pas de quelques effets de jeunes hanches quand elle lui passe sous le nez, et le type sait qu'il peut mourir d'une heure à l'autre, c'est une crainte tout à fait réaliste, il a conscience en tout cas, car il est loin d'être abruti (moins qu'Hitler ou Frisius), qu'il vit ses derniers jours d'homme libre (quoique en guerre), que son existence de vainqueur se termine et qu'il n'aura plus l'occasion de profiter de grand-chose : je me mets à sa place, je te l'aurais un peu reluquée, la gamine.) Il est à ses pieds, tout rôti comme un petit poulet, elle n'a plus qu'à mettre la table. On ne sait pas vraiment si elle finit par accepter ses avances parce qu'il est en position de force et peut lui être utile, ou si elle est, d'une manière ou d'une autre, réellement attirée (ce que je crois) – pas question d'amour et moins encore de désir sexuel, à mon avis, mais plutôt de l'admiration, et une sorte d'affection (certains détails le prouveront plus tard – par exemple, elle conservera toute sa vie une photo de lui). Quoi qu'il en soit, une chose est sûre, il ne l'a pas forcée.

Le président Jadin lui en parlera lors du procès :

— Avouez qu'il y a dans cette disproportion (d'âge) quelque chose de choquant. (Pauline ne répond pas, se contente de regarder le magistrat dans les yeux, assez froidement, comme pour dire : "Tous les vieux ne sont pas comme vous.") Vous a-t-il prise de force ? Vous a-t-il séduite ? (Je pense qu'il emploie "séduite" dans le sens premier de "charmée", "envoûtée" – on voit les femmes comme de petites créatures influençables, des lapins dans les phares, qu'un homme puissant et habile peut facilement soumettre à son bon vouloir. C'est ce que Pauline suppose aussi, puisqu'elle répond :)

— Non. (C'est honnête et loyal : un "Oui, il m'a contrainte, il a abusé de ma position de faiblesse" lui aurait évité bien des soucis.)

— Alors ?

— C'est venu petit à petit.

J'aime bien cette réponse, plus précise et claire qu'elle n'en a l'air.

Elle devient sa maîtresse et quitte sa chambre pour s'installer juste à côté, dans l'appartement du colonel, qui est celui de l'ancien directeur de l'hôpital, Émile Flecq.

André Dubuisson, encore une fois, laisse faire. Même dans une autre aile, il ne peut pas ne pas savoir, il voit sa fille tous les jours, et tout le personnel de l'établissement est au courant (le simple fait que Werner Domnick lui ait donné au départ une chambre mitoyenne de la sienne, et envoyé père et frère de l'autre côté du bâtiment, suffisait à deviner, avec un hochement de tête, qu'elle ne tiendrait pas que le rôle d'infirmière), mais il ne proteste pas, ne préserve pas sa fille de l'opprobre futur, pourtant prévisible et inéluctable. Il accepte car c'est grâce à elle qu'il peut rester près de chez lui. Gilbert aussi – qui déclarera en 1951, pour se désolidariser élégamment de cette sœur maudite et encombrante : « Je sais que durant la guerre, elle a travaillé à l'hôpital (il était assez bien placé pour s'en rendre compte, oui), mais je n'ai entendu parler de sa liaison avec un officier allemand qu'après la Libération. Je ne lui ai pas fait d'observation à ce sujet, sachant que mon intervention resterait sans effet. » (Euh, concentre-toi, Gilbert, tu viens de dire que tu n'étais pas au courant sur le moment, donc effectivement, ton intervention serait un peu restée sans effet après (tu parles bien d'après ?), à moins que Pauline ne dispose d'une machine à remonter le temps. (Huit mois plus tard, sa déposition définitive reprendra mot pour mot les déclarations de la première, mais cette petite phrase étourdie sera supprimée, disparues les observations à faire ou à ne pas faire – c'est toujours mieux quand c'est logique.))

Georgette B., qui est partie lors de l'évacuation, semble avoir gardé des antennes à Rosendaël : « Je ne l'ai jamais vue en tenue légère dans la rue (gentil de sa part de souligner qu'elle ne se promenait pas en petite culotte entre les mines) mais elle avait très mauvaise réputation, et lorsqu'elle était à l'hôpital, elle passait pour coucher avec les Allemands. » Même à dix kilomètres, on le sentait, ça.

Pauline ne se pose pas de questions, ne redoute rien, c'est le privilège et le danger de son âge. Bien qu'intelligente et éveillée, elle passe les semaines qui se suivent avec Domnick comme si tout le monde occidental ou presque ne s'apprêtait pas à leur tomber dessus, comme si cette vie à l'hôpital allait durer au-delà de ce qu'elle peut, d'ici, entrevoir de l'avenir : elle fait ce qu'elle avait « envie » de faire, elle soigne des hommes et apprend chaque jour, davantage que si elle était en fac ; sa relation avec le médecin lui fait du bien, d'un certain point de vue, il est le contraire d'un mâle dominant et asservissant, il est plein d'égards et d'attentions, il lui demande même de l'épouser (ce sera pour elle le début d'une longue série), fasciné par la jeunesse et la beauté de cette compagne tombée du ciel, limite toutou, et l'enveloppe d'une tendresse nouvelle pour elle, ou qu'elle n'a ressenti peut-être, brièvement, qu'avec le jeune Hans. Il est le seul de ses amants à qui elle ait confié son vrai prénom, le seul à l'appeler Pauline.

(L'historien Patrick Oddone, président de la Société dunkerquoise d'histoire et d'archéologie, spécialiste incontesté, à juste titre, de cette période dans la région, qui a pris le temps de répondre à toutes mes questions par téléphone, m'a expliqué qu'il était tout à fait improbable que Pauline ait pu obtenir l'autorisation de rester à Rosendaël, et plus encore à l'hôpital, après le 5 octobre – Frisius ne l'aurait jamais permis, dit-il. Et pourtant si, puisque le directeur, Émile Flecq, ne l'a jamais rencontrée, ni n'a entendu parler d'elle avant l'évacuation dont il a fait partie, et qu'il a trouvé des traces d'elle, et pas n'importe lesquelles, dans son propre appartement après la guerre.)

Il a été dit qu'elle ne se contentait pas de Domnick, à l'hôpital. Je n'en sais rien, c'est possible, elle n'est pas farouche, mais elle n'en a jamais parlé. Dans certains articles de journaux, et surtout dans les livres qui lui ont été consacrés, j'ai lu les pires absurdités, pour être gentil, et fantasmes à ce sujet (le soir venu, par exemple, elle se glisse de chambre en chambre pour adoucir la douleur des blessés les plus graves en leur offrant gracieusement une petite pipe sous les draps ; pour d'autres, c'est Werner Domnick qui la force à aller soulager un à un ses vaillants officiers cloués au lit). Au départ, cette rumeur viendrait du carnet dans lequel elle consignait ses aventures – ou bien c'est qu'elle vient de nulle part, car elle ne peut pas avoir d'autre source. Mais Félix Vautrin, l'une des rares personnes à avoir eu ce carnet dans les mains (Pauline le laissera à l'hôpital), bien qu'il ne loupe pas une occasion d'appuyer sur la tête de cette chienne collabo, hystérique et mythomane, n'a jamais mentionné dans ses déclarations d'éventuels actes scandaleux avec des blessés ou d'autres médecins. (En revanche, le fabuleux docteur aux interprétations extralucides, l'homme qui perce l'âme des femmes, ne peut se retenir de faire don aux enquêteurs de l'une de ses précieuses affirmations (c'est fort, car il n'était pas là) : « Domnick n'était pas un beau garçon mais elle l'avait choisi parce que c'était l'homme le plus marquant de l'hôpital. »)

Fondés ou non, et plutôt non, ces on-dit apparus on ne sait comment sont relayés par l'inspecteur-chef Barrière dans son rapport. Après avoir signalé que Pauline était devenue la maîtresse du médecin-colonel allemand, il ajoute au sujet de ses mois passés à l'hôpital : *Certains* (allez savoir qui, il est plus précis d'habitude) *prétendent même qu'elle aurait eu des faiblesses pour des officiers moins élevés en grade, mais plus fringants.* (Je suis sûr qu'en écrivant cela, il visualise un peu la scène mentalement, malgré lui : la petite Pauline livrée à des officiers fringants.) C'est presque intègre, même dans un rapport officiel : ce *Certains prétendent* témoigne, timidement, de sa rigueur professionnelle. L'inconvénient, c'est que cette accusation de vice incontrôlable prend du coup un côté faiblard. Le résumé dudit rapport, rédigé par le cabinet du commissaire divisionnaire Pinault et dont j'ai déjà rapidement évoqué la rigueur à propos du bas-fond de square où elle a été surprise *dans les bras* d'un marin, se charge de corriger ce défaut. (Je rappelle qu'il sera confié aux trois experts psychiatriques commis par le juge d'instruction, pour les éclairer sur le passé de celle qu'ils vont étudier, que ceux-ci le reproduiront en introduction de leur analyse de Pauline, et qu'il s'appuie uniquement sur les conclusions de Barrière – en les améliorant un peu, donc.) On y lit cette synthèse au style peu travaillé mais efficace : *À 17 ans, dans la poche de Dunkerque, demeure avec son père germanophile convaincu, va habiter avec lui à l'hôpital, loge dans une autre aile, en profite pour devenir la maîtresse du médecin-colonel Domnick, médecin-chef allemand de l'hôpital (55 ans). Couche en outre avec plusieurs officiers plus jeunes.* Voilà, comme ça c'est réglé.

Pendant ce temps, tandis que Pauline, à l'abri des bombes, passe en gambadant de vieux lubrique en jeunes fringants, dans le reste de l'agglomération désertée, l'atmosphère devient, de manière peu surprenante, invivable. Toutes les maisons fraîchement abandonnées sont pillées par des soldats allemands morts de faim, mais aussi par les quelques Français restés sur place, qui sont encore moins bien nourris (même quand elles sont barricadées, portes et volets barrés de planches clouées, et placardées d'affiches indiquant clairement ce qu'on risque si on y pénètre (*Tout contrevenant sera passible du conseil de guerre*, on sait ce que ça veut dire), les affamés s'en foutent et entrent en force), des chiens maigres et malades errent partout dans les rues – mi-novembre, l'abbé Demulier parvient à obtenir des autorités qu'on les abatte, pour éviter la contamination. Selon lui, la très grande majorité des soldats aimeraient se rendre et souhaitent une victoire alliée rapide (non pas par trahison envers le Reich, mais parce qu'ils comprennent que c'est ça ou la mort, l'alternative n'incite pas au patriotisme effréné – ils en veulent même aux habitants qui ont quitté la ville, l'un d'eux se confie à l'abbé : « S'ils étaient restés, nous n'avions plus rien pour nous ravitailler et la forteresse était obligée de se rendre ; nous vivons sur les vivres laissés par les dix-sept mille civils qui sont partis les 4 et 5 octobre »). Il estime que sur les douze mille hommes de la Wehrmacht, il ne reste pas plus de deux cents nazis fanatiques. L'un des onze mille huit cents autres, raconte l'abbé Demulier dans son journal, confie un jour à l'un de ses potes, ou qu'il prenait pour tel (pas de chance, c'était un nazi fanatique), qu'il a l'intention de traverser la zone inondée la nuit prochaine pour se rendre à l'ennemi. Il est fusillé le soir même sans procès. Frisius donne l'ordre de tirer dans le dos de tous ceux qu'on voit s'éloigner vers les lignes ennemies.

Depuis le milieu du mois d'octobre 1944, l'abbé vient tous les dimanches célébrer la messe à la chapelle de l'hôpital, pour les militaires et civils catholiques (Pauline, son père et son frère n'y assistent donc pas), et s'y rend même les autres jours, dès qu'on a besoin de lui (il est l'un des deux prêtres catholiques de l'agglomération, avec l'abbé Delarroqua (dix pasteurs protestants ont été autorisés à rester, Frisius étant lui-même protestant)). Le 23 novembre, il écrit : *Plusieurs fois par semaine, je parcours les salles de l'hôpital pour administrer les sacrements aux militaires allemands catholiques grièvement blessés sur le front, ou à des civils blessés ou malades qui y sont amenés des différentes communes de l'agglomération.* (Et là, il y a quelque chose qui m'échappe. C'est très bien, ce qu'il fait, il s'occupe des blessures de l'âme des Français mais aussi de celle des Allemands, il en sera d'ailleurs chaudement félicité après la guerre, tous loueront son courage, son dévouement et son abnégation ; mais Pauline, qui s'occupe, de la même manière exactement, des blessures de leur corps, de leurs plaies et de leurs membres amputés, sera accusée de traîtrise infâme après la guerre et tous lui tomberont dessus ?) Dans un premier temps, Frisius a autre chose à penser, mais il finit par tiquer. Une messe, c'est le moment idéal pour que ses hommes fraternisent (horreur) avec les civils venus de l'extérieur recevoir la communion, ou avec les prisonniers français ou canadiens blessés, de même religion. Or il se méfie tout particulièrement de ses soldats catholiques, d'après lui plus susceptibles que les protestants d'être tentés par la désertion (des tapettes, ces catholiques). Le dimanche 17 décembre, il déclare donc l'hôpital *zone militaire*, plus aucun civil n'a le droit d'y pénétrer – sauf, toujours, Pauline, son père et son frère, mais ils sont protestants, on doit pouvoir leur faire confiance.

L'abbé Demulier, qui a Dieu avec lui et ne se laisse pas impressionner par un petit nazi détraqué à mèche gominée, refuse de venir dire la messe le dimanche suivant. Rageur, Frisius réquisitionne alors l'abbé Delarroqua. Mais celui-ci, bien que fragile du cœur et déjà victime de plusieurs attaques, n'est pas un garçonnet non plus et l'envoie bouler par solidarité avec son confrère. Il en profite pour dire à l'officier venu lui apporter le message qu'il dirige une bande de voleurs, que c'est le moindre de leurs défauts et qu'ils seront punis quand les Alliés reprendront la ville. Dans la foulée, il rédige une lettre à Frisius pour lui conseiller de capituler sagement, ce qui témoigne d'un certain sens de l'humour ou d'un manque abyssal de psychologie (les hommes d'Église s'en remettent trop à Dieu, je dirais). Le lendemain, il est arrêté dans son presbytère et envoyé un mois en prison pour lui faire passer l'envie de conseiller des trucs au vice-amiral.

Le 27 janvier 1945, le camp d'Auschwitz-Birkenau est libéré par les Russes, le monde découvre l'immonde, chancelle et vomit. Dans la forteresse de Dunkerque, tout continue comme si de rien n'était.

Trois jours plus tard, le 30 janvier, pour le douzième anniversaire de son accession au pouvoir, Hitler intervient à la radio et déclare qu'il est convaincu de la victoire prochaine de l'Allemagne. L'abbé Demulier est en compagnie d'un petit groupe de soldats du Führer au moment où il écoute cette allocution exaltée, et note dans son journal qu'ils n'ont pas pu s'empêcher de rire. La plupart d'entre eux ont volé des vêtements à leur taille dans les maisons désertes, avec l'intention de tenter une sortie nocturne de la forteresse, ou plutôt, pour éviter de se prendre une rafale dans le dos, réfléchissez les gars, de passer au travers des contrôles lors de la libération de la ville, qu'ils savent imminente et que la majorité souhaite : outre la peur de mourir, ils ont le mal du pays (et de la tranquillité), et comme les civils, souffrent du manque de nourriture et de tabac. (L'abbé Demulier constate cependant avec plaisir qu'un bon nombre de catholiques ne fument pas, ce qui leur évite de s'arracher les cheveux. Il explique cela par le fait que dans de nombreuses organisations catholiques de jeunesse, fumer est un cas d'exclusion. *Il est évident que l'action catholique consiste à combattre et à vaincre les passions. Fumer est une passion.* (C'est pas demain que je vais retourner vers la religion, je pense. D'autres feraient bien de réfléchir aussi : l'Église doit combattre également les mots fléchés et les collections de timbres.))

À l'hôpital, où ils ont transporté leurs meubles de valeur pour ne pas les retrouver en morceaux sous les ruines (ce sera toujours ça de sauvé, question meubles), André et Gilbert poireautent (que peuvent-ils bien faire dans une ville où il n'y a plus que des militaires au fond du trou ?), et de l'autre côté du bâtiment, Pauline et Domnick poursuivent leur idylle bizarre, tout en luttant de leur mieux pour tenter de freiner la progression de la mort autour d'eux, ce qui relève de l'exploit mythologique. À la fin du siège, les témoignages des prisonniers alliés qui auront survécu seront retranscrits dans un rapport de la première brigade tchécoslovaque :

« Les soins médicaux étaient mauvais, le déficit de matériel médical a été responsable de la mort de plusieurs soldats alliés et d'un nombre considérable de soldats allemands. L'atmosphère de l'hôpital était délétère, en raison du manque de produits pharmaceutiques et de pansements. »

Le 15 février, Frisius prend une décision bien dans son genre. Quelques jours plus tôt, les avions de la RAF ont failli détruire un petit aérodrome, une simple piste et un hangar, qu'il a fait construire sur le site de l'ancien hippodrome de Malo-les-Bains, inauguré près d'un siècle plus tôt par Thomas Gaspard Malo (en fait, la bombe est tombée à côté, sur l'église Saint-Zéphirin), aérodrome dont on dit en ville qu'il compte se servir, quand viendra l'assaut final, pour jouer la fille de l'air en laissant ses hommes aux mains de l'ennemi. Il est persuadé que les Anglais ont été renseignés sur son emplacement et son utilité par des espions locaux, et réagit alors à la mode allemande de l'époque : il fait enfermer tous les civils dans des camps – des quartiers entourés de barbelés, dont plus personne ne peut sortir sans être accompagné par un soldat. Il en crée trois, chacun enfermant plus ou moins deux cents habitants (un à Coudekerque-Branche, un à Saint-Pol-sur-Mer, un à Malo), et cantonne les vieillards et les malades à l'asile des Petites Sœurs des pauvres, à Rosendaël. Il a fait placarder partout une petite affiche pour expliquer cette nouvelle mesure, en grand seigneur : *En qualité d'officier de la plus grande nation civilisée d'Europe, qui se trouve en cela supérieure aux peuples qui lui font la guerre*, d'autant plus que ceux-ci sont acoquinés *aux hordes non civilisées des bolcheviks asiatiques*, il est désolé, il n'aime pas devoir faire ça mais il est obligé, car *plusieurs événements m'ont prouvé que quelques Français vivant dans la forteresse n'avaient ni reconnu ni apprécié mes soucieux efforts* (pour leur faciliter la vie) et n'ont malheureusement pas fait *tout leur possible pour justifier ma généreuse confiance*, du coup, *je me vois contraint, quoiqu'en le regrettant vivement, de faire établir des camps d'internement.* Maintenant, puisqu'on n'a pas pu faire autrement, il faut que chacun y mette un peu du sien : *J'expecte* (le traducteur s'emmêle un peu les pinceaux dans ses cours de langues vivantes) *que l'internement de la population se produira sans difficulté parce que, le cas échéant, je serai évidemment obligé de prendre les mesures nécessaires, mesures dont je regretterai moi-même le plus profondément les conséquences.* Quel esprit sensible, quelle noblesse d'âme, il souffre par avance de ce qu'il risque d'être forcé de faire subir à ses victimes. (Lorsque les circulaires ne s'adressent qu'à ses seuls soldats, il laisse les élégantes pincettes dans son tiroir. Après que l'un d'entre eux a réussi à se carapater de nuit jusqu'aux lignes alliées, il écrit ceci à ses troupes : *Un autre porc a déserté. Ce faisant, il a apporté à sa famille un indescriptible malheur : dans un cas semblable, on peut compter qu'elle sera liquidée.* Quant à ceux qu'on arrive à choper avant, ou qui font simplement part à des camarades non-porcs de leur intention de tenter le coup, ils sont fusillés, pour commencer, puis désormais pendus au sommet de la tour de la mairie – où on les laisse refroidir trois jours, pour plus de visibilité.)

Dans les camps, les sept cent quarante civils sont traités comme des rois : on les réveille à sept heures, on leur distribue de la chicorée à 7 h 30, du potage clair à midi et à dix-huit heures, et deux cent cinquante grammes de pain quotidien à chacun. Aux plus jeunes enfants, on donne aussi du lait coupé avec de l'eau. Pauline, son père et son frère restent vivre à l'hôpital : ils sont à peu près les seuls Français à ne pas être parqués derrière les barbelés.

Mais ça revient presque au même. À partir du 15 mars, les Alliés ayant pris Anvers depuis longtemps et bien avancé sur le Rhin, Dunkerque réapparaissant à l'ordre du jour, avions anglais et canons tchécoslovaques ne font plus de sentiment, et même les abords immédiats de l'hôpital deviennent la cible des bombardements. Sortir du bâtiment serait suicidaire. Face à ces attaques qui achèvent de mettre la forteresse en gravats, le bon Frisius fait afficher une nouvelle déclaration d'amour et d'impuissance dans les camps : *Que les habitants français se demandent à qui ils doivent tous les maux et toutes les souffrances qu'ils ont subis et qu'ils peuvent encore subir ! Lesquels des belligérants sont les généreux et nobles défenseurs de la civilisation, et lesquels sont les barbares ?*

Le 26 mars, le nombre de blessés et de morts devenant ingérable, le vice-amiral accepte de recevoir un certain M. Pillond, de la Croix-Rouge, venu négocier une nouvelle trêve pour récupérer les cadavres et ceux qui vont inévitablement les rejoindre bientôt. Celui-ci confie à l'abbé Demulier, à demi-mot, que si le gouvernement provisoire français et les Alliés, qui ont maintenant décidé de tout faire sauter, ne font pas d'insomnies en pensant aux sept cents civils et des poussières qui sont coincés à l'intérieur, c'est qu'ils estiment qu'ils n'avaient qu'à partir quand on le leur a proposé. *M. Pillond*, écrit le religieux, *pense que certains sont restés pour motifs politiques, notamment les femmes de mauvaise vie ayant eu des relations criminelles avec des militaires allemands.* (Même l'abbé, pourtant brave homme indulgent et ouvert, associe très naturellement dans sa phrase les motifs politiques et les femmes qui ont couché avec l'ennemi.)

Au début du mois d'avril, Hélène Berr, la jeune femme juive dont on a retrouvé et publié en 2008 le journal intime rédigé à Paris de 1942 à 1944, aussi bouleversant qu'enthousiasmant, plein de poésie, d'intelligence, de force, de souffrance et de légèreté combinées dans la terreur de l'Occupation parisienne, l'humiliation et les rafles, toujours souriante, meurt à vingt-quatre ans dans le camp de Bergen-Belsen, sous les coups enragés d'une ordure de surveillante nazie excédée qu'elle ne se lève pas à l'heure – elle est terrassée par le typhus, ça n'aide pas à sauter du lit. Le camp sera libéré par les Britanniques dix jours plus tard.

Le 12 avril, apprenant la mort du président des États-Unis, Franklin Delano Roosevelt (victime d'une hémorragie cérébrale alors qu'il était en train de poser pour un portrait – que l'artiste, Elizabeth Shoumatoff, intitulera assez logiquement *Unfinished Portrait*), Frisius exulte, reprend follement espoir et distribue cette circulaire à ses troupes : *La disparition de ce larbin des juifs marque pour nous un avantage. La mort de Roosevelt est le premier indice d'un tournant dans notre extrême détresse. Le bon Dieu ne nous a pas abandonnés.* Pauvre couillon.

Le 16 avril 1945, après un échange d'obus plus meurtrier encore que les précédents, une trêve de vingt-quatre heures est signée pour le surlendemain par les deux camps, qui veulent récupérer des corps et des prisonniers. Cent quarante-huit civils quittent également la forteresse : des vieux, des malades et de très jeunes enfants, presque tous sortis de l'asile des Petites Sœurs des pauvres.

Si Friedrich Frisius s'est montré coopératif en acceptant, c'est que malgré son aveuglement de fanatique, il doit bien sentir, confusément, que les patates sont cuites. Dieu n'est pas très reconnaissant envers les nobles et généreux défenseurs de la civilisation, on dirait bien. Mais Frisius a juré à son maître de se battre jusqu'au bout, il lui reste dix mille huit cents soldats à peu près utilisables, il ne va pas se déballonner au moment le plus critique.

À l'hôpital, il ordonne de faire disparaître tous les postes de TSF utilisés par ses hommes. Dorénavant, c'est lui qui choisira les informations et consignes qui seront diffusées dans les haut-parleurs des couloirs. Si on ne peut pas agir sur les événements et leur regrettable tournure, on peut au moins en contrôler l'écho. L'une des toutes premières nouvelles qu'il fait annoncer, le 29 avril dans l'après-midi, c'est le mariage d'Adolf Hitler et d'Eva Braun, la nuit précédente. (Elle n'aura eu qu'une fois dans sa vie l'occasion de signer Eva Hitler, sur l'acte de mariage, après avoir rayé le B qu'elle avait commencé à écrire.) L'espoir renaît, l'amour va triompher sur terre. La deuxième nouvelle, le lendemain soir, c'est leur suicide. Ils ont appris que Mussolini et sa maîtresse, Clara Petacci, avaient été arrêtés le 28, fusillés et pendus par les pieds en place publique, ce qui la fout mal, Hitler a donc insisté dans son testament pour que leurs corps soient incinérés dès qu'on les découvrira. Le 30 avril vers quinze heures, dans le Führerbunker, au sous-sol de la Chancellerie, à Berlin, Eva Braun avale une capsule de cyanure, lui se tire une balle dans la bouche, ou dans la tête, en plein dans le mille en tout cas.

Frisius est sonné, le malheureux. Les haut-parleurs de l'hôpital annoncent tristement que le grand leader a été tué lors d'une attaque de la Chancellerie du Reich, « en combattant vaillamment jusqu'au dernier instant ». (Le suicide, c'est pour les losers.) Hitler est remplacé par l'amiral Karl Dönitz, qu'il a lui-même nommé comme son successeur dans son testament, et qui a intérêt à se montrer à la hauteur – mais on ne peut pas savoir, avec ces doublures (Dönitz est un rival de Frisius depuis des lustres, ce dernier le déteste, il s'est mieux débrouillé que lui, il est monté plus vite dans la hiérarchie ; et maintenant ce lèche-bottes remplace carrément le patron). Le 1er mai, Frisius écrit à ses soldats : *Notre bien-aimé Führer, Adolf Hitler, est tombé dans son combat contre le bolchevisme. Notre affliction est grande devant la bière d'un si grand Allemand* (la bière d'un Allemand, c'est amusant) *n'ayant vécu que pour son peuple. Son idée continuera à vivre : procurer à chaque Allemand sa place au soleil et le juger, sans acception de personnes, d'après les services rendus.* (Il prépare prudemment l'avenir, mine de rien.)

Le 5 mai, après un très violent bombardement, l'un des derniers, il note dans son journal : *Mon quartier général est visé, mon abri est touché à plusieurs reprises pendant que je suis aux WC.*

Le 7 mai, la capitulation allemande est signée à Reims, le 8 à Berlin. Dönitz, ce lâche (c'était couru, Frisius t'en aurait fichu son billet), fait transmettre l'ordre à son ancien rival de se rendre, évidemment – on l'imagine mal continuer à résister tout seul, des mois, des années, dans la République dunkerquoise de Frisius, région autonome. Deux officiers alliés, un Britannique et un Tchécoslovaque, viennent le rencontrer le jour même dans son quartier général sous le casino. Il a perdu onze kilos depuis la dernière fois qu'ils l'ont vu, sept mois plus tôt, avant l'évacuation d'octobre. Pour ne pas se livrer tête basse, à la Dönitz, il leur fait savoir qu'il ne peut pas les recevoir tout de suite, non parce qu'il est aux cabinets, mais parce qu'il veut d'abord faire part de la nouvelle à ses officiers, entre Allemands, entre hommes. Il donne rendez-vous aux deux soi-disant vainqueurs un peu plus tard, à l'hôpital.

Quand il les y retrouve (à quelques mètres, Gilbert doit se faire tout petit, André moins, Pauline pas du tout), ils lui remettent un message du général Aloïs Liska, qui le convoque le lendemain matin à neuf heures à Wormhout, à une quinzaine de kilomètres au sud de Rosendaël, où il devra signer sa reddition.

Le 9 mai, il entre avec vingt minutes de retard dans la salle du quartier général tchécoslovaque de Wormhout, où l'attendent le général Liska, un officier anglais, le général Waller, et deux Français, le lieutenant-colonel Lehagre et le capitaine de corvette Acloque (dans un premier temps, on ne les a pas autorisés à assister à ce moment historique, les Anglais jugeant qu'ils n'avaient pas fait grand-chose pour le mériter, mais Aloïs Liska a obtenu qu'ils soient ses invités personnels, en leur demandant toutefois de ne pas parler pendant la séance – bien sages). La porte franchie, Frisius fait le salut nazi. Puis il explique que s'il est arrivé en retard, c'est à cause du véhicule allié qui l'a amené et se traînait sur la route. Il expédie la signature de l'acte de reddition en un quart d'heure à peine, puis retourne une dernière fois dans son abri du casino de Malo et commence la rédaction du récit de cette journée : *Les singeries commencent à neuf heures ; je dois aller au quartier général des troupes assiégeantes. À la frontière de mon territoire, je suis reçu par un officier anglais et un officier tchèque. Nous traversons le pays dans une horrible voiture, à une allure de corbillard. Naturellement, je ne prête pas attention aux Français qui m'insultent. Au quartier général*

Son journal s'arrête là. Quelques jours plus tard, prisonnier, il sera conduit en Belgique, puis transféré et détenu au centre d'Island Farm, dans le sud du pays de Galles, comme de nombreux autres officiers allemands. Il n'aura pas à souffrir bien longtemps de l'incarcération (d'ailleurs peu cauchemardesque) : il sera libéré le 6 octobre 1947, après moins d'un an et demi de détention. (Comme l'a écrit l'abbé Demulier dans son journal : *Les batteurs de coqs ne se battent pas entre eux. Et même, ils s'entendent très bien. Tant pis pour leurs vic-*

times.) L'instruction de son dossier de justice pour crimes de guerre ne sera jamais achevée, il n'ira pas à Nuremberg. Selon certaines sources, cette clémence s'expliquerait par sa très bonne connaissance des milieux d'extrême droite : il aurait été récupéré et utilisé par différents services spéciaux de renseignement (allez, sans rancune). D'ailleurs, après cinq ans passés tranquillement en Allemagne, il partira soudain au Chili en 1952, deviendra propriétaire terrien, étrangement prospère et sans souci, et ne se résoudra à quitter sa nouvelle patrie qu'en 1970, inquiet de la montée en puissance de l'Unité populaire, le parti de Salvador Allende, pas franchement de son bord… Il mourra le 30 août à Lingen, en Allemagne de l'Ouest, à soixante-quinze ans, cinq jours avant la victoire d'Allende à l'élection présidentielle chilienne.

Chapitre quatorze

Tondue

Le jour de la reddition de Frisius (Dunkerque est la dernière ville de France à être libérée, vingt-quatre heures après la signature de la capitulation allemande à Saint-Nazaire), le 9 mai, à quatorze heures, on annonce à tous les Français restés dans la poche de Dunkerque qu'ils doivent impérativement l'avoir quittée à seize heures. Pour éviter tout débordement, et tout épanchement de viscères (le risque étant considérable de sauter sur l'une des cent soixante-dix mille mines posées par les Allemands), les autorités militaires veulent prendre entièrement le contrôle des différentes communes. Les sept cent quarante habitants parqués dans les camps ont deux heures pour mettre quelques affaires dans une valise et suivre les Alliés en lieu sûr. Beaucoup sont furieux (ou inquiets) : que va devenir leur maison ? et eux ? Ils résistent, si c'était pour être évacués de toute façon, ils auraient aussi bien fait de partir en octobre avec le reste de la population, mais les Anglais et les Tchécoslovaques ne plaisantent pas : tout le monde dehors. Les internés du camp de Coudekerque-Branche refusent obstinément de bouger, on réussit à les expulser tous à 21 h 30. Ils sont conduits dans un premier temps au centre d'accueil d'Hazebrouck, à trente-cinq kilomètres au sud de Dunkerque, où ils sont contrôlés et filtrés, afin de déterminer ceux qui ont quelques comptes à rendre.

Le colonel Werner Domnick est capturé, Pauline emmenée de son côté. Elle n'emporte qu'une poignée de vêtements – et vole un flacon de cyanure. Elle oublie, ou laisse derrière elle, son petit carnet intime. Et une serviette hygiénique dans la poubelle de la salle de bains.

Il est difficile de savoir précisément ce qui s'est passé à partir de là, et comment, et où. En tout cas, moi, je ne sais pas. Je pourrais faire comme si, c'est plus simple et confortable, peut-être même surtout pour le lecteur, mais quitte à heurter un peu le récit, ce qui n'est pas bon, je préfère ne pas me mettre ma conscience à dos (elle en a vu d'autres, mais je suis sûr qu'il y a des limites). Disons qu'il y a eu un éboulement sur la route de l'histoire et qu'il faut s'arrêter pour essayer de déblayer les pierres – profitons-en pour boire un coup, il y a une buvette.

Si on cherche aujourd'hui sur le Net, ou si on lit à peu près tout ce qui a été publié sur Pauline Dubuisson depuis vingt ans, on apprend qu'elle a été *tondue et violée* par les fameux résistants de la dernière heure, à Malo-les-Bains. C'est impossible. À Malo-les-Bains, à Rosendaël ou à Dunkerque, c'est impossible. La reddition à peine signée, des milliers de soldats alliés ont envahi l'agglomération et aussitôt tout réglementé, bloqué, pris en charge la population et l'ont guidée vers la sortie en deux heures, il n'est pas envisageable qu'ils aient laissé un groupe d'énervés jaunâtres s'esquiver d'un camp les poings serrés et aller tondre et violer la salope de l'hôpital en place publique, amusez-vous les gars, on vous embarquera après, vous avez bien mérité un peu de distraction. Donc ça, c'est faux, ou bien Hitler était majorette dans son enfance. S'il s'est passé quelque chose, et je pense que c'est le cas, c'est à Hazebrouck, ou plutôt – le centre d'accueil étant tenu et surveillé par des militaires étrangers ou des FFI de longue date, et non par des épiciers ou des employés de mairie convertis à la Résistance après la bataille, à quelques exceptions près peut-être – à Esquelbecq, où s'était réfugiée la mère de Pauline.

Ce que l'on retient surtout depuis quelques années, c'est le viol collectif, image forte, spectaculaire et abjecte, qui éclipse l'épisode pourtant bien ignoble du rasage de crâne, simplement mentionné en passant. Sachant que ni Pauline ni personne de son entourage n'en a jamais parlé (c'est un peu péremptoire, comme affirmation, mais je pense avoir suffisamment fouillé, comme un tapir enragé, dans toutes les archives et la documentation disponibles, pour être très proche de la certitude) et constatant que si, aujourd'hui, quasiment plus un résumé de la vie de Pauline ne l'évoque pas, il n'en a en revanche jamais été question nulle part à l'époque de son crime puis de son procès (ni les journalistes les moins scrupuleux ou les moins pudiques, en quête de sensationnel, ni son avocat, en quête de circonstances atténuantes, n'ont écrit ou prononcé le mot "viol" ni quoi que ce soit d'approchant), j'ai voulu déterminer, en resserrant petit à petit la fourchette entre 1951 et 2014, à quel moment cette "information" était apparue. En avril 1992. Avant cette date, personne ne parle d'un viol ; après cette date, progressivement, tout le monde en parle.

C'est en avril 1992 qu'a été publié *L'Affaire Pauline Dubuisson*, le roman de Serge Jacquemard, aux éditions Fleuve Noir. J'ai déjà dit que selon moi, ce livre était mieux documenté et moins malhonnête que bien d'autres choses écrites sur elle, mais il comporte aussi de nombreuses inventions ou disons "améliorations romanesques", comme la scène du square Rombout, dans laquelle Pauline est *accouplée* avec un marin puis déclare aux deux agents que c'est son quatrième de la journée, ou encore de prétendus extraits, très précis, de son journal intime, que Jacquemard n'a pas lu – par exemple, au sujet d'un officier allemand : *Au lit, est complexé. Fait l'amour à la papa.* Ou, en quittant les bras d'un autre : *Un vrai taureau ! Quelle corrida !*

(Une bière ? Un jus de fruits ?)

Le récit s'ouvre sur la scène de la tonte et du viol. Cela se passe à Dunkerque, ce qui n'est pas possible. De sales types (*des visages durs, inquiétants, sortis de l'ombre*), venus d'on ne sait où, sillonnent la ville en Jeep, dans des tenues militaires qu'ils ont volées, et encerclent, mitraillette au poing, la maison des traîtres. *C'est ainsi que Pauline Dubuisson a été arrachée à sa famille.* Elle est traînée en centre-ville jusqu'à une estrade, on la frappe, on lui crache dessus, on lui lance des pierres, on la déshabille, on la tond. Elle est ensuite emmenée dans une sorte de cave (décorée de croix gammées et de drapeaux hitlériens) qui sert de prison, où elle doit attendre de passer devant le *tribunal du peuple*, et là, quatre faux résistants s'approchent d'elle, *les mains en avant, crispées comme des serres, le sourire en coin, le désir plissant leurs paupières. Deux hommes l'empoignent et la jettent sur un matelas. Le troisième lui écarte les cuisses et le chef s'enfonce en elle. Quand il a fini, les autres se relaient.* Plus loin : *Son calvaire continue car, dans la casemate, les candidats au viol sont légion. Leur bestialité se débride.* Il n'est pas question pour moi de "descendre" le roman de Serge Jacquemard, chacun écrit comme il veut (le livre a été publié dans la collection de poche « Crime Story », avec certainement quelques exigences légitimes de rentabilité) et la profusion de détails scabreux, la précision avec laquelle il décrit cette scène (alors que c'est un homme intelligent qui ne prend pas ses lecteurs pour des quiches et ne doute donc pas qu'ils savent qu'il n'était pas caché dans un coin de cette cave), prouvent qu'il a volontairement adopté un angle romanesque plus vendeur, ce qui est son droit, peut-être même son devoir dans le cadre de ce travail. Cependant, sur le fond, j'étais tout de même curieux de savoir où il avait trouvé trace de ce viol (car là, ce n'est plus un problème d'angle ou de style, mais de vérité historique, si on peut employer de grands mots, et d'intégrité – le texte de quatrième de couverture de la première édition se termine par : *Pour juger d'une affaire, encore faut-il la connaître*, le livre est donc clairement présenté comme un récit fidèle, utile, sinon sobre et objectif, de la vie de l'accusée). Il l'explique à la fin de l'histoire.

(Coca ? Anisette ? On a des sandwiches et des chips, pour ceux qui ont un petit creux.)

C'est en prison à Haguenau, dans les années cinquante, que Pauline aurait confié à une codétenue, une certaine Sylviane, et à elle seule, ce drame du viol collectif, dont elle n'a jamais parlé et ne parlera plus jamais à quiconque. C'est possible, pourquoi pas ? Jacquemard dresse d'ailleurs un portrait assez précis de cette Sylviane, ce serait une lesbienne incarcérée pour avoir tué sa maîtresse, qui aurait tenté en vain de pousser Pauline à un peu plus que de l'amitié et de simples attouchements, puis qui, libérée, aurait eu une vie magnifiquement exotique et rocambolesque – un peu trop pour ne pas faire penser à un roman d'aventures à l'eau de rose ou à une série B semi-érotique : elle aurait séduit la femme voilée d'un musulman peu tendre, au Maroc, se serait enfuie à bord d'un bateau de contrebandiers pour échapper au courroux mortel de l'époux bafoué (qui brandissait un long poignard courbe et effilé au manche de nacre incrusté de pierreries, je dirais), aurait été arrêtée en pleine mer par les douanes navigantes, accusée de complicité avec les flibustiers et jetée dans les geôles espagnoles sous Franco, avant d'être innocentée, de toucher un héritage miraculeux, de se précipiter de nouveau, riche et écervelée, dans les bras de miel de sa jolie Marocaine, à Essaouira, d'être cette fois surprise avec elle, au lit bien sûr, par les frères déchaînés du mari trompé, battue presque à mort, et de s'enfuir à nouveau in extremis pour aller couler des jours plus paisibles mais non moins sensuels dans une somptueuse villa de la Côte d'Azur, entre les jambes d'une jeune et belle et jalouse étudiante allemande, native de Cologne. Sans excès de méfiance, ça sent quand même, de manière entêtante, le n'importe quoi (impression renforcée par le récit d'échanges avec Pauline, forcément inventés, du genre : « *Tu vois, il n'y a pas d'amour heureux* » ou « *Dommage que tu ne sois pas gouine !* »)

Mais là aussi, Jacquemard a peut-être résolument choisi la voie romanesque et commerciale, et voulu en outre dissimuler l'identité de cette Sylviane en lui inventant une vie. Une seule question est vraiment intéressante : existe-t-elle ? Si oui, par quelle incroyable coïncidence a-t-il pu la trouver, près de quarante ans après les éventuelles confidences dont il parle ? Je sais qu'il n'a pas consulté le dossier de détention de Pauline, car plusieurs détails, aussi élémentaires que ses dates d'entrée et de sortie, ou son numéro de matricule, sont erronés dans le livre. Parmi les quelques détenues célèbres (aujourd'hui oubliées) qui ont été incarcérées à Haguenau en même temps que Pauline, dont il aurait pu par conséquent connaître les noms, aucune ne peut avoir le profil qu'il décrit, la majorité d'entre elles, meurtries, ont fini leur vie dans le silence et l'isolement – une certaine Sylvie Paul a de nombreux points communs avec sa Sylviane, mais j'expliquerai à la fin de ce livre (dans très longtemps) pourquoi il est impossible que ce soit elle. Bref, je me mets à la place d'un auteur qui s'apprête à écrire sur l'affaire Dubuisson (ce n'est pas très difficile) : combien de chances ai-je de rencontrer à peu près par hasard (puisque je ne connaissais pas son existence et n'ai donc pas pu la rechercher) une détenue anonyme qui garderait un secret depuis quarante ans ? Peu. J'ai contacté l'ancien directeur de Fleuve Noir, Jean-Baptiste Baronian, qui ne sait pas si cet épisode du viol a été imaginé ou non – il n'avait pas de raison particulière d'interroger son auteur sur cette scène plutôt qu'une autre. J'ai aussi pu écrire à la veuve de Serge Jacquemard (il a disparu en 2006 – et a malheureusement détruit tous ses documents, archives et brouillons avant de mourir), Jacqueline, qui m'a répondu avec une grande gentillesse et beaucoup de sincérité. Elle était la première lectrice de son mari, sa correctrice parfois, mais ne participait pas aux recherches préalables. Elle ne se souvient pas qu'il ait rencontré un témoin très important de cette affaire, ni qu'il ait effectué une enquête particulière sur les années de détention de Pauline (auxquelles ne sont consacrées que trois pages et demie de son livre). « Je pense que Serge aurait peut-être été capable d'inventer un épisode, mais j'ignore si cela a été le cas pour Pauline Dubuisson. »

Les historiens spécialistes de la période, et plus particulièrement de ce qu'on appelle l'Épuration, Patrick Oddone et Fabrice Virgili entre autres, sont formels : aucun viol collectif n'a été signalé au moment de la libération de Dunkerque, dans une région pourtant surveillée et militarisée à l'extrême, encadrée, où peu d'exactions pouvaient passer inaperçues. Si Serge Jacquemard a ajouté cet événement dramatique pour donner du poids et de la force à son récit, on peut au moins porter à son crédit que ce n'était pas dans l'intention de nuire à Pauline, mais au contraire plutôt de l'aider, bizarrement à mon avis, d'atténuer sa responsabilité (ce qui n'est, en passant, pas toujours le cas dans le reste du livre). Sans doute pour la même raison, tout le monde l'a suivi, la vitesse et l'emportement d'Internet aidant : Pauline Dubuisson a été violée. Mais si elle n'a pas été violée, non, elle n'a pas été violée. Ce qui est aujourd'hui considéré comme un fait authentique prend sa source dans un passage de roman, que le temps et la répétition en écho ont patiné et fait passer de la fiction, je crois, à la réalité.

(Ce qui me gêne dans cette "invention" du viol, c'est que si, en apparence, elle contribue à défendre Pauline, puisqu'elle en fait une victime initiale de l'abjection des hommes et peut justifier en partie son comportement futur, elle fournit justement, de manière plus souterraine, une arme contre elle : par la suite, elle a voulu se venger. Or admettre qu'elle a voulu se venger, c'est donner raison à ses accusateurs : ce qu'elle a fait à un garçon innocent résulte de ce traumatisme, c'est compréhensible peut-être mais délibéré et, même inconsciemment, prémédité.)

Qu'elle ait été tondue me paraît plus crédible (et bien triste à écrire aussi légèrement, d'un air de spécialiste dans un cocktail, comme si je m'interrogeais sur la datation approximative de l'apparition du gorille sur terre), pour un petit tas de raisons. Selon une carte de France établie par l'historien Fabrice Virgili à partir de synthèses de la gendarmerie et de rapports de préfets et de commissaires de la République, aucun cas de femme tondue n'a pourtant été répertorié dans la région de Dunkerque entre mai et juillet 1945. On a peut-être "oublié" de consigner quelques dérapages considérés comme regrettables mais anecdotiques, et finalement compréhensibles, hein, allez ? Car le M. Alfred croisé sur Internet se souvient par exemple qu'une certaine Josette J. que connaissaient ses parents, une fille de dix-sept ans qui semble avoir eu à peu près le même comportement que Pauline, est bien passée sous le rasoir des justiciers quand elle est sortie de la poche de Dunkerque et s'est réfugiée, croyait-elle, dans un village voisin. Il serait par ailleurs étonnant, comme je disais plus haut, qu'on ait laissé la petite Marinette, pimpante au milieu des Allemands jusqu'au bout, s'en tirer sans dommages – ou alors les gens du Nord ont vraiment dans le cœur le soleil qu'ils n'ont pas dehors.

Pauline n'a jamais rien confié aux enquêteurs ni aux magistrats de ce qu'il lui serait arrivé à ce moment-là (ce n'est pas très surprenant, elle n'a, d'une manière générale, jamais confié grand-chose à personne), et lorsqu'on lui a demandé quelles avaient été ses différentes adresses à cette époque, elle a simplement dit, après l'hôpital de Rosendaël : « Esquelbecq. » Sa mère, pour une fois, est un peu plus précise : « Après la libération de Dunkerque, ma fille est venue me rejoindre à Esquelbecq. » L'appartement du parent qui l'hébergeait devait être trop exigu pour toute la famille, j'imagine qu'André et Gilbert ont trouvé à se loger temporairement ailleurs, chez quelqu'un d'autre, car la phrase d'Hélène devient boiteuse si son mari et son fils accompagnaient sa fille, on ne comprend pas pourquoi elle ne mentionne pas leur présence, elle qui ne vit que par eux. Seule avec sa mère molle à Esquelbecq, éloignée du "centre de tri" d'Hazebrouck et du quadrillage militaire des communes du littoral, mais à découvert dans un village où se sont repliés de nombreux habitants évacués de l'ancienne forteresse et privée de la protection de son père (qui jouit toujours, contre toute logique et toute justice, d'une autorité et d'un prestige presque entiers auprès de ses concitoyens serviles), elle devient vulnérable, proie facile et rêvée pour les châtieurs de putains.

Patrick Oddone, l'historien de Dunkerque, m'a affirmé qu'aucune femme n'avait été victime de ces petits porcs furibonds en mai ou juin dans l'agglomération prise en charge par les Alliés, mais dans les petites villes et villages environnants, c'est moins sûr, dit-il. Dans le numéro 35 de la *Revue historique de Dunkerque et du littoral*, il écrit par exemple que *la répression de type sexuel a probablement évité des exécutions* (car pire encore que les tontes et les viols (il y a toujours pire), une étude sérieuse estime à neuf mille le nombre d'exécutions sommaires en France à la Libération – hors de tout cadre légal et sans même un simulacre de procès : juste pan !, comme dans la tête de l'homme que Lucette a vu se faire abattre en pleine rue –, dont trois cent vingt-neuf dans le Nord et le Pas-de-Calais) : *les épisodes de femmes tondues à Wormhout ou à Gravelines ont servi d'exutoire.* Wormhout et Esquelbecq sont deux communes mitoyennes.

D'autres indices laissent penser que Pauline a bien été victime de ce règlement de compte phallocrate, sauvage et avilissant (pour l'espèce humaine plus encore que pour la femme punie). Si l'hypothèse du viol n'est tombée du ciel que près de cinquante ans après les faits supposés, on a parlé de la tonte des cheveux bien plus tôt. Non pas au moment de l'enquête pour assassinat (dans son rapport, l'inspecteur-chef Barrière écrit : *À la libération de la poche de Dunkerque, elle ne fit pas l'objet de poursuites en raison de ses relations, en effet des membres de sa famille occupent un rang important dans la bourgeoisie dunkerquoise*, et indique qu'elle a dû toutefois quitter la région aussitôt – ce qui n'est pas exact, puisqu'elle est restée au moins une ou deux semaines à Esquelbecq (Barrière et ses collègues avaient deux motifs valables pour ne pas trop creuser de ce côté-là : les circonstances atténuantes qu'elle pouvait toujours se frotter pour qu'on lui apporte sur un plateau, et l'honneur de la France et de ses hommes)), mais deux ou trois ans plus tard, dans les articles publiés autour du procès. Jean Laborde et Pierre Scize, entre autres, journalistes relativement sérieux, surtout le second, ont tous deux écrit qu'elle avait été tondue. Ils ont nécessairement mené une petite enquête, peut-être pas jusque dans le Nord mais sûrement dans les couloirs du Palais de Justice, ils ont pu interroger la mère de Pauline et son avocat (d'après Patrick Oddone, qui ne croit pas trop à cette histoire de tonte, la rumeur aurait justement pu être lancée par son avocat, dans l'espoir d'attendrir l'opinion publique – mais maître Paul Baudet était incapable de la moindre fourberie (un sérieux handicap dans le métier), raison pour laquelle tant de ses clients ont fini sans tête ou bouclés à vie), il est difficile de croire qu'ils aient inventé ça – ce serait plus concevable de la part de journalistes cherchant avant tout le spectaculaire et le graveleux, mais paradoxalement et comme par hasard, Simone France, dans *Détective*, et ses semblables se sont pour une fois contentés de suivre fidèlement, professionnellement, le rapport de police : ils ont écrit qu'elle s'était faufilée entre les mailles du filet à la Libération, y a pas de justice, et avait continué tranquillement, impunie, sa petite existence vicieuse de dépravée.

Le jour où ils ont réintégré l'hôpital de Rosendaël, Émile Flecq, le directeur, et Félix Vautrin, le médecin résistant, parmi les premiers à revenir en ville, ont viré à l'écarlate. Dans l'appartement du directeur, ils ont trouvé la preuve immonde que Pauline avait vécu là avec le colonel Domnick : une serviette hygiénique dans la poubelle. Quelle horreur, une serviette hygiénique, quelle vulgarité, cette fille est infâme. Six ans après, l'inspecteur-chef Barrière reçoit le même choc émotionnel : *On a la mesure du manque absolu de dignité de cette fille, qui laisse dans la salle de bains du directeur de l'hôpital du linge périodique souillé ; il lui aurait été facile de le détruire ou de le jeter.* C'est vrai, ça ne lui aurait quand même pas coûté grand-chose de faire en sorte d'épargner le spectacle répugnant de ses impuretés féminines à MM. Flecq et Vautrin. Elle était peut-être un peu pressée, d'accord, des milliers de soldats ont déferlé dans la ville et exigé que tout le monde déguerpisse dans les deux heures, elle était peut-être un peu tendue, d'accord, elle avait de vagues représailles à craindre, bon, mais de là à ne même pas prendre le temps de vider la poubelle de la salle de bains avant de partir, de *détruire* ces saletés menstruelles qui vont – ne le sait-elle pas ? – heurter l'âme élevée de deux hommes respectables qui sont l'honneur de la médecine (et dont les épouses, elles, ont toujours su se comporter en femmes dignes de ce nom et garder pour elles leurs petits épanchements honteux), non, c'est aller trop loin, c'est de la provocation ! Qu'elle ne vienne pas s'étonner, ensuite.

Leurs doutes se sont confirmés quand les Allemands qui se trouvaient encore là, rapporte le docteur Vautrin, leur ont appris qu'elle avait été la maîtresse du médecin-chef. Et surtout quand ils ont trouvé le petit carnet intime de Pauline, qui va bientôt disparaître. Le directeur Flecq, conscient qu'il y avait dans ces pages, écrites par une toute jeune fille, matière à déclencher une enquête sérieuse des autorités, l'a remis au directeur départemental de la police à Arras, M. Dussart. C'est là qu'on perd sa trace. En tout cas, dans le dossier d'instruction – où figurent pourtant à peu près tous les procès-verbaux établis par les différents services. C'est dans le dossier d'enquête de la police judiciaire que j'ai retrouvé la déposition dudit Dussart, oubliée là. Rien de fracassant, mais quand un inspecteur de Barrière est venu lui demander, à Arras, ce qu'il en avait fait, car ce serait tout de même bien utile d'y jeter un coup d'œil, le directeur départemental de la police a répondu qu'il ne savait plus vraiment. Si : il l'a remis à un service de renseignement, mais alors lequel ? à qui ? c'est une autre histoire.

Je n'en sais évidemment rien non plus, mais outre l'étrange trou de mémoire du chef Dussart, le fait que ce carnet soit passé du côté du Renseignement me paraît renforcer la possibilité que Pauline n'ait pas continué son chemin en trottinant comme si de rien n'était. « Par considération à l'égard de son père, le comité de Résistance local n'a pas porté plainte », affirme le docteur Vautrin. Il n'y a aucune raison de ne pas le croire (et faisant lui-même partie du réseau, il devait être bien informé), mais on ne peut pas exclure que le carnet soit passé dans des mains moins honorables et rigoureuses que celles des responsables du comité et des résistants authentiques. Les parasites qui n'ont pas manqué de s'agglutiner à eux à partir de ce mois de mai, ceux qui n'ont jamais osé regarder André Dubuisson dans les yeux, ont pu voir là une bonne occasion de se venger malgré tout, sur sa fille de dix-huit ans, accessible et peu menaçante, seule avec sa mère. Tu passeras le bonjour à ton père.

Ce n'est qu'une supposition, mais deux dernières indications vont dans ce sens. D'abord, dans l'une de ses dépositions, sa mère révèle que peu de temps après qu'elle est venue la rejoindre à Esquelbecq, « Paulette est allée faire une cure de repos chez sa belle-sœur, à Moulins ». Une cure de repos ? Hélène s'exprime peu, sans un mot de trop et souvent sans précision, comme dans une sorte de brouillard : cette formulation, qui n'est pas anodine (elle aurait pu parler de vacances, de changement d'air, ou même simplement de repos – sans « cure »), surprend et ne peut pas être employée sans raison : elle insinue une maladie, ou un choc violent, un traumatisme. Ensuite, après ladite cure, Pauline est partie faire son année de PCB, préparer son entrée en faculté de médecine, à Lyon, bien loin de Dunkerque, alors qu'elle avait prévu de s'inscrire à Lille, à soixante-cinq kilomètres de chez elle, où un grand nombre de jeunes de la région effectuaient leurs études supérieures, et qu'a priori rien ne l'en empêchait. Pourquoi se mettre à l'écart pendant un an ?

Le déblayage des pierres au milieu de la route, pardon, était un peu long (et la buvette, ça va trois minutes, je sais bien – enfin, en ce qui me concerne, une heure ou deux ne me dérangent pas), mais cette question du viol collectif, celle aussi des cheveux rasés, des injures, des crachats et des croix gammées peinturlurées sur, au mieux, les joues et le front, ce n'est pas de la gnognote. Les filles et femmes qu'on a traitées de la sorte, pour se soulager et assouvir la colère virile qui grondait dans les slips kangourou, ont été punies comme des chiennes que leurs maîtres rouent de coups de pied parce qu'elles n'ont pas pissé au bon endroit. (Dans *La Tondue*, Georges Brassens, avec qui je veux passer l'éternité à vider des godets, chante : « Les braves sans-culottes et les bonnets phrygiens ont livré sa crinière à un tondeur de chiens. ») La plupart n'ont pu que subir sans moufter, comme les chiens (mais Pauline, je l'ai déjà dit, était plutôt du côté des chats), et pas une seule n'en est sortie indemne, sans marques à vie, à l'intérieur. Lucette, ma copine du bistrot d'en bas, en a vu plusieurs se faire traîner à moitié nues dans les rues, du côté de La Rochelle, frappées et humiliées par des petits bonshommes sans envergure qui avaient serré les fesses pendant toute la guerre (l'un d'eux avait même « dénoncé » et livré à ses clones une jeune femme qui n'avait rien fait d'autre que de repousser ses avances deux ans plus tôt), insultées au passage par des mégères gorgées de bile, jalouses de leur jeunesse ou de leur beauté, propulsées sur une estrade et tondues, sous les rires et les hourras des frustrés en liesse, par des coiffeurs improvisés qui se rengorgeaient – et n'oublieraient jamais ce sommet glorieux de leur existence. Soixante-dix ans plus tard, alors qu'elles sont pratiquement toutes mortes, elle en parle avec le front plissé et les mains tremblantes, Lucette. Son malaise est accentué par le fait que ces dégueulasseries sont chronologiquement associées, dans sa mémoire, à une sensation de grande joie, de liberté longtemps attendue, qu'elles entachent.

Ce qu'on attaque et salit chez ces femmes-boucs émissaires, ce n'est pas leur esprit de traîtresses, de complices de l'ennemi, on ne les emprisonne pas, on ne les traite pas de collabos mais de salopes et de putains, on vise avant tout leur féminité, c'est par là qu'elles sont coupables et sur cela qu'on peut se défouler. Tout ce qui les différencie des hommes est bon à prendre : leurs cheveux longs qu'on supprime, leurs robes qu'on déchire, leurs corps qu'on expose en public, leurs seins qu'on couvre de croix gammées – c'est ce que préfèrent, de loin, les artistes du minium ou de la peinture noire, les seins, mais si un scrupule de décence saisit les plus pudiques et les plus chrétiens des redresseurs de torts au moment de barbouiller la roulure, ils se rabattent sur le visage, c'est bien aussi, le visage, un beau visage aux traits fins est tout aussi féminin qu'une paire de nichons. Dans *La France virile*, Fabrice Virgili cite son confrère romain Tacite, qui écrivait dans *La Germanie*, à la fin du premier siècle, au sujet de la manière dont on punissait les femmes adultères chez certaines peuplades germaniques (nous sommes tous frères) : *Le châtiment est immédiat, et il appartient au mari. La femme coupable, nue et les cheveux rasés, est chassée de la maison en présence des parents, par le mari qui la promène en la frappant à travers la bourgade.* Près de deux mille ans plus tard, certains Français bas de plafond semblent avoir considéré que toutes les Françaises étaient leurs femmes.

Parmi les forcenés de la correction corporelle, il n'y avait pas que des brimés de la vie, revanchards, qui trouvaient pour une fois le moyen de devenir les chefs, en tout cas ceux des femmes, et de faire la loi. Le père Raymond Bruckberger était l'aumônier des FFI. C'était un prêtre dominicain, il avait trente-huit ans en 1945, ancien maquisard, gaulliste, décoré de la médaille de la Résistance, ami d'Albert Camus, de Robert Bresson et de Georges Bernanos. On le verra plus tard avec Beauvoir et Sartre à Saint-Germain, engagé et sévère contre les dérives de l'Épuration, il sera élu en 1985 à l'Académie des sciences morales et politiques. Au moment des premières tontes punitives, il a écrit dans son journal : *Si ces filles étaient enduites de poix et brûlées en place publique, cela ne m'affecterait pas plus qu'un feu de cheminée chez mon voisin.* Amen.

(Les hommes n'ont naturellement pas été épargnés, il serait caricatural, et même tout à fait faux, de prétendre que seules les faibles femmes ont permis aux lâches d'apaiser leur rage vengeresse, mais les statistiques – ce n'est pas très artistique mais tant pis – sont intéressantes. Dans le Nord, par exemple, parmi les hommes qui ont été sanctionnés, plus ou moins gravement (voire définitivement), que ce soit dans le cadre de l'épuration "sauvage", sommaire, ou officielle, on a compté 74 % d'employés, d'ouvriers et de petits fonctionnaires, 16 % de commerçants, d'artisans et d'agriculteurs – et 1,6 % de cadres, 1 % de chefs d'entreprise, 0,8 % de professions libérales.)

Puissant et respecté avant-guerre, André Dubuisson a vécu là-dessus et n'a jamais été bousculé ni même critiqué directement au sujet de ses relations pour le moins courtoises avec l'ennemi, ni lors de la Libération ni plus tard (tout juste rappellera-t-on dans les rapports d'enquête, en guise de quart de reproche, qu'il était un germanophile convaincu, presque comme on dirait cinéphile ou tintinophile), et le colonel Domnick lui-même a échappé aux foudres de la presse et des magistrats juste-pensants, puisque la petite était là pour servir de paratonnerre. À propos de sa liaison sexuelle avec une gamine qui pourrait être sa petite-fille (sur laquelle en plus, en tant que puissance occupante, il avait autorité, comme on dit normalement dans les tribunaux pour aggraver les cas – même si je crois que ce n'était pas un mauvais bougre et qu'il ne s'en est pas servi pour corrompre un ange), l'impayable Simone France écrit : *Domnick est un esprit distingué, un homme très bon dont l'influence ne pourrait être qu'heureuse sur Pauline, si elle était influençable.* C'est fou, quand même. Elle a la chance d'être admise à dix-sept ans dans le lit d'un vieux monsieur (allemand, mais enfin tout ça c'est du passé – quand ça arrange Simone et consorts), et elle n'en profite même pas pour apprendre la vie ? Et puis alors quand on avançait, à l'intuition, qu'elle n'était pas une femme comme il faut, on ne croyait pas si bien dire. Elle pousse l'anormalité et l'indécence jusqu'à ne pas être influençable ? Ce n'est pas une femme. On ne sait pas ce que c'est mais ce n'est pas une femme, elle ne mérite pas la moindre charité humaine.

(J'essaie de ne plus y penser mais je suis embêté par ce passage sur les statistiques, plus haut, qui détonne dans un récit que j'aimerais plus littéraire que journalistique. J'ai cherché toute la journée comment le faire passer en douce (ma femme m'a demandé trois fois si ça allait bien, « Pourquoi tu fais cette tête ? »), mais sans les chiffres précis, c'est trop flou, inconsistant, je ne peux pas simplement écrire que les hommes peu influents, sans armes sociales, dont l'écrasement risquait peu de porter à conséquence, ont été pris pour cibles en priorité, je ne peux pas, on me demanderait d'où je tiens ça. Mais bref, ne revenons surtout pas en arrière. Je viens enfin de trouver une solution astucieuse pour masquer cette faute d'auteur. Quand on a un rhumatisme au poignet, il suffit de se casser une jambe pour ne plus y penser. Quand on a une tache de sauce tomate sur sa cravate, on se vide une cartouche d'encre sur la chemise (ce n'est pas honteux, ça arrive, Waterman ou Pélican c'est plus ce que c'était (et Stypen et Sheaffer et Parker (je me méfie – et ce n'est pas désagréable, ces marques qui resurgissent de l'enfance))) : plus personne ne remarque qu'on mange comme un cochon. Donc, afin d'atténuer l'effet néfaste de la présence déplacée de ces statistiques, je vais raconter l'histoire de la culotte Petit Bateau, qui fera diversion. Elle a été inventée en 1918, à Troyes, par Étienne Valton, dont le père a fondé vingt-cinq ans plus tôt la bonneterie Valton-Quinquarlet et Fils. Jusqu'alors, tous les caleçons et culottes descendent jusqu'aux genoux ou aux chevilles, celle d'Étienne est la première sans jambes et sans boutons, en coton. (Je n'en parle pas complètement par hasard, comme j'aurais raconté l'histoire de la tong ou du lave-vaisselle, je ne suis pas malade, j'y pense car j'ai appris ça hier alors que je cherchais à quelle date avait été inventé le slip kangourou, afin d'être sûr de ne pas écrire d'ânerie anachronique quand j'évoquais la colère virile qui y grondait – pour information, le premier slip à poche est sorti de la bonneterie Jil d'André Gillier, en 1927, à Troyes (capitale mondiale de l'innovation sous-vestimentaire, j'ai l'impression), mais le véritable slip kangourou a été conçu par la société américaine Musingwear, qui a déposé le brevet en septembre 1943 et commercialisé le produit en 1944 – in extremis pour ma phrase d'hier.) Dans un premier temps, sans se casser la tête, Étienne baptise son invention « petite culotte » – il est amusant (je trouve) que l'appellation ait tenu un siècle entier, en perdant en route son côté purement descriptif, dimensionnel, pour prendre une connotation familière ou sexy, sans qu'on se rappelle qu'elle vient simplement de la comparaison avec de grands machins de toile épaisse. Deux ans plus tard, en 1920, il se dit qu'il est tout de même temps de trouver un vrai nom à cette innovation sans jambes qui connaît un grand succès. Il cherche un moment, à mon avis, avant de trouver Petit Bateau, en entendant chanter son fils – « Maman, les petits bateaux qui vont sur l'eau ont-ils des jambes ? Mais non mon gros bêta, s'ils en avaient, ils marcheraient ». Il y a une polémique, certains prétendent que la mère répond que oui, ils en ont, sinon ils ne marcheraient pas, mais je ne veux pas entrer dans ce débat, ce n'est plus mon problème, mon but est atteint : maintenant, qui va me parler de ces statistiques ?)

Le crâne rasé, donc, selon toute vraisemblance, Pauline part en cure de repos à Moulins, dans l'Allier, chez sa belle-sœur, la veuve de François, qui y vit avec leurs trois enfants, au 18 rue de l'Oiseau. Elle qui est passée de l'enfance à l'adolescence sous les bombes, dans le lit trop grand pour elle d'un marin allemand, passe à présent de l'adolescence à l'âge adulte (même si les dix-huit ans qu'elle a eus trois mois plus tôt ne lui confèrent pas encore la majorité civile) à cinq cents kilomètres de chez elle, tondue, meurtrie, humiliée, honnie, exilée. Elle a été projetée du jour au lendemain, brutalement et sans équivoque, dans le camp des faibles qu'on lui a appris à mépriser, des inférieurs dont on fait ce qu'on veut, sur qui l'on crache sans qu'ils puissent riposter. Elle ne doit plus savoir qui elle est, ce qu'elle fait là. Elle ne peut plus se raccrocher à rien de ce que lui a transmis son père, ni de ce qu'elle a connu jusque-là. Ce qu'on appelle la Libération est pour Pauline le début de l'enfermement dans ses doutes et ses craintes, d'un isolement dont elle ne sortira jamais, qui va la rendre à moitié folle, obsédée par l'idée de l'échec et dévorée par une angoisse cachée, qui ne la quittera plus, face à ce qu'elle sent autour d'elle, devant elle : le néant. À peine quelques jours après son arrivée chez sa belle-sœur, elle tente de se suicider.

Dans la salle de bains, elle se débrouille pour débrancher le tuyau de gaz du chauffe-eau et s'allonge sur le carrelage. Il peut paraître étonnant qu'elle n'utilise pas le cyanure dérobé à l'hôpital, mais je me dis – c'est encore une jeune fille – qu'elle a pu avoir peur d'une mort trop violente ou douloureuse, la bave, les spasmes ou on ne sait quelles tortures organiques. Le gaz, elle connaît, elle se rappelle l'incident à Malo pendant qu'elle prenait un bain, à quatorze ans, ce n'est pas un souvenir pénible.

Sa belle-sœur, qui devait la savoir choquée et perdue, la surveillait du coin de l'œil et ne la laissait jamais longtemps seule. Elle la découvre avant qu'il ne soit trop tard, la déplace jusqu'à une pièce aérée, appelle un médecin : l'asphyxie n'est que légère et Pauline s'en remettra vite. Il n'est pas certain qu'elle ait eu réellement envie de mourir, que ce ne soit pas qu'un acte irréfléchi de panique ou de désespoir, intense et passager, comme ces ados qui avalent des tubes de médicaments dans leur chambre d'enfant, mais il est possible que si. (Elle ne pouvait pas être sûre que sa belle-sœur ouvrirait la porte, et le gaz, ce n'est pas comme les cachets, plus le temps passe moins on a de chance d'en réchapper.) Depuis des années, elle vit entourée par la mort, celle des civils déchiquetés dans les ruines et celle, quotidienne et inéluctable, des soldats qu'elle n'a pas pu sauver à l'hôpital, celle de ses deux frères, et de sa mère ou peu s'en faut ; elle s'y est habituée, la mort ne doit pas lui sembler terrifiante, ni même si grave (moins encore qu'aux autres jeunes gens de l'époque – Alphonse Boudard, qui les connaît bien puisqu'il en est un (il est né deux ans avant Pauline), remarque : *Tous ces gosses de la guerre parlent de la mort avec une facilité déconcertante*). De plus, son père et Nietzsche lui ont enseigné qu'il était logique voire souhaitable de se supprimer lorsqu'on estime avoir atteint le maximum de ses possibilités, ce qui n'est pas son cas, ou lorsqu'on a – constat consternant – raté sa vie. Quand on a bâti la courte sienne sur la volonté de puissance, ou ce qu'on en a compris, et la conviction qu'une femme n'est pas une sous-créature docile et servile, se faire tondre et traiter comme une chienne, qui plus est par des abrutis et sans rien pouvoir leur opposer, n'est pas ce qu'on appelle un triomphe.

Qu'elle ait voulu sincèrement ou non se tuer, ce geste est l'avant-dernier indice qui consolide la probabilité qu'elle ait fait partie des femmes punies. On n'ouvre pas le gaz seulement parce qu'on a mauvaise réputation, surtout quand on s'appelle Pauline Dubuisson et qu'on s'en fout comme de sa première culotte (Petit Bateau), et les horreurs qu'elle a vues depuis le début de la guerre ne justifient pas non plus une résolution si radicale : elle est déjà endurcie, fascinée par la médecine, un bras arraché ou des tripes sanglantes ne lui donnent pas de cauchemars.

En 1951, un enquêteur aura l'idée de lui demander la raison de cette (première) tentative de suicide. Elle fournira une réponse déconcertante. Elle expliquera qu'elle était due à un « chagrin sentimental », et lorsqu'il réclamera quelques détails, elle précisera : « J'avais eu à Dunkerque une aventure très poussée avec un officier qui ne me donnait plus de nouvelles. » Surprise. Il ne peut pas s'agir de Werner Domnick (dont elle n'était d'ailleurs pas amoureuse, je m'avance mais enfin sûrement pas de cet amour qui pousse à préférer la mort à l'éloignement), il était prisonnier, ne savait pas où elle se trouvait et ne pouvait donc pas lui écrire, et de toute façon, ils avaient été séparés à peine deux semaines plus tôt, les plus grandes héroïnes romantiques pourraient patienter encore quelques jours devant la boîte aux lettres avant de se plonger un poignard dans le cœur. Hans, le matelot apprenti médecin ? C'est la seule autre possibilité, mais elle n'est pas plus crédible. Les coucheries de Pauline après son départ ne prouvent pas qu'elle ne pensait plus à lui, on n'est pas obligé de se précipiter au couvent quand la vie sépare ceux qui s'aiment, mais l'absence de nouvelles de lui ne peut ni la surprendre ni la plonger dans le désespoir. Comme Domnick, et Pauline ne peut pas l'ignorer, il n'a aucun moyen de savoir où la joindre, la dernière adresse qu'il ait d'elle est celle du quai Vauban, dans une ville abandonnée, et le contenu des lettres qu'il lui enverra plus tard (auxquelles, comme je l'ai déjà dit, elle ne répondra que par politesse) indique clairement qu'elle ne lui a pas écrit entretemps – où aurait-elle écrit, d'ailleurs ? –, qu'il ne sait pas qu'elle a vécu huit mois à l'hôpital, puis à Esquelbecq et enfin à Moulins. Il croit même toujours qu'elle s'appelle Jacqueline.

Elle ment au policier, ça ne fait pas de doute, c'est donc pour moi le dernier indice qu'il lui est arrivé quelque chose de grave les jours précédents – et pas : "C'est trop triste, les Allemands ont perdu la guerre, je les aimais bien !" Cela prouve aussi, en passant, que bien que tout le monde sache qu'elle a couché avec l'ennemi et en fasse des tartines, qu'elle n'ait donc théoriquement

aucune raison de cacher qu'elle a été tondue, elle préfère se murer dans sa petite forteresse personnelle et garder ses sentiments et ses souffrances pour elle plutôt que les étaler en public et attirer la pitié, même quand cela peut lui être très utile.

Chapitre quinze

Très bonne conduite et parfaite moralité

Le 10 mai, quand les Tchécoslovaques et les Britanniques sont entrés à Dunkerque (sans les Français, laissés de côté), des soldats allemands se terraient dans les caves, d'autres déambulaient, maigres et soulagés, dans les rues d'une ville presque entièrement détruite, où moins d'un tiers des maisons, dont 95 % sont endommagées, peuvent encore être habitables si on n'est pas difficile (de nombreux journaux insistent sur la résistance miraculeuse de la statue de Jean Bart, en tenue de corsaire et brandissant haut son épée, qui est restée intacte – l'historien Léon Guérin écrivait au siècle précédent que le héros de toute la région, mort à cinquante-deux ans en 1702, était *capable de résister à toutes les fatigues de la mer* (je l'envie un peu – Pauline aussi, je suis sûr)). À dix heures, ce jour-là, les drapeaux des deux armées remplacent la croix gammée au sommet du beffroi. André Carton, de *La Voix du Nord*, l'un des trois seuls journalistes autorisés à accompagner les militaires, écrit qu'il a *le cœur bien gros* de ne pas voir le drapeau tricolore flotter à leurs côtés. Après des protestations indignées des autorités françaises, en particulier du colonel Lehagre, et quelques heures de tension diplomatique embarrassante, l'affront est réparé dans l'après-midi : le drapeau tricolore flotte.

Les deux tiers des Allemands prisonniers sont évacués, un peu moins de quatre mille retenus sur place et assignés au périlleux déminage de l'agglomération, qui prendra des semaines – le 11 mai, douze d'entre eux sautent sur une mine mieux dissimulée que les autres, avec le soldat anglais qui les surveillait. La circulation dans les communes est beaucoup trop dangereuse et hasardeuse pour qu'on prenne le risque de laisser revenir les civils, qui trépignent et protestent pourtant de plus en plus vivement aux frontières de la ville. Le sous-préfet de Dunkerque remplit un document de recensement de la population d'un seul mot : *Néant*.

À partir du 18 mai, des officiels et responsables des administrations sont autorisés à faire de prudentes incursions ; quelques jours plus tard, certains commerçants, industriels et entrepreneurs, dont André peut-être, obtiennent des laissez-passer pour venir reprendre le contrôle de leurs affaires ; les autres habitants suivent peu à peu : le 10 juin, dix mille personnes ont réintégré leur maison, quinze mille le 23 juin, et trente-sept mille fin juillet ; la vie reprend.

Solange revient de Bretagne et s'installe avec ses enfants et son petit mari, Gilbert, au 53 quai Vauban. Hélène et André retrouvent le 6 rue du Maréchal-Pétain – qu'on s'est évidemment empressé de débaptiser, ce n'est plus un nom très en vogue : ils habitent désormais au 6 rue des Fusillés (je me demande si André, lorsqu'il donne son adresse à quelqu'un, ne détourne pas un peu les yeux vers un chien qui passe opportunément par là (et je me réponds que non, on verra plus tard qu'il n'est pas rongé par la honte)). Pauline y retourne une dernière fois à la fin du mois d'août, pour passer quelques jours avec eux et récupérer des affaires dont elle a besoin : lors de son séjour chez sa belle-sœur à Moulins, elle s'est rendue à Lyon (avec un chapeau ?) pour s'inscrire à la faculté de sciences où elle préparera son PCB. Solange ne l'a pas revue depuis ses douze ans, elle la trouve naturellement très changée : « Elle était devenue une grande et belle jeune fille. » Ayant entendu « des propos désagréables sur elle », et bien sûr, ne pouvant pas ne pas remarquer ses cheveux courts (moins de cinq centimètres à ce moment-là, si mon coiffeur sait de quoi il parle), elle essaie d'aborder le sujet avec sa belle-sœur, en vain : « Elle a évité de me répondre avec précision. Elle se livrait difficilement. »

Au début du mois de septembre, Pauline fuit définitivement la maison de ses parents (sa chambre d'enfant seule, le salon lugubre, les tableaux de chevaux et les petits bateaux que fabriquait son père – qui ne la suivront que sous sa jupe), elle quitte Malo-les-Bains et ses villas de bord de mer éventrées, l'air du large dans les squares et l'air vicié de l'hôpital, avec encore l'espoir de réussir à laisser aussi derrière elle, dans une première vie hermétiquement refermée, un passé trop insouciant devenu encombrant, et surtout le souvenir nauséeux, toxique, de la violence du traitement dégradant qu'elle a subi – en tant que femme. Celle qu'elle devient.

Les premiers jours de fac à Lyon, elle loge chez son oncle Jean Hutter et sa tante Alice, à Tassin-la-Demi-Lune, avec ses cousines, Anne-Marie et Mireille, et son cousin Alain, qui ne se souvient apparemment pas de ce court séjour. Elle n'y reste que le temps de trouver autre chose : peut-être se rend-elle compte qu'elle n'a plus beaucoup d'affinités avec eux, avec Anne-Marie notamment – elles ont pris des chemins trop différents, Anne-Marie est une jeune femme sage et tournée vers la religion, plus âgée mais moins mûre qu'elle ; peut-être ne supporte-t-elle pas que des membres de sa famille proche la voient dans cet état – pas seulement à cause de ses cheveux.

Elle trouve assez rapidement une chambre plus proche de la faculté et du centre de Lyon, au 115 de la rue Tronchet, près du parc de la Tête d'Or, chez une parente éloignée de sa mère, une veuve effacée de soixante-cinq ans, Mme Schultz Pauline (il est possible que ce soit, à cette époque, un prénom de vieille femme, comme Renée ou Germaine aujourd'hui, raison pour laquelle Pauline ne l'aime pas). Dans son rapport, Barrière explique que si elle ne veut pas rester chez son oncle et sa tante, c'est qu'elle *désire avoir toute liberté d'action.* On devine, avec un clin d'œil complice, de quel genre d'action il veut parler. Plusieurs journalistes ne s'embarrasseront pas de litotes ni de déontologie benête pour développer cette idée et donner un peu de chair à cette année lyonnaise dont on ne sait pas grand-chose. Madeleine Jacob, dont on connaît le venin et la tendance à romancer mais qui passe tout de même pour une professionnelle à peu près sérieuse, qui vérifie ses sources quand elle a deux minutes, y va franco (elle ne devait pas avoir deux minutes ce jour-là, tennis ou blanquette à préparer pour le soir, huit personnes) : *À Lyon, c'est la vie libre. Elle la met à profit pour mener l'existence d'une fille avide de plaisir, à la recherche d'aventures qui jamais ne la contentent.* La muse des charniers est loin d'être la seule. Jean Cau, Jean Cau le probe, secrétaire de Sartre et prix Goncourt, écrit dans *Paris-Match* : *À la Libération, pour éviter d'être tondue, elle file à Lyon et y prépare son PCB. Elle travaille négligemment – mais réussit – tout en volant de lit en lit et en inscrivant scrupuleusement sur un carnet les proies qu'elle abat, comme un chasseur les beaux coups de fusil qui ont couché le gibier à ses pieds.*

On ne sait pas grand-chose de cette année lyonnaise, donc, mais deux ou trois petits trucs quand même – grâce à la police, qui s'est donné la peine d'ordonner une enquête sur place (on pourrait penser qu'ils avaient autre chose de plus utile à faire – qu'importe un séjour à Lyon, antérieur de plusieurs années aux faits qui sont reprochés à l'accusée, et qui ne peut avoir aucun lien de cause à effet avec eux ? – mais c'est tout à leur honneur, ils sont minutieux, ils auraient pu tomber sur quelques-unes de ces aventures qui jamais ne la contentent, et là on la tenait). C'est l'inspecteur Fernand Parent, de la 1re brigade de la sûreté urbaine de Lyon, qui s'y est consciencieusement collé : *La dénommée Pauline Dubuisson a fait l'objet d'excellents renseignements. Alors âgée de dix-huit ans, douée d'une vive intelligence, assidue à ses études, la jeune Dubuisson n'avait aucune fréquentation, à l'exception des membres de sa famille. De très bonne conduite et de parfaite moralité, à aucun moment elle ne s'est fait remarquer défavorablement.* Oui, bon, on peut voler de lit en lit dans sa tête, je te ferais dire. Afin d'être tout à fait sûr de ne rien laisser échapper de la vie libre de cette fille avide de plaisir, par exemple une proie abattue qui traînerait ici ou là, le commissaire principal du quartier où résidait Mme Schultz a convoqué celle-ci dans son bureau pour prendre sa déposition. La vieille Pauline a confirmé en tout point les informations recueillies par Fernand sur la jeune, précisant qu'elle sortait très peu, mangeait à l'appartement, où elle se faisait la cuisine elle-même, et ne recevait jamais personne. « Pendant qu'elle a logé chez moi, son comportement et la régularité de sa vie étaient excellents. »

On a une idée de la bonne foi de Jean Barrière, qui a établi son rapport à partir des différents procès-verbaux et enquêtes de ses collègues, qui ne sait du séjour de Pauline à Lyon que ce que lui ont appris le rapport et la déposition ci-dessus, et les résume en écrivant qu'elle a choisi d'habiter chez la veuve pour avoir toute liberté d'action.

C'est la première fois que Pauline se retrouve livrée à elle-même, comme on dit (j'ai toujours l'impression qu'on va s'attaquer soi-même, se bouffer), et c'est l'année la plus triste et la plus noire de son existence. Entre ce qu'elle croyait de la vie et ce qu'elle constate, il n'y a pas de frontière commune mais un trou, un vide dans lequel elle redoute de tomber. Ses cheveux trop courts handicapent, les premiers mois, une vie sociale normale, mais ce n'est que superficiel, ce qu'elle ressent est bien plus profond, d'ordre métaphysique et permanent. De la peur et du dégoût.

Au début de l'année scolaire, elle tente d'en faire abstraction et de se mêler aux autres, à la fac, elle mange parfois à l'extérieur, dira Mme Schultz, mais dès le début de l'hiver, elle renonce et se replie sur elle-même, elle ne sort plus que pour ses cours ou pour aller au cinéma, où elle découvre les films noirs, qui l'intéressent et la touchent. Elle suit le même chemin en littérature, et lira dorénavant presque exclusivement des romans policiers ou noirs – elle passe la majeure partie de son temps extrascolaire enfermée dans sa chambre à lire, souvent en proie à de sourdes crises de cafard qui l'écrasent sur son lit, dont elle ne bouge pas du weekend (ces accès de détresse paralysante lui deviendront coutumiers, ses amis des années suivantes le confirmeront, elle en parlera comme d'un mal chronique auquel on se fait, question d'habitude).

En septembre est paru le premier roman (peu mémorable à part ça) de la merveilleuse Série Noire, *La Môme vert-de-gris*, de Peter Cheyney (dans une bien mauvaise traduction de Marcel Duhamel, pourtant créateur de la collection – on n'a sans doute jamais osé la reprendre depuis, à cause du prestige de son auteur, le père fondateur). Je ne sais pas si elle l'a lu, comme l'imagine Serge Jacquemard dans son livre, ça paraît un peu trop évident, le symbole est gros. (Mais le titre est trompeur, il n'est absolument pas question de la guerre et encore moins des Allemands, le livre a été publié en 1937 en Angleterre et l'action se déroule principalement à New York. Le titre original est *Poison Ivy*, surnom de l'héroïne – et d'une plante vénéneuse ("ivy" signifie "lierre" – d'où la couleur de la môme ?), le sumac grimpant, qui déclenche de fortes réactions allergiques de la peau quand on la touche. On se demande ce que vient faire l'uniforme nazi là-dedans, Duhamel ne l'explique d'ailleurs à aucun moment dans sa traduction du roman – en septembre 1945, c'est surtout à but racoleur, je suppose.) J'aime bien une remarque du narrateur, l'agent spécial du FBI qui mène l'enquête, le célèbre Lemmy Caution, dans le deuxième chapitre. Une nuit, il est assis depuis un long moment à réfléchir tranquillement dans la pénombre d'un club fermé où il s'est introduit, à coté d'une cabine téléphonique dans laquelle se trouve un cadavre. Ça ne le dérange pas mais il conçoit que ça puisse sembler un peu bizarre au lecteur. Il explique : *Les morts ne me gênent pas du tout, c'est des vivants que j'ai peur.*

Pauline ne l'a peut-être pas lu, mais bien d'autres romans de la Série Noire et de collections du même genre, c'est certain. Elle s'y engloutit, elle n'a rien d'autre à faire, à part réviser ses cours. À la même période, elle développe une passion forte, « irraisonnée » dira-t-on, pour les animaux (Brigitte Bardot ne le saura pas, quinze ans plus tard, quand leurs vies se croiseront), qu'il n'est peut-être pas trop simplet d'expliquer par son rejet des hommes, qui l'ont battue. Mme Schultz a un chat, Pauline reporte tout son mal-être et toute son affection sur lui, son besoin de contact et de compréhension, elle l'adopte dans sa chambre, passe des heures à le caresser, à le regarder se déplacer nonchalamment sans se soucier du reste du monde, s'étirer, somnoler, à l'écouter ronronner et à se dire – je sais, j'ai connu ça, j'ai vécu coupé de tout, un an, en 1989, quarante-quatre ans après elle, enfermé chez moi, seul comme un poisson rouge dans un bocal, détaché de la vie mais avec mon chat (ma chatte), Spouque – qu'elle se sent plus proche de lui que de tout ce qui existe sur terre, en particulier de ceux qui marchent debout, comme disait Rahan.

Elle ne cherche même pas, durant cette année à dégringoler, à contacter celui qui pourrait pourtant lui apporter un peu d'amitié (même ambiguë en ce qui le concerne), de relation humaine facile, le vieux Paul Chabredier, l'agent de change rencontré dans le train trois ans plus tôt, qui vit à Lyon. Bien que cette solitude la fasse souffrir, elle ne veut plus voir personne. Autour d'elle, l'atmosphère est plutôt à la gaieté, au soulagement et à l'insouciance retrouvée (momentanément, bien entendu, on est vite rattrapé par les petites contrariétés pesantes). Tandis qu'en elle, une force sombre et vorace, destructrice, s'installe durablement et s'étend. Je ne pense pas que ce soit simplement la conséquence du traumatisme de la tonte des cheveux, et de la haine ricanante qui l'entourait – c'est odieux et difficile à surmonter, mais elle est plus endurcie que ça. Les enfants de la guerre, plutôt les adolescents de la guerre, qui se sont formés tant bien que mal dans le vacarme et la fureur, sont perdus quand elle s'achève, le bien et le mal s'entrechoquent, éclatent comme des bulles de savon, les valeurs s'inversent, les repères bougent, ça donne envie de vomir. Et pour Pauline, c'est encore autre chose, pire. Je crois que son enfance recluse, l'éducation insensée qu'elle a reçue, ces premières années estompées ensuite par son adolescence effrénée, sauvage et négligente dans l'atmosphère irradiée de la forteresse de Dunkerque, lui reviennent à présent en tête, depuis que la paix a ramené le calme, comme des zombies le soir dans une ville déserte. Sans la rage et la violence autour, elle perçoit la présence noire en elle. (J'ai depuis quelque temps un sifflement aigu dans l'oreille gauche, un genre d'acouphène. (Le mois dernier, un soir sur le canapé, ma femme, en se moquant de moi parce que je regardais *Koh Lanta*, m'a embrassé fort sur l'oreille, dans l'oreille. Depuis, ça siffle.) Quand je suis dans la rue au milieu des voitures et des sirènes de pompiers ou d'ambulances, ou accoudé au comptoir du bistrot d'en bas, dans la musique et les verres qui trinquent, parmi les joyeux poivrots et les débatteurs bruyants, je ne l'entends plus, je l'oublie. Quand je reviens m'enfermer dans mon bureau pour travailler, les volets fermés, dans le silence, le sifflement reprend. Il me fait penser à Pauline. À ce qu'elle a ressenti après la guerre ; et c'est comme si elle se manifestait dans mon oreille, depuis une tombe sans croix ni nom à des milliers de kilomètres d'ici (alors qu'en fait ça vient d'Anne-Catherine). Il y a une bouteille de whisky derrière moi, posée sur la cheminée, j'en bois une gorgée.)

Sur une feuille de papier qu'elle conservera (une amie qu'elle ne connaît pas encore en témoignera lors du procès), elle écrit cette année-là : *Si à vingt-six ans je n'ai pas réussi, je dois me suicider.* On se dit parfois ce genre de chose à seize ou dix-huit ans, on est à la fois plein d'espoir, d'idéaux et d'extrémisme romantique, et la date limite paraît bien loin. Mais pourquoi précisément vingt-six ans, pourquoi pas vingt-cinq ou trente, plus ronds ? (Ce n'est pas rien, l'intuition : ce sera pour elle l'âge de la fin de tout. Le jour de ses vingt-six ans, en 1953, elle ne pourra pas franchement considérer qu'elle a réussi, non. (Les coïncidences, ce n'est pas rien non plus : selon David Foenkinos, 1953 est aussi l'année où Charlotte Salomon, la jeune peintre déportée, avait prévu de mourir – elle était optimiste : elle est morte dix ans plus tôt. À vingt-six ans.)) Et surtout, qu'entend Pauline par *réussir* ? Elle ne le sait peut-être pas elle-même. Objectivement, ce n'est pas comme si elle était à la rue ou n'avait aucun don pour quoi que ce soit et n'entrevoyait aucun chemin possible, aucune issue dans l'avenir – elle est douée pour les études, son année de préparation est en train de le lui confirmer, elle a un but précis, elle rêve de devenir médecin : qu'est-ce qui pourrait lui faire craindre de ne pas savoir quoi faire ou d'échouer ? Et même pour ceux de l'époque, nombreux, qui estiment que la réussite d'une femme dépend essentiellement de la situation du mari qui voudra bien la prendre à son service, elle est jolie, elle est grande et attirante, elle sait qu'elle peut faire perdre la boule en deux battements de cils aux jeunes et beaux matelots comme aux vieux médecins émotifs, pourquoi – mais elle est de toute façon l'opposé d'une fille qui n'attend que ça de la vie – se ferait-elle du souci à ce sujet ? Je vais forcément tomber un peu dans la psychologie de supérette, mais je pense qu'un point important se cache dans cet auto-ultimatum et cette notion de réussite. Ce dont elle a besoin, dans la faille, le no woman's land où elle est tombée, c'est que sa vie prenne un sens, qui lui servirait à la fois de guide et de support, mais il faut d'abord qu'elle se trouve elle-même (j'avais prévenu, grande promo sur les raviolis !), qu'elle sache qui elle est. Avant vingt-six ans. Après, on se perd, on est parti trop loin.

Le 15 juin 1946, elle réussit facilement son examen. Elle monte passer les vacances d'été à Malo-les-Bains, chez ses parents (dès son arrivée, elle cherche à adopter un chaton, une voisine lui en propose deux, un mâle et une femelle, elle les prend et fait castrer le mâle), et PCB en poche, s'inscrit à la faculté de médecine de Lille. Quand elle résumera sa vie aux policiers, quelques jours après son arrestation, elle dira qu'elle a pu quitter Lyon et retourner dans cette région familière car « les conditions de vie étaient redevenues plus normales dans le Nord ». Ses cheveux ont repoussé depuis treize mois, une petite vingtaine de centimètres, et après ce passage dans le sas lyonnais, comme on traverse une rivière dans les films quand on est en cavale et poursuivi par des chiens, elle peut espérer que les liens avec son passé soient coupés, dissimulés au moins, et qu'une nouvelle vie commence pour elle, sur l'autre rive. On peut toujours espérer – on est même plus ou moins obligé.

Chapitre seize

Comédienne

À Lille, personne ne la connaît encore. C'est une belle fille qui débarque. Elle a dix-neuf ans, elle mesure un mètre soixante et onze pour cinquante-six kilos, elle a des yeux en amande et des cheveux noirs tirant sur le roux sombre à la lumière, elle est toujours élégamment habillée, sans provocation ni tape-à-l'œil mais avec goût, et un sens de l'étoffe sur le corps qui augmente les effets de sa démarche, de són attitude, de sa bouche rouge et de son regard érotique. À Lyon, elle ne pouvait se servir d'aucune de ses qualités autres qu'intellectuelles – son tempérament peu docile, sa capacité à paraître intacte et sûre d'elle, même quand elle se disloque à l'intérieur, et tout ce qu'on peut regrouper sous l'étiquette mystérieuse et enviable de "pouvoir de séduction". Ici, les garçons la sentent comme une odeur de pain grillé le matin, toutes les têtes se tournent vers elle. Elle joue ses meilleures cartes pour tenter de se recréer, de repartir, et ça passe. Si elle ne cherche pas en profondeur, elle ne se sent pas trop mal. Elle se pense en mesure de faire face.

Ce qui l'aide à regarder devant elle, c'est qu'elle entre, objectivement, concrètement, dans une nouvelle phase de sa vie, la plus importante : elle commence enfin ses études de médecine, son point de mire depuis ses treize ans.

Elle a trouvé un logement sans difficulté, à moins de deux cents mètres de la faculté (situé, pour le clin d'œil, rue Jean-Bart), chez une femme de trente-deux ans, Eva Gérard, une amie de Solange qui a passé sa jeunesse à Dunkerque avant de venir s'installer ici avec mari et enfant, au 7 place du Temple – une maison étroite de briques rouges, juste en face du temple protestant de l'Église réformée de Lille et de l'Institut de physique. Pour éviter la réquisition d'une chambre vide au deuxième et dernier étage (comme le prévoit une loi d'octobre 1945 afin de faire face à la crise du logement après-guerre), elle l'a louée de bon cœur à Pauline : un lit, une table avec une chaise, une bibliothèque et, dans la petite salle de bains, une armoire à pharmacie – tout ce qu'il faut. Bonne belle-sœur, Solange a attendu qu'elle soit officiellement dans ses murs avant de parler à Eva de sa conduite pendant la guerre, de sa volonté de travailler à l'hôpital allemand jusqu'au bout, et de sa liaison avec le vieux colonel Domnick ; les petits potins entre amies devant une tasse de thé, c'est toujours sympa.

Eva promet de ne pas trop ébruiter ce qu'elle lui apprend. Son regard sur Pauline change un peu, bien sûr, mais dans un premier temps, cela n'affecte pas leurs rapports, elle fait même office de confidente pour la jeune femme – autant que possible avec elle, qui dévoile ses états d'âme aussi souvent qu'un curé ses joies masturbatoires, mais en tout cas, Eva représentera ce qui s'approchera le plus d'une confidente dans toute l'existence hors les murs de Pauline. Elle évoque assez rapidement avec elle la tristesse de son enfance, la solitude et le manque d'affection, l'indifférence de sa mère et la froideur de son père. Eva l'écoute, l'assure de son amitié et l'encourage à envisager désormais la vie de manière plus légère et confiante : il n'y a aucune raison pour que de bien plus beaux jours ne s'annoncent pas pour elle.

Pauline n'a pas besoin qu'on la pousse beaucoup. Après ce qu'elle a connu, deux réactions opposées sont possibles : se laisser attirer par la pesanteur, le néant qui suit l'explosion – et peut apparaître à n'importe quel moment autour d'elle, sous ses pieds (sous les pavés), si elle ne lutte pas pour ne pas y penser ; ou s'en servir, de cette sensation de vide qui menace, pour y flotter sans plus se soucier de rien, frivole au-delà des craintes et des responsabilités.

Un ancien jeune homme surnommé « Fred de Saint-Germain », l'un des piliers du Tabou juste après la guerre (qui figure sur la couverture du beau *Bois sans soif* du non moins beau François Perrin – pertinemment surnommé, lui, « Croque-La-Vie », par notre équipe de Descendeurs de Ménilmontant (j'expliquerais bien de quoi il s'agit mais on n'en sortirait plus), tandis que j'ai hérité pour ma part d'un incompréhensible « Boit-Sans-Soif », justement – ce qui me rapproche, donc, de Fred de Saint-Germain comme je le rapproche de Pauline), interviewé en 1965 sur l'ORTF, dans une émission intitulée *Seize millions de jeunes*, raconte avec nostalgie ces années qui ont suivi la guerre. Il venait de banlieue, il séduisait les filles à papa du XVIe arrondissement et passait ses soirs et nuits dans le club de la rue Dauphine, ses journées à dormir et à traîner dans le quartier – comme une sorte d'autre Fred, Beigbeder, qui ne travaillerait pas, n'écrirait pas. Il explique que ses amis et lui n'avaient aucun sens du devoir ou de la morale, ne faisaient « rien », étaient « inutiles » à la société, et que ça se comprenait : « On était des enfants de la guerre, on avait besoin de s'amuser. De jouir à notre aise. D'où venait à certains moments la haine qu'ils avaient contre nous (il parle ici des "vieux", ceux qui avaient déjà vécu avant la guerre, connu autre chose). Mais n'importe comment, on avait raison. » (Il se dégage, je trouve, une grande tristesse de cette interview. Car vingt ans plus tard, en 1965, il n'a pas changé, il tente toujours de vivre sans rien faire d'autre que prendre du plaisir (ce n'est pas une mauvaise idée mais ça se complique avec le temps), il refuse de travailler, manque d'argent et en veut à ses amis qui se sont rangés et l'ont oublié, il ne les voit plus et ne comprend pas pourquoi désormais les femmes le quittent, au bout seulement de quelques jours passés dans sa chambre sordide, celles qui autrefois lui couraient après à la sortie du Tabou, jusqu'à la place Saint-Germain-des-Prés, devant l'église, les aubes de printemps.)

Pauline aussi aimerait bien jouir à son aise. Elle essaie. Comme Fred, elle attire l'attention, ça facilite les choses. Mais c'est une fille. Tant pis, elle va se comporter en garçon, pourquoi pas ? On ne reproche pas à un séducteur de collectionner les aventures ; sans aller jusque-là, elle peut bien s'amuser un peu, sans gravité, profiter de sa jeunesse et de son charme mélancolique pour oublier ce qu'elle trimballe, les poids sombres, les cicatrices sous ses cheveux. Elle a échappé à l'emprise familiale. Elle rêve d'une vie libre et moderne. Après la guerre, une nouvelle époque commence, non ? Le XXe siècle, vraiment. Tout doit être possible.

Peu de temps après la rentrée, elle passe une nuit avec un étudiant de première année, comme elle, un certain Gandar (je ne connais pas son prénom). C'est agréable, elle se sent libre et moderne, mais ça ne va pas plus loin. Le cul pour le cul ne l'intéresse pas tant que ça, et puis c'est un jeune homme sans envergure ni épaisseur, un gamin potache qui se vante le lendemain dans toute la fac de ses exploits nocturnes avec la belle inconnue, chaudasse, allongée en un claquement de langue. Les jours suivants, elle l'ignore.

Mais elle n'abandonne pas ses envies de superficialité, indispensable. Elle devient coquette et dépense tout l'argent que son père lui envoie en vêtements, chaussures et produits de beauté, quelques bijoux fantaisie, elle va au cinéma dès qu'un film la tente, achète des romans policiers qu'elle lit en une nuit et invite souvent ses nouveaux amis et amies de fac – ceux et celles qu'elle veut essayer de considérer comme ses nouveaux amis – à boire un café ou un Martini après les cours. (Pas grand-chose à voir mais la semaine dernière, Anne-Catherine, Ernest et moi étions aux Carroz, en Haute-Savoie : au premier étage du restaurant L'Agora, sur une vieille photo accrochée au mur, on voit des enfants d'une école de ski avec des dossards sponsorisés par Martini. Nous avons fait remarquer à notre fils que ce serait impensable de nos jours, considéré comme un crime contre la santé du peuple et la sécurité bienheureuse de la vie sur terre. Ernest nous a répondu qu'en revanche on trouvait tout à fait normal, propre et sain, aujourd'hui, que les petits élèves de l'ESF dévalent les pistes en arborant sur leurs dossards une publicité pour une banque.) « Elle aimait l'argent, mais elle était généreuse et donnait volontiers », dira sa belle-sœur Solange. Le problème, c'est que l'argent, en provenance de Malo, se raréfie. Depuis la reprise de son activité, ça ne va pas fort pour André Dubuisson. Il a dû tout reconstruire et remettre sur pied l'année précédente, mais les clients ne se tapent pas dessus pour être en tête de file sur son paillasson, et son carnet de commandes prend la poussière. C'est normal. On ne lui a pas fait payer franchement son comportement sous l'Occupation, on se venge passivement.

Hélène, toujours perdue à côté de tout, dans la brume et l'inquiétude, pense que son mari est au bord de la ruine. Elle écrit à Pauline pour la prévenir qu'elle va être obligée de se priver « sur les dépenses qui ne sont pas absolument nécessaires » (les robes, le maquillage, les livres et les terrasses de café, j'imagine). Elle se trompe. André est un homme riche, sa famille possède des biens, une fortune qui se transmet de génération en génération, et Pauline le sait. Son père l'a effectivement avertie qu'il réduirait son argent de poche (en homme austère, économe et rigide, il ne veut simplement pas trop écorcher son patrimoine, sur lequel il pourrait pourtant largement tenir jusqu'à la fin de ses jours, il en resterait encore pour ses deux enfants), mais sans vivre dans le luxe, loin de là, en se passant peut-être de temps en temps d'une séance de cinéma ou d'une nouvelle paire de bas, elle continue néanmoins à acheter ce qui lui fait plaisir (toutes ses fréquentations lilloises en témoigneront, elle est toujours habillée chic, à la mode, et ne semble manquer de rien – de nécessaire ou non).

Je donne ces précisions maintenant car on affirmera plus tard que ce n'est qu'en 1949 qu'elle apprendra (avec effroi) que l'entreprise de son père est proche de la faillite, alors qu'elle le sait dès ses premières semaines à la fac ; on prétendra aussi que c'est à partir de cette même année qu'elle développera l'obsession de réussir "un beau mariage", comme disent les vieux messieurs qui connaissent la vie et les femmes, ayant découvert que son père est ruiné et ne peut donc plus assurer son avenir, alors qu'elle est tout à fait consciente, dès 1946, qu'il n'est pas plus ruiné que la reine d'Angleterre et qu'elle n'a pas de souci à se faire de ce côté-là. (Plus je m'enfonce profondément dans l'histoire de Pauline, plus je suis consterné (c'est peu dire, j'en rêve presque toutes les nuits et me réveille en sueur et sur les nerfs) par tout ce qu'on a prétendu ou affirmé sur son compte dans le but de l'éliminer, à coup sûr, de la société.)

Eva Gérard, sa logeuse, racontera après le drame, sans doute dans une petite salle d'interrogatoire sinistre :

« Vers la fin du mois d'octobre 1946, un beau jeune homme a commencé à venir la chercher le matin, et à la ramener le soir. »

C'est l'un des plus beaux jeunes hommes de la fac, en effet, bien des filles l'observent du coin de l'œil, sagement. Il est en troisième année, grand, comme Pauline, surtout pour l'époque, il mesure un mètre quatre-vingt-un – soit onze centimètres de plus que la taille moyenne (un garçon d'un mètre quatre-vingt-dix aujourd'hui, qui croise une jolie fille d'un mètre quatre-vingts) –, il a le visage volontaire, accentué, du vrai mec, mais des traits réguliers et fins quand même, les cheveux et les yeux noirs ; il ressemble, je trouve, à un acteur dont on commence à parler, Gregory Peck.

Il a remarqué Pauline dans les couloirs de la fac, sa démarche et son assurance l'impressionnent, elle n'est pas comme les autres. (Pour elle non plus, il n'est pas comme les autres, mais il ne peut pas s'en douter.) Ce n'est pas un tombeur, il est timide, n'ose pas lui parler et se confie à son meilleur ami du moment, Paul Frucquet – ils se connaissent vaguement depuis l'enfance, mais Frucquet est en première année, comme Pauline, et la côtoie. Celui-ci le met aussitôt en garde : ce n'est pas une fille bien, elle s'est fait troncher par ce crétin de Gandar dès le premier soir, mon vieux, si j'ai un conseil à te donner… Mais il ne l'écoute pas, il est amoureux, déjà – pour la première fois de sa vie, et pas qu'un peu, fort, en plein dans le cœur du premier coup, comme à treize ans.

Un jour, après ses cours, il traîne l'air de rien sur le parvis de la fac, il sait qu'il n'aura pas le courage de l'aborder mais il veut la voir passer dans sa jolie robe, avec sa bouche peinte et ses cheveux si bien coiffés, de son grand pas souple de reine du monde, de reine des anges et des putes – salaud de Gandar ! Elle sort à son tour, elle passe, ange pute, elle perçoit son regard sur elle, lui sourit, elle n'est pas farouche, il ne peut que lui rendre son sourire sans bouger, elle s'approche et lui parle et l'emmène boire un café dans le bistrot d'en face.

Dès ce premier soir, il lui propose de venir la chercher le lendemain matin, la place du Temple est sur sa route quand il se rend à la fac, c'est toujours plus agréable de faire le chemin à deux – même deux cents mètres.

Il s'appelle Félix Bailly. Il est né à Saint-Omer, dans le Pas-de-Calais, à une trentaine de kilomètres de Dunkerque, le 12 juillet 1923 – année où a été conçu le premier pistolet de la marque française Unique, le Modèle 10. (Omer, avant d'être le policier qui a surpris Pauline et Hans-Joachim dans un square de Malo, était au VIIe siècle l'évêque de Thérouanne, un gros village proche de ce qui deviendra Saint-Omer. On le disait « obéissant, plein d'amour, d'humilité et d'indulgence » (Félix en sera un bon apôtre), il a accompli toute une ribambelle de miracles, guéri des enfants presque morts, rendu la vue à des aveugles, etc. Mais dans la ville qui lui doit son nom, pas de miracle : il y a autant de malveillance, de bassesse et d'incohérence que partout ailleurs. Le soir du 26 juillet 1770, François-Joseph Monbailly (c'est amusant – peut-être un ancêtre de Félix) et sa femme Anne-Thérèse se couchent dans la petite chambre qu'ils occupent rue d'Arras, dans la maison de la mère du jeune homme, une sexagénaire *d'un embonpoint énorme*, selon un article de l'époque, qui *s'abandonnait entièrement au penchant qu'elle avait pour la boisson*. Ce soir-là, en essayant de grimper dans son lit ivre morte, la vieille poivrote bascule, tombe et s'ouvre la tête sur le coin d'un coffre en bois. Elle saigne toute la nuit par terre, on la retrouve morte au matin. En découvrant son cadavre, le fils perd connaissance (le médecin qui viendra consulter le décès de la mère (et certifiera qu'il s'agit bien d'un *accident naturel*) devra le saigner pour le sortir des vapes). Devant la maison, cinq mégères de la ville se sont réunies et papotent. Et si c'était le couple qui avait occis la vieille ? Ils se disputaient souvent, à cause des litres qu'elle engloutissait et de l'argent qu'elle dilapidait en vinasse et liqueurs, ce serait pas étonnant qu'ils lui aient réglé son compte, si tu veux mon avis. La rumeur prend de l'ampleur, à tous les coups c'est eux, et quand on voit François-Joseph sortir de la maison avec quelques gouttes de sang sur l'un de ses bas (il vient d'être saigné), le doute n'est plus permis : c'est l'assassin ! Le magistrat de Saint-Omer est persuadé du contraire, il n'y a pas le quart d'un début d'ombre d'indice, c'est un jeune couple tout ce qu'il y a de plus *tranquille et doux*, ils ont un fils souvent malade dont ils s'occupent avec tendresse, Anne-Thérèse est *grosse* d'un deuxième enfant, et ils ne se sont jamais fait remarquer par la moindre saute d'humeur – hormis les reproches légitimes à la vieille. Mais face au grondement populaire qui monte ("Tuer sa propre mère ?!"), il a la faiblesse d'ordonner un supplément d'enquête d'un an, et d'emprisonner pendant ce temps les pauvres époux incrédules, pour calmer la foule congestionnée de fureur. On ne trouve rien contre eux, évidemment, mais ça ne fait que renforcer les certitudes et la colère de l'opinion publique ("Et en plus, ils sont malins !") : un procès a lieu à Arras, à l'issue duquel, sans une preuve ni même un soupçon raisonnable mais afin d'étancher la soif de vengeance des cinq mégères et de leurs désormais innombrables disciples, François-Joseph est condamné à subir la question ordinaire et extraordinaire (des tortures destinées à lui faire avouer son crime avant d'être exécuté), à avoir la main droite coupée, à mourir sur la roue puis à être brûlé ; sa femme Anne-Thérèse, elle, s'en tire avec la mort par pendaison et le bûcher ensuite. On s'occupe d'abord de lui (elle est enceinte, on va la laisser accoucher, c'est gentil). Torturé de toutes les manières possibles à Arras, il continue de hurler son innocence. Il est alors ramené à Saint-Omer pour le bouquet final. On le conduit en place publique, décoré de deux panneaux parricide, un devant, un derrière, et quand on lui coupe la main droite devant le grand portail de la cathédrale (sous les yeux de la population qui commence à se dire qu'elle a peut-être un peu exagéré, quand même), il s'écrie : « Je jure que cette main n'a jamais commis de crime ! » On l'installe ensuite sur la roue, un bon père dominicain se penche vers lui pour l'inciter à avouer enfin, histoire de ne pas énerver Dieu (« Pourquoi vous obstinez-vous à me presser de mentir ? lui répond François-Joseph, laissez-moi mourir innocent ! »), puis on lui casse les bras, les avant-bras, les cuisses et les tibias à coups de barre de fer, et on continue à taper un peu partout pour l'achever – mais il n'est pas tout à fait mort quand on allume le bûcher. Évidemment, dès les dernières flammes éteintes, la populace exaucée se réveille, comme après une crise (ou comme un violeur qui se dégoûte dès qu'il a joui et se demande comment il a pu faire un truc pareil – mais la honte ne dure pas longtemps, l'envie reviendra vite), fait volte-face et transforme en martyr celui qu'elle a tout fait pour exterminer à la barbare – les cinq mégères en larmes récupèrent même des poignées de ses cendres, qu'elles conserveront pieusement. Anne-Thérèse croupit toujours dans un cachot à Arras, des fers aux poignets et aux chevilles, en attendant d'accoucher et d'être pendue. Mais grâce, entre autres, à Voltaire, qui est monté au créneau pour réhabiliter Monbailly, une révision du procès est organisée en avril 1772, près de deux ans après la mort de la grosse soûlote : Anne-Thérèse et son pauvre mari sont unanimement et définitivement déclarés innocents. Mais entretemps, Anne-Thérèse a perdu la tête – on déraillerait à moins. Malgré tout, le 10 avril, elle est ramenée en triomphe à Saint-Omer, où elle entre avec une couronne de laurier sur les cheveux, souriante, sans comprendre ce qui se passe, acclamée et fêtée à grands cris de joie par toute une ville éprise de justice.) Le père de Félix Bailly, Richard, est un homme droit, respectable et sans reproche, un médecin qui jouit d'une grande estime à Saint-Omer et dans les environs ; sa mère, Louise, ne travaille pas, elle veille sur ses enfants, protectrice comme une fusion de tigresse et de poule, et attentive au moindre de leurs gestes ; Félix a une petite sœur, Marguerite, dont il est le modèle, le héros. Ils habitent à trois cents mètres de la maison du pauvre Monbailly, au 7 place Victor-Hugo (au 7 d'une place, comme Pauline), c'est là qu'il a grandi, paisiblement, en toute sécurité, élevé dans la religion, l'amour et la bonne morale, couvé par sa mère et guidé par son père, adoré par sa sœur, préparé pour une existence confortable, toute tracée dès sa naissance, bourgeoise et sans histoires.

En conséquence, bien qu'il ait quatre ans de plus que Pauline, Félix est encore un gamin qui ne connaît presque rien de la vie – la vraie, la dure. Il n'a jamais été contrarié dans son évolution vers l'âge adulte, ne s'est jamais posé de questions quant à son avenir ou son passé, n'a pas eu d'obstacle à surmonter et moins encore de drame à traverser, et à vingt-trois ans, il n'a jamais couché avec une fille. Quelques amourettes à distance, sans doute, d'un banc de classe à l'autre, platoniques et non déclarées, mais évidemment pas de contact, rien de sexuel ni même de charnel : car la première sera la bonne, sa femme. Il est pur. Et même un peu simplet – pas de nature, mais dans le sens où il prend encore tout au premier degré.

Il est entré à la faculté de médecine de Lille en 1943, dans le bon timing après son bac et son PCB. Quand il rencontre Pauline, il vient de sauter un an pour effectuer son service militaire en Allemagne, du moins une version atténuée et plutôt civile (la véritable conscription ne reprend qu'en cette rentrée 1946), et il entame sa troisième année. Pauline, il le sent tout de suite, est celle qu'il attendait depuis longtemps. Quant à elle, si elle est séduite – par son physique, sa gentillesse, et peut-être aussi parce qu'il est le premier garçon à peu près de son âge à lui ouvrir ses bras (Gandar était un bourrin qui voulait juste la voir à poil, et Hans, dont le profil correspond sensiblement à celui de Félix, avait vingt et un ans quand elle en avait quatorze, les années comptent triple à cet âge), il n'est pas question d'amour. De sympathie, d'affection, de curiosité, rien de plus pour l'instant.

Ils se voient désormais tous les matins pour aller en cours, boivent un verre en fin d'après-midi, puis rentrent ensemble, une bise sur le pas de la porte d'Eva Gérard et à demain. Pour les autres étudiants, qui se rendent bien compte qu'il se passe quelque chose entre eux, rien de très surprenant : extérieurement, ils sont faits l'un pour l'autre, le play-boy et la pin-up de la fac, de surcroît bons élèves tous les deux – vous nous garderez un petit. En réalité, on doit difficilement pouvoir trouver deux jeunes gens aussi différents sous la surface, c'est l'amourette entre la vieille carpe et le lapereau. Un professeur de la fac dira de Félix : « Bailly était un bon garçon, incapable de faire du mal, un peu mou et sans méchanceté. » C'est un faible, un craintif, sans carapace – on l'a trop protégé pour qu'il y pense lui-même. Mais il a l'innocence qui manque à Pauline. C'est probablement ce qui l'attire – comme sa bienveillance sincère, déconcertante pour elle, son sérieux, cette loyauté vierge de ceux qui n'ont jamais eu à se battre, qui ne savent pas la rouerie et la cruauté des autres. Il est le contrepoint de tous les hommes qu'elle a connus jusque-là – ni puissant, ni vieux, ni malin, ni vicieux : c'est un bambin simple et entier, qu'on décrypte au premier coup d'œil. Elle, de son côté, est au contraire impossible à cerner, à définir (Frucquet, qui l'observe en cours, continue à tirer la sonnette d'alarme et son ami par la manche : « Elle a un tempérament de comédienne » (le cauchemar absolu, une femme pas transparente ni primaire), mais cela ne fait qu'intriguer davantage le jeune homme – or intriguer, on devrait apprendre ça dans les écoles, c'est séduire), elle est fantasque, émouvante et déjà bien marquée par la vie (elle lui parle de son enfance particulière, du manque d'amour et de tendresse dont elle a souffert, et ne lui cache pas ses premières expériences sexuelles avec des Allemands à Dunkerque – en les maquillant un peu, je pense, comme ses lèvres et ses yeux (pas sûr que Werner Domnick tienne une grande place dans ses confessions, par exemple)). Elle a le mystère, les fractures et l'animalité qui manquent à Félix. C'est ce qui l'attire, consciemment ou non.

Eva Gérard, en discutant quelques instants avec eux quand ils reviennent après les cours, se fait rapidement une idée juste de la situation : « Félix m'a fait une très bonne impression. Mais il manquait de virilité de caractère, et perdait tous ses moyens devant Pauline. Il a été trop choyé. » Puis : « Au début, j'ai eu la nette impression que les sentiments de Pauline ne correspondaient pas à ceux de Félix. »

Pourtant, elle change à son contact. Il ne se comporte pas comme les autres avec elle, elle fait de même. Les semaines passent et elle n'essaie pas de l'attirer dans son lit, ni ne s'étonne qu'il ne le fasse pas. Elle s'adoucit, se met en phase avec lui (et avec son âge, à elle, enfoui sous sa maturité faussée). Ce qui les rapproche, plus que leur beauté ou leur efficacité scolaire, c'est leur gentillesse – intrinsèque, plus ou moins perceptible. En ce qui concerne Félix, c'est une évidence, on comprend en quelques secondes qu'il est le meilleur ami des mouches ; pour Pauline, comme toujours, c'est moins clair, plus contradictoire : dans les rapports de police et lors du procès, on ne retiendra que les critiques, souvent acerbes et sans nuance, d'étudiants qui la connaissaient à peine, mais j'ai trouvé dans le dossier d'instruction de nombreux témoignages – d'étudiants qui, c'est vrai, parfois ne la connaissaient pas beaucoup plus – soulignant qu'elle était « une très bonne camarade », « toujours disposée à rendre service », « attentive à chacun et de comportement égal avec tout le monde » (il est troublant de lire à la suite deux dépositions, effectuées par deux personnes qui n'ont que vaguement fréquenté Pauline et recueillies à quelques minutes d'intervalle par le même inspecteur, la première affirmant en substance que c'était une fille formidable, la seconde une salope égoïste). Quand ils partent à la fac, quand ils en reviennent, ils se tiennent maintenant par la main, comme à la sortie du collège. Elle lui a demandé de l'appeler Paulette.

Chapitre dix-sept

L'égale de l'homme

Ça ne peut pas durer, bien sûr. Dès le début de l'année 1947, des rumeurs commencent à circuler sur Pauline. Le passé est comme un chat qui retrouve son maître à des centaines de kilomètres – en général, le maître en question est heureux de le découvrir un matin sur son paillasson, tout amaigri et pouilleux, le pauvre, mais dans le cas de Pauline, c'est plutôt sa hyène de compagnie qui revient gratter à sa porte. Elle n'a pas grand mérite, la hyène, son odorat l'a certes conduite jusqu'à Lille, mais on l'a forcément aidée un peu à remettre la patte sur sa maîtresse (première à gauche, troisième à droite, deuxième sortie au rond-point et c'est la sixième maison, de rien, je vous en prie). Il est possible qu'Eva Gérard se soit laissée aller à quelques confidences, enivrée par un bon Earl Grey, sans réellement en mesurer les conséquences – car Eva n'est pas une mauvaise femme.

On se met à regarder Pauline de travers, le bruit se répand vite, comme une poudre de traînée, mauvaise Française, collabo, pute à Boches ; et sa complicité, disons, avec Félix n'ayant échappé à personne, les amis auxquels il a fait part de ses sentiments éblouis, et ceux qui n'en sont pas mais se découvrent une âme de sauveur en le voyant pencher vers elle, s'empressent de l'avertir et de lui conseiller de se détacher de cette vipère au plus vite. Félix étant un garçon de cœur et l'amour étant ce qu'il est, il répond, par exemple à un copain d'enfance qui essaie amicalement de lui ouvrir les yeux, Guy Ledoux : « Calomnie ! » Et, sûrement encouragé, par esprit de résistance sentimentale, dans la voie romantique qu'il vient de choisir, pour que ce soit bien clair, pour leur montrer qu'il n'est plus comme eux (quand j'ai rencontré Anne-Catherine, après quelques jours de tapes dans le dos de mes potes de bistrot (« Elle doit être bien bonne, non ? »), ils m'ont tous secoué par les épaules pour que je n'aille pas plus loin avec elle (« Elle est dingue, elle va foutre ta vie en l'air »), ce qui m'a poussé à lui proposer d'emménager chez moi deux jours plus tard – et je n'ai jamais moins regretté une décision que celle-là), pour se convaincre lui-même, peut-être, de l'intensité de son amour, il met ses principes religieux de côté et ils couchent ensemble pour la première fois peu de temps après, un après-midi de février 1947, dans la chambre de Pauline, après s'être tenu la main pendant quatre mois.

Personne n'a mis en doute cette chronologie avancée par Pauline, confirmée par ses proches et même par tous les amis de Félix auxquels il s'est confié, mais cela n'a pas empêché Madeleine Jacob, *figure du Palais de Justice de Paris*, de réécrire l'histoire d'un coup de griffe sale (pour la graver dans le marbre monumental du Souvenir) : *Elle sera la maîtresse de Félix quinze jours après leur première rencontre. Quinze jours, c'est le délai maximum d'attente pour Pauline.*

On ne sait évidemment pas comment se sont passées ces deux ou trois heures sur le lit de Paulette, mais ce n'est pas très compliqué à deviner. Elle couche depuis l'âge de treize ans avec des hommes plus âgés qu'elle, expérimentés et lubriques pour certains, elle est entreprenante, directive et pas amoureuse ; il est puceau et follement épris, il doit même trembler à l'idée de tourner sa langue dans le mauvais sens dans la bouche de sa promise. (Une parenthèse scientifique ne fait jamais de mal : ce truc de sens du tour de la langue dans la bouche du ou de la partenaire reste une énigme. Si mes renseignements sont bons (étude menée auprès de centaines de filles tout au long de ma belle jeunesse), les filles tournent toujours la langue dans le sens des aiguilles d'une montre, et les garçons dans le sens contraire. Les deux premières questions qui se posent sont : pourquoi ? et : où a-t-on appris ça ? Ensuite vient un sentiment d'injustice : il est beaucoup plus simple (un mécanisme ancré dans le cerveau, certainement) de tourner la langue dans le sens contraire des aiguilles d'une montre (comme il est plus naturel – quand on est droitier du moins – de tendre d'abord la joue gauche lorsqu'on fait une bise à quelqu'un, ou de lacer sa chaussure droite en premier) que l'inverse. (Mettez-vous un stylo dans la bouche et essayez : dans le sens des aiguilles d'une montre, on a l'impression de devoir se tordre la mâchoire, voire incliner la tête.) Mais pourquoi les femmes, qui ont lutté pour le port du pantalon, la pilule et l'avortement, qui ont obtenu le droit de vote et brûlé leur soutien-gorge, n'ont-elles jamais osé se dresser contre cette convention arbitraire du sens de la langue dans la bouche, honteusement en faveur des hommes ? Encore trop timorées ? L'égalité n'est pas pour demain.) Pauline a dû apprendre beaucoup de choses à Félix. Elle lui a peut-être fait boire un verre de Martini ou de cognac avant, pour le détendre et le désinhiber, ce qui n'était sûrement pas du luxe (il gardera cette habitude, un petit verre de temps en temps – sans qu'il soit jamais question d'alcoolisme : c'est un sportif). Elle a été touchée, peut-être, par sa maladresse et sa bonne volonté. Elle s'est peut-être dit qu'elle allait le former peu à peu, lui apprendre à lui faire plaisir, qu'elle avait le temps. Pour Félix, pas de peut-être : il a passé deux heures à

Disneyland, plus de huit ans avant l'ouverture du parc en Californie. Mais sans Mickey, la Belle au bois dormant et autres proprets irréprochables. Il a plongé dans le tourbillon joyeux du vice.

Dès le lendemain, il demande Paulette en mariage.

Ça doit la déconcerter, Pauline. La toucher aussi, je suppose, mais la laisser pantoise. Ce garçon est impulsif. Soit il s'en veut d'avoir fauté, de les avoir souillés tous les deux, et son sens de l'honneur lui ordonne de réparer sur-le-champ ; soit il respecte son plan de carrière conjugale : la première est la bonne, ce qui est dit est dit ; soit, et c'est ce que je crois, ce qu'il a vécu la veille est une telle révélation, un bouleversement sentimentalo-sensuel si intense et profond qu'il est persuadé de se trouver face au grand amour qui n'arrive qu'une fois dans une vie, comme un poussin qui voit une chèvre en sortant de son œuf croit que c'est sa mère.

(J'aime les hasards d'écriture et d'existence, qui font se croiser ces deux activités parallèles. Hier en fin d'après-midi, j'ai écrit le paragraphe qui précède (puis une dernière phrase encore avant d'éteindre l'ordinateur et de sortir : *Pauline, bien entendu, refuse la demande en mariage*, que je décale maintenant après cette parenthèse), et ce matin, je me sens très proche de l'œuf dont sort le poussin. C'étaient les vingt ans du prix de Flore, hier soir. Mon premier prix (il y a dix-sept toutes petites années), mes premiers pas dans le monde mirifique de la littérature germanopratine. J'y suis allé, donc, en trottinant comme un faon dans le métro ("Regarde, comme c'est beau, chéri !"). Je m'étais promis de ne pas trop picoler : dans le bistrot en bas de chez moi, ça va, on me connaît, on ne s'étonne pas de me voir les pieds en l'air, mais au Flore, c'est bourré de journalistes, d'éditeurs, de confrères élégants et de jolies filles qui ne pardonnent rien, faut pas se montrer sous un trop mauvais jour (je me revois me dire ça hier en partant, et j'en rigole tout seul). Malheureusement, derrière l'un des trois ou quatre buffets dressés pour l'occasion dans le prestigieux établissement, œuvrait un serveur qui a le cœur sur la main et que je connais un peu. Quand je réussissais, en colosse, à me frayer un chemin jusqu'à lui parmi la masse compacte d'invités qui l'assaillaient, il me servait des verres à moutarde (ou assimilés) presque entiers de whisky, accompagnés d'un clin d'œil. Et malheureusement encore, étant d'un naturel bon enfant et enclin à faire plaisir, craignant toujours de blesser les gens, je me les engloutissais de bonne grâce, les verres à moutarde ou assimilés, comme du lait-fraise (je choisis cette image pour faire joli, mais le jour où on me verra m'envoyer de bonne grâce six ou sept verres entiers de lait-fraise, il faudra s'inquiéter pour moi) – pour être franc, la volonté de ne pas froisser mon ami d'un soir n'était pas le seul moteur de mon coude en surrégime : ça m'arrangeait bien, je suis détendu en société comme un éléphant dans un jeu de quilles, et le whisky réduit mes défenses. Malheureusement enfin (les grands drames, les crashes aériens par exemple, n'ont jamais qu'une cause, ils sont toujours la conséquence d'un concours de circonstances effroyable), la foule étant considérable et très assoiffée, il n'y avait, comme whisky (je n'aime pas le champagne, ça me ballonne – or il ne faut pas se montrer ballonné au prix de Flore), que du J&B, ce que financièrement je comprends. Mais si possible, je ne bois que du Oban en temps normal, ou des singles malts du même tonneau (je ne suis pas snob, mais dans le J&B et blended approchants, il y a de l'orge maltée mais aussi du maïs, du blé, de l'avoine ou je ne sais quoi – trop de céréales) : ce qui va suivre n'est que la séquelle prévisible de l'abandon conjugué de mes bonnes résolutions et de mes principes. Donc après avoir papoté des heures comme un mondain flamboyant avec toute sorte de personnes, tout à coup je me suis réveillé dans mon lit. Magie de la téléportation ! C'est du moins ce que je me suis, enthousiaste, écrié en moi-même pendant une pincée de secondes (deux), avant de réaliser avec étonnement que mon lit bougeait et que quelqu'un avait installé une sirène juste au-dessus. Et embauché deux grands gars musculeux en uniforme, au beau visage de pub Gillette, pour me sortir du sommeil en me donnant de petites claques amicales. Quand le mot "pompiers" m'est venu à l'esprit (il a du mérite d'avoir trouvé son chemin), un sentiment d'inquiétude légitime s'est emparé de moi. J'étais sous une couverture de survie dorée, j'avais une intraveineuse dans le bras, l'un des pompiers me regardait comme son propre fils – bon, comme son propre grand-père, d'accord... Je m'étais simplement écroulé ivre mort ? (On n'appelle pas les pompiers pour ça, si ? Non, foutez-le sur la banquette, il va roupiller une heure et ça ira, tous les ans il nous fait le même coup.) J'avais fait un infarctus ou quelque chose comme ça ? (Entre ce que je fume, ce que je bois, la tartiflette et ma demi-heure de vélo d'appartement par an, ce ne serait que justice.) On m'avait poignardé ? Je ne souhaite ces incertitudes à personne. Affolé, confus, ne comprenant rien, je me suis rendormi aussitôt. (Par conséquent, je ne pense pas avoir eu la possibilité de remercier les pompiers formidables, ce que je fais de bon cœur douze heures plus tard : merci les gars – et pardon.) Au réveil, ce matin, la synthèse de plusieurs mails angoissés reçus m'a permis de reconstituer dans les grandes lignes ce qui s'est passé. Il semble que j'aie tout à coup éprouvé le désir contre-nature de danser. Et qu'ayant sans doute tenté quelque pas trop acrobatique pour ma morphologie, je sois tombé comme un pauvre type. Deux amis fidèles, François Perrin, dit Croque-La-Vie, et son amoureuse Élisa, m'ont alors pris par un bras chacun pour me conduire dehors, en me portant comme une grosse amphore remplie d'huile d'olive, afin que je m'aère. Là, j'ai trouvé un réverbère et m'y suis accroché pour éviter une nouvelle chute humiliante. Mes amis ont vite compris que ça n'éviterait rien du tout, ils ont voulu rester prudemment à mes côtés, mais bien que probablement conscient (si on peut dire) moi-même que la situation prenait un tour épouvantable (quand j'essaie d'y repenser, j'ai le vague (blurp) souvenir d'avoir été accroché au mat d'un voilier pris dans la tempête – et la brume), mon amour-propre d'abruti est sorti de la cave intérieure où il était tapi depuis plusieurs verres et je les ai courageusement chassés pour qu'ils n'assistent pas à la scène atroce de mon naufrage sur le trottoir : « Laissez-moi, c'est bon, laissez-moi ! » Ils sont retournés sur la terrasse du café, mais ont continué à me surveiller discrètement, derrière les arbustes qui la délimitent. Ils ont vu une femme s'approcher de moi (la Sainte Vierge, je pense) et me parler : oscillant et tanguant, je l'ai elle aussi rabrouée d'un grand geste romain du bras. (C'est pathétique, je le vois comme si j'y étais, mais le pire dans ce domaine est à venir – quand je pense que mon fils lira ce livre un jour... (Après ma mort, j'espère – tant qu'on est là, mon gars, un conseil entre parenthèses : dans la vie en général, arrête de te faire du souci pour rien.)) Lorsque mes amis sur la terrasse ont de nouveau jeté un coup d'œil vers moi (ils ont été distraits car Aurélien Bellanger, le vainqueur du jour, voulant tirer la couverture à lui, venait de s'effondrer dans les arbustes), je n'étais plus accroché à mon poteau de misère, mais étendu sur le dos à son pied – deux chutes en moins de deux secondes, deux lauréats du prix à dix-sept ans d'intervalle. Élisa et Croque-La-Vie sont sortis en vitesse, la Sainte Vierge était en train d'appeler les pompiers (c'est son rôle, même quand on l'a envoyée bouler) car j'avais perdu connaissance et une flaque de sang s'étendait sous ma tête, ce qui n'est jamais signe de tonus. (Je pense que c'est le mouvement romain qui a précipité ma chute. Car les réverbères, tu parles, on sait ce que c'est : c'est vertical. Agrippé à une rambarde, horizontale, je m'en serais probablement tiré comme un prince, un empereur. Quand on louche, c'est toujours dans la verticalité – ou l'horizontalité, au contraire, mais bref : je l'ai vu à côté, le réverbère. J'ai dû battre pitoyablement des bras et c'en était fini.) Je me suis donc rendormi dans le camion filant à toute allure, et me suis réveillé de nouveau (deux heures plus tard, je l'ai su ensuite) dans une salle de l'hôpital (Cochin, je l'ai su ensuite). À partir de là, je m'en souviens – floument mais c'est tout ce qu'on a. Une infirmière belle comme le jour me secouait, tentant par professionnalisme de réprimer ses élans de tendresse. Elle m'a fait asseoir, et avant que j'aie eu le temps de dire bonjour, m'a perforé la boîte crânienne à quatre ou cinq reprises – encore saoul comme un cochon, je n'ai certainement ressenti qu'un dixième de la douleur causée par l'enfoncement des grosses agrafes métalliques dans l'os, mais c'était bien suffisant. En rentrant la tête dans les épaules, j'ai grommelé une sorte de « Oumpf ! », ce à quoi ma partenaire a répondu : « Ça vous apprendra. » Puis elle est sortie de la pièce en me demandant de ne pas bouger, d'attendre là. Ce que j'ai fait cinq ou six minutes, en pensant à Pauline au milieu des instruments médicaux de la fac de Lille, Paulette que Félix vient de demander en mariage, jusqu'à ce que je remarque une pendule murale : il était 3 h 35. J'ai compris (malgré les agrafes dans la tête) qu'ils allaient me garder jusqu'au matin au moins, peut-être plus longtemps, pour me surveiller et me dégriser un bon coup. Je n'ai pas de portable, je ne pouvais pas appeler ma femme pour la prévenir, j'imaginais son inquiétude au réveil. N'écoutant que ma raison, je me suis donc enfui de l'hôpital, avec cette agilité et cette fourberie (et cette crétinerie) qui me caractérisent depuis tant d'années. J'ai remis mes chaussures posées par terre à côté du brancard, pris ma veste et mon sac matelot sur une chaise en plastique, et je suis sorti de la salle de soins à la façon d'une ombre fantomatique (sur la pointe des pieds et en mettant mes deux petites pattes en avant comme un écureuil), puis j'ai longé sournoisement les murs des couloirs, jusqu'à une grande porte qui semblait mener vers la liberté. Fermée. J'ai appuyé sur plusieurs gros boutons, rouge, vert, rien à faire. Demi-tour, j'ai de la ressource, ils ne m'auront pas. Au bout d'un autre couloir, une autre porte, plus grande encore, par où entrent sûrement les ambulances. Rouge, vert, rouge, tu parles, encore plus fermée que l'autre. C'est pas vrai ! Un nom commençait à résonner dans ma tête douloureuse : "Kafka... Kafka... Kafka..." J'ai fait demi-tour. Et soudain, j'ai vu deux infirmiers en blouse se diriger vers la grande porte, donc vers moi qui repartais dans l'autre sens. Alerte. Alerte ! Autant la vie m'a appris à me débrouiller quand il s'agit de croiser, la nuit, cinq ou six types énervés et patibulaires dans un quartier borgne (inutile de se défoncer violemment la tête contre le premier mur venu, il suffit de bâiller sans mettre la main devant sa bouche, ou d'être pris d'une quinte de toux et de dodeliner de la tête ("Combien de jours je vais attendre avant de m'acheter du sirop ?"), pour montrer qu'on est détendu et perdu dans ses pensées – OK, il n'a pas peur, si ça se trouve il nous calcule même pas, c'est un type dans notre genre, on en trouvera un autre), autant deux infirmiers en blouse dans un couloir d'hôpital réservé au personnel, quand on a une plaie profonde à la tête et du sang partout, c'est plus compliqué : si je bâille sans mettre ma main devant ma bouche, ils se jettent sur moi. Pris au dépourvu, n'ayant encore jamais été confronté à cette situation (à cinquante balais, quand même, faut le faire), j'ai réagi comme un bleu : je n'ai rien fait. J'ai continué à marcher en regardant droit devant moi. Nous nous sommes croisés comme s'ils ne me calculaient pas. J'ai pivoté vivement, à la manière d'un danseur étoile (ma tête...), et leur ai emboîté le pas à la manière d'un hippopotame, juste derrière eux. Ils ne remarquaient pas ma présence. Je suis mort, si ça se trouve, invisible. Ils ont réussi à ouvrir la grande porte je ne sais comment, j'étais trop concentré sur ma filature, on était dehors, ça y est, ils ont tourné à droite, moi à gauche et je me suis mis à courir – pauvre, pauvre type. C'est alors qu'il s'est produit quelque chose de littéralement extraordinaire. Je courais, j'ai aperçu un taxi qui approchait (la Sainte Vierge était toujours sur le coup), j'ai levé un bras fou d'espoir et il s'est arrêté pour me prendre. Normalement, trouver un taxi parisien compatissant dans une rue sombre et déserte quand on a bu ne serait-ce que trois ou quatre verres et qu'on tente un sourire niais, en biais, pour se faire accepter, relève du petit miracle dont on parle encore une semaine après ; et là, lui, ce fils de Mère Teresa et de Mister Bean, voit un ahuri plein de sang sortir en courant désarticulé de l'hôpital Cochin et le fait monter avec un « Bonsoir ! » naturel et chaleureux ? On peut dire ce qu'on veut de l'espèce humaine (il y en a qui ne se gênent pas, j'ai remarqué), mais qu'on m'en nomme une plus déroutante et fascinante, pour voir. Quand je suis arrivé chez moi, un peu après quatre heures, ma femme dormait paisiblement, et à peine ai-je eu le temps de rincer le sang sur mon visage (la plaie monstrueuse est sur l'arrière de la tête, mais il paraît qu'on m'a mis en position de survie sur le trottoir du boulevard Saint-Germain (où le pauvre Fred du même nom gambadait devant les filles soixante ans plus tôt), j'ai dû tremper dans la flaque) que mon fils est entré dans la salle de bains pour vomir dans le lavabo – par empathie télépathique, à mon avis (ou à cause du kebab qu'il avait mangé le soir). J'ai pris soin de garder la tête bien haute et droite, à la Jules César, pour qu'il ne voie rien et puisse retourner se coucher tranquille. Il a dû me trouver très digne (dans trente ou quarante ans encore, quand il rentrera bourré chez lui (pas souvent, fils, pas souvent), il pensera : « Essayons de prendre exemple sur la dignité de mon père »). Le lavabo était bouché, j'ai dû dévisser le siphon, la tête ouverte, la présence bien concrète des agrafes (j'avais l'impression de pouvoir les compter sans les toucher), bassine sous le trou, morceaux de kebab, souffrance crânienne, frites à demi digérées et tout le bazar, je crois que je n'ai rien fait de plus héroïque et ridicule de toute mon existence à cette heure-là. Ensuite, alors qu'il ne faut surtout pas s'endormir après un choc violent à proximité du cerveau, je suis allé me coucher. (Je l'ai fêté avec enthousiasme, ce vingtième anniversaire du Flore, on ne pourra pas me reprocher le contraire. En ajoutant ma touche personnelle, mon hommage aux jurés éclairés qui m'ont donné le prix en 1997 : c'était la quatrième année depuis la création, j'ai quatre grosses agrafes en titane plantées dans le cuir chevelu.) Je me suis réveillé à onze heures, je suis toujours de ce monde, j'arrive à peu près à écrire donc je n'ai pas le cerveau en Blédine, mais la journée a été pénible. Comment ai-je pu être assez crétin, même gorgé de maïs et d'avoine, pour m'enfuir avant de voir un médecin, de subir des examens ? Je sais que pendant vingt-quatre ou quarante-huit heures, après une frayeur occipitale, vertiges ou nausées sont annonciateurs de mauvaise nouvelle, mais comment repérer vertiges et nausées quand on a une gueule de bois amazonienne ? Je n'ai que ça, des vertiges et des nausées. (J'écris quand même car je me dis : si tout à coup je fais une hémorragie cérébrale (comme Franklin Delano Roosevelt, pas mal) ou une saleté fatale de ce genre, le texte s'interrompt en plein milieu et j'aurai quasiment décrit ma mort en direct – on ne sera pas des tonnes d'auteurs dans l'histoire de la littérature à avoir réussi ce tour de passe-passe.) Et combien de temps dois-je garder ces agrafes ? Qui me les enlèvera ? (Au fait, après les pompiers, je n'ai pas remercié non plus l'infirmière belle comme le jour, je suis le dernier des derniers. Merci mademoiselle, c'est du travail d'artiste.) J'ai pris au réveil une photo (sorte de selfie arrière, que je pensais insérer ici (ce serait le moment le plus abominable de tout le livre), mais cela augmenterait déraisonnablement les coûts d'impression) du sommet de mon crâne dégarni : on dirait tout à fait, c'est là où je voulais en venir, un œuf à l'intérieur duquel le poussin qui veut sortir a déjà donné quelques coups de bec.)

Pauline, bien entendu, refuse la demande en mariage. Gentiment – elle est attendrie et flattée – mais sans ambiguïté. C'est bien trop tôt, elle a beaucoup de choses à faire d'abord, ses études de médecine en particulier, et surtout, elle n'est pas sûre que Félix le doux, le calme, le limpide, soit le genre d'homme qui lui convienne, dont elle ait besoin ou envie. Plus clairement, elle n'est toujours pas amoureuse de lui. (On le lui reprochera jusqu'à l'écœurement : « Vous n'aimiez pas Félix Bailly ! » Mais est-ce si intolérable ? On ne doit coucher qu'avec des gens qu'on aime à la folie ? On doit aimer corps et âme dès le début, pour être une femme respectable ? « Vous n'aimiez pas Félix Bailly ! »)

Déçu mais inébranlable, sûr de lui et patient, il la présente (en tant que sa « fiancée ») à son amie d'enfance, Françoise Cauchois, une jeune femme de son âge chez qui il loge, au 27 de la rue Henri-Kolb, à six cents mètres de chez Pauline (elle lui sous-loue une chambre de son appartement, avec, tiendra-t-elle à préciser à la police, « le consentement de nos parents » – ils se connaissent depuis tout petits, on estime faible le risque qu'ils se mettent à se tripoter en douce la nuit ; au-dessus de son petit bureau, Félix a accroché une photo de son papa). Cette rencontre n'est pas une réussite, les deux filles ne se ressemblent pas beaucoup. Le soir, Félix fait part à sa colocataire de son envie de se marier et du refus provisoire de Pauline (il lui explique qu'elle tient pour l'instant à « garder son indépendance » – c'est louche), mais il n'obtient pas les encouragements escomptés. Françoise, qui a quatre ans de plus qu'elle, qui ne la trouve pas convenable et a entendu les rumeurs qui galopent sur elle, lui conseille, comme les autres, de s'en débarrasser au plus vite. Il faut dire que Pauline n'a pas été très maligne lors de ces présentations. Profitant d'une courte absence de Félix (qui était dans la cuisine, aux toilettes ou je ne sais où), elle a confié à Françoise – l'amie de longue date, donc – qu'elle le trouvait « décoratif mais collant ». C'est maladroit, on ne peut pas dire le contraire. Pourtant, Pauline est tout sauf cruche, il est difficile de penser qu'il s'agisse d'un excès naïf de franchise (mais c'est possible). Selon moi, elle a pu vouloir provoquer de front cette aînée qu'elle sentait agressive, jouer l'émancipée, la détachée moderne ; ou bien, pour elle-même, pour celle qu'elle croit être, lutter contre l'affection qu'elle éprouve malgré elle pour un garçon trop tendre et mollasson – il me semble que cette pique acerbe et cynique, son père aurait pu la prononcer.

Cherchant obstinément un soutien, Félix organise ensuite une rencontre avec son vieux pote de Saint-Omer, Guy Ledoux (celui pourtant qui l'a le premier informé des épisodes peu reluisants du passé de Pauline – ne vous encombrez pas la tête à retenir tous les noms, ce n'est pas important), dans l'espoir qu'en faisant sa connaissance il puisse surmonter ses préjugés de Français loyal. Sans plus de succès qu'avec Françoise. Pas de chance, Guy ne l'aime toujours pas, voire encore moins, pour des raisons claires et imparables : il trouve sa conduite « peu féminine » et constate irrité que Pauline est « une fille aimant se montrer à l'égal de l'homme » (elle ne manque pas d'air).

Enfin, tentative ultime et audacieuse, Félix présente Paulette à sa mère, Louise. Il a depuis longtemps parlé à ses parents de cette étudiante brillante qui fait battre son cœur (il ne pourrait pas se casser un ongle ou voir un beau film sans en parler à ses parents), et le jour où sa mère lui annonce qu'elle va lui rendre une petite visite à Lille, il en profite pour demander à Paulette de venir l'attendre dans sa chambre avec lui. Encore raté. « J'ai eu une impression défavorable », dira maman. Elle la trouve délurée, s'exprimant comme une fille peu sérieuse et se comportant de manière trop libre et irrespectueuse avec son fils. Pas du tout le genre d'épouse qu'elle souhaite pour Félix. Dès son retour à Saint-Omer, elle fait part de sa désapprobation à son mari, Richard. Interloqué (Félix est un jeune homme avisé, qu'est-ce qui se passe ?), il fait appel à ses nombreuses relations pour mener une petite enquête sur cette personne. Les résultats, naturellement, l'atterrent : non seulement le père, autrefois de bonne réputation à Malo-les-Bains, s'est révélé germanophile, mais surtout, la fille a eu une conduite inadmissible pendant la guerre. C'est scandale et tout le tintouin. Et pour couronner le tout, elle est protestante. Mme Bailly écrit aussitôt à son fils pour l'informer que cette amourette ne leur convient pas, et qu'il est hors de question qu'il se marie avec Pauline Dubuisson. Félix ne tient pas compte de cette lettre. S'il aime Paulette, c'est justement qu'elle ne ressemble pas à toutes ces jeunes filles sages et de bonne famille de Saint-Omer, principalement des amies de sa petite sœur, Marguerite, qui l'enveloppent de regards enamourés et ne voient en lui qu'un garçon bien élevé, aux parents aisés et respectés, un futur médecin qui ferait un mari et un père de choix.

De son côté, Pauline l'a présenté aux étudiants de sa promo dont elle se sent le plus proche : Josette Devos, Jeannine Lehousse et son jules, Michel Gravez. Ils l'ont trouvé un peu gentillet, immature, mais les filles ont reconnu qu'il était extrêmement beau gosse, et le garçon tout à fait sympathique. Puis, preuve que si elle n'est pas dingue de lui, elle ne le considère pas non plus comme un accessoire de mode ou un simple benêt décoratif, elle l'a emmené chez ses parents, à Malo, un après-midi des vacances de Pâques. Hélène dira qu'il est venu « faire une visite de politesse ». Apparemment, ni son mari ni elle n'ont quoi que ce soit de particulier à dire sur celui que leur fille leur présente comme son « petit ami » (tout en leur apprenant qu'il l'a demandée en mariage), ni en bien ni en mal. Mais l'entrevue se passe bien, puisque Hélène dira : « Par la suite, nous l'avons invité à prendre le thé. »

(Quarante-huit heures se sont écoulées depuis ma chute misérable, vertiges et nausées se sont estompés, je respire. Tant pis pour l'histoire de la littérature.)

À la fin du mois d'avril, Pauline reçoit une lettre de Hans-Joachim, le jeune matelot du square, devenu médecin dans un grand hôpital de Leipzig. Elle est adressée à *Mlle Jacqueline Dubuisson, 53 quai Vauban, Rosendaël (Nord), France*. Son frère Gilbert a donc dû la lui transmettre. Elle commence par : *Chère Jacqueline, recevras-tu cette lettre et t'en réjouiras-tu ?* Puis il lui demande poliment des nouvelles de ses parents (*Comment allez-vous, toi et tes chers parents, et plus particulièrement ta chère mère ?*), lui dit qu'il a beaucoup pensé à elle le 11 mars, pour ses vingt-deux ans (elle en a eu vingt), et qu'il aimerait *maintenir des liens d'amitié* avec elle. *Donne-moi aussi des détails sur Malo et son sort, sur « ma » maison du bord de mer, sur Maud, Thérèse, la vieille dame chez qui vous dansiez, le café Delporte etc. Tout cela m'intéresse.* Il termine par quelques nouvelles de lui, lui annonce qu'il a *le grade de docteur* depuis 1944. *En juin 1945* (le mois le plus noir de la vie de Pauline jusqu'à présent), *je suis devenu père d'un délicieux petit garçon, M., qui t'envoie ses meilleures salutations. Moi-même et ma femme, nous t'adressons nos cordiales salutations, ainsi qu'à ta mère. Ton Hans.*

Pauline ne répond que par quelques mots, lui dit que ses parents vont bien, qu'elle n'a plus de contacts avec les autres, et qu'elle a entamé des études de médecine à Lille – elle ne lui donne pas son adresse.

L'idylle étudiante entre les deux jeunes gens se poursuit plutôt paisiblement, malgré l'entourage réprobateur, jusqu'à la fin de l'année scolaire, sans grande passion de la part de Pauline, sans ennui ni déplaisir non plus – il est toujours agréable d'avoir quelqu'un avec qui faire l'amour régulièrement, plus encore un sportif et bon apprenti. (Françoise Cauchois, à qui Félix a avoué qu'il avait des rapports sexuels avec Pauline, celle-ci ne s'en cachant d'ailleurs pas non plus auprès d'elle – elle lui « a même laissé entendre que ce n'était pas sa première expérience », bonjour la libertine – fera part à un policier de ce qu'elle a remarqué : « Elle devenait plus gentille quand elle sollicitait de sa part des attentions masculines. » Oui parce qu'en général, une femme qui a envie de caresses ou de sexe, elle fout un bon coup de poing à l'homme pour qu'il comprenne.) D'autre part, je crois que pour l'instant, les hommes qui plaisent à Pauline, à qui elle ne dit pas non, ce sont ceux à qui elle plaît. Un marin de dix ans de plus qu'elle quand elle n'en avait que treize, un vieux médecin dégoulinant d'amour, et ce Félix trop mielleux qui n'est pas fait pour elle. C'est mal, c'est égocentrique et peu conforme aux grands critères de l'amour, mais elle est comme ça, beaucoup de gens sont comme ça – surtout ceux qui ne sont pas sûrs d'eux. Je le sais : pendant près de vingt ans, seules les filles à qui je plaisais me plaisaient. Jusqu'à ce que je rencontre ma future femme, dont je me moquais bien de savoir si je lui plaisais ou non : moi, je l'aimais. (Je m'en suis rendu compte le jour où elle m'a confié, dans un bar désert de Veules-les-Roses en hiver, que mon premier roman, le seul que j'avais écrit jusqu'alors, l'avait profondément ennuyée. À cette jeune époque, une fille qui me disait ça, je ne savais même plus comment elle s'appelait la seconde suivante. Cette fois, à ma grande surprise, je me suis aperçu que je l'aimais toujours autant, malgré son manque navrant de clairvoyance et de bon goût littéraires.)

Pour les grandes vacances, chacun part de son côté. Avant de la quitter, Félix demande à Pauline de repenser à sa proposition de mariage, elle en aura tout le temps, au calme.

Chapitre dix-huit

Plus cérébrale que sensuelle

Pauline a passé les deux mois d'été à Malo, dans une ambiance à laquelle il vaut mieux ne pas penser pour garder le moral (seule presque toute la journée avec ses chats – elle a fait stériliser aussi la femelle, pour lui éviter les tourments des chaleurs), et Félix à Saint-Omer avec ses parents et sa sœur, heureux de vivre et plein de son amour à distance. Ils se sont écrit, les lettres de Pauline manquaient un peu de chaleur. Mais elle est comme ça, il la connaît.

À la rentrée, cependant, quelque chose a changé, il ne peut pas ne pas le voir, l'admettre. Loin de lui, sur le lieu de ses premières émotions interdites et sulfureuses (elle a dû bien le sentir tout l'été, en croisant des regards sur la plage de Malo), elle a compris qu'au-delà du confort et du plaisir léger que procure une relation "normale", avec un garçon de son âge, transi et sans aspérités, rien de vif ne l'attirait vers lui, ils n'ont en commun qu'un bien-être de contact, de petites habitudes de couple déjà rangé. À la fin du mois de juillet, elle a reçu par la poste un cadeau de Félix, un livre. Ils se connaissent depuis près d'un an, il devrait savoir ce qu'elle aime, ce qui l'intéresse, la marge et l'incertain, la philosophie ou les romans policiers, la modernité, les histoires troubles et décalées. Et il lui offre *Le Maître de Jalna*, l'un des nombreux tomes d'une saga familiale neuneu écrite par la Canadienne Mazo De La Roche, qui cartonne chez les passionnés de sentiments et qu'il a découverte récemment. (C'est l'histoire, sur un siècle et quatre générations, de la famille Whiteoak, qui se bat pour ne pas perdre le manoir victorien bâti dans le nord du Canada par leur ancêtre, un capitaine de retour des Indes, au cœur d'une vaste propriété agricole et forestière, le domaine de Jalna – pile ce que Pauline attendait, l'avenir en marche, le rock'n'roll avant l'heure.) En lisant les premiers chapitres, elle a la confirmation que Félix vit dans un autre monde qu'elle, et que, comme son père, comme sa mère, comme d'autres, il voit en elle une fille qu'elle n'est pas. Il pense qu'elle est ce qu'il veut qu'elle soit.

Le soir de leurs retrouvailles à Lille, il l'invite au restaurant. Il veut savoir si elle a réfléchi à leur mariage. En levant les yeux au ciel intérieurement, je suppose, elle lui répète que c'est trop tôt, qu'ils doivent étudier d'abord, qu'elle n'est pas encore sûre qu'ils soient vraiment faits l'un pour l'autre – mais elle n'ose pas le rejeter brutalement, écraser son rêve entre le boudin et la purée. Comment lui dire qu'elle a le sentiment d'être avec un gamin de quatorze ans, qu'il n'est pas ce qu'elle attend de la vie, qu'ils n'ont rien à faire ensemble ? Il ne comprendrait pas, de toute façon, ne la croirait pas. À la fin du repas, il sort sa botte secrète : le tout dernier tome de la saga, *La Moisson de Jalna*, dont la traduction française vient de sortir chez Plon. Il écrit une petite dédicace sur la page de garde : *Pour ma très chère amie Pauline, un nouveau Jalna. Félix.* (C'est mou, bonhomme, tu aurais pu te creuser un peu la tête.) L'écriture est assez maladroite, notamment sur la fin, il y a une rature sur le *o* de *nouveau*, sur le *n* de *Jalna*, et *Félix* est signé trop gros, avec un *x* qui part en sucette. Il est peut-être nerveux, ou il a un peu bu, sentant que le dîner ne tournait pas très bien ("Qu'est-ce qu'elle a ?"), pour se donner de l'assurance, deux cognacs après le café.

J'imagine Pauline le soir dans sa chambre, ses doutes et peurs la reprennent. Félix la déçoit. La routine, sans originalité, sans excitation, pas d'ampleur, pas de folie – plus tard, on verra, mais au moins à cet âge, il faut du mouvement, de l'espoir. Et s'il n'est pas pour elle, si elle le pousse hors du cadre après un an à se faire croire qu'il y avait sa place, elle risque de se trouver de nouveau face à ce néant qui, irrationnellement, l'obsède. Mais il va bien falloir. Elle range le roman dans sa bibliothèque sans le lire.

Les semaines suivantes, elle se montre froide. Le lendemain de leur dîner, elle lui a dit, sans méchanceté ni colère mais clairement, qu'elle n'était pas l'épouse qu'il lui fallait et qu'il était préférable « pour lui » qu'ils cessent « de se fréquenter ». Mais il n'a rien voulu entendre, il lui a répondu qu'il savait ce qui était préférable pour lui et qu'en l'occurrence c'était : qu'elle ne le quitte pas, Paulette. Par faiblesse (il ne faut pas perforer très profondément son blindage pour y trouver une fille dépendante du regard des autres, du moins de ceux qui lui importent, qui ne veut pas prendre la responsabilité d'une rupture et s'attirer leur ressentiment, leur désamour), elle ne se décide pas à l'envoyer vraiment paître, au tapis, et préfère essayer de le pousser à partir lui-même. Elle devient distante et souvent désagréable, soit pour qu'il finisse par se décourager, soit pour qu'il réagisse enfin, qu'il arrête de la regarder avec des yeux de merlan battu et montre un peu de personnalité – car au fond, elle n'a pas réellement envie qu'il disparaisse. Mais lui ne comprend pas ce qu'il lui prend, à sa fiancée : il n'a rien fait.

C'est durant l'automne et l'hiver, entre 1947 et 1948, que plusieurs amis de Félix assistent à des scènes qui les révoltent. Leur copain est aux pieds d'une fille qui lui donne des coups d'escarpin, qui se détourne de lui sans raison et le glace du regard quand il rampe derrière elle. Les récits de cette lutte inégale afflueront lors de l'enquête et du procès. Un Marcel Dumoulin dira qu'elle « jouait au chat et à la souris avec lui », Françoise Cauchois qu'elle « le tyrannisait » et Paul Frucquet que « Pauline voulait le briser » – et lui arracher les ongles, aussi, non ? (Il y a bien longtemps – trente-cinq ans après l'histoire entre Pauline et Félix –, ma sœur Valérie sortait avec l'un de mes trois meilleurs amis, Joël. Elle avait trois ans de moins que lui, que nous (elle seize, nous dix-neuf), mais elle était au moins aussi mûre, comme sont les filles, et avait ce qu'on appelle du "caractère" ou du "tempérament" (aujourd'hui encore, sous nos bons airs antisexistes, on ne dit ça que des femmes, comme si c'était une particularité de certaines seulement – on entend plus rarement que le boucher, ce type formidable, est un homme de caractère, ou que le ministre de l'Intérieur a du tempérament). Je ne sais pas si elle était amoureuse de lui, il lui plaisait en tout cas, Joël était (est toujours) un garçon en or, drôle et sensible (et grand et beau), mais elle le trouvait trop indulgent, trop absolument amoureux, trop mièvre (Félix, quoi), il n'élevait jamais la voix et jamais n'osait s'opposer à elle. Au bout d'un an, elle en a eu marre, elle avait besoin de répondant, de présence en face (Pauline, quoi), elle a tout fait pour provoquer des réactions de sa part, un cri, une voix forte au moins, elle s'est mise à le contredire sur tout, pour l'énerver, à lui parler de plus en plus sèchement, à le rembarrer à la moindre occasion. (Les personnes de notre entourage qui ne les connaissaient pas bien l'un et l'autre, et qui ont été témoins de ces affrontements à sens unique et de ces humiliations, ont très certainement pris ma sœur, ma petite sœur, pour la dernière des garces égoïstes et tyranniques – on ne peut pas leur en vouloir.) Ça ne fonctionnait pas, Valérie se décourageait, elle ne voulait pas le quitter. Elle a fini par le tromper avec un type dont elle se tamponnait, pour qu'il se réveille, se batte pour elle – pas au sens propre, Joël serait incapable de taper sur un poster de son pire ennemi. Il en a été profondément attristé, blessé, mais n'a jamais vraiment protesté. Elle l'a quitté. Je dois préciser que Valérie, ma petite sœur, est l'un des êtres humains les plus bienveillants, inoffensifs et généreux que je connaisse.)

Pauline ne sait plus quoi faire non plus. « Je pensais sincèrement que nous ne pourrions pas être heureux ensemble », dira-t-elle au juge d'instruction Louis Grenier. « J'essayais de le quitter, il ne voulait pas. Or il m'était fort difficile de l'éviter, puisque chaque jour, nous nous voyions à la faculté. » Le seul comportement efficace, c'est de refuser dorénavant de coucher avec lui. Félix, cette fois, est obligé d'accepter, il ne va pas la violer. Mais il ne comprend toujours pas pourquoi elle a changé, ce qu'elle a dans la tête, il se décompose, se perd en questions et souffrances, il ne peut pas aller à l'encontre de sa nature mais le plus évident ne lui vient pas à l'esprit : partir, la rayer, chercher une autre épouse.

Depuis la rentrée, Pauline a un nouveau professeur d'anatomie, le docteur André Blandin, vingt-huit ans. Originaire de Roubaix, il est marié, mais c'est un tombeur, le type même du jeune médecin de province prometteur, qui marche sur la vie comme sur l'eau et à qui rien ne résiste, surtout pas les femmes (les filles un peu naïves de sa région, disons, c'est toujours ça ; plus tard et ailleurs, à mon avis, ce sera plus dur, mais en 1947 à Lille, c'est le King) – et il a confié à Pauline qu'il était en instance de divorce (j'ai changé son nom, il ne s'appelle pas Blandin : je ne sais pas s'il a fini par divorcer ni s'il a eu des enfants, des petits-enfants et arrière-petits-enfants dont le Noël serait gâché par ces révélations ("Vilain Grand-Pépé !"), et pour l'histoire, on se moque qu'il s'appelle Blandin ou Bourgeois – il ne s'appelle pas Bourgeois non plus, mon choc à la tête de la semaine dernière ne m'a pas étourdi à ce point). Elle voit clair dans son jeu, elle est jeune mais pas niaise, et c'est en sachant ce qu'elle fait (il est plutôt bel homme, volage mais pas malsain, il ne prend rien au sérieux, c'est parfait pour elle) qu'elle accepte, certains soirs de la semaine, de venir prendre des cours privés supplémentaires chez lui (il habite à cinq cents mètres de chez elle). En tout bien tout honneur. Des cours d'anatomie, donc. Pendant une quinzaine de jours (pour une fois, Madeleine Jacob a raison, il faut savoir le reconnaître), ces cours resteront théoriques.

Au début du mois de décembre, Pauline reçoit une nouvelle lettre de Hans, plus longue que la première, toujours postée à Leipzig et adressée à Jacqueline, quai Vauban à Rosendaël. Il semble un peu peiné du laconisme de sa réponse à son précédent courrier, mais il ne lui en tient pas rigueur, il lui apprend qu'il s'est désormais établi à son compte en tant que médecin, et lui propose avec insistance de venir lui rendre visite à l'occasion de la foire de printemps de Leipzig, un événement très intéressant qui attire beaucoup de monde : sa famille, qui s'est agrandie d'une petite fille prénommée B., serait enchantée de l'accueillir à la maison (on est loin du marin salace, queutard et détourneur de mineure, que dépeindront les journaux quelques années plus tard). Il lui demande une nouvelle fois des nouvelles de sa mère, aimerait savoir si Malo et Dunkerque ont été reconstruites. *J'ai une telle nostalgie de ce beau pays du Nord, avec son climat rude et frais. Il y a là-bas des êtres humains si magnifiques ! Mais mon désir de retourner comme hôte en France demeurera un rêve. Nous autres, Allemands, sommes pour ainsi dire privés de tous nos droits, et détestés, à juste titre dans une certaine mesure. Pourtant, il y a parmi nous de nom-*

breuses personnes qui aiment la France, telles que moi. (Cochons de Boches, non ?) *Je te souhaite de tout cœur, ma chère Jacqueline, un avenir heureux.* (Raté, mais l'intention était bonne.) *Et en attendant, de joyeuses fêtes de Noël. J'espère que l'année viendra t'apporter beaucoup de bonheur. Ton Hans.* Je n'en suis pas certain, mais je pense que Jacqueline n'a pas répondu à cette lettre.

La petite femelle est de retour. Si elle n'oublie pas complètement Félix – je crois qu'elle a toujours en tête de le faire réagir ou plutôt de le pousser à tirer un trait sur elle (un épisode cruel et sordide le prouvera bientôt – et Pauline le confirmera lors de l'instruction : « Je suis devenue la maîtresse du docteur Blandin pendant quelques semaines, je n'ai pas cherché par là à provoquer la jalousie de mon ami, comme certaines personnes ont tenté de le faire croire, mais un détachement plus complet ») –, cette aventure avec un prof lui plaît, c'est indéniable. Pas vraiment par la joie que lui procurent les assauts virils du chéri de ces dames : André Blandin, qui en connaît un rayon en la matière, reconnaîtra lui-même qu'elle était – celle qu'on présentera comme une petite dévergondée qui ne pense qu'à ça – « plus cérébrale que sensuelle » Pauline, quant à elle, précisera aux enquêteurs que leur relation n'était pas très satisfaisante d'un point de vue sexuel, ajoutant malicieusement que le problème « venait de lui », histoire de remettre un peu le Casanova ch'ti à sa place. (J'imagine la tête du flic qui tape cette confession sur sa machine à écrire, et se demande pourquoi ce sont toujours les tocards qui ont le plus de chance.) Le goût qu'elle prend à cette parenthèse est de nature psychologique, plus que charnelle ou sentimentale. Après Félix, ou pendant Félix puisque leur rupture n'est pas concrète, elle retrouve un homme plus mûr et fort, insouciant et sûr de lui, un professeur, dans la même position de supériorité par rapport aux élèves que Domnick par rapport à ses soldats et au personnel hospitalier – et, détail dont je ne sais pas s'il est amusant ou triste, il a le même prénom que son père. Mais ce qui est certain, contrairement à ce qu'encore plus de personnes ont tenté de faire croire, comme disait Pauline, c'est qu'elle ne le laisse pas la tripoter dans son lit par intérêt. Même mon maître, mon dieu, le Michel-Ange du fait divers, le troubadour grisonnant du crime, Pierre Bellemare, fait plus que sous-entendre dans ses *Dossiers extraordinaires* qu'elle monnayait en quelque sorte ses charmes et souplesses contre l'assurance d'une certaine clémence de la part du professeur lorsqu'il s'agirait de la noter aux examens de fin d'année. Or le docteur Blandin sera formel lors du procès : il n'a jamais siégé dans aucun jury d'examen et n'avait évidemment pas la possibilité, et moins encore la volonté, d'influencer ses collègues jurés – réfléchir six secondes suffit à se rendre compte de l'absurdité de cette hypothèse. Qu'elle profite de ces heures sup avec le prof, entre deux séances moins scolaires, pour prendre un peu d'avance sur le programme ou éclaircir ce qu'elle ne comprend pas, c'est possible et peu scandaleux, mais la passe à un demi-point de plus sur la copie, sûrement pas.

D'ailleurs, Blandin n'est ni en manque de plaisir ni éperdu d'amour pour Pauline, il n'aurait aucune raison d'accepter un marché de ce genre. Il l'aime bien, cependant, même s'il la connaît peu – « Elle ne faisait aucune confidence sur elle », dira-t-il –, et sera l'un des seuls, avec quelques relations de classe peu sujettes à la haine, à la défendre lors du procès. Ce qui est troublant, mais pas si surprenant, c'est que l'on trouvera bien peu de louanges dans ses déclarations faites à la police – qu'on peut supposer, sans être exagérément complotiste, savamment orientées par les enquêteurs. On en retient qu'elle est fantasque et orgueilleuse, qu'elle fait « souffrir Félix Bailly par jeu », et même qu'elle a insisté pour que lui, André Blandin, accepte de l'épouser (alors que la perspective d'un mariage, qui signifierait pour elle la fin de toute ambition personnelle, est l'une des raisons pour lesquelles l'opiniâtreté de Félix lui pèse). Au tribunal, où personne ne se chargera de traduire ses propos, le fond et la forme ne seront pas les mêmes – il s'étonnera d'ailleurs, avec colère, de la lecture que le président fera de ses dépositions. À la barre, il affirmera qu'il n'a jamais été question de mariage entre eux, même pour plaisanter, qu'il est idiot de penser qu'elle lui a cédé par intérêt, il la présentera comme « une bonne élève, très intelligente, volontaire et dotée d'une grande personnalité », « une bonne camarade » pour lui et « une fille qui n'a pas eu de chance ». Où est le petit monstre vicieux qui fait souffrir son prétendant par jeu ? Il terminera son témoignage par une formule très juste, qui n'allumera malheureusement pas une loupiote dans le cerveau des sévères accusateurs : « On la disait facile mais on lui courait après. »

Pendant ce temps, le bon Félix (je l'écris sans aucune ironie, il me rappelle mon ami Joël), déboussolé et le cœur broyé (bien que n'étant pas au courant de la nature des rapports entre Paulette et le prof), se rend de plus en plus fréquemment place du Temple, soit dans l'espoir de voir sa promise, qui n'est pas souvent là, soit pour discuter des heures avec Eva Gérard, la personne qu'il sait être la plus proche d'elle. La logeuse est touchée par ce jeune amoureux désemparé, elle ne peut pas l'aider à comprendre pourquoi Pauline s'est brusquement éloignée de lui, elle n'en sait rien non plus, mais elle constate que la distance qu'elle a mise entre eux n'a entamé en rien ses sentiments ni ses projets : « Il m'a dit maintes fois qu'il pensait épouser Pauline et comptait l'amender. »

(Je viens d'aller faire enlever mes quatre agrafes de titane, dix jours après le drame qui a failli me coûter la tête. L'infirmière (dont la compétence et la délicatesse égalent la gentillesse – je recommande : 13 rue Chaudron, 75010 Paris) a tiqué quand je lui ai expliqué que je n'avais aucun papier de l'hôpital ni le quart d'une ordonnance, mais la plaie, quoique moche, étant tout à fait cicatrisée (je suis coriace en diable et j'ai une santé, comment dire, titanesque, me souffle ma femme), elle a accepté de me délivrer de mes petits étaux métalliques (ce qui m'a bien arrangé car je n'avais pas très envie d'aller présenter ma misère crânienne, assortie de piteuses explications, à notre médecin de famille, le sensationnel mais moqueur docteur Flutsch, pour qu'il autorise officiellement ma détitanisation) et je n'ai presque rien senti. Quelques minutes plus tôt, dans la salle d'attente, alors que je venais d'ouvrir un magazine au hasard et lisais un article sur la salle Cusco, à l'Hôtel-Dieu, où la police amène et garde les interpellés mal en point, j'avais remarqué une dizaine de livres alignés sur le rebord de la baie vitrée qui donne sur la rue, à disposition des patients. À gauche, près de la porte d'entrée, qu'on me coupe un pied si ce n'est pas vrai, était posée l'édition de poche de mon premier roman, *Le Chameau sauvage*, avec, imprimé au bas de la couverture, le bandeau *Prix de Flore 1997*. Je suis ressorti dans la rue plus léger de quelques grammes, un peu dépité aussi d'avoir, tout à la tension chirurgicale, oublié derrière moi mes quatre agrafes anniversaires – je voulais lui demander de me les donner en souvenir, et puis ça m'est sorti de la tête.)

Elle ne se l'avoue peut-être pas à elle-même, mais les échos qu'on a du comportement de Pauline durant cet hiver 1947 laissent entrevoir un état de confusion, un flottement interne : ils sont encore plus contradictoires que d'habitude. René-Pierre Buffin, par exemple, un élève de première année que Blandin lui a présenté, parlera aux policiers d'un aller et retour qu'ils ont fait tous les trois un après-midi de janvier en Belgique, dans la ville frontalière de Mouscron, et la décrira ainsi : « C'était une jeune fille sérieuse, normale, d'un naturel sympathique et très gai » à la même période, Josette Devos remarque qu'elle cède régulièrement à des crises de cafard assez violentes ; Michel Boullet, qui a rencontré Félix à Saint-Omer au début des années trente, la dépeint comme une fille qui se donne un air sérieux et avenant mais qui est en réalité glaciale et « ne ressent rien » tandis que le docteur Jules Morel, un médecin de cinquante-cinq ans, pas tout à fait un perdreau de la veille, qui a été son professeur durant trois ans à la faculté, est frappé par sa très grande émotivité ; il est rejoint dans son diagnostic par Pierre Combemale, le doyen de la fac de Lille, qui voit en elle « une jeune femme névrosée, instable et hyperémotive » leurs trois confrères psychiatres qui l'examineront en prison relèveront, eux, *son manque d'affectivité et son absence de réactions émotives*. Autant faire le portrait d'une muette bavarde.

Au début du mois de février 1948, elle reçoit une première lettre de l'ex-colonel Werner Domnick, adressée à Rosendaël. Il n'a pas de nouvelles d'elle depuis près de trois ans, mais il lui écrit comme un vieil ami, ou un vieil amant, des mots tremblants de solitude et d'affection surannée, on dirait la lettre d'un grand-père à sa petite-fille, un grand-père dépressif que tout le monde aurait abandonné. Deux pages à vous ruiner la semaine, surtout en hiver. Il vit à Donaueschingen, *ma chère Pauline*, dans la maison qu'il occupait avant la guerre mais dont les trois quarts ont été réquisitionnés : il s'est installé dans deux pièces au deuxième étage, où logeaient autrefois ses domestiques. Dans le salon, il a pu récupérer de son ancien appartement un buffet, un divan, un fauteuil, une table, une bibliothèque et quelques-unes des statuettes anciennes de sa merveilleuse collection d'autrefois, les rares qui n'ont pas été cassées ou volées. Dans la chambre, il a gardé le mobilier de sa bonne, qui dormait là : un lit étroit, une armoire, une table de toilette, et une petite cuisinière électrique. *À midi, je mange presque toujours des pommes de terre sautées, et le soir je me fais des crêpes quand je trouve du sucre et de la farine. Je suis forcé de vivre ainsi car mes biens ont été saisis. Dans la journée, je m'occupe de ma collection de timbres, et pour le reste...*

À lui, pourtant, à ce vieil homme brisé, misérable à tous points de vue, à ce vestige de la Wehrmacht honnie qui ne peut plus rien espérer de la vie, Pauline répond longuement, et tendrement, avec des détails sur sa vie, ses études, et sa nouvelle adresse. Une lettre que je n'ai pas pu lire, qui doit être enterrée avec lui, mais qui a mis le pauvre cacochyme en joie, du bonheur dans les pommes sautées quotidiennes, son courrier suivant en témoignera. Elle lui écrit même qu'elle essaiera de passer le voir en Allemagne, si elle peut. Pour continuer à profiter de lui, lira-t-on dans les journaux.

Chapitre dix-neuf

Sans cœur et méchante

Un samedi de février 1948 a lieu le bal de la Croix-Rouge. Le Tout-Lille est là, on va bien s'amuser. Aux yeux de Félix, qui a emmené sa sœur Marguerite (elle s'inscrira l'année suivante à la fac), c'est l'occasion idéale pour repartir d'un bon pied avec Paulette, la soirée est à eux, l'atmosphère est propice au flirt : loin des amphithéâtres et de sa chambre d'étudiante, elle sera mieux disposée à se laisser aller dans ses bras. Mais aux yeux de Pauline, c'est l'occasion idéale pour se détendre au milieu d'une année de cours difficile, pour s'éclater sans penser à rien. Dès les premières notes de l'orchestre, Félix l'invite à danser, inutile de perdre de précieuses minutes. Elle accepte en souriant, ils tourbillonnent, mais à la fin du premier morceau, elle se laisse entraîner par un autre garçon qui l'attrape au vol. Félix, aussitôt, va se rasseoir. Et ne la quitte pas des yeux.

Pauline n'y prête pas attention, elle enchaîne les danses avec des cavaliers différents, sans arrière-pensée, sans autre envie que celle de s'amuser, de s'étourdir de musique et de virevoltes, mais sans mesure non plus : elle ne se soucie pas des regards, ou bien s'en soucie trop et lève sa jupe un peu plus haut qu'il n'est de rigueur pour une fille convenable. N'y tenant plus, Félix quitte sa chaise, s'interpose entre deux garçons qui se la passent, la prend fermement par la main, l'attire quelques pas de côté et lui fait la leçon. Il ne peut l'autoriser à se donner ainsi en spectacle, à se comporter comme une fille publique devant les familles et les professeurs, à passer de bras en bras en montrant ses genoux. Il tente de la conduire vers la table où il était assis, et où sont installés, en demi-cercle, sa petite sœur Marguerite, son amie Françoise Cauchois et son fiancé, Eva Gérard et son mari. Bien entendu, Pauline ne se laisse pas faire et retire vivement sa main de la sienne. Il se croit seul au monde, il se prend pour son maître ? En sueur, les cheveux en désordre, elle lui explique sèchement qu'elle est venue ici pour prendre du bon temps et se changer les idées, pas pour rester assise à faire la gueule, comme lui. Elle est furieuse, elle est face à la manifestation symbolique parfaite de ce qu'elle redoute et abhorre dans le mariage : appartenir à un homme. La petite femelle fait ce qu'elle veut. Elle pivote et prend la main tendue du garçon qui avance vers elle.

Félix retourne à sa table, décomposé, incrédule. Marguerite et Françoise compatissantes se penchent vers lui. Il demande un verre d'alcool. Sa colocataire se lève à l'interruption musicale suivante et s'approche à son tour de Pauline pour essayer de la ramener à la raison, il faut qu'elle arrête son petit manège et les rejoigne à leur table, elle n'a pas le droit de lui faire ça. De lui faire quoi ? Elle danse, elle ne se roule pas toute nue par terre, elle n'embrasse personne, elle danse. Françoise lui lance un regard polaire et retourne vers ses amis. « Au bal de la Croix-Rouge, résumera-t-elle, son attitude à l'égard de Félix fut choquante et grossière, sous prétexte que rien ne la liait à lui, parce qu'il se permettait de lui faire des remarques sur sa conduite. »

Pauline accepte encore quelques invitations de garçons, mais la soirée est gâchée, l'envie est passée. Elle se sent observée, blâmée, jugée par une sorte de petit tribunal familial en arc de cercle qui la condamne des yeux, auquel se sont joints Paul Frucquet et Michel Boullet, les amis fidèles, qui ont compris ce qui se passait, sont venus soutenir leur pote, lui offrir un verre et surtout le secouer : « Qu'est-ce que tu fais encore avec cette putain ? » Par pure provocation, je pense, Pauline, devenue pour tous la petite-fille de Satan, délaisse ses danseurs et va s'asseoir à la table du docteur Blandin, qui lui non plus ne la quittait pas du regard depuis un moment, mais les pupilles autrement plus accueillantes. C'est la goutte de vinaigre qui fait déborder le vase de l'équipe Félix. (En lisant les témoignages qui seront recueillis plus tard, tous provenant des proches du malheureux bafoué, on a le sentiment qu'elle l'a abandonné, sans pitié, au profit d'un vieux professeur pervers. Or André Blandin n'a que quatre ans de plus que Félix, elle pourrait légitimement le préférer – ce qui n'est pas le cas. Mais de toute façon, vieux pervers ou jeune séducteur, je suis persuadé qu'il n'y a rien de sexuel dans le mouvement de Pauline vers lui, que sa motivation est plus puérile, de l'ordre du défi adolescent, ou plus profonde : elle ne fera pas comme celles qui l'ont précédée, elle sortira du rang, elle n'obéira pas à l'homme.) Félix boit et se morfond, il ne veut pas se résoudre à écouter ses amis, ce n'est pas une putain, il ne la rayera pas de son monde, il l'aime – je le comprends, et il a raison. En revanche, pour Eva Gérard, qui la soutenait pourtant plus ou moins depuis le début, la seule avec Félix à qui Pauline faisait suffisamment confiance pour se livrer un peu, c'est trop. Elle est solidaire avec Françoise Cauchois, qui s'indigne, elle abonde dans son sens et lui dit en aparté ce qu'elle pense de celle dont elle est la confidente : que c'est « une fille intelligente mais sans cœur et méchante, pas une femme pour Félix, qui est trop bon garçon, une fille qui gâche son avenir sans s'en rendre compte », rapportera Françoise. (Pour ce qui est de l'avenir au moins, elle n'a pas tort.)

Écœurée, Eva fait savoir à son mari qu'elle veut partir, mais elle tient à essayer une dernière fois de sauver la situation. Elle marche nerveuse jusqu'à Pauline, en conversation un peu trop souriante et rapprochée avec André Blandin, et lui dit qu'ils peuvent la raccompagner place du Temple, si elle veut. La petite femelle refuse poliment : « Ne t'inquiète pas, Félix me ramènera. »

Françoise Cauchois demande à son fiancé, un nommé Camusat, s'il n'a pas envie de rentrer lui aussi, ça ne sert à rien de rester là, la soirée est foutue et de toute façon on ne danse pas. Félix, aussi ivre qu'accablé, cherche du réconfort auprès de ses coaches, Frucquet et Boullet, qui ne comprennent rien à ce qu'il ressent mais sont quand même là pour lui, ça fait du bien. Quand tous tournent à nouveau la tête vers la table de Pauline et Blandin, il n'y a plus personne. Félix balaie la salle d'un regard affolé, non, ils ne dansent pas sur la piste, bondit sur ses pieds comme il peut et vacille jusqu'à l'entrée, personne, il va voir dehors, ils ne sont pas là non plus, ils sont partis ensemble, c'est sûr, c'est horrible, ils sont partis ensemble. (Je n'aimerais pas être à sa place. J'ai beaucoup d'affection, décalée dans le temps, pour Pauline, mais – salope – je n'aimerais pas être à la place de Félix. J'y ai été, d'ailleurs. L'hiver qui a suivi ma rencontre avec Anne-Catherine, nous sommes partis nous enfermer trois mois seuls à Veules-les-Roses, où j'ai écrit un livre sur le début de notre histoire. Un livre d'amour, mais ça explosait dans la maison, au milieu du village désert. On ne se connaissait pas bien, on se retrouvait coincés l'un face à l'autre, Anne-Catherine était extrêmement nerveuse et sauvage. Le soir même de notre retour à Paris, elle m'a planté sur le trottoir de l'avenue de Clichy pour aller passer la nuit avec son ex, un photographe à qui je l'avais ingénieusement barbotée. Je me suis juré cent fois jusqu'au matin, pendant la plus longue de mes nuits blanches, de ne pas lui ouvrir la porte à son retour, si elle revenait, ou alors juste pour lui balancer sa valise dans les bras. Et puis non, je n'ai rien balancé du tout, notre vie a continué. Pourtant, quand elle est rentrée et s'est couchée, vers midi, elle avait du sperme séché sur les seins – salope, toutes les mêmes.)

Félix revient comme un spectre à l'intérieur de la salle de danse, se liquéfie devant ses amis, ne sait plus quoi penser. Il pourrait laisser définitivement tomber ou se battre pour la récupérer, il ne fait ni l'un ni l'autre. Il a du jus de navet dans les veines. Au lieu d'envoyer Paulette se faire machiner en enfer, ou au lieu de courir la chercher où qu'elle se trouve, il demande à Françoise Cauchois d'aller voir chez Blandin s'ils y sont. Elle est sympa, Françoise, elle veut bien aider son ami dans son combat pour l'amour et contre la débauche, mais faut pas pousser. Elle accepte quand même de téléphoner chez le professeur depuis la cabine de la salle.

Quand André Blandin décroche, à minuit passé, elle ne lui demande même pas si Pauline est là, elle en est certaine, elle lui dit directement qu'il faut que la jeune femme rentre chez elle. C'est une fille qui lui parle, il n'est pas vraiment sur ses gardes, d'ailleurs il pense que l'histoire entre Pauline et Félix est terminée – elle lui a dit qu'ils n'étaient plus ensemble, qu'ils ne couchaient plus ensemble depuis plus de deux mois, et c'est vrai –, il répond simplement : « La commission sera faite. »

C'était le dernier espoir de Félix, que le prof seul et couché soit surpris ou agacé par ce coup de fil : ils s'effondrent – l'espoir et Félix en même temps. Malgré les protestations de ses amis, il quitte la salle sans eux, demande à Françoise Cauchois et Camusat de raccompagner Marguerite, et part bras ballants dans le froid et la nuit. Il marche jusqu'au numéro 7 de la place du Temple, et attend devant la porte.

Une heure plus tard, Pauline n'est toujours pas arrivée. Il reprend son chemin de robot malheureux jusqu'à la rue Georges-Maertens, au numéro 7 encore, où habite le docteur Blandin, chez qui il est déjà venu deux ou trois fois pour se perfectionner après les cours (Blandin est un professeur très proche de ses élèves), monte au deuxième étage et frappe.

Dans le petit appartement, j'imagine que ça sursaute sur le matelas. Blandin enfile un peignoir et enferme Pauline dans la chambre, nue sur le lit. Il va ouvrir la porte d'un air contrarié, Félix tremble sur le paillasson : « Je sais que Paulette est chez vous. » Mais non, elle n'est pas là, qu'est-ce qu'il raconte ? Qu'il entre, il n'a pas l'air bien, qu'il entre, qu'il s'asseye, il veut un verre d'eau ? Alors, qu'est-ce qu'il lui arrive ?

Félix se met à pleurer. Il hoquette qu'il ne sait pas où est Paulette, qu'il pensait qu'elle était ici, il tourne ses yeux ruisselants vers la porte fermée de la chambre mais n'ose pas demander à son professeur de l'ouvrir, il n'ose pas non plus lui rappeler la phrase meurtrière qu'il a prononcée au téléphone, « La commission sera faite », il n'est que larmes et lâcheté. Et amour. Il lui dit qu'il est fou de Paulette, qu'il veut en faire sa femme, qu'elle est tout pour lui mais qu'il ne sait plus comment se comporter avec elle, il met sa défaite entre les mains du docteur. Blandin tente de le réconforter de son mieux, un peu embarrassé tout de même, hum, je comprends, mon pauvre vieux, il resserre son peignoir et choisit d'adopter l'attitude d'un grand frère. Elle a dû rentrer directement chez elle après le bal, il n'a fait que la raccompagner, elle doit être couchée. De toute façon, il faut qu'il s'endurcisse. Il lui dit qu'il serait temps de grandir un peu, qu'il réagit comme un gamin et que ce n'est pas du tout comme ça qu'il faut faire avec les filles, Bailly. Sans se vanter, il les connaît, lui, les filles. (J'essaie de me glisser dans sa tête, on n'y est pas très à l'aise, avec Pauline moite sur le lit de l'autre côté de la porte.) S'il peut se permettre de lui donner un conseil, en tant qu'aîné, ce n'est pas le professeur qui parle mais l'homme, Félix doit se reprendre et choisir une fois pour toutes : soit il veut vraiment l'épouser, il est déterminé malgré la difficulté, et dans ce cas il se comporte en homme, en vrai, il ne se laisse pas trimballer comme un toutou, manipuler comme un yoyo s'il préfère, il lui montre un peu qui est aux manettes ; soit il la prend pour ce qu'elle est, une jolie fille légère qui ne veut pas s'engager, affranchie et incontrôlable, il profite au maximum du plaisir simple qu'elle peut lui offrir et ne se met pas dans des états pareils (quand Blandin la décrit de cette manière, s'il disait à Félix qu'elle est dans sa chambre, que c'est le meilleur coup de la fac et qu'il lui tarde d'aller la finir, ça reviendrait à peu près au même – mais Félix est trop engourdi de tristesse et d'espoir mêlés pour avoir la lucidité de décrypter).

Une vingtaine de minutes plus tard, le jeune homme redescend l'escalier, humilié mais ragaillardi, pris en main et guidé par un grand.

Quand Blandin revient dans la chambre, Pauline, qui a tout écouté, rigole et se moque de son soupirant. Blandin l'affirmera, elle ne le niera pas. Mais quelque chose ne va pas, dans ce rire, ce n'est pas elle. Pauline est une fille qui cherche le bien-être ou au moins l'insouciance, qui se veut forte et gaie, mais pas une fille qui rit. Ça peut être un rire de gêne, elle comprend qu'elle est allée trop loin dans la petite torture infligée à Félix, elle se voit cruelle, prise dans le piège qu'elle a tendu, elle est mal à l'aise et s'en défend devant son amant mûr que rien ne perturbe. Ça peut être, plus bêtement, un rire de connivence : je suis comme toi, et nous les adultes, les expérimentés, on peut rigoler ensemble de la mièvrerie romantique de cet adolescent attardé, qui n'a pas ce qu'il faut pour satisfaire une femme. Mais quoi que ce soit, remords ou vanité de paraître, elle se fait vite remettre en place par André Blandin. Il joue le grand frère avec elle également, il lui apprend l'une des règles de base de la vie : « Tu n'as pas le droit de te moquer de lui, il t'aime. » Elle se corrige aussitôt et cesse de rire : « C'est bien ce que je lui reproche. J'essaie de rompre, de le détacher de moi, mais il refuse. »

La preuve que ce n'était pas un rire cynique et mauvais, c'est que cette courte discussion va changer Pauline, guidée elle aussi par le professeur. Elle ne couchera plus avec lui, leur relation se termine au moment où elle le quitte cette nuit-là pour rentrer chez elle, elle va tenter de poser un regard plus compréhensif sur Félix.

Il n'a pas beaucoup dormi, il a sans doute compris, vision affreusement lumineuse dans le noir, en se retournant dans son lit, en se repassant le mélo de sa visite chez Blandin, qu'elle était cachée dans la chambre, évidemment, comment a-t-il pu se laisser berner si facilement par ce salaud qui a dû se jeter sur elle avant qu'il n'ait atteint le rez-de-chaussée ? (T'inquiète, Félix, il est nul au lit, c'est elle qui le dit, elle devait compter les fissures du plafond.) Et c'est encore en pleurs, les yeux comme des cerises à l'eau-de-vie, qu'il sonne le dimanche matin à dix heures chez Eva Gérard. Il parle de longues minutes avec elle pour trouver le courage de monter, il lui raconte que Paulette est partie du bal sans Marguerite et lui, contrairement à ce qu'elle avait promis – avec Blandin, c'est sûr, elle est partie avec Blandin, il lui raconte sa visite chez lui, elle était là, c'est sûr, sûr. Eva essaie de le calmer et de le secouer en même temps, ce n'est pas une fille pour lui, il faut qu'il l'admette et en trouve une autre. Encore une qui ne sait pas ce que c'est que l'amour.

Il grimpe sans plus réfléchir au deuxième étage et réveille Pauline. Elle n'est pas aussi acide qu'il le craignait, il trouve même une étonnante douceur dans son regard, absente depuis des mois. D'une certaine manière, il s'est montré courageux, il est allé la chercher chez Blandin, même s'il n'a pas défoncé la porte de la chambre. Elle se souvient des paroles du professeur : on ne méprise pas les gens qui nous aiment. Il la prend dans ses bras, reniflant encore, elle se laisse embrasser. Félix fait alors ce que l'expert lui a conseillé, il se comporte en homme, en vrai : il la redemande en mariage. Il ne connaît pas d'autre moyen d'affirmer sa masculinité : « Je veux que tu deviennes ma femme. »

Pauline est à la fois effarée (elle a fait le maximum pour le décramponner, le pire avant le crachat au visage, elle l'a traîné dans la boue derrière elle en partant sous ses yeux se faire sauter par un autre homme, c'était pour lui le moment ou jamais de se sauver mais il n'a pas bougé ni changé, il est toujours là, les deux alliances au creux de la main, implorant devant la porte de l'église ou du temple – on verra bien) et surprise, remuée. Il fait l'inverse de ce qu'elle avait prévu, c'est toujours déstabilisant, cette persévérance de titan faible l'impressionne. Elle refuse, bien sûr, mais sans le jeter dehors. Elle ne s'habille que deux heures plus tard ce matin-là. Et Félix ressort de chez elle avec un pauvre sourire.

Même Eva, qui continue pourtant à penser que Pauline ne l'aime pas, note à partir de ce moment-là que son attitude à son égard s'est modifiée. Elle lui paraît plus indulgente, ouverte, et lorsqu'elle lui fait part de cette nouvelle proposition de mariage (car elle se confie toujours à elle, ne sachant pas que sa logeuse approuve dans son dos ceux qui la considèrent comme nuisible), Eva reconnaîtra que c'est sans morgue ni méchanceté. La première raison de son refus est toujours la même : elle ne veut pas devenir femme au foyer à vingt et un ans, alors qu'elle a un tel besoin de se sentir active et utile, un projet précis pour son avenir et toutes les capacités nécessaires pour le réaliser. Or à cette époque, une femme mariée ne fait pas ce qu'elle veut. Une loi a été votée en 1943 mais ne sera effectivement appliquée qu'en 1965 : pour dix-sept ans encore, une épouse n'a pas le droit d'exercer un métier, quel qu'il soit, sans l'autorisation de son mari. Et il est clair que Félix n'envisage même pas pour la forme la possibilité extravagante qu'elle puisse continuer des études de médecine. Il ouvrira son cabinet à la fin des siennes, à Saint-Omer ou dans les environs, il lui faudra évidemment une femme pour tenir la maison et élever les enfants, peut-être pour lui servir de secrétaire si elle a besoin de reconnaissance sociale, mais Pauline doit en convenir la première, une épouse jolie, bien élevée, de qualité, est au moins aussi utile à la réussite d'un jeune médecin qui s'installe en province qu'un cabinet bien situé. Paul Frucquet, l'ami de Félix qui le connaît le mieux, expliquera lui-même pendant l'instruction : « Il voulait épouser une ménagère, pas une doctoresse. » (Et on peut être certain qu'il ne met aucune connotation péjorative dans ce mot de « ménagère », label de ce qu'il considère manifestement de bonne foi comme une qualité féminine naturelle – on a même l'impression que c'est « doctoresse » qui porte la charge négative de la phrase, comme si on disait : “Joséphine voulait épouser un honnête travailleur, pas un ivrogne.”)

La seconde chose qui empêche Pauline d'accepter la demande de Félix, avoue-t-elle à Eva, c'est qu'elle redoute l'hostilité de la famille Bailly, qu'elle a devinée sans peine lors de sa rencontre avec Louise, la mère, et dont elle a eu confirmation dans les couloirs de la fac, par des étudiants qui connaissent Marguerite ou Félix et lui ont appris que leurs parents s'étaient renseignés sur son passé. Son passé, elle l'assume, bien obligée, mais elle aimerait qu'il reste où il est, qu'on ne le lui renvoie pas à la figure jusqu'à la fin de ses jours ; si elle se délectait des regards choqués à Malo, à treize ans, en sortant les joues roses de la villa Les Tamaris, si elle ignorait, indifférente et altière, à dix-sept ans, les commentaires venimeux à Rosendaël, lorsqu'elle passait à cheval avec le commandant Hubert, elle a appris à s'en méfier, elle sait ce qu'ils peuvent déclencher et les dommages qu'ils peuvent causer. C'est ce qu'on fait dans la vie : apprendre.

Elle n'a pas tort de craindre la réaction des parents Bailly si l'idée d'un mariage se précisait. Soulagés par les lettres inquiètes puis malheureuses que leur a envoyées Félix depuis le mois d'octobre, ils sont alarmés par la dernière, dans laquelle il leur laisse entendre qu'il a reconquis Paulette et que, bien qu'elle soit encore réticente, il a bon espoir de la convaincre d'officialiser leur union. Louise saute dans le premier train et débarque à Lille en catastrophe pour sauver son fils. Elle est survoltée par les récentes révélations de Marguerite qui, dès son retour à Saint-Omer après le bal de la Croix-Rouge, s'est empressée de faire part à ses parents du comportement affreux qu'avait eu l'ennemie avec son frère – « J'ai su par ma fille elle-même que Pauline Dubuisson se montrait tyrannique à l'égard de Félix : entre autres choses, elle essayait d'exciter sa jalousie en le plaquant en plein bal pour partir avec d'autres jeunes gens. » Il faut qu'elle intervienne en urgence, mais elle connaît son fils, c'est un sensible, elle ne doit pas le brusquer, le pire serait qu'il se braque. Elle l'écoute lui parler des dernières évolutions de leur liaison (« Mon fils était assez libre avec moi et me faisait volontiers ses confidences »), il reconnaît que Paulette s'est montrée distante depuis la rentrée et même cruelle lors du bal, mais il pense sincèrement qu'elle est en train de changer, d'évoluer. Prudemment, Louise lui demande quelles sont exactement ses intentions dorénavant, est-ce que c'est “sérieux” ? Oui. Il rassure sa mère, il est persuadé de pouvoir amener Paulette sur le bon chemin. Et il n'y parviendra qu'en faisant d'elle sa femme : c'est ainsi que les filles trop immatures, un peu perdues, trouvent leur équilibre. Les Dubuisson sont protestants, c'est vrai, et n'ont pas eu une conduite exemplaire pendant la guerre, mais on ne peut pas nier que c'est ce qu'on appelle une bonne famille, importante à Dunkerque : un mariage avec leur fille n'aurait rien de déshonorant. Louise le lui accorde, mais lui rappelle que la famille n'est pas le plus important, qu'il faut qu'il pense à lui, que Pauline est tout de même une jeune femme pour le moins imprévisible et peu sûre, qui l'a déjà fait souffrir, qu'on dit orgueilleuse et capricieuse : vraisemblablement pas celle qui pourra le rendre heureux. Félix, pour plaider la cause de celle qu'il aime, lui apprend alors ce que Pauline lui a raconté de son enfance solitaire et désaxée, de son éducation déformée, de la froideur et de la sécheresse de ses parents, tout cela expliquant en bonne partie son caractère singulier. Ça ne prend pas sur Louise : « J'ai compris qu'elle essayait surtout de l'apitoyer sur son sort, car mon fils était très sentimental. » Elle hausse le ton, informe Félix que son père, elle se doit de le lui dire, est entièrement d'accord avec elle, qu'il ne voit pas du tout cette relation d'un bon œil et qu'il sait, comme elle, que leur fils pourrait trouver beaucoup mieux. Félix ne l'écoute que d'une moitié d'oreille, mais promet quand même de réfléchir et de ne rien précipiter.

Du côté de la famille Dubuisson, on est moins impliqué. André n'a quasiment aucun contact affectif avec sa fille, et Hélène, qui lui écrit rarement et ne la voit qu'à travers un écran de brouillard lors des vacances, a toujours une idée aussi précise de sa vie : « Je ne crois pas que Félix Bailly ait été l'amant de ma fille. Je n'ai jamais entendu dire qu'elle ait eu des aventures. Il est vrai que depuis longtemps, je ne sors plus. »

Vers la fin du mois de mai, Pauline reçoit une nouvelle lettre de Domnick, datée du 20, écrite à vingt-trois heures, longue, une dizaine de pages, toujours débordante de cafard et de sentiments vieillis. La première phrase exprime sa joie à la pensée de la venue prochaine de la jeune femme, la seconde donne le ton de la suite : *Je suis de garde cette nuit ; il s'agit de veiller mon pauvre chien et je m'en vais t'écrire pour chasser l'inquiétude de mon cœur. Depuis ce matin, une paralysie de la vessie est venue s'ajouter à la paralysie des extrémités. Étant donné que mon petit salon n'est pas un lieu propice pour un malade grave, j'ai confectionné une niche dans le jardin*, etc. L'ex-colonel lui explique ensuite que sur les quatre œufs auxquels sa carte d'alimentation lui donne droit chaque mois, il en a donné deux au chien, qu'il a battus avec du sucre, que c'est un chiot mais qu'il a l'air d'un *grand-père canin*, et ça continue sur des pages et des pages – c'est si triste qu'on a parfois du mal à ne pas sourire, quand il écrit par exemple cette phrase poignante et puissamment romanesque : *Il a le même regard que mon bouledogue quand je le vis pour la dernière fois en 1941 devant Moscou.* (On voit le bouledogue au soleil couchant, les tours du Kremlin dans le fond de l'image : “Laisse-moi là, mon frère, les souvenirs sont trop douloureux, entrer dans Moscou est au-dessus de mes forces.” Et Werner ajoute : *Il avait dans les yeux une expression qui semblait vouloir dire que nous ne nous reverrions plus.*) Ici ou là, heureusement, il relève la tête et retrouve sa fierté : *Tous les chiens m'aiment, je n'ai jamais été mordu.* Après neuf pages sur les chiens malades ou morts, se rendant compte qu'il s'est un peu épanché, il se reprend et parvient à conclure sur une note plus gaie et poétique : *Je crois que la prochaine lettre que je t'écrirai sera une véritable lettre d'amour, d'amour à un petit lapin qui m'a procuré tant de joie, autant qu'il y a de sable au bord de la mer.* Et va chercher, au fond de son âme, un sursaut d'optimisme dans cette existence terne et finissante : *J'espère, mon petit lapin, que lorsque tu viendras, je serai devenu un cuisinier parfait et pourrai t'offrir un repas formidable de pommes de terre sautées et de crêpes.*

Pauline répond. (Que je sois pendu si ce n'est pas la fille la plus altruiste et sensible de la planète.) Une longue lettre aussi, dans laquelle elle lui parle entre autres des chats errants et maigres qui se sont regroupés autour du temple, elle les voit de sa fenêtre et descend le soir leur donner du lait en cachette (ceux qu'elle a adoptés à Malo lui manquent, Eva refuse qu'elle les prenne avec elle dans sa chambre, pas même un). Leur correspondance se poursuivra longtemps. Le chef allemand priapique et la petite dépravée calculatrice n'ont pas été très bien choisis au casting.

Dans la vie concrète, où tout est plus nuancé et compliqué que dans le monde attendrissant des chiens mourants et des gentils chatons, Pauline lutte. Elle n'est toujours pas certaine de vouloir de l'existence routinière et confortable que lui offre Félix. En premier lieu, elle ne sait pas si elle l'aime – c'est la question principale, mais ce n'est pas toujours évident. Elle ne sait pas non plus ce qu'elle veut faire d'elle, ne se rappelle plus ce qu'elle entendait deux ans plus tôt par *réussir*. Être heureuse ? Où, comment ? En allant vers la facilité, dans les bras qui s'ouvrent ? Mais Nietzsche dit qu'on ne se développe et s'affirme réellement qu'au contact de résistances. Elle cherche ce qui lui résiste et ce n'est pas Félix. La barricade se trouve entre elle et sa propre vie, la vie de femme libre et épanouie dont elle rêvait, accessible si elle balance Félix – à condition qu'elle existe, en 1948, cette vie de femme libre et épanouie : comment savoir si derrière cette barricade, ce n'est pas le néant qui l'attend, l'effroyable néant noir qui engloutit tout ? Seulement en la franchissant, au risque qu'une fois de l'autre côté il soit trop tard. Elle n'en a pas le courage. Ce qui lui résiste, en fait, c'est elle-même. Elle-même et ses peurs et ses questions sans réponse. On ne peut pas combattre contre soi-même, c'est ridicule, c'est comme essayer de s'étrangler à mains nues. Alors elle va se contrarier, au moins, bloquer ce qui en elle se laisserait tenter par la vie conjugale, tenir à l'écart les sentiments faciles, et voir ce qui reste ensuite. Si Félix est toujours là, devant elle, c'est bon.

De son côté, mais elle l'ignore, Félix lutte aussi. Sur tous les fronts, le pauvre. À l'intérieur, il est partagé, comme dans les remous de deux courants qui se croisent en plein océan, entre son amour pour Paulette (surtout charnel à mon avis, il est envoûté par ce qu'il a découvert, par les pouvoirs magiques du corps de sa belle – mais pas que, il est certain qu'il est également attiré par ce qu'elle a de différent de tout ce qu'on lui a appris à vouloir et à aimer) et la crainte diffuse, insidieuse, d'être en train de "gâcher sa vie", dirait sa mère, de prendre la mauvaise route (même s'il tente enfin, à vingt-cinq ans, de se détacher un peu de ses parents, son admiration pour eux et leur influence sur lui sont toujours très fortes, ancrées pour toujours : ils ne peuvent pas avoir complètement tort). (Dans *En cas de malheur*, le roman de Simenon, le narrateur, l'avocat Gobillot, voix de l'âge et du recul, dit à propos de Mazetti, l'étudiant en médecine amoureux de la jeune Yvette insaisissable : *Se rend-il compte que son histoire avec Yvette menace tout l'avenir qu'il a si durement préparé ? S'il la connaît comme je la connais, est-il assez naïf pour espérer qu'il va la changer tout à coup et en faire l'épouse d'un jeune médecin ambitieux ?*) À l'extérieur, Félix doit faire face, outre la désapprobation de ses parents, à l'incompréhension de la majorité de ses amis, qui se lassent d'essayer de lui faire reprendre ses esprits. Quelques jours après le bal de la Croix-Rouge, Marcel Dumoulin, un garçon de son âge qui a effectué son service militaire avec lui en 1945, qui admire son camarade, expliquera-t-il, pour son « grand respect des conventions », et a assisté aux « provocations » de Pauline lors de la soirée, lui donne son astuce pour la bonne marche du couple : « Tu devrais lui filer une bonne paire de gifles, ça la ramènerait dans le droit chemin. » Félix n'est peut-être pas révolutionnaire de nature, il a encore un pied bien planté dans la tradition, mais tout de même les orteils de l'autre dans l'époque qui s'annonce timidement (c'est le moins qu'on puisse dire) – c'est un bon homme. Choqué par les paroles de son ami, il répond calmement : « Ce n'est pas le geste d'un gentleman. » (Dans un récit récapitulatif de l'affaire Dubuisson, en 1962, c'est-à-dire à un moment où l'époque nouvelle, cette mollasse, devrait pourtant commencer à s'annoncer avec un peu plus d'autorité, Madeleine Jacob, véritable pasionaria de la cause des femmes, écrit sans ironie ni second degré, à propos de ce conseil viril dit « de la bonne paire de baffes » : *C'était puissamment raisonné.*)

Toujours dans *En cas de malheur*, l'avocat Lucien Gobillot et Yvette ont une discussion franche quand il apprend qu'elle l'a, une nouvelle fois, trompé :

— *Tu es jaloux, Lucien ?*
— *Oui.*
— *Cela te fait très mal ?*
— *Oui. Peu importe.*
— *Tu penses que je serais capable de me retenir ?*
— *Non.*
— *Tu m'en veux ?*
— *Ce n'est pas de ta faute.*
— *Tu crois que je suis faite autrement qu'une autre ?*

— Non.

— Alors comment s'arrangent-elles ?

Le sexe détourne, la lutte épuise. Pauline rate ses examens de fin d'année. Félix aussi.

Chapitre vingt

La tête froide

Comme l'année précédente, chacun passe les vacances dans sa famille, Félix n'envisageant pas de délaisser ses parents et sa sœur pendant l'été, et Pauline ne tenant pas spécialement à partir seule avec lui quelque part. Malo d'ailleurs est moins triste qu'un an plus tôt, elle fait la connaissance de Marie-Rose Dewulf (la fille de Geneviève, l'amie de Solange qui pose un regard compréhensif, rare, sur l'adolescence de Pauline), une jeune femme de six ans son aînée, mariée et déjà mère de deux enfants mais dont elle se sent proche et avec laquelle elle passe de longues heures sur la plage à discuter. Marie-Rose dira : « C'était une fille gaie et très sympathique. Comme moi, mon mari et mes enfants en gardent un très bon souvenir. »

Peu de temps avant la reprise des cours, Pauline et ses amies retrouvent Félix et les siens à la Foire aux manèges de Lille, qui a lieu tous les ans à la fin de l'été sur l'esplanade du Champ-de-Mars. Ceux qui ont raté leurs examens de juin sont venus passer la session de rattrapage de septembre – Pauline et Félix échouent encore, c'était prévisible : quand on n'a pas appris, on ne sait pas, et quand on ne sait pas, on ne sait pas. Malgré ce nouveau revers, auquel ils s'attendaient, ils s'amusent, Félix est de bonne humeur, il a retrouvé sa promise, souriante elle aussi, ils sont reposés et détendus, tout paraît plus simple que trois mois plus tôt. Les garçons font les cowboys ou les petits soldats aux stands de tir, Pauline est la seule fille à se mesurer à eux et les bat tous, même ceux qui ont fait leur armée comme Félix ou Marcel Dumoulin (il faut croire que le commandant Hubert était un meilleur professeur que les lieutenants de l'armée française convalescente). Cinq ans après, Dumoulin n'en reviendra toujours pas : « Elle était de première force ! »

Les problèmes vont réapparaître avec l'automne. Pauline et Félix se voient souvent, sans heurts ni passion excessive, ils couchent ensemble, les blessures du jeune homme sont presque cicatrisées mais il s'impatiente et ne la trouve pas assez impliquée dans leur amour : cette tête de mule la demande une fois de plus en mariage dès le mois de novembre – en vain, elle continue à résister, elle se l'est promis. Une rumeur va mettre du sel sur les plaies de Félix.

Un nouveau professeur venu de Besançon est arrivé à la faculté, en tant que chargé de recherches et préparateur de travaux pratiques. C'est un chirurgien-dentiste de trente-sept ans, le docteur René Grichon (j'ai changé le nom, là encore, ce n'est pas superflu). Avant même les vacances de Noël, tout le monde est au courant que Pauline est sa maîtresse (ce n'est pas vrai, mais tout le monde est au courant quand même). Grichon n'est pas le dernier à souffler comme un bœuf sur les braises.

Mortifiée de devoir redoubler sa deuxième année, furieuse contre elle-même de reculer ainsi d'un an l'obtention de son diplôme, et donc son entrée dans la vie active (qui lui paraissait déjà bien lointaine – dans sept ans, maintenant huit), honteuse vis-à-vis de son père qui place tant d'espoirs en elle, Pauline est déterminée à étudier beaucoup plus sérieusement. Et quand René Grichon lui propose, en maître attentif et dévoué, de venir travailler de temps en temps au laboratoire de physiologie après les cours, pour se livrer à quelques expériences d'entraînement si ça l'intéresse, elle accepte sans hésiter. À condition que ça n'ennuie pas le professeur, naturellement. Bien sûr que non, mon petit.

Un soir, alors qu'elle va rendre visite à sa copine Josette Devos, place Jacquard, tout près de chez elle, elle le croise dans l'escalier. Il loge dans le même immeuble, son cabinet est au rez-de-chaussée. Le monde est petit, ça par exemple, le hasard, tout ça, c'est amusant, si elle veut, à l'occasion, venir dîner un soir chez lui (ce n'est peut-être pas tous les jours Maxim's, chez Mme Jérôme (Gérard, pardon), or une jeune fille de sa constitution a besoin de bien manger), ce serait évidemment avec plaisir – il est si souvent seul dans cette ville qu'il ne connaît pas, ça lui fera de la compagnie. Pauline a l'habitude du regard des hommes, elle sait qu'elle peut obtenir ce qu'elle veut de celui-là. En l'occurrence, des cours particuliers lui seraient indéniablement profitables. S'il acceptait de lui consacrer disons une heure après le repas, en toute simplicité, entre amis (c'est peut-être un peu familier, pardon), il pourrait l'aider à progresser, lui faire bénéficier de ses connaissances, elle en serait ravie. Mais il ne faut pas que ça le dérange. Penses-tu, au contraire !

Je comprends que les puces s'éclatent au trampoline sur toutes les oreilles qui en entendent parler. Une jolie fille à la réputation désastreuse qui se rend régulièrement le soir au domicile d'un professeur à l'air malsain (car il a l'air malsain), ça fait murmurer à la cantine au-dessus du céleri rémoulade, c'est normal. Surtout lorsque ledit professeur laisse comprendre à d'autres étudiantes (car c'est l'une de ses spécialités, de laisser comprendre des trucs aux étudiantes) que la fille Dubuisson est bien moins farouche qu'elles.

Personnellement, quand j'étais à l'université d'Orsay (pas longtemps), il ne me serait jamais venu à l'esprit de demander à un prof si je pouvais passer chez lui, de temps en temps, le soir, pour clarifier quelques points de ses cours. C'est cool, cette fac de Lille. Mais je crois que Pauline veut sincèrement mettre toutes les chances de son côté pour ne pas rater à nouveau son année. Je crois aussi, oui, qu'elle utilise – trop, d'accord – ses seins, ses jambes, son sourire et son regard prometteur pour parvenir à ses fins – ses fins étant honorables, il ne s'agit pas d'obtenir de l'argent ou une faveur illicite, et ses seins, son cul, restant, cette fois au moins, des appas appâts, après lesquels Grichon peut toujours courir. Car je ne crois pas, non, à l'inverse de tous ceux qui la connaissent, même ses amis, à l'inverse aussi de tous ceux qui ne la connaissent pas mais disséqueront sa vie, comme le corps d'une grenouille, dans les journaux et au tribunal, je ne crois pas qu'elle ait été la maîtresse de Grichon (je suis tout seul mais je m'en fous, je tiens le coup). Pourtant, dans le premier procès-verbal, rédigé à Lille, le dentiste est affirmatif : « Je l'ai invitée à dîner plusieurs fois, et au bout d'une quinzaine de jours, elle est devenue ma maîtresse. » Son amie Josette Devos confirme, ou presque : « Je crois qu'à cette époque-là elle était la maîtresse de M. Grichon. » (Pauline lui répète que non, qu'elle « flirte » seulement, pour ne pas le braquer et continuer à profiter de ses cours bonus, mais Josette pense qu'elle ne lui dit pas toute la vérité. (Il me semble pourtant que si Pauline ment parfois ou arrange la réalité, effectivement, avec les garçons ou les hommes, elle est presque toujours franche et directe avec les filles ou femmes qu'elle considère comme proches et fiables – Eva Gérard, Josette Devos et, on le verra plus tard, Jeannine Lehousse.) Dans sa déposition, Josette dira que son amie était secrète et « aimait jouer la comédie, mais il s'agit là d'un trait de caractère bien féminin ». L'inspecteur-chef Jean Barrière, pour qui les spécificités humaines n'ont pas de secret et qui ne se prive jamais de le montrer, ajoutera un commentaire dont on se demande ce qu'il vient faire dans un rapport officiel de la police. Après avoir cité cette remarque de Josette sur le caractère bien féminin de la comédie, il écrit : *Et nous aurions mauvaise grâce à la contredire.*) Enfin, le docteur Blandin, témoin impartial, apporte son avis de spécialiste, en outre confident de pas mal de ses élèves au courant de tout : « Elle est vraisemblablement devenue sa maîtresse. » S'appuyant sur ces déclarations concordantes, Barrière présentera les coupables agissements copulatoires de Pauline et Grichon comme un fait établi (ajoutant pour la beauté du texte qu'ils ont été perpétrés *avec un plein abandon de la part de celle-ci* – la femme qui s'abandonne pleinement au désir de l'homme, ça vous met un bel accent d'authenticité dans un rapport), et lors du procès, par suite logique, il sera martelé plusieurs fois qu'elle n'a pas hésité à s'offrir par intérêt à deux professeurs de la faculté. Personne ne dira le contraire.

Personne sauf Pauline – mais c'est l'accusée, ça ne pèse pas lourd. On aurait dû la croire, selon moi, pour plusieurs raisons. D'abord, c'est bas mais ça joue (si, je suis désolé), René Grichon est hideux. Même Barrière, l'ami de l'homme, est obligé d'en convenir et s'autorise une appréciation esthétique : *Il est vrai que M. Grichon a été un peu desservi par la nature et que, sans être mauvaise langue, on peut dire qu'il n'a rien d'un Adonis.* Il ne se donnerait pas la peine de le souligner, par cette charitable litote, si Grichon n'était pas véritablement insupportable à regarder. Ensuite – car on peut être hideux mais beau d'âme et attirant, au pire touchant –, René Grichon est odieux. Selon Josette Devos, qui dit avoir prévenu plusieurs fois Pauline « qu'elle faisait une bêtise en se commettant avec lui », c'est « un déséquilibré ». Elle racontera aux enquêteurs que peu après son installation dans son immeuble, elle est allée se faire soigner les dents chez lui – à la fois son voisin et son professeur, c'était pratique et la moindre des choses. « Il a eu une attitude ignoble. » On ne dit pas ça tous les jours d'un dentiste après une première visite, il faut vraiment qu'il lui ait tenu des propos bien salaces, voire qu'il l'ait tripotée en lui regardant dans la bouche. Porc. La plupart des étudiantes qui ont eu affaire à lui confirmeront ce jugement, et même certains de ses collègues. Pauline, elle, déclarera plus sobrement : « Cet homme me faisait peur. » Elle répétera à cinq ou six reprises, au cours des différents interrogatoires où on lui reposera inlassablement la même question, qu'ils n'étaient pas amants (alors qu'elle a "avoué" toutes les autres coucheries (peu nombreuses) qu'on lui prêtait), et finira par certifier aussi clairement et fermement que possible : « J'affirme de la façon la plus formelle que je n'ai jamais été la maîtresse du docteur Grichon, pour lequel j'éprouvais une vive répulsion. »

Face à ces dénégations insistantes qui le chiffonnent, le fin juge d'instruction Louis Grenier, après les policiers de Lille, convoquera à son tour le dentiste libidineux pour lui demander des explications. Celui-ci modulera sensiblement ses premières déclarations, dans lesquelles il évoquait « les mois » d'harmonie sexuelle euphorique passés avec Pauline, mais continuera à prétendre qu'elle ment.

Il tente de prouver qu'il la connaît bien, qu'il l'aimait passionnément et qu'une réelle complicité les unissait, mais il s'embrouille et les preuves qu'il apporte de leur intimité sont de moins en moins convaincantes au fil de la déposition. Il dit qu'elle se confiait souvent à lui, qu'elle lui aurait expliqué par exemple que « son père ne comptait pas pour elle, seule sa mère avait toute sa tendresse ». Bizarre. Il dit aussi qu'il était jaloux de Félix, mais qu'elle lui aurait assuré qu'il n'était rien de plus qu'un ami – alors que toute la fac sait qu'ils sont ensemble depuis deux ans. Mais il dit encore que Pauline lui a déclaré, texto : « Je finirai par me marier avec Félix. » Il faudrait savoir, c'est juste un ami ou son futur mari ? Comme il s'emporte, elle l'éclaire : « On couche avec ses amants, jamais avec son fiancé. » (Dans son rapport, Barrière ne peut se retenir de commenter : *Une phrase d'un cynisme révoltant.* Plus tard, une main plus modérée, peut-être celle de son supérieur, le commissaire divisionnaire Pinault, a rayé ces mots et les a remplacés dans la marge par : *Une phrase qui ne manque pas d'impudence.* C'est plus calme. Quoi qu'il en soit, cette phrase d'un cynisme révoltant ou qui ne manque pas d'impudence sera reprise contre Pauline lors du procès – de manière indue puisque citée hors du tribunal par un mythomane nauséabond (qui l'a certainement inventée), mais surtout absurde : on ne cessera parallèlement de répéter que Pauline a donné de faux espoirs à Félix en couchant avec lui tous les quatre après-midi.) Cela n'empêche pas René Grichon (l'amant, donc, celui qui a la chance de bénéficier de ses largesses illégitimes) d'être fermement décidé à épouser Pauline – il n'est pas du genre à coucher comme ça, pour le plaisir. Il a appris au début de leur liaison qu'elle ne s'était pas bien comportée pendant la guerre, ça l'a refroidi, reconnaît-il, mais l'amour a quand même été le plus fort. Malheureusement, elle n'a pas voulu se laisser passer la bague au doigt. Niet. Pauvre homme. Dans sa première déposition, il fait dire à Pauline que c'est parce qu'il est « trop âgé ». Dans la deuxième, devant Louis Grenier, parce qu'il n'a « pas assez d'argent » (un dentiste, pourtant, c'est pas mal) : c'est évidemment la version qui sera retenue plus tard par le procureur général. Vers la fin de l'interrogatoire, Grichon s'énerve peu à peu. « Elle était volontaire et avait la tête froide. » (Pas facile de la mettre sur le dos ?) Puis, celle qui était son idéal féminin dix lignes plus haut devient « snob, très comédienne et intéressée » – ce qu'on peut traduire par : « Aussi révoltant que ça paraisse, elle n'a pas voulu de moi. » Enfin, triste constat : « Elle savait attirer les hommes qui étaient susceptibles de lui rendre des services, puis elle les laissait tomber. » (On peut noter qu'il parle d'attirer les hommes, pas exactement de leur offrir la libre disposition de son corps de chienne.) De manière surprenante, dans le rapport de Jean Barrière, cette phrase au sujet des hommes qu'elle envoûte puis jette n'est pas attribuée à Grichon (alors que c'est bien dans sa déposition qu'elle figure) mais au professeur André Blandin. C'est une bonne phrase, il serait dommage de s'en passer simplement parce qu'elle a été prononcée par un témoin trop peu fiable.

Quand le juge d'instruction lui demandera comment a débuté cette belle histoire si injustement avortée, René Grichon se souviendra de leur première fois : « Après une nuit de travail, elle s'était couchée dans mon lit, je suis venu m'allonger près d'elle, et après avoir dormi un peu, je l'ai prise sans difficulté. » Quelle anecdote émouvante – et réaliste. Ils sont en train de travailler, soudain l'élève sent la fatigue la gagner et, spontanément, se couche « dans » le lit du professeur et s'endort. Il la rejoint, il est un peu flapi lui aussi, il roupille un petit coup, normal, puis la prend « sans difficulté » – il n'était pas sûr d'emporter le morceau, mais finalement ça passe (la preuve, s'il en fallait une, qu'elle s'abandonne pleinement). Il s'est permis cette petite audace car « elle avait à la faculté la réputation d'une fille peu sérieuse, malgré l'air austère qu'elle affichait ». On les connaît, allez. Une femme qui dit non, c'est une femme qui dit oui.

Mais je pense qu'il n'a pas inventé cette scène – sinon, pourquoi aurait-il ajouté ce détail étrange : après s'être couché près d'elle, il s'est endormi ? Il est possible qu'un soir, après leur séance de travail, Pauline, ayant probablement un peu trop bu lors du dîner (et lui aussi : on ne sombre pas dans le sommeil quand on bave devant ses étudiantes et que la plus excitante d'entre elles est alanguie inconsciente sur son matelas de célibataire, son matelas de branlette), se soit éloignée de sa chaise de deux pas pour s'écrouler sur, et non pas dans, le lit de son professeur ; il est possible qu'il l'ait rejointe en titubant, ait comaté une demi-heure, et que, se réveillant à côté d'elle, miracle, merci mon Dieu, il ait remonté sa jupe et baissé sa culotte (je me mets à sa place) ; il est possible que, dans un demi-sommeil, Pauline se soit laissé faire, et que même éveillée, cinq minutes plus tard, elle ne se soit pas senti la force, voire l'envie, de protester et d'envoyer le gluant rouler sur le parquet. (J'ai fait ça une fois, j'en ai un peu honte mais tant pis. Je dormais avec une amie, Anne, vraiment une amie – ce n'était pas le cas de Pauline pour Grichon, bien sûr, mais je veux dire : l'idée de sexe entre nous était aussi présente pour Anne que pour Pauline (je suis Grichon, malheur). Et pourtant, quand je me suis réveillé au milieu de la nuit dans son lit (son fiancé était parti travailler quelques jours dans le Sud, elle m'hébergeait chez eux), pris de lubricité éthylique, j'ai mis ma main dans sa culotte ; il lui a fallu quelques minutes pour s'extraire du sommeil, ensuite il était trop tard, ça se passe dans la continuité, ça s'enchaîne du rêve ou du cauchemar à la réalité, il n'y a pas de moment précis pour se reprendre et revenir à la raison. L'inverse m'est arrivé aussi, je me suis retrouvé dans la position du consentant malgré lui. Lors de mon premier hiver à Veules-les-Roses, seul, j'ai rencontré un soir une Anglaise perdue dans le village (ça arrive). Elle ne me plaisait pas beaucoup mais j'ai accepté, pour la dépanner, qu'elle vienne dormir dans la grande maison que je louais au bord de la Veules, le plus petit fleuve de France. Elle s'est couchée dans une autre chambre que la mienne. Le matin, quand j'ai ouvert les yeux, elle était assise sur moi comme sur une sorte de poupon gonflable, elle grognait, elle se faisait son petit truc toute seule. Je ne me suis pas senti la force, voire l'envie, de stopper le processus d'accouplement et de la repousser sur le côté, allons madame. Je n'ai aucun souvenir antérieur à ce moment où j'ai ouvert les yeux et découvert au-dessus de moi sa grosse tête blonde rosie de plaisir, mais elle m'a affirmé par la suite que cela faisait bien dix minutes qu'elle me grimpait dessus quand j'avais pris conscience de ce qui se passait vers le milieu de mon corps.)

Ce qui est probable et plus, que Grichon ait eu ou non la possibilité d'aller au bout de son affaire rampante, c'est que leur belle aventure d'amour et de luxure s'achève cette nuit-là, dix minutes après avoir commencé. Et Grichon le prend mal. En effet, Pauline, dégoûtée et inquiète quant à la suite, va se plaindre du comportement du chargé de recherches auprès de celui qui est en quelque sorte son supérieur, Gaston Bizard, un professeur de physiologie de quarante-cinq ans. Sans entrer dans les détails, elle lui annonce qu'il lui est impossible de continuer à travailler au laboratoire avec le docteur Grichon, et demande à pouvoir effectuer les travaux pratiques sous le contrôle de quelqu'un d'autre. Ce n'est pas exactement la réaction d'une fille qui se donne à l'homme avec un plein abandon.

Le professeur Bizard ne lui réclame pas de précisions, il accepte cette requête qui ne le surprend pas : « Ces mauvaises relations entre eux ne m'ont pas étonné, du fait que des incidents analogues s'étaient déjà produits avec d'autres étudiantes, qui se plaignaient du caractère difficile de Grichon. » (S'il est diplomate et ne veut pas accabler son collègue, on remarque toutefois que ce ne sont pas les étudiants mais les étudiantes qui se plaignent de son « caractère ».)

Le doyen de la faculté, Pierre Combemale, voit Pauline à deux ou trois reprises avec Grichon au laboratoire, avant qu'elle n'obtienne de travailler avec un autre préparateur, et dira qu'il l'a trouvée très tendue et mal à l'aise.

Elle a raison d'être inquiète. Dans un premier temps, furieux d'être repoussé, Grichon la blatte répand sa bile sur elle dans les couloirs de la fac. Il espérait faire sensation en révélant à tout le monde qu'elle s'était fait culbuter par les Boches, il est déçu de s'apercevoir que tout le monde est déjà au courant, du coup il se vante auprès de tout le monde d'avoir fait ce qu'il voulait d'elle jusqu'à ce qu'elle comprenne qu'il n'avait pas assez d'argent : tout le monde appréciera. Il invite Marguerite, la petite sœur de Félix, à déjeuner chez lui, et fait d'une pierre deux coups de vice : il essaie de l'attraper (elle aussi s'est lancée dans la médecine, comme son papa et son frère, il faut qu'elle sache qu'il fera de son mieux pour l'aider – quand on peut rendre service, surtout à une jeune fille qui débute dans la vie...), mais elle ne semble pas sensible à son charme vérolé ; il lui conseille d'autre part de mettre en garde Félix, qu'elle semble tant aimer : cette cocotte qui s'est donnée tout entière à un éminent professeur dans le seul but de profiter de son savoir et de son influence au sein de la faculté ne peut pas être une femme pour un honnête garçon comme lui, elle a d'ailleurs « un vilain passé », et si son frère a échoué à ses examens de fin d'année, c'est incontestablement à cause d'elle, qui le détourne de sa voie – ce ne sont pas ses oignons, à Grichon, mais Marguerite ferait preuve d'une vraie bienveillance fraternelle en convainquant son aîné de s'éloigner de cette raclure au plus vite. Elle sait déjà tout ça, leurs parents sont d'ailleurs très concernés et œuvrent dans ce sens. Encore une fois dépité de ne pouvoir rien apporter de nouveau à l'opprobre général, le docteur Grichon déjante tout à fait : il menace Pauline de mort si elle ne cède pas à ses avances et si elle continue à sous-entendre qu'il l'a quasiment violée, alors qu'elle s'est laissé faire, en vrai. Il connaît des bicots qui lui feraient la peau pour quelques francs. Plusieurs étudiants attesteront qu'elle leur a rapporté ces propos d'enragé et fait part de la frayeur que lui inspirait Grichon, elle si secrète et froide d'habitude. Le professeur Blandin en a lui aussi entendu parler, constate que son élève et ancienne maîtresse paraît absente et soucieuse, et ne cherchera pas à protéger son confrère : « J'ai l'impression qu'elle vivait traquée par Grichon. Il l'aurait fait menacer par des Nord-Africains. » Quant à Pauline, l'hypocrite, la dissimulatrice, elle ne cache rien de ce harcèlement et de sa peur à Félix, le possessif, le forcené du mariage – elle lui dit qu'avant de mentionner les terribles Nord-Africains, il lui a montré un pistolet qu'il possède, en insinuant qu'il n'hésiterait pas à s'en servir si elle persistait à le fuir. Lui en parlerait-elle si directement, à lui le fiancé jaloux, si elle couchait avec Grichon ? Félix rapportera cette discussion à plusieurs de ses amis qui, pourtant pas spécialement bien intentionnés à l'égard de la jeune femme, le confirmeront aux enquêteurs. Mais on est obligé de remarquer qu'il ne va pas tellement voir le pourceau belliqueux pour lui casser la tête, ni même pour le prévenir qu'il s'expose à certains soucis physiques s'il persiste à la tourmenter. Non. Ce serait risquer de se mettre à dos un professeur, ou plusieurs s'il a des amis. Félix va plutôt voir André Blandin pour lui demander ce qu'on peut faire.

René Grichon démentira toutes ces calomnies (il n'a jamais menacé Pauline ni engagé le moindre Nord-Africain, il n'a pas de pistolet, il n'a pas invité Marguerite à déjeuner, il ne connaît même aucun membre de la famille Bailly), mais sera la seule personne ayant connu Pauline (et plus que de près, selon lui) à ne pas être convoquée au procès, quand plus de quarante seront appelées à la barre. L'accusation tenait un témoin en or massif, un type hideux et odieux prêt à jurer sur la Bible que la coupable s'était offerte à lui par-devant et par-derrière pendant des semaines avant de le jeter parce qu'il n'avait pas assez d'oseille et ne pouvait rien lui apporter. Mais l'accusation elle-même, face au personnage, a dû douter de la véracité de ses déclarations, et craindre que la défense ne le retourne en deux pichenettes. L'accusation, cela dit, lors des audiences, ne s'est pas gênée pour servir de porte-parole à cet honorable professeur qui n'a pas pu venir, et présenter son récit de cette avilissante tentative de corruption sexuelle comme véridique et accablant.

De toute façon, dès cet hiver 1948, à Lille, le mal est fait. Dans l'entourage de Félix, dans les amphis de la fac, la réputation de Pauline prend le coup de grâce : ce type la poursuit et lui crée des ennuis, d'accord, on veut bien la croire, mais d'une manière ou d'une autre, il n'y a pas de fumée sans feu, elle a fricoté avec lui. Et quand on dit fricoté, on se comprend. Félix ne va plus résister longtemps.

Au début de l'année 1949, elle reçoit une nouvelle lettre de Werner Domnick, datée du 12 janvier. On affirmera qu'elle lui a écrit pour lui demander de l'argent et qu'il lui en a envoyé, c'est faux. (Il lui donnera cent marks l'année suivante, pour une raison bien précise, mais on fera semblant de s'embrouiller un peu dans les dates et voilà que Pauline n'entretient cette correspondance avec le vieux que pour lui soutirer du pognon. Madeleine Jacob écrira, sans autre source que le fiel qui suinte de son esprit amer : *Ils* (plusieurs Allemands harponnés dans la forteresse de Dunkerque) *lui enverront quelques centaines de marks pour ses toilettes et son argent de poche. Une mentalité de fille, de prostituée* (des synonymes). *Elle eût mieux réussi dans la galanterie que dans la médecine.* Rissole en enfer, Madeleine.) Si elle en avait voulu, de l'oseille, du pognon, des pépettes, elle en aurait réclamé à Hans, qui est bien installé – au pire, elle aurait pu, en un déhanchement et une moue légère, se faire payer ce qu'elle voulait par n'importe quel fils à papa de la fac. Werner ne travaille pas et vit dans la misère avec quatre œufs par mois et quelques pommes de terre, elle le sait, il s'en plaint dans chaque lettre : *Mes biens se trouvant à l'étranger ont été saisis, quant au peu d'argent que j'ai en Allemagne, il ne m'en reste que 7 % depuis la réforme monétaire. Je serai obligé de vivre ainsi jusqu'au moment où je serai autorisé à exercer la médecine. Étant donné que j'ai toujours été, en quelque sorte, un solitaire, je me trouve assez bien dans mon modeste logement, je lis beaucoup.* Ce qu'il lui envoie, en revanche, c'est une carte de la région et quelques infos touristiques, dans l'espoir qu'elle ne perde pas l'envie de venir lui rendre visite : *Donaueschingen compte cinq mille habitants, on y trouve le château et le parc des princes de Fürstenberg, leur fameuse collection de tableaux et la bibliothèque contenant l'unique exemplaire existant de la* Chanson des Nibelungen. *En plus de l'hôpital municipal, il se trouve, en dehors de la ville, un hôpital militaire situé sur une hauteur ; cet hôpital était autrefois utilisé par l'armée allemande, et maintenant par l'armée française. Il y a ici deux cinémas, cinq hôtels et deux établissements de bains en plein air. Quant à l'établissement thermal, il a été détruit par les bombes. On prétend que le Danube prend sa source ici (voir la carte que je t'ai envoyée). En réalité, le Danube prend sa source avant Donaueschingen.* (On dirait qu'il espère secrètement qu'elle va venir vivre avec lui : elle pourra travailler à l'hôpital français, aller au cinéma et prendre de temps en temps des bains en plein air, il l'attendra à la maison avec des pommes sautées qu'il aura préparées.) Dans l'enveloppe, il glisse aussi une photographie de lui. Pauline ne garde presque rien dans sa chambre de la place du Temple, hormis des livres. Mais cette photo, elle la conservera toujours. Les policiers la retrouveront à l'intérieur de son armoire à pharmacie, où elle l'a scotchée pour que ses visiteurs ne la voient pas.

Dans ses longues lettres de reclus, Domnick ne parle jamais de sexe, ce par quoi on prétend que Pauline le tient depuis leur rencontre à l'hôpital de Rosendaël, il n'y fait pas la moindre allusion, même timide et déguisée. En revanche, à leur lecture, un bébé myope et pas futé comprendrait qu'il l'aime. Et dans celle de ce mois de janvier 1949, une phrase me déconcerte : *Si Jacqueline est mariée, toi, avec ta beauté et ton charme, tu devrais l'être au moins deux fois.* Qui est cette Jacqueline ? Parmi toutes ses relations à la fac de Lille, même les moins proches, dont les dépositions figurent dans le dossier de procédure, il n'y a pas de Jacqueline. À ce que je sais, la seule qu'elle ait connue – hormis elle-même quand elle ne veut pas donner son vrai prénom, à Hans par exemple – était une gamine qui était avec elle à huit ans au collège Lamartine de Dunkerque, Jacqueline Dekeyser, et dont on comprend en lisant son témoignage qu'elle ne l'a plus revue ensuite. Se serait-elle inventé une sorte d'amie imaginaire dont elle parle à Werner, un double d'elle-même plus conventionnel et sage et simple, qui aurait eu la chance de se marier ?

Dans l'enquête sociale effectuée en 1954 par ce monsieur A. Lefebvre de Malo-les-Bains, dont j'ai pourtant déjà dit qu'il faisait partie des personnes les plus impartiales et ouvertes d'esprit ayant écrit sur Pauline, il analysera : *Derrière une très forte personnalité, elle cachait un caractère très féminin. Elle avait besoin de fonder un foyer, ce qui l'aurait peut-être rendue tout autre. Mais son fort tempérament n'aurait pas convenu à un mari. Peut-être, de son côté, sentait-elle aussi le besoin d'être dominée, comme son père l'avait toujours fait avec elle – et comme la nature le réclame.*

Chapitre vingt et un

Une épave

À Saint-Omer, Marguerite Bailly rapporte à ses parents les propos tenus par Grichon (elle n'a jamais déjeuné avec lui, dit-il, mais elle est extralucide ou télépathe) au sujet des nouvelles infamies de Pauline et de l'influence calamiteuse qu'elle exerce sur son frère et leur fils. C'en est trop, ils vont passer à l'offensive finale.

La tâche sera certainement moins ardue que l'année précédente, car Félix ne sait plus où il en est, cette histoire avec Grichon n'est peut-être pas aussi claire que le prétend Pauline, on ne peut pas savoir, et si tout le monde avait raison ? – il commence à en avoir marre : il ne serait pas le dindon de la farce, par hasard ?

Françoise Cauchois s'est mariée à Camusat, ils ont emménagé ensemble dans un logement plus neuf avec une chambre déjà pour le futur bébé, Félix loue donc désormais tout l'appartement de la rue Henri-Kolb. Il se sent mieux installé, homme, il est temps qu'il prenne réellement sa vie en main. (Devant son amie Françoise Camusat, il prétend en redressant les épaules qu'il a essayé de rompre avec Pauline à plusieurs reprises, mais qu'elle le relance chaque fois et qu'il n'arrive pas à s'en débarrasser. Ce n'est pas vrai (Marcel Dumoulin, entre autres, dit de lui qu'à cette époque « il ne pouvait plus travailler, il passait son temps à courir après elle ») mais c'est un petit mensonge inoffensif, et ce ne sera pas le dernier – inoffensif, pas tant que ça, mais il ne peut pas le savoir : à la suite du témoignage de Françoise (car c'est encore une fois le plus désavantageux pour elle qui sera mis en avant), on accusera Pauline d'avoir joué avec son amour, de s'être éloignée quand il s'approchait et rapprochée en minaudant quand il tentait de s'éloigner – comme souvent, on lui reprochera paradoxalement deux choses opposées : de n'avoir jamais éprouvé que de l'indifférence à l'égard de Félix et, dans la même phrase ou la suivante, d'avoir tout fait pour l'empêcher de la quitter.)

Louise Bailly est revenue à Lille voir son fils, préparer le terrain : elle sent qu'il est plus à l'écoute que quelques mois plus tôt, que des failles apparaissent (« Peu à peu, il se rendait compte qu'elle ne lui conviendrait pas comme épouse »), mais elle sait qu'une véritable réunion de famille sera nécessaire – les vacances de Pâques, qu'il passera à Saint-Omer, devraient permettre de porter l'estocade.

Après son départ, il réfléchit, maman n'a pas tort, il pressent qu'il n'est pas loin du tournant de sa vie. Il commence à prendre ses distances avec Pauline. De plus en plus souvent, le soir, au lieu de la voir, il va travailler à l'hôpital militaire de Lille, où son ami Paul Frucquet effectue un stage de deux mois, afin de préparer au mieux son examen de bactériologie de fin d'année : il ne s'agirait pas de le rater une nouvelle fois, il ne peut plus jouer à ça. C'est là qu'il fait la connaissance d'une dame Moréteau, laborantine en bactériologie récemment nommée à Lille, qui deviendra sa conseillère sentimentale, moins impliquée et donc plus objective que ses parents ou ses amis.

À Saint-Omer, pendant les vacances, le conseil de famille a lieu et ses parents ne plaisantent plus, Félix s'en aperçoit vite. « Lorsque mon mari et moi l'avons invité à rompre, il n'a fait aucune objection », affirmera un peu simplement sa mère. Quand on lit la déposition du père, Richard, on comprend qu'il n'avait pas vraiment le choix : « Mon fils, très docile, n'a fait preuve d'aucune rébellion et n'a montré aucun chagrin de cette décision. (La leur, donc.) Il nous a déclaré qu'étant donné notre position, il abandonnait tout projet et allait rompre toute relation avec cette jeune fille. » C'est optimiste. Félix ne peut rien faire contre ses parents, qui l'écrasent, mais au fond de lui, il garde encore une petite place pour Pauline.

Pourtant, tout s'enchaîne bien, le destin est du bon côté : dès la reprise des cours, à la fin du mois d'avril, son ami d'enfance, Guy Ledoux (celui qui lui a appris le passé de Pauline, et s'outre qu'elle essaie de se montrer à l'égal de l'homme), qui revient aussi de vacances dans sa famille à Saint-Omer, organise un petit dîner chez lui où est invitée, par chance, une jolie fille blonde dont Ledoux vient de faire la connaissance. Elle a fêté ses vingt ans un mois plus tôt, elle est étudiante en lettres et vit chez ses parents à Croix, dans le Nord, près de Tourcoing où elle est née. Elle s'appelle Monique Mercier (j'ai changé son nom, ce qui va lui arriver ne fait pas de jolis souvenirs qu'on aime raconter devant une verveine et un After Eight) et a toutes les qualités de la jeune femme parfaite – ce que Paul Frucquet, également présent à ce dîner, résumera en quelques mots irréfutables : « Elle était infiniment mieux que Pauline. »

C'est le coup de foudre. Pour Monique. Félix est séduit (il faudrait être difficile : elle est ravissante, intelligente, gentille, timide, propre de corps et d'esprit, calme et très bien éduquée), mais on ne peut pas dire qu'il se jette à ses genoux le cœur à la main : ses amis sont soulagés et convaincus qu'il a enfin trouvé la perle rare, la future fiancée qui lui convient comme un couvercle à son pot, mais il continue en douce à coucher avec Pauline (qui n'est pas au courant de cette rencontre), ça ne peut pas faire de mal. Et puis on ne sait jamais.

Un mois plus tard, alors qu'il a revu Monique plusieurs fois et qu'ils ont décidé de se "fréquenter" (pas de sexe à l'horizon, attention, on n'est pas des boucs – tout ce qu'ils se tripotent, c'est la main, quand personne ne les regarde), Félix passe encore une nuit avec Pauline. (Il n'a parlé de Monique et de l'état de leur relation qu'à Ledoux et Frucquet, par peur que cela ne s'ébruite et n'arrive aux oreilles de Paulette.) On pourrait penser que c'est très pratique, d'un côté une créature angélique qu'on garde intacte jusqu'au mariage, de l'autre une dévergondée chez qui on va sonner quand le besoin de se soulager se fait trop sentir mais ce n'est pas cela. Car pendant cette nuit du début du mois de juin 1949, Félix demande à nouveau Pauline en mariage.

Même si elle n'est pas au courant qu'une menace blondinette plane sur leur couple, Pauline ne refuse pas de manière aussi ferme que les fois précédentes. Elle expliquera s'être rendu compte depuis un ou deux mois, c'est-à-dire lors des vacances de Pâques, qu'elle avait des sentiments réels pour Félix, plus profonds qu'elle ne pensait. (On peut ne pas la croire (on ne la croira pas, d'ailleurs), c'est toujours facile à dire après coup, je l'aimais, je l'aimais, mais Eva Gérard affirmera qu'elle lui a confié ce nouvel état d'âme sur le moment même.) Sérieuse, elle se contente de lui répondre : « On verra ça après les examens. » Félix bougonne et soupire. Il lui fait comprendre qu'il ne va pas l'attendre cent sept ans.

Mais les examens, Pauline les rate encore. On ne peut, je pense, attribuer ce nouvel échec qu'à des remous internes, la tension et l'anxiété causées par l'affaire Grichon pendant l'année, la récente découverte de son attachement inattendu pour Félix, ou un début de peur de le perdre, car elle est suffisamment intelligente et studieuse en temps normal pour passer ces premières années de médecine en fumant la pipe.

Juste après les résultats, Félix, qui a mieux tiré les leçons de l'année dernière et a tout réussi, lui, revient la voir l'air interrogateur. Elle est mal, elle s'en veut, elle n'a plus de certitudes. Elle ne dit pas fermement non, mais pas oui non plus. Elle diffère encore. D'abord tout bêtement parce qu'elle est vexée d'avoir échoué à ses examens. Ensuite car dans cette situation où elle trébuche et lui continue, si elle accepte de l'épouser maintenant, elle est plus assurée encore de se retrouver, dès la sortie de l'église, femme au foyer dans l'ombre d'un mari actif et dominant. (À cette époque, me raconte mon amie Lucette du bistrot d'en bas, qui a sensiblement le même âge que Pauline, il n'y avait que deux possibilités pour une femme : faire des études, de vraies études, longues, ou se marier. Elle, poussée par son père (elle était fille unique mais sa mère s'était tout de même cantonnée de son gré (ou du gré de la société) à la maison, entre cuisine, lessive et ménage – ce que son père, intelligent et moderne, trouvait regrettable), a fait une école de dactylo après son baccalauréat, et trouvé facilement du travail à dix-neuf ans dans des bureaux : chaque fois qu'elle en parlait, on s'étonnait, au mieux, ou on lui reprochait de ne pas tenir correctement son rôle de femme, où irions-nous si elles s'y mettaient toutes ?) Or, même si la nature réclame que la femme soit dominée par l'homme ("Vous, là ! Tablier !"), Pauline a du mal à s'y résoudre. Elle se dit (mais ne le dit pas à Félix) qu'elle y réfléchira pendant l'été, et qu'elle lui écrira probablement avant la rentrée qu'elle est d'accord (après leur entrevue, elle fait part de ce projet à Eva). Mais lui tendre sa main gauche tout de suite, sous le coup de la défaite, c'est admettre : "J'ai voulu avoir une vie, je n'ai pas réussi, tu as gagné, je suis à toi."

Pour Félix, ça suffit comme ça – et si on se met de son côté, si on enfile son caractère et ses valeurs, on comprend, il attend depuis bientôt trois ans. Il ne rompt pas clairement avec Pauline, il n'est pas fait pour le tranché, mais il lui dit qu'il en a assez et lui annonce quelque chose qui va surprendre tous ceux qui le connaissent, y compris ses professeurs : il part poursuivre ses études à Paris. (Pierre Combemale, le doyen de la faculté, ne comprend pas cette décision : il pourrait très bien achever son cursus à Lille, c'est un élève appliqué mais moyen qui ne peut espérer aucun bénéfice particulier d'un transfert à Paris.)

L'idée ne vient pas de lui, mais de ses parents. Ils font confiance à leur fils, bien entendu, il leur a promis d'oublier la fille, mais avec son tempérament trop gentil, faible peut-être, et cette succube prête aux pires vilenies pour lui tourner la tête… Papa se charge de tout : « À la fin de l'année scolaire 1949, j'ai fait rayer mon fils de la faculté de Lille et obtenu son inscription à la faculté de Paris, ceci dans le double but de le rapprocher d'une part de nos relations de famille qui se trouvent à Paris, et d'autre part d'éviter tout rapprochement avec la jeune fille. » Cette fois encore, Félix, avec cette docilité dont son père est fier, n'a pas fait d'objection. Il aime toujours Pauline, on ne tire pas un trait d'une main désinvolte, comme les parents semblent le croire, sur une fille dont on a été fou amoureux pendant trois ans et qu'on a encore demandée en mariage une semaine plus tôt, mais il est important de leur faire plaisir – l'enfant qui va contre son père et sa mère ne peut espérer un avenir heureux. Et de toute manière, il les rejoint pour convenir, sincèrement, que c'est mieux pour lui, car il pense avant tout à réussir sa vie professionnelle. Non, ce n'est pas carriériste, c'est signe de volonté et de sérieux, on l'en félicitera – et on blâmera Pauline l'arriviste d'avoir voulu la même chose.

Le jour où il choisit d'annoncer ce départ à Pauline, il marche dans la rue avec Marcel Dumoulin quand ils la croisent. Se sentant soutenu par son ami, il va vers elle et prend son courage à deux mains pour lui apprendre la nouvelle. Mais elle ne se contente pas de quelques phrases d'information, comme il l'espérait. Elle l'entraîne plus loin, elle veut des explications précises, et la possibilité de se défendre. Il demande à Marcel de l'attendre dans un café.

Il revient une heure plus tard. Dumoulin le trouve pâle et très ému : « Il m'a dit qu'elle avait reconnu ses fautes, mais que sa décision était irrévocable. » Il n'est quand même pas aussi sûr de lui qu'il essaie de le montrer, mais à ses amis qui s'aperçoivent de son flottement, il en fournit une raison autre que ses propres sentiments. Il explique à Paul Frucquet que s'il hésite, c'est qu'il craint que Paulette ne s'effondre et ne tourne mal s'il l'abandonne (selon Frucquet, ça ne risque pas : elle ne lui paraît pas plus triste qu'un parpaing, juste un peu contrariée à la rigueur). Félix donne la même explication à Mme Moréteau, la laborantine qui l'écoute et le conseille, et qu'il voit désormais presque tous les jours (durant le mois de juillet, il fait un stage à l'hôpital militaire) : « Il était très scrupuleux. Il voulait rompre avec elle mais, me disait-il, “Si je la lâche complètement, elle sera une épave.” » (C'est un mot fort, pour une femme qu'on prétend de fer, orgueilleuse, sèche, autoritaire, insensible et blabla, toute la panoplie du parpaing. Félix la connaît mieux que personne.)

À Malo, Pauline retrouve ses chats, mais ça ne suffit pas. Elle dira pudiquement qu'elle a été « très surprise » de s'apercevoir qu'elle était triste. Même si rien n'est encore officiel et définitif, elle sent qu'elle est allée trop loin dans son opposition aux attentes et à l'empressement de Félix. Elle voulait se contrarier, maltraiter ses penchants trop ordinaires, combattre l'amour domestique de tradition et voir ce qu'il resterait. Elle a réussi, mais elle ne pouvait vaincre sans perdre, elle voit : Félix se détache et s'éloigne, il n'est plus en face d'elle. Il ne reste rien ni personne d'autre qu'elle, seule et gourde.

Mais ce n'est peut-être pas foutu. Avant la mi-juillet, dans sa chambre de la rue des Fusillés, elle rédige une longue lettre pour Félix. Elle lui dit qu'elle est malheureuse, qu'elle ne veut pas qu'il la quitte, parte à Paris et la laisse à Lille : « Je lui ai écrit que je consentais à devenir sa femme. » Félix trouve cette déclaration d'amour et de capitulation à Saint-Omer, en rentrant passer le week-end chez ses parents. Il la fait lire à sa mère.

Il ne répond pas tout de suite, rien ne presse. Il veut d'abord en parler à Mme Moréteau. À son retour à Lille le lundi, celle-ci le trouve désemparé, plus indécis que jamais, même s'il ne cesse de lui vanter les mérites de Monique : « Il me disait qu'elle était réservée, charmante, douce, sensible, parfaitement élevée, et qu'elle ferait une parfaite maman et une parfaite maîtresse de maison. » Monique est en vacances avec ses parents à Ostende, Félix lui écrit presque tous les jours. (Lorsqu'elle reviendra, au début du mois d'août, il la présentera aussitôt à Mme Moréteau : « Quand j'ai connu Monique, je n'ai pu que reconnaître l'exactitude du portrait qu'il m'en avait fait. ») Il lui dit que c'est elle qu'il a choisie, qu'il veut quitter Pauline, c'est décidé, mais il remet sans cesse au lendemain sa réponse à la lettre qu'elle lui a écrite, et s'en justifie en invoquant la compassion qu'il éprouve. « Ayant eu, lui, la chance d'avoir des parents qui s'aimaient profondément, l'adoraient, le comprenaient, et pour lesquels il avait le plus grand respect, il la plaignait de n'avoir pas connu, chez elle, la même atmosphère de foyer calme et uni. » Mais Mme Moréteau a tout de même du mal à comprendre ses atermoiements. Quand elle lui demande s'il n'y a pas eu autre chose entre eux que des promesses, par hasard, il répond que non, évidemment, ils n'ont jamais fait la chose. (Félix n'est pas ce garçon parfait et incurablement trop honnête que son entourage a toujours décrit. Ce n'est pas une honte, tout le monde se laisse aller à un mensonge utile à l'occasion. Simplement, ceux de Pauline, pourtant pas plus indignes ni lourds de conséquences que les siens (voire plutôt moins), ni que ceux de qui que ce soit, plombier ou avocat général, seront mis en lumière, se chargeront de sens et prendront un reflief considérable, parce que portés devant un tribunal.) Il ne s'arrête pas à cette petite trahison : « Il a ajouté que, de toute manière, cela n'aurait eu aucune importance, se souvient Mme Moréteau, car il n'aurait été ni le premier, ni le dernier. » (C'est moyen, Félix.) Dans le genre tu-pousses, il lui explique aussi l'attachement de Paulette par le fait « qu'elle était très fière de l'avoir pour adorateur, avec tout ce que cela représentait, socialement parlant ».

Il faut que la laborantine amourologue insiste beaucoup, longtemps, en lui répétant qu'on ne peut pas s'engager véritablement avec une jeune femme avant d'avoir informé la précédente qu'elle doit mettre ses espoirs au placard, pour que Félix se décide à répondre à Pauline. Il attend le tout dernier moment, la première semaine du mois d'août, la veille même (dixit Moréteau) du retour d'Ostende de Monique. (Louise, sa mère, est au courant du contenu de cette lettre (certains cordons sont moins biodégradables que d'autres), elle en parlera lors de sa première déposition. Je ne dis pas qu'elle l'a dictée.)

Le pauvre Félix n'a même pas eu le cran de signifier clairement à Pauline qu'il ne veut plus d'elle. Celle-ci évoquera « une lettre de rupture discrète », ce qui a le mérite d'être élégant, sinon noble et courageux. Il ne mentionne pas l'apparition d'une autre fille dans sa vie, Monique n'existe pas (mais honnêtement, qui n'a pas fait pareil ? c'est plus attentionné que pleutre), il lui confirme qu'il ne reviendra pas sur sa décision de poursuivre ses études à Paris, qu'il est « préférable » qu'ils ne se revoient pas, et souhaite que « tout marche bien » pour elle.

Cette fois, même s'il a pris plus de pincettes qu'un chirurgien qui opère un bébé à cœur ouvert, Pauline, en baissant la tête, voit ses dernières illusions en flaque à ses pieds. Elle qui doit se faire violence pour avouer qu'elle a une migraine, ou que se faire tondre n'est pas agréable, déclarera au juge d'instruction : « J'ai éprouvé une vive déception, et un très vif chagrin. » (Ça me touche. On va dire que je me laisse émouvoir, que je suis partial et trop nouille dans mon rôle d'avocat de la diablesse, mais cette fille qui a appris à ne jamais se plaindre et prononce ces trois mots, « très vif chagrin », ça me touche.) À Malo, sa mère est près d'elle quand elle lit cette lettre. Elle racontera qu'elle l'a vue pleurer, pour la première fois depuis la mort de son frère aviateur, treize ans plus tôt.

Mais Hélène est trop perchée pour y déceler un hic. Elle relate ça comme si elle l'avait vue manger une tablette de chocolat ou laisser tomber une assiette sur le carrelage de la cuisine. Pauline, pour expliquer sa réaction, lui apprend que « les projets de mariage sont rompus », qu'elle envisage de mettre fin à ses jours puisqu'elle a tout raté, et sa mère (bien que « frappée par la facilité avec laquelle elle admettait le suicide ») ne cherche pas à en savoir plus : « Je ne lui ai pas posé de questions, ne voulant pas la forcer dans ses confidences. » Voilà toute l'attention et le soutien que Pauline obtient d'elle lorsqu'elle essaie, pour une fois, de partager avec elle ce qu'elle ressent. Et quand le policier qui prend sa déposition s'en étonne et pousse un peu l'interrogatoire, lui demande de justifier cette absence d'implication de sa part, Hélène a cette phrase d'une atterrante stupidité (mais ce n'est pas sa faute) : « Elle n'a pas semblé affectée par cette rupture. » C'est doublement idiot : d'abord évidemment parce qu'elle vient de dire qu'elle pleurait, défaillance rare, et projetait de se tuer ; ensuite parce qu'elle corrobore ainsi, de source sûre, maternelle, et sans comprendre qu'elle condamne sa fille, les affirmations des amis de Félix et ennemis de Pauline, qui scelleront son sort.

Pour la deuxième fois, après l'année d'abattement et de remise en question passée à Lyon, Pauline sombre dans une dépression paralysante. Elle ne voit plus rien autour d'elle, elle n'a plus envie de rien, pas même de continuer ses études, elle ne sort plus de sa chambre : elle réalise que la vie sans Félix ne l'intéresse pas – trop tard, tant pis pour elle. Je crois que ce n'est pas seulement un effet du classique "On veut ce qu'on n'a pas", ni vraiment parce qu'il est le premier à lui résister et que c'est ce qu'elle cherche depuis Nietzsche, mais surtout car jusqu'alors l'amour impérieux et envahissant de Félix l'empêchait de ressentir quoi que ce soit ou d'en avoir conscience, comme on ne remarque pas la flamme d'une bougie sous une lumière trop vive. De la même manière – plus anecdotique, en ce qui me concerne – que j'ai compris la réalité de ce que j'éprouvais pour Anne-Catherine quand elle m'a avoué que mon premier roman lui était tombé des mains, Pauline découvre, avec l'évaporation des sentiments de Félix à son égard, qu'ils n'étaient pas la raison de son intérêt pour lui : ils ont disparu, elle l'aime quand même.

La seule chose qu'elle réussit à faire durant ce mois d'août enfermée à Malo, c'est lui écrire une longue lettre encore pour plaider sa cause, lui rappeler leurs bons moments, lui jurer qu'elle a ouvert les yeux et changé, lui promettre de mieux se comporter à l'avenir, d'arrêter ses études s'il y tient, de ne plus le faire souffrir, etc. Il n'y répondra pas, il estime avoir fait son boulot de gentleman, le minimum convenable (Mme Moréteau semble satisfaite) : il ne lui écrira plus jamais.

La deuxième quinzaine du mois d'août, il emmène Monique passer dix jours avec papa et maman au Touquet, leur lieu de villégiature, il est heureux de leur présenter sa nouvelle recrue – avec elle, il ne traîne pas, il sait qu'elle a toutes les aptitudes nécessaires à l'obtention du certificat parental. (J'ai l'air de mépriser ce comportement, mais non, c'est un trompe-l'œil d'écriture. Qui suis-je pour le juger ? (J'ai toujours agi uniquement en fonction de mes propres goûts et envies ? J'aimerais bien.) Chacun mène sa vie – filiale, sentimentale, professionnelle ou autre – comme il l'entend. (À noter sur vos tablettes, les jeunes, *Chacun mène sa vie comme il l'entend*, c'est extrait du *Manuel de sagesse et de tolérance de tonton Philippe*.)) Et ça ne loupe pas. Richard Bailly est ravi de constater que son gamin a recouvré ses esprits : « Notre fils nous a présenté Mlle Mercier en nous précisant qu'il comptait en faire sa fiancée, et nous avons accueilli d'enthousiasme ce projet. » (J'aime le « en faire sa fiancée », comme on dit « en faire son métier » ou « en faire son quatre-heures ».)

Puis Monique retourne à Croix et Félix passe la fin des vacances à Saint-Omer. Pauline perdue se rabaisse et téléphone plusieurs fois chez ses parents à ce moment-là. Il fait répondre à sa mère qu'il n'est pas là (à son retour à Lille, il le racontera à Mme Moréteau, je ne sais pas si c'est pour se donner un genre briseur de cœurs auprès de l'adulte (je n'arrive pas à me faire à l'idée qu'il a vingt-six ans) ou pour lui montrer qu'il avait raison de ne pas jeter sans précaution cette épave potentielle, ce crampon).

Un demi-pas de recul suffit à voir que Félix a fait tout l'inverse de ce qu'il fallait avec Pauline. Il lui a obéi comme un caniche quand elle cherchait un vis-à-vis de sa trempe, il l'a suivie partout, lui a même couru après quand elle attendait qu'il s'affirme et l'envoie au diable, et comme ça ne donnait rien, flûte, ça marche pas, il l'a quittée quand elle a mis sa fierté de côté et accepté sa victoire, il renonce à un mètre de la ligne, ne veut plus répondre au téléphone ni entendre parler d'elle. Mais il ne pouvait pas se comporter autrement, c'est lui, c'est sa nature. Tout comme elle, non plus, avec son passé, ne pouvait réagir autrement qu'en s'opposant à lui puis en cédant à la dernière seconde – après la dernière seconde.

Chapitre vingt-deux

Un démon

Pauline retourne à Lille à la fin du mois d'août pour préparer la session de rattrapage de ses examens ratés. Elle trouve en Eva l'alliée que n'est pas sa mère, l'écoute et l'appui dont elle a besoin. Celle-ci, devenue moins amicale ces derniers mois, récupère une fille qu'elle ne connaissait pas, en est touchée et passe des soirs entiers à discuter avec elle pour la réconforter et la tirer de son apathie. Elle se souviendra qu'en cette fin d'été Pauline « essayait de se ressaisir » et n'avait pas complètement perdu espoir de convaincre Félix de changer d'avis. Grâce à Eva, elle se remet à travailler et sort peu à peu de son enfermement.

À l'extérieur, elle garde son masque. Elle parvient même à se montrer insouciante et souriante, il n'est pas question d'afficher son malaise et sa tristesse devant de vagues relations qui ne connaissent d'elle que les apparences (ça ne va pas changer, donc), des années d'entraînement lui facilitent la tâche : elle ne fait qu'appliquer à la lettre, en situation exemplaire, les consignes de son père. (Ces principes de pudeur émotionnelle ont au moins un avantage : Pauline n'ajoute pas à la désolation généralement ambiante, commune à toutes les époques, cette pesanteur dans les rues, teintée de déception et de douleur fade, du désespoir chronique et résigné voire de la colère qui se dégagent d'un grand nombre de gens quand on les observe à leur insu plus de dix secondes, et qu'ils ne cherchent plus à cacher depuis des années. Pauline, au moins, fait bonne figure.) Presque tous ceux qui l'ont fréquentée à cette époque défileront au commissariat puis au tribunal pour déclarer que cette rupture avec Félix ne l'a pas affectée le moins du monde, qu'elle était tout à fait détendue à la rentrée, indifférente ou cynique. Elle n'aborde pas non plus le sujet avec ses amies, Josette Devos et Jeannine Lehousse, mais les deux jeunes femmes, moins hostiles, plus attentives ou perspicaces que les autres, remarquent qu'elle n'est pas bien, qu'elle paraît toujours ailleurs, et rapporteront ces impressions à la police. Dans le vide. Car c'est bien entendu l'option de l'insensibilité qui sera choisie. Jean Barrière écrira même dans son rapport : *Personne ne remarque le prétendu chagrin de Pauline Dubuisson parmi ses parents et amis.* On ne peut pas appeler ça autre chose qu'un mensonge, conscient. C'est Barrière qui a regroupé et résumé les différents procès-verbaux, celui dans lequel Hélène dit que sa fille a pleuré et parlé de suicide, ceux de Josette Devos et Jeannine Lehousse, qui s'inquiètent pour leur amie, et celui d'Eva Gérard, la plus proche d'elle à ce moment-là, où on lit noir sur blanc ces mots peu flous : *« Elle a été très touchée par cette rupture, elle était bouleversée. »* Mais personne ne remarque le prétendu chagrin de Pauline Dubuisson.

Barrière et toute l'armée des juges au front sévère savent aussi que Pauline a écrit deux lettres au tout début du mois de septembre, ils les ont eues entre les mains. Dans la première, envoyée à sa mère, elle laisse tomber sa dernière prétention : *Je voudrais arrêter ma médecine, mais j'ai peur de faire de la peine à papa.* Elle accepte de faire marche arrière et de rester une femme de son temps, entièrement dévouée à son ménage. Elle confirme cette résolution dans la seconde lettre, la dernière qu'elle enverra à Félix : elle lui dit d'abord qu'elle ne peut pas envisager de continuer sans lui, qu'elle regrette de ne pas l'avoir compris plus tôt, qu'elle préfère mourir que de vivre loin de lui, elle a du cyanure volé à l'hôpital de Rosendaël (on soulignera un vil chantage au suicide – c'est possible), elle le supplie de lui répondre, même seulement pour lui expliquer les raisons de son détachement et de son départ, qu'elle sache au moins à quoi s'en tenir, et enfin, elle lui répète qu'elle est prête à abandonner ses études, et termine par cette phrase qu'on ne peut pas considérer comme anodine quand on connaît son caractère, quand on sait ce qu'écrire ces mots doit lui coûter : *Je suis décidée à me comporter comme la femme que tu souhaites.* (Félix ne répondra pas.)

Avec le soutien constant d'Eva, Pauline réussit à retrouver suffisamment de volonté pour bien bosser ses examens, et les passer brillamment au rattrapage. Son père, André, écrit alors une carte de remerciement à la logeuse, qui témoigne sans équivoque de l'état dans lequel il savait sa fille – et dont Barrière et tous ceux qui ont consulté le dossier ont eu connaissance, là encore :

Chère Madame,

Je veux que vous sachiez combien je vous suis reconnaissant pour le sauvetage de Pauline à son dernier examen. Car c'est à vous certainement qu'elle doit de ne pas avoir échoué lamentablement. Il me semble qu'elle s'est ressaisie. Elle est prête à continuer sa médecine, ce qui est d'ailleurs pour elle une voie toute tracée, au long de laquelle le temps lui permettra d'amortir et d'oublier les déceptions sentimentales. Encore merci, je ne trouverai jamais assez de mots pour vous exprimer ma gratitude.

C'est Eva qui va apprendre à Pauline l'existence de Monique, puisque Félix n'en a pas le courage. Un samedi soir du début d'octobre 1949, elle monte dans la chambre de sa locataire et lui dit qu'elle a croisé le jeune homme, l'après-midi dans une rue de Lille, au bras d'une fille blonde. Dès le lendemain, Pauline se rend chez lui, rue Henri-Kolb, où il est en train de réunir ses affaires en vue de son prochain emménagement à Paris (il va sous-louer un appartement libéré par un couple, dont la femme est la sœur de l'un de ses amis d'enfance de Saint-Omer, Paul Poirel (on dirait un faux nom, dans un roman de Modiano peut-être, mais non), un ingénieur géographe qui le prendra en colocation avec lui). Elle frappe et entre sur des œufs de caille, il n'est pas content de la voir. Il lui propose aussitôt d'aller marcher, il ne veut pas d'elle chez lui (et si Monique débarquait à l'improviste ?) ; Pauline aurait préféré le tenir entre quatre murs mais ne peut que le suivre, elle ne dirige plus la manœuvre. Dès les premiers pas dehors, cependant, elle lui demande des explications claires et sincères : pourquoi s'en va-t-il à Paris ? qu'est-ce qu'il lui reproche exactement ? de n'avoir pas accepté de l'épouser plus tôt ? cette histoire sordide, inventée et répandue par Grichon ? est-ce qu'il a rencontré quelqu'un d'autre ? Là, il réagit brusquement. Il lui jure que non. (Félix…) Il s'empresse alors de mettre fin à la discussion, comme il peut : « Tu n'es pas la femme qu'il me faut pour le mariage, c'est tout, je suis désolé. » Pauline s'énerve, elle ne peut pas se contenter de ça, elle pleure, crie – ce n'est pas son genre, mais elle n'a plus de genre.

Sans qu'elle s'en soit rendu compte, il l'a ramenée jusqu'à la place du Temple, devant chez elle. Il essaie de la laisser là mais elle résiste, se débat, exige d'autres arguments, refuse d'en rester là, elle est prête à tout, il comprend ça ? Face à son mutisme, elle fait demi-tour en lançant : « Je vais me tuer ! Chez toi ! » (Elle le reconnaîtra lors des interrogatoires, si elle voulait se donner la mort, c'était pour qu'il ait « des regrets, des remords et des ennuis ».)

Que fait Félix, ce grand garçon costaud, au lieu de courir pour la rattraper et tenter de la retenir, de la raisonner, de lui parler calmement et franchement ? Il frappe affolé à la porte d'Eva Gérard et lui explique que Paulette va se suicider, qu'il faut à tout prix qu'elle vienne l'aider, il ne sait plus quoi faire. Quelques secondes plus tard, Eva est sur le trottoir, ils courent vers chez Félix et retrouvent vite Pauline en larmes deux rues plus loin.

La logeuse détaillera cette scène pathétique aux enquêteurs. Félix pétrifié lui dit que la jeune femme a certainement du cyanure dans son sac à main, elle lui en parlé, il date de plusieurs années mais enfin c'est du cyanure ! Eva demande à Pauline d'ouvrir son sac pour qu'elle puisse vérifier, elle essaie même de le lui arracher, mais la jeune femme, dans un état second, ne veut rien entendre et s'y accroche obstinément. Eva, qui a aperçu un gardien de la paix un peu plus loin, la menace alors de l'appeler si elle n'obéit pas tout de suite. Pauline consent à lui donner son sac.

Félix racontera ce qui s'est passé à plusieurs de ses amis : Eva et lui, ayant réussi à prendre le sac des mains de Paulette, lui ont confisqué le flacon de cyanure et l'ont laissée repartir, soulagés que la malheureuse n'ait plus la possibilité de mettre sa menace autodestructrice à exécution.

Mais ils ne lui ont pas pris le flacon de cyanure, non : quand on perquisitionnera la chambre de Pauline, dix-huit mois plus tard, on le retrouvera dans son armoire à pharmacie, à côté de la photo de Domnick. Elle ne l'avait pas dans son sac. Ce qu'ils lui ont pris, ce sont les clés de l'appartement de Félix, qu'elle avait conservées depuis la fin de l'année scolaire. Au moins, elle ne fera pas ça chez lui.

Une heure plus tard, il est avec Monique. Il est arrivé pâle et agité, elle a remarqué que quelque chose n'allait pas. Pour elle, il invente une autre variante de l'histoire. Mais d'abord, il lui parle enfin de Pauline – il faut bien, et il était temps, ils sont ensemble depuis cinq mois, il a quitté officiellement Pauline il y a une heure, après trois ans de liaison mouvementée et quatre ou cinq demandes en mariage. Il la lui présente comme une fille qui lui a fait perdre son temps par cruauté, une demi-folle, un « démon » – lors de l'enquête et du procès, Monique le répétera à plusieurs reprises. Quant à ce qui vient de se passer : il a rompu avec elle depuis qu'il connaît Monique, naturellement, mais il l'a croisée cet après-midi par hasard, elle est entrée dans une rage insensée, lui a fait une scène d'hystérie en pleine rue et a juré de le tuer, lui. (Dans l'une de ses déclarations à la police, Françoise Cauchois devenue Camusat présentera son ami ainsi : « Félix avait un cœur d'or, et il était d'une franchise totale. »)

On demandera quatre fois à Monique, dont une en confrontation avec Pauline, si elle est bien certaine que Félix ne lui a pas dit qu'elle avait menacé de *se* tuer. Elle sera formelle, c'est bien à lui qu'elle voulait faire du mal : « Félix m'avait bien dit que son amie Pauline Dubuisson l'avait menacé de mort et ne m'a pas dit qu'elle avait menacé de se suicider, aucune confusion n'est possible sur ce point. » (Face à elle, Pauline démentira fermement, certifiera que l'idée de nuire à Félix de quelque manière que ce soit ne lui a jamais traversé l'esprit, mais on ne sera pas sûr de la croire.) Dommage que Monique n'ait pas envisagé la possibilité de n'avoir pas bien entendu, car Eva était présente lors du pétage de plombs de Pauline, et ne laissera pas la place au moindre doute : elle pleurait, elle s'effondrait, bien plus anéantie qu'enragée, et à aucun moment elle n'a parlé de tuer Félix – contre lequel elle n'a même pas montré un soupçon d'agressivité – mais bien elle-même.

Quand Monique et Félix montent chez le jeune homme, rue Henri-Kolb, il pénètre prudemment le premier à l'intérieur, et inspecte toutes les pièces avant de la laisser entrer à son tour. Monique donnera la raison de cette attitude cinématographique : « Ensuite, nous avons encore regardé partout dans son appartement pour nous assurer que cette femme ne s'y était pas cachée. » Félix est pourtant bien placé pour savoir que Pauline n'a plus les clés, puisqu'elles sont dans sa poche.

Il a sans doute préféré cacher à Monique que son ex projetait de se suicider, pour ne pas endosser le rôle de l'homme qui fait souffrir une femme, mais plutôt celui du héros de l'amour qui doit subir les conséquences d'un choix de cœur radical et d'une trop grande honnêteté à l'égard de son ancienne compagne. Le problème, c'est qu'il se retrouve aussi, par conséquent, dans la position du trouillon qui regarde sous le lit parce qu'il a peur de se faire attaquer. Du coup, il décale un peu la menace vers sa future femme, et peut ainsi s'envelopper dans une cape de protecteur. « Il avait très peur, dira Monique. Il craignait beaucoup pour moi. » Car c'est à présent à Monique que Pauline risque de régler son compte. Il dira la même chose à sa mère : cette cinglée veut s'en prendre à Monique. (Pauline ne l'a jamais vue, elle ne connaît même pas son prénom, Eva lui a seulement dit qu'elle avait aperçu Félix dans la rue avec une jeune femme, ce qu'il a d'ailleurs nié quand elle lui a posé la question – et de toute manière, de toute sa vie, qui a été bien épluchée, Pauline n'a jamais montré de malveillance ni de haine, ni même d'animosité, envers qui que ce soit. Quand les deux jeunes femmes se retrouveront côte à côte dans le bureau du juge d'instruction, elle sera sciée d'apprendre qu'elle a eu l'intention de faire un sort à sa rivale, et ne pourra que répondre : « Je suis étonnée qu'il ait pu prétendre une chose pareille. ») Le soir, le jeune et joli couple dîne avec Guy Ledoux. Félix fait jurer à son ami de veiller très attentivement sur sa promise quand il sera à Paris. « Par crainte d'un malheur », précisera Monique, qui ajoutera que s'il était si inquiet, c'est qu'Eva Gérard, disait-il, l'avait mis en garde en le prévenant que Pauline « était capable de tout » (de son côté, Eva maintiendra qu'à ce moment-là elle a plutôt essayé de le convaincre, au contraire, que Pauline avait changé dans le bon sens) – et « Félix lui avait répondu que si cette fille touchait à moi, elle aurait affaire à lui ». Il ne s'arrêtera pas là, il se montrera si persuasif devant Mme Moréteau que celle-ci, bien que n'ayant aperçu Pauline qu'une fois, mettra Monique en garde : « Attention, elle serait bien capable de te jeter du vitriol ! » C'est beau comme *Les Feux de l'amour*, ça deviendra par magie l'incontestable Réalité dans les esprits.

Ce qui m'échappe, c'est que, quelle que soit la version qu'on choisit – Pauline veut se tuer, Pauline veut tuer Félix, Pauline veut tuer Monique, ou la défigurer au vitriol ou lui couper les mains –, le jeune homme est censé comprendre, plutôt trois fois qu'une, que celle qu'il a quittée l'aime au point d'être absolument « capable de tout », comme aurait dit Eva, pour qu'il reste avec elle. C'est ça, le drame : elle l'aime trop. Mais ce n'était justement pas à cause de l'inverse, parce qu'il craignait qu'elle ne soit pas sincère, qu'il la quittait ? Manifestement, non, ce doit être autre chose. Il a préféré se tourner vers une fiancée plus sûre, plus propre, plus docile.

Félix n'est pas un mauvais gars, c'est certain, il a simplement un peu de mal – c'est en tout cas l'impression qu'il donne – à assumer ses choix, ou ceux qu'il ne fait pas. Il n'a pas de mauvaises pensées à l'encontre de Pauline, au contraire : pour la dédouaner un peu, il en dit même parfois du bien à Monique, il évoque son enfance, son tempérament trop impulsif, ses graves problèmes avec Grichon… Mais il pense avant tout à lui-même. Quand Monique se laisse trop attendrir, et risquerait de se demander s'il n'a pas été injuste envers elle, il module et recadre vite, c'est elle qui en témoignera : « Un jour que je m'apitoyais sur le sort de Pauline Dubuisson et que je lui faisais remarquer qu'elle devait être bien malheureuse à la suite de leur rupture, Félix m'a dit que cette femme était un véritable démon et que je ne pouvais pas savoir combien elle l'avait fait souffrir. »

Le lendemain, lundi, Pauline se rend au laboratoire de la faculté pour poser une question à Gaston Bizard, le professeur qui l'a soutenue quand Grichon la poursuivait de ses ardeurs féroces. Elle lui explique que l'un de ses chats, à Malo, est très malade et qu'elle préférait abréger ses souffrances elle-même que l'emmener chez un vétérinaire. Son père a un flacon de cyanure de potassium à la maison, mais il date de plus de quatre ans, est-il possible qu'il ait, selon lui, gardé toutes ses propriétés ? Le prof ne peut rien affirmer, il faudrait qu'elle lui en apporte un échantillon pour qu'il le teste, car l'oxydation peut effectivement en avoir fait du cyanate, bien moins nocif.

Prévenu au téléphone par Eva Gérard que sa fille avait manifesté des intentions suicidaires, André Dubuisson, pourtant mobile comme une armoire normande, frappe à sa porte dès le lendemain. Après une longue discussion avec Pauline dans sa chambre, il parvient à la dissuader de céder au découragement et de faire une bêtise – ça ne doit pas être simple pour lui, qui a toujours prôné, même auprès d'elle petite, cette solution cohérente en cas d'impasse, d'échec flagrant. Il commence à se poser des questions. L'éducation, les principes, c'est pas de la tarte. ("Tu sais, mon garçon, on ne juge pas les gens en fonction de leur niveau d'études, qu'ils soient cultivés ou non n'a aucune vraie valeur, c'est l'âme et l'intelligence et la bonté qui comptent, l'expérience de la vie vaut tous les diplômes, n'oublie jamais ça. Mais travaille bien à l'école, quand même, c'est important.") Il lui demande si cette volonté d'en finir a un quelconque rapport avec la déception sentimentale dont l'ont informé Eva et maman. Elle lui assure que non, elle est au-dessus de ça, qu'est-ce qu'il va chercher là ? (Tu ne peux t'en prendre qu'à toi-même, André.)

Encouragée, en surface, par sa réussite aux examens, convaincue par son propre père, le grand prêtre du suicide, qu'il ne faut pas prendre ses enseignements au pied de la lettre (mais certainement déboussolée malgré tout : elle ne s'est construite qu'en s'appuyant sur les théories qu'il lui a inculquées), Pauline lui promet que ça ira mieux, qu'elle saura prendre sur elle et se montrer solide, qu'elle va poursuivre ses études de médecine comme il l'y engage avec insistance. Elle lui demande seulement, s'il veut l'aider, d'essayer de faire jouer ses relations pour qu'elle puisse s'inscrire à la faculté de Paris l'an prochain, ce qui ne s'obtient pas comme ça. Il est embêté. Et comme souvent, il ne lui donne pas de réponse précise (c'est de famille, ça aussi) : « Ce n'est pas évident, tu sais. » En réalité, sa femme Hélène le sous-entendra, il ne veut pas que sa fille s'éloigne de lui, ce grand dur plein de guimauve. Sa part féminine, sa part maternelle, est tenace.

À son départ, Pauline veut se croire déjà convalescente et réunit ses forces. Félix va s'en aller pour Paris d'un jour à l'autre, elle sait que c'est fini, il ne lui reste plus qu'à l'accepter et le surmonter. Son premier acte de redressement consiste à jeter tout ce qui peut être douloureux, ce qui entretient le souvenir : les photos, les lettres, elle déchire et balance tout (elle n'oublie que la dédicace banale sur la page de garde de *La Moisson de Jalna*, cachée au milieu des romans policiers dans sa bibliothèque).

Et les études reprennent. C'est laborieux les premières semaines, elle fait de son mieux pour ne rien laisser paraître de son chagrin et de son angoisse mais elle ne peut pas se contrôler en permanence, il lui faudrait des œillères pour ne pas voir cette saleté de néant sur les côtés. Depuis la rentrée, aussi seule intérieurement qu'à Lyon, elle s'est beaucoup rapprochée de Jeannine Lehousse et de Josette Devos, qui savent ce qu'elle vit même si elle n'en parle pas, et tentent de la distraire. La première, en couple avec Michel Gravez – sans pression ni agenda matrimonial précis, comme Pauline aurait aimé l'être avec Félix –, se découvre de vraies affinités avec elle, la décrit comme « très bonne camarade, très gentille, très serviable, et capable de bons mouvements de cœur », et compatit, sans oser la questionner, lorsqu'elle traverse des crises de cafard assez profondes pour « rester cloîtrée chez elle sans venir en cours pendant deux ou trois jours ». La seconde, Josette, qui va bientôt se marier et abandonner sa médecine, recueille un peu plus de confidences de Pauline, peut-être parce que celle-ci voit en elle la future bonne épouse qu'il s'en est fallu de très peu qu'elle ne devienne. Ça reste léger : elle lui dit qu'elle a fait « une grosse bêtise » en laissant se dissiper l'amour de Félix. Un soir, elles parlent de suicide. Selon Pauline, pour franchir le pas, le dernier, « il faut un courage extraordinaire ». C'est tout ce qu'elle dira de ses pensées à ce moment-là. Josette supposera : « C'est peut-être par orgueil qu'elle ne s'est pas livrée davantage à moi. » Quand policiers et magistrats poseront la question directement à Pauline, suggérant que si elle ne parlait pas de Félix autour d'elle, c'est surtout parce qu'elle n'en avait rien à secouer de lui, elle déclarera simplement qu'elle l'aimait, et qu'elle n'étalait ses sentiments et peines devant personne « par discrétion et par réserve ».

Combien de millions de femmes et d'hommes ont vécu la même chose ? C'est juste une histoire, après tout ordinaire, qui se termine.

Chapitre vingt-trois

Ravageuse

Inscrit à la faculté de la rue de l'École-de-Médecine, près du boulevard Saint-Germain, à Odéon, Bailly Félix s'est installé dans le XVe arrondissement, au 25 rue de la Croix-Nivert, escalier C, septième étage. Durant quelques mois, il partagera l'appartement avec Paul Poirel, son ami ingénieur géographe, qui le laissera l'occuper seul quand il partira, bientôt, pour une longue mission dans le Sahara. Ils doivent être un peu à l'étroit. L'entrée permet d'accéder, à gauche, à un petit salon-chambre de treize mètres carrés dont l'unique fenêtre donne sur la rue, avec un lit une place, un fauteuil rouge convertible (pas un canapé), une table, deux chaises, un lampadaire et un buffet ; au fond de cette pièce, à droite de la fenêtre, une porte s'ouvre sur une salle de bains de moins de quatre mètres carrés (les toilettes sont sur le palier) ; l'entrée donne également, à droite, sur une penderie, et en face, sur une cuisine minuscule, de deux mètres quatre-vingts sur un mètre soixante, avec une fenêtre, un évier, une petite table, deux chaises, un réchaud à gaz et un radiateur : on pourrait à peine s'allonger par terre.

Dès son arrivée, outre trois petites reproductions dans des cadres et une grande carte de France, Félix a punaisé près de son lit deux photos de Monique, et celle de son père qu'il avait à Lille. Il faudra qu'il en demande une de sa sœur, et une ou deux de sa mère.

Il se met, en homme, à fumer des Gitanes et, de temps en temps, la pipe (Pauline, de son côté, préfère les cigarettes Week-End (dont Fernandel fait la publicité, sur l'air d'*Ignace* : « Pour mon estomac, je ne prends que du tabac, de la régie française de l'État ! Week-End, Week-End, on peut les fumer béatement, Week-End, Week-End, pour l'esprit c'est un délassement… »)), il achète une bouteille de cognac et quatre verres adéquats, pour les éventuels invités à venir.

À Lille, Pauline est entrée en stage d'internat à l'hôpital militaire, avec Jeannine Lehousse et Michel Boullet, l'ami de Félix depuis dix ans, celui qui dira que c'est « une fille qui ne ressent rien » – je pense sans vouloir m'avancer qu'il est surtout un peu dépité qu'elle ne ressente rien pour lui (Félix aura d'ailleurs plus tard quelques soupçons sur le genre de regard qu'il portait sur elle). Elle y croise vraisemblablement tous les jours Mme Moréteau, sans savoir qu'elle est proche de Félix (au point de lui rendre visite chaque fois qu'elle va voir sa famille à Paris), sans se douter non plus qu'elle est restée en contact régulier avec Monique, à qui elle tient compagnie les soirs d'hiver – la laborantine se souviendra que « c'était une joie de voir deux jeunes gens partir dans la vie avec un amour aussi profond, sincère et honnête, et dans un accord aussi parfait, aussi bien comme sentiments que comme milieu, instruction, éducation et sentiments religieux ». Pauline essaie de ne plus penser à tout ça. La vie d'interne occupe son temps et son esprit, ce qu'elle fait la passionne, ça aide à ne pas trop regarder en arrière, ou sur les côtés.

À Paris, Félix fait de nouvelles connaissances, notamment à l'association sportive de la fac, où il pratique le hockey sur gazon et dont il deviendra le secrétaire. Il y rencontre Jacques Godel, vingt-trois ans, et Bernard

Mougeot, vingt-cinq ans, deux garçons qui lui ressemblent et feront rapidement office de “meilleurs amis”. Dès ses premières soirées avec l’un ou l’autre, alors que Pauline, à deux cents kilomètres de là, tente de l’oublier et de le retrancher de ses conversations, il leur parle d’elle. En arrangeant l’histoire à sa façon.

À Godel, un grand blond au visage long et anguleux, à l’air sérieux, droit, et peu complexe, qui vit à Bois-Colombes et qu’il voit donc surtout dans la journée, il ne fournit pas beaucoup de détails, il lui raconte seulement qu’il a connu à Lille une étudiante qui a « profité de sa nature sentimentale » et lui a fait « perdre une année d’étude ». Il lui dit qu’elle n’était pas faite pour lui, critique son « éducation trop masculine », sa « sécheresse de cœur » et son « matérialisme ». Il ne précise pas s’ils ont fauté ou non, et ne lui donne pas son prénom. En revanche, il lui trouve un surnom – qui restera gravé au burin sur le front de Pauline : il l’appelle « ma ravageuse ».

Il est plus intime avec Bernard Mougeot, qui a trois ans de moins que lui (mais en fait cinq de plus), un roux maigre à petite moustache, aux yeux enfoncés et au nez long, qui ressemble à un médecin de ces années-là comme un platane ressemble à un arbre. Ils sont plus souvent ensemble et plus complices, car Mougeot, quoique plus que jeune, est en avance et de la même promo que lui, fait également partie de l’équipe de hockey (que Godel ne rejoindra que l’année suivante), et vit à Paris lui aussi, de l’autre côté de la Seine, rue Le Nôtre, à Passy, en face des jardins du Trocadéro. Il lui parle très tôt de Pauline – et non plus Paulette. Il lui avoue qu’elle a été sa maîtresse, la seule jusqu’à présent (et précise, comme à Mme Moréteau, que lui n’a été « ni son premier ni son unique amant »), et qu’il s’était « amouraché » d’elle, qu’ils travaillaient et sortaient parfois ensemble, mais affirme qu’il n’a jamais eu l'intention de l'épouser – car il devait pressentir mystérieusement que Monique arriverait bientôt dans sa vie, je pense. « Il m'a dit que son amie se donnait plus de mal que lui pour ses études, mais qu'elle obtenait des résultats moins brillants. » Félix décale légèrement l'histoire avec Blandin : il a appris, lorsqu'ils se sont rencontrés, que Pauline avait une liaison avec un professeur de la fac, il est donc allé le trouver pour avoir « une explication » avec lui, et ça s'est vite réglé. Mais il n'a pas tardé à s'apercevoir que ça ne collerait pas entre eux (c'est pourquoi il ne l'a jamais demandée en mariage), elle était très jalouse, lui faisait des scènes sans arrêt et voulait lui imposer toutes ses volontés. Toujours selon Mougeot, dépositaire du récit de son ami, de ce garçon idéal, l'intégrité incarnée, Félix dit avoir rompu fermement et définitivement avec Pauline à l'instant où il a connu Monique, à la fin de l'année scolaire précédente. Elle n'a pas hésité à venir le relancer jusqu'à Saint-Omer, chez ses parents, mais il s'est montré inflexible, inébranlable. Face à cette détermination, face à l'évidence qu'il en aimait une autre, elle a tenté d'avaler tout un flacon de cyanure, mais il est arrivé juste à temps pour l'en empêcher. (Comme toujours, il n'y a rien de méchant dans ces affabulations, juste une volonté infantile et naturelle de se donner le beau rôle.)

Pour Monique, qui vient passer quand elle peut un week-end à Paris, où elle loge chez un oncle (il est évidemment hors de question qu'elle dorme chez Félix, et si elle vient parfois lui rendre visite en tout bien tout honneur, l'après-midi, la concierge de l'immeuble, Mme Maitrot, au nom bien parisien, affirmera qu'elle n'est jamais repartie après dix-neuf heures), les choses sont plus claires, elle est catégorique : « Cette femme n'existait plus pour Félix. » Elle vit dans un monde où tout est pur et simple, noir ou blanc, avec des monstres visqueux qui restent entre eux dans le noir et des petits oiseaux qui volettent dans le blanc en se faisant des bisous.

À Lille, Pauline la nymphomane a passé toute l'année scolaire sans manifester le moindre intérêt pour quoi que ce soit qui porte un pantalon (avec l'enquête minutieuse qui a été menée sur cette période auprès de tous ceux qui l'ont côtoyée, si elle s'était approchée d'un garçon à moins d'un mètre ou si elle en avait regardé un de loin pendant plus de trois secondes, on le saurait.) Avant les vacances d'été, elle lui écrit chez ses parents à Saint-Omer où elle sait qu'il ira bientôt (il a interdit à quiconque de lui donner son adresse à Paris), non plus pour l'implorer de revenir vers elle, mais plus discrètement pour lui demander de ses nouvelles, savoir ce qu'il devient. Il ne répond pas. (Il n'a peut-être pas eu la lettre, cela dit. Ses parents se préparent à recevoir Monique, leur future bru, pour deux semaines, on ne transmet pas un mot urgent de Belzébuth à un bienheureux qui s'apprête à serrer la main de saint Pierre.) Rien ne coûtait d'essayer une dernière fois mais elle s'en doutait, ce n'est pas une surprise. Il l'a définitivement rayée.

Chapitre vingt-quatre

Aussi gentille que jolie

Après un mois de juillet 1950 aussi joyeux et ludique que tous les ans à Malo, à regarder la mer du Nord, qui n'est toujours pas l'Atlantique, un peu de plaisir et de changement s'annoncent : elle s'est inscrite pour un séjour dans le Tyrol autrichien organisé par l'Unesco, qui a été créé juste après la guerre, dans le cadre de son programme de rapprochement des peuples et des cultures. Elle en profitera, si elle peut, pour aller enfin rendre visite à son vieux colonel Domnick. Il lui a écrit au printemps qu'il avait de nouveau le droit d'exercer la médecine et qu'il avait quitté sa maison de Donaueschingen pour emménager à Ulm, où il a trouvé un poste dans un hôpital. Elle essaiera de le voir sur le chemin du retour d'Autriche, même si ce ne sera pas simple. Mais ce n'est pas non plus sa priorité. Elle va voyager hors de France pour la première fois, elle est contente.

De Strasbourg, où le petit groupe d'étudiants du Nord dont elle fait partie s'arrête à mi-chemin pour une courte pause touristique (ils sont passés tout près de Haguenau, elle a jeté un coup d'œil distrait par la vitre du train ou du car, des bâtiments, là-bas, elle ne sait pas qu'elle y vivra de longues années, dans une sorte de tombeau – ça me donne souvent de légers vertiges, de manière un peu trop romantique, quand je marche dans les rues de Paris ou quand je n'arrive pas à dormir : l'hôpital ou l'immeuble dans lequel je vais mourir (dans un siècle), cette chambre au quatrième étage, ce salon au deuxième, ma dernière fenêtre vers l'extérieur, rue Fontaine ou rue de la Croix-Nivert, je suis peut-être déjà passé devant, dessous, insouciant sur le trottoir, en pensant à mon fils qui doit aller chez le coiffeur, il faut que je prenne rendez-vous, ou au cheval que j'ai joué dans la cinquième à Longchamp ; la fenêtre me regarde passer, à bientôt), elle envoie une carte postale à Domnick pour lui expliquer en quelques mots qu'elle n'aura pas les moyens de payer elle-même le détour vers Ulm et le reste du voyage retour jusqu'à Lille, normalement compris dans le séjour. Il faudrait qu'il puisse venir la voir dans le Tyrol, ou bien qu'il lui envoie un peu d'argent. Elle lui donne l'adresse du centre où ils seront hébergés, à Mayrhofen, une petite station de montagne près d'Innsbruck.

La réponse lui parvient peu de temps après son arrivée sur place, la deuxième semaine d'août : *Malheureusement, il m'est impossible de quitter Ulm, en raison de mes occupations médicales. Je te prie de venir ici. Mais il m'est également impossible d'envoyer de l'argent à l'étranger. Si tu peux m'indiquer une ville frontière, allemande naturellement, je t'y enverrai de l'argent. J'aurai grand plaisir à te revoir. Donc écris-moi aussitôt, ne me fais pas attendre ta réponse.*

Quelques jours de vacances en plus, un pays qu'elle ne connaît pas (même si elle a étudié de près certains de ses habitants), et ce pauvre cher Werner… Après tout, s'il n'a pas trop vieilli (ça lui fait quel âge ?), ça peut ne pas être désagréable. Il se débrouillait bien – l'expérience, tout ça. Et puis quand même, voilà plus d'un an qu'elle n'a pas desserré les jambes – on a beau être plus cérébrale que sensuelle, ça fait pas de mal. Sur une carte, elle constate qu'Innsbruck est à trente kilomètres à peine de l'Allemagne, dont la ville la plus proche est

Garmisch-Partenkirchen. Elle en informe le colonel par télégramme. Dans la triste Ulm, dont le centre-ville, comme Dunkerque, a été détruit à 80 % par des bombardements en 1944, Werner doit bondir de joie et commencer à sortir les poêles pour les crêpes et les patates sautées ; à changer ses draps et se racheter de l'eau de Cologne, aussi. Il envoie cent deutschemarks poste restante au nom de Pauline Dubuisson, au bureau de Garmisch.

C'est tout l'argent que Pauline recevra de lui. Voilà donc ce que Madeleine Jacob appelle *une mentalité de prostituée* : se faire offrir le voyage – le crochet – pour aller voir un vieil amant qui est aussi un vieil ami. Werner attend une visite d'elle depuis plus de deux ans, il lui envoie de quoi payer le train car il sait que sinon, elle ne peut pas venir, et elle accepte – une vraie catin.

Entretemps, Pauline a fait la connaissance d'un jeune homme qui est lui aussi à Mayrhofen avec l'Unesco. Il vient de Paris, où il est né, c'est un ingénieur électricien de vingt-cinq ans, il s'appelle Bernard Legens. Ils ont sympathisé dès les premières sorties du groupe et se rapprochent au fil du séjour. Ils s'entendent bien. Il lui rappelle Félix : un beau garçon normal – sain, posé, gentil et sans tourments. Ils discutent, se sourient. La deuxième semaine, ils s'éloignent des autres et partent à deux, en car, passer quelques heures à Innsbruck. (De là, étrangement, elle écrit une carte postale à Michel Boullet, l'ami de Félix avec lequel elle était en stage à l'hôpital militaire, qui lui reproche d'être glaciale et la traitait de putain au bal de la Croix-Rouge (il doit bien lui cacher son aversion pour elle, elle ne semble pas au courant) : *Pays magnifique. Gens assortis. On aimerait vivre ici. Bien affectueusement, Pauline.* Elle adresse la carte à Saint-Omer, où il passe ses vacances. Un dernier signe vers Félix, peut-être.) Dans la journée, ils prennent un autre autocar pour Garmisch, où Pauline retire les cent marks au bureau de poste et envoie un nouveau télégramme à Domnick pour le prévenir qu'elle les a bien reçus, qu'elle arrive bientôt.

Deux jours avant la fin de cette expédition autrichienne, Pauline et Bernard couchent ensemble. (Cette fois encore, l'axiome sexo-temporel de Madeleine Jacob se vérifie : elle n'a attendu que deux semaines. Il faut dire que ça ne pourrait être qu'un amour de vacances (où chaque jour compte triple), une activité découverte comprise dans le séjour, et la date du retour est toute proche. Quoi qu'il en soit, elle a le droit, ce n'est pas une violation de la loi divine. Combien des vieux messieurs en robe qui la foudroieront de leur indignation pour cette légèreté scandaleuse n'ont jamais cédé avant quinze jours à l'envie altruiste d'honorer de leur membre viril une inconnue conquise ?)

Pauline est intelligente et apprend de la vie : avec Bernard, dont elle sent, et espère, qu'il peut devenir autre chose qu'un simple souvenir d'Autriche, elle ne commet pas les mêmes erreurs maladroites qu'avec Félix, son premier amour. Elle ne se montre pas trop sûre d'elle ni pro du matelas, et ne lui dit rien de son passé, si ce n'est qu'elle a eu « un flirt » avec un étudiant en médecine mais qu'elle a refusé de l'épouser car il ne voulait pas qu'elle poursuive ses études. Bernard déclarera qu'il la pensait vierge.

Elle a bien fait de se méfier de l'éternel retour (à petite échelle, mais après tout, pour elle, c'est presque une nouvelle vie), car lors de leur deuxième nuit, la veille du départ, Bernard se met déjà à lui parler de mariage – c'est une coutume chez les jeunes gens normaux et sains de l'époque. De nouveau, elle tente de s'adapter à ce qu'elle a appris : elle lui explique qu'elle aimerait d'abord terminer ses études de médecine, mais elle le dit prudemment, sans claquer la porte d'un air moqueur, elle modère même en ajoutant que si un jour il le veut vraiment, elle les abandonnera pour lui – cette fois, elle ne le dit pas trop tard (des progrès sont à noter, c'est très bien). Voilà, elle commence à se laisser avoir, elle devient la femme qu'elle doit être. Mais elle n'est pas sûre d'avoir le choix. Bernard est une seconde chance qui lui est offerte, un nouveau Félix.

Le lendemain, il retourne vers Paris, ils se séparent et promettent de s'écrire. Il sait qu'elle ne va pas rentrer directement à Malo-les-Bains. J'ai lu partout qu'elle lui avait fait croire qu'elle allait voir *une vieille tante* en Allemagne. C'est amusant, cruel pour ce pauvre Domnick – et accessoirement, en ce qui concerne Pauline, ça joint l'ironie de mauvais goût au vice et à l'infidélité –, mais ce n'est pas vrai. Je ne sais pas d'où sort cette vieille tante, certainement de l'esprit inspiré d'un journaliste amateur de détails comiques, ça donne toujours du relief et de la saveur à un papier et on n'est plus à une invention près, mais Bernard Legens, témoin fiable (et surtout unique), sera précis dans sa déposition : « Je suis rentré à Paris reprendre mes occupations, pendant que Pauline allait à Ulm rendre visite à un de ses parents, médecin, auquel elle avait télégraphié au préalable. » Elle a récupéré l'argent devant lui, envoyé le télégramme devant lui, pas question de vieille tante, elle ne lui a pas menti – ou pas beaucoup : qui sait si elle ne considère pas Werner comme un genre de parent, si elle ne se rend pas chez lui sans aucune intention de reprendre là où ils se sont arrêtés quand elle avait dix-sept ans ? Ce n'est pas de la mauvaise foi de ma part (de toute façon, je trouverais même plutôt louable, chrétien, qu'elle accorde quelques dernières heures de plaisir contre-nature au vieux dépressif), c'est juste que personne ne peut savoir. (Pauline affirmera qu'ils n'ont rien fait d'autre à Ulm qu'évoquer des souvenirs et se raconter leurs vies actuelles, mais honnêtement, sans voir en elle une menteuse pathologique, il est difficile de l'imaginer avouer au policier qui l'interroge les yeux plissés : "Oui, c'est parfaitement exact, deux jours après avoir entamé ma belle idylle avec Bernard, je suis allée me faire retourner dans tous les sens par un pépé en rut.") Je ne sais pas non plus combien de temps elle est restée chez Domnick (il travaille à l'hôpital dans la journée, elle ne doit pas s'éclater beaucoup, toute seule à Ulm – il habite Römmerstrasse, à l'écart du centre, loin de tout commerce), peut-être deux ou trois jours ? Ou quatre, ou un.

De chez Werner, elle envoie à Bernard une carte postale achetée à Innsbruck lors de la journée qu'ils y ont passée : *Je suis bien arrivée, et tout le monde est gentil* (c'est pas beau, les enfants qui mentent ne vont pas au paradis) *mais tu sais, je m'ennuie tant de toi ! Je vais rentrer bientôt et je serai à Malo sans doute dimanche, si j'y trouvais un mot de toi, je serais bien contente. Pauline.*

(À propos de carte, elle reprend à Werner, je me demande pourquoi, celle qu'elle lui a envoyée de Strasbourg – on la retrouvera chez elle, à Lille. Ravi d'avoir mis la main dessus, Jean Barrière tentera dans son rapport d'en tirer une conclusion accablante : *Cette carte prouve bien qu'avant son départ, elle avait décidé de revoir Domnick.* Oui, et ? Pourquoi n'aurait-elle pas décidé de revoir Domnick ? Ce ne serait pas mieux pour le côté accablant de la chose qu'elle ait décidé de revoir Domnick *après* avoir passé deux nuits avec Bernard Legens, le beau Bernard Legens ? Cette carte prouve surtout qu'elle est loyale et tient ses promesses, même si, après avoir passé deux nuits avec le beau Bernard Legens et entrevu la possibilité sérieuse d'une histoire nouvelle, ce détour par Ulm, perspective deux semaines plus tôt d'émouvantes et chaleureuses retrouvailles (tout étant relatif), a dû prendre soudain l'aspect pesant d'une corvée, va faire la bise à mémé.)

À partir du moment où elle est rentrée en France après leurs deux ou quatre jours ensemble, Pauline n'a plus reçu une seule lettre de Werner Domnick. Ce qui laisse supposer qu'il a dû se contenter de la regarder amoureusement manger des crêpes – ou bien qu'elle lui a signifié que bon, d'accord, viens là, mais c'est la dernière fois. (Il faut dire qu'il a soixante et un ans (elle lui en prête dix de moins mais un corps flasque qui plisse est un corps flasque qui plisse) et que le poids de la défaite et de l'indignité qu'il trimballe sur la nuque ne doit pas le rajeunir. Elle l'a connu puissant militaire et maître de la vie et de la mort à l'hôpital, elle le retrouve tout penaud avec ses patates. Et puis il y a Bernard.) Mais elle conservera toujours sa photo dans son armoire à pharmacie.

Elle passe la fin des vacances à Malo, avec ses parents et ses chats, mais aussi avec Georges Huret et sa femme (la marraine de François, qui repose au fond de l'Atlantique, devant Casablanca) : ils viennent déjeuner ou dîner presque chaque jour rue des Fusillés, et remarquent que c'est Pauline qui fait tout dans la maison, le ménage, le linge et tous les repas, Hélène profitant de la présence de sa fille pour se laisser aller immobile à son malheur. L'après-midi, elle accompagne souvent le couple à la plage et discute avec Georges face à la mer, de médecine et d'existentialisme. De Paris, aussi. Ils habitent dans le XVIIe arrondissement, tout près de la place de l'Étoile, qui ne s'appelle pas encore Charles-de-Gaulle. Elle compte venir passer quelques jours dans la capitale à la Toussaint, pour chercher une chambre en vue d'une éventuelle inscription à la fac parisienne, dit-elle, pourraient-ils l'héberger une petite semaine ?

Dès son retour à Lille, ayant compris que son père ne l'aiderait pas, elle demande à Eva Gérard, dont le mari est médecin, si celui-ci connaîtrait quelques personnes qui seraient à même de faciliter son inscription à Paris l'an prochain. Pour se rapprocher de Bernard, ou pour se rapprocher de Félix – elle ne se pose sans doute pas clairement la question elle-même. Elle dit à Eva qu'elle a rencontré un garçon pendant les vacances, qu'il veut déjà l'épouser, qu'elle n'a pas dit non, mais pas oui non plus, qu'elle veut d'abord mieux le connaître.

Un soir de ce mois de septembre, à Paris, Brigitte Bardot est seule dans l'appartement familial de la rue de la Pompe. Ses parents sont sortis avec sa petite sœur. Elle aura seize ans dans quelques jours, elle a fait ses premières photos pour *Elle* l'année précédente, et rencontré Roger Vadim lors des essais d'un film qui ne se fera pas. Il a vingt-deux ans, les parents de BB s'opposent fermement à ce que leur fille le fréquente si jeune, et viennent de lui annoncer qu'ils vont l'envoyer étudier en Angleterre jusqu'à ses dix-huit ans. Elle écrit un petit mot, et ouvre le gaz. Rentrés plus tôt que prévu, son père, sa mère et sa sœur la trouvent à genoux dans la cuisine, la tête dans le four, inconsciente – elle sera réanimée par le médecin appelé en urgence, comme Pauline dans la salle de bains de sa belle-sœur après la Libération ; selon lui, un quart d'heure plus tard, elle serait morte.

Pauline et Bernard s'écrivent tous les deux ou trois jours depuis le retour d'Autriche, de longues lettres. Ils se racontent ce qu'ils ont fait dans la journée (Pauline : *Je viens de terminer un superbe abat-jour en satin blanc, avec des broderies chinoises rouges, c'est très joli, je reçois avec une fausse modestie les compliments des visiteurs* ; Bernard : *Ce soir je n'étais pas invité, et je n'avais pas l'humeur d'aller dîner au restaurant, alors deux œufs frais, des tomates, du gruyère, et voilà le dîner acheté*), c'est simple et parfois un peu niais, sirupeux (Pauline : *Quand je t'écris, c'est presque comme si j'étais bien nichée au creux de ton épaule, et si j'étais un vrai chat, je ronronnerais* ; Bernard : *Dors bien ma petite chérie, je te serre dans mes bras et t'embrasse avec toute ma force d'homme des bois*), chacun dit à l'autre qu'elle lui manque et chacune qu'il lui manque, ils glissent parfois de légers sous-entendus sexuels (Pauline : *Dis-moi encore que tu me serres bien dans tes bras, et que tu es si gentil, comme il n'y a pas longtemps...* (c'est un peu excitant, je trouve, la fausse chasteté de cet euphémisme : *que tu es si gentil*) ; Bernard : *Tu ne peux pas venir à Paris tout de suite, comme c'est domâââge : moi aussi, il m'est bien difficile de tenir ma parole* (ils se sont promis de ne pas se tripoter chacun de son côté, quelque chose comme ça ?) – Pauline écrit aussi : *Je suis ravie du sens de l'humour de ma chatte*, mais elle parle de son chat femelle, c'est certainement involontaire), ils prévoient de se voir à la Toussaint, elle prend ses précautions : *Je ne viendrai que si tu me le demandes, il t'a suffi de trois semaines pour m'aimer et, raisonnablement, trois semaines peuvent te suffire pour changer.* (Elle a appris que rien ne dure, elle est sur ses gardes. Bernard saura la rassurer. Il l'attend, et comment. Dans sa lettre suivante, elle écrira qu'elle est à la fois *heureuse, inquiète et étonnée.*) *On m'a toujours dit, en effet,* poursuit-elle, *de me méfier des garçons.* (Bien joué, Pauline.) *Mais je ne peux pas m'empêcher d'avoir tant d'amour et de confiance en toi, malgré tout ce qu'on m'a dit sur les hommes ; tout dans la vie n'est sûrement pas si laid qu'on le dit* (ce qu'on peut traduire, tactique dans le coin, par : "pas si laid que je le crains"). Dans sa lettre, c'est évidemment souligné en rouge par l'inspecteur-chef Barrière, qui voit là la preuve éclatante de sa duplicité, tout comme lorsqu'elle écrit : *Avec toi, je n'ai même pas envie d'être coquette (je sais pourtant très bien comment il faut faire). Oh, Bernard, mon chéri, qu'est-ce qui m'est arrivé avec toi ? Cependant, ce n'est pas la première fois qu'un garçon « demande ma main » (tu n'as pas exactement dit ça, mais presque), mais toi, je t'ai aimé si vite, presque sans m'en apercevoir. J'étais, je crois, très égoïste, et cela m'était bien égal qu'un garçon ait du chagrin à cause de moi.* (Commentaire de la délicieuse Madeleine Jacob à propos de cette phrase : *Parce qu'elle n'avait pas trouvé son maître !* – voilà la solution pour empêcher les femmes de devenir un peu trop individualistes : un maître.) *Je crois bien que c'est la première fois qu'un garçon heureux à cause de moi, ou même en dehors de moi, me préoccupe plus que ma propre satisfaction.* Du miel pour les juges aux sourcils froncés : elle avoue. Mais sous un enrobage de mensonges (elle ne connaît des hommes que ce qu'on lui en a dit sous forme de mise en garde, elle se souciait peu des autres garçons, etc. – que celui ou celle qui n'a jamais arrangé sa vie sentimentale passée, au début d'une nouvelle histoire, actionne la guillotine), elle est sincère, elle admet ses erreurs. Plus sincère sûrement que lorsqu'elle parle de coup de foudre, joue la fille qui ne peut rien contre la passion ou termine ses courriers par : *Je t'aime, Bernard, de tout mon cœur.* Ou lorsque, leurs retrouvailles à Paris approchant, elle porte épistolairement les mains à sa poitrine : *Oh, que jeudi arrive vite, Bernard, je t'aime tant !* Plus je lis ces lettres écrites sur de petites feuilles bleues, plus j'ai l'impression qu'elle se force, qu'elle veut endosser le rôle, enfiler le costume de la promise. Mais je pense qu'elle a compris que c'était ça ou rien. Or "rien" lui fait très peur.

(Quelque chose d'anodin et trivial, rien à voir avec les grands sentiments, doit la gêner un peu, je suis sûr : Bernard fait beaucoup de fautes d'orthographe ; Pauline, jamais une seule.)

Ces lettres exaltées pèseront lourd contre elle (comme tout ce qu'elle a fait de treize à vingt-quatre ans), dans les deux sens possibles : d'une part parce qu'elles sont sincères, de l'autre parce qu'elles ne sont pas sincères. Tenant de la non-sincérité, l'inspecteur-chef Barrière écrira : *On a la mesure de la duplicité de Pauline Dubuisson* (Jean goûte cette tournure, *on a la mesure* : dans l'affaire infamante de la serviette hygiénique oubliée, il trouvait qu'on avait la mesure du manque absolu de dignité de l'accusée) *dans les lettres qu'elle écrivait à Bernard Legens. Ce ne sont pas là des lettres d'une jeune femme qui éprouve un grand amour pour un homme, mais simplement celles d'une maîtresse comblée et satisfaite.* (Jean connaît la femme, il sait, au premier coup d'œil, en reconnaître une comblée.) Les partisans de la sincérité, eux, verront dans cette tendresse et ces cajoleries sur papier la confirmation que Félix ne compte plus du tout pour elle, s'il a jamais compté : il a radicalement disparu de ses pensées. De mon côté, je crois, à mi-chemin de ces extrêmes, qu'elle s'adresse plutôt à Félix qu'à Bernard, qu'elle essaie de se racheter en écrivant à l'un tout ce qu'elle n'a pas dit à temps à l'autre – ou, plus pragmatiquement, qu'elle s'appuie sur ses souvenirs de Félix et les blessures qu'ils laissent en elle pour réussir ce rattrapage (dernier essai, doit-elle se dire – elle est à dix-huit mois de coiffer Sainte-Catherine, date de péremption redoutable en ces temps de subordination à l'homme (on se retrouve dans la situation d'un chômeur de cinquante-cinq ans aujourd'hui, qui voit chaque jour s'éloigner ses rêves d'être accepté par un patron)) : elle fait avec Bernard l'inverse de ce qu'elle a fait avec Félix, c'est normal, ce sont ses deux premières et seules vraies expériences de vie amoureuse, donc elle sonde, tâtonne à l'aveuglette, d'abord trop acide et prudente, puis trop emballée et sucrée (il en faudrait une troisième, pour être sûre de taper dans le mille), comme quelqu'un qui ferait cuire des macaronis sans connaître le temps de cuisson : la première fois, ils sont trop durs, la deuxième trop collants. (Penser à rédiger un court traité de comparaison raisonnée entre les pâtes et l'amour.) Pour Madeleine Jacob le loukoum, cette évolution malhabile dans sa manière de se comporter avec les garçons n'a qu'un but : trouver le moyen le plus efficace de les mettre à ses pieds. *Une seule passion dans la vie de Pauline, passion dévorante : dominer.*

À la fin du mois d'octobre 1950, elle passe une dizaine de jours à Paris chez le couple Huret, les amis de la famille qui venaient parfois en vacances à Malo et vivent dans un grand et bel immeuble bourgeois au 6 rue Anatole-de-La-Forge, à quelques pas de l'avenue de la Grande-Armée. Elle dort tous les soirs chez eux mais voit Bernard presque chaque jour chez lui, villa Amalia (encore un nom qui sent bon son Modiano (même si c'est le titre d'un roman de Pascal Quignard), on imagine un hôtel particulier du côté du Ranelagh ou de la rue de Tilsitt, où vivent un type élégant et louche et une actrice blonde de série B qui s'appelle Yvonne ou Colette (l'homme élégant a acheté deux ou trois chevaux de course – avec on ne sait quel argent – qu'il a mis à l'entraînement à Grosbois, chez Charley Mills) – mais non, la villa Amalia est une étroite voie piétonne dans le nord-est de Paris, près du métro Danube, Bernard y habite un petit appartement au numéro 4). Pauline ne veut pas se l'avouer tout de suite, mais elle a compris dès les premiers jours que ça n'allait pas, qu'une idylle de vacances ne franchissait pas facilement la frontière de l'automne, et que la distance et la correspondance engendraient des émotions trompeuses qui masquaient la réalité. Dans un cadre quotidien, urbain, ça lui saute aux yeux : Bernard n'est pas Félix, ni son double, ni même son remplaçant. Elle essaie de faire comme si de rien n'était, mais elle s'inquiète. Panique, même. Il ne faut pas qu'elle y pense.

Lorsqu'ils ne sont pas ensemble, elle commence à chercher une chambre dans l'espoir de réussir à s'inscrire rue de l'École-de-Médecine. Elle se rend chez sa marraine, Henriette Raabe, une cousine d'une vingtaine d'années de plus qu'elle (leurs mères sont cousines germaines), femme austère et forte, de caractère comme de silhouette, qui est entrée en religion et vit dans un quartier huppé, rue Michel-Ange. Elle connaît beaucoup de monde de la bonne société, elle pourrait peut-être lui trouver un logement – Pauline lui demande également s'il n'y aurait pas, dans ses relations, un médecin qui pourrait la pistonner pour la fac. Henriette Raabe consultera André Dubuisson. Elle ne donnera pas suite à la demande de sa filleule. Elles ne se reverront plus – en vie. C'est elle, Henriette, un jour, qui refermera le cercueil de Pauline.

Le samedi 21 octobre, alors qu'elle est censée passer des jours paisibles entre le couple Huret et son amoureux, il se passe quelque chose de trouble et mystérieux, de bien trouble et de bien mystérieux, c'est l'inspecteur-chef Barrière qui a mis le doigt dessus dans son rapport : *Pendant ces vacances à Paris, elle fait la rencontre très suspecte d'un individu d'un certain âge, qu'elle accompagne dans un cabaret de nuit.* Ça sent le soufre, c'est bon. Mais qui est donc cet individu pernicieux qui l'entraîne dans les bas-fonds fétides des ténèbres parisiennes ? C'est ce monstre de Paul Chabredier, le vieil agent de change démoniaque. Pauline lui a écrit avant de partir de Lille pour l'informer qu'elle serait à Paris jusqu'à fin octobre et que si par hasard il y passait lui aussi (il n'avait pas prévu de déplacement mais il est venu quand même, comme on irait chercher la tirelire de l'Euro Millions à Reykjavik s'il fallait), il pouvait l'appeler chez les Huret, dont elle lui a donné le numéro de téléphone (on voit la rencontre suspecte arrangée dans la plus opaque clandestinité). Ils boivent un thé ensemble le samedi à midi à la terrasse du café de la Paix, déjeunent à l'intérieur puis se quittent jusqu'au soir et se retrouvent à dix-neuf heures devant le Lido, cabaret sordide entre tous, inventeur de l'ignominieuse formule "dîner-spectacle", que le satyre chenu s'est proposé de faire découvrir à sa jeune amie (l'Irlandaise Margaret Kelly, dite Miss Bluebell dans les années trente, y dirige depuis trois ans les Bluebell Girls, une troupe de grandes et belles danseuses qui font fureur, jusqu'à aujourd'hui (record du monde dans la catégorie "longévité de troupe")). À la demande de monsieur Paul, ils se font prendre en photo Polaroid, côte à côte avec des coupes de champagne. En souvenir de cette soirée, Pauline rapportera à Lille une pochette d'allumettes sur laquelle est reproduite cette photographie, ainsi qu'un tirage noir et blanc, qu'elle posera sur une étagère de la bibliothèque de son salon. Au dos de cette photo, et sans doute d'une main un peu tremblante (Pauline est décidément l'incarnation du jackpot pour les vieux messieurs qui croyaient avoir perdu tout espoir), Chabredier a écrit un petit poème de son humble composition :

Oui, j'ai baisé cette photo
Où l'on voit ma petite amie,
Aussi gentille que jolie
Sous les projecteurs du Lido.

Ça fait de la peine. Petit bonhomme. Il a soixante-quatre ans, elle vingt-trois. Mais ça ne fait pas de peine à tout le monde. Madeleine Jacob le vautour se jettera là-dessus comme sur un lapereau éclopé : *Il est vraisemblable qu'au cours de la nuit, le financier lyonnais eut l'occasion de contempler "sa petite amie" ailleurs que sous les projecteurs du Lido* (elle écrit dans un journal à grand tirage, toute la France lit ça). Puisque c'est vraisemblable, autant ne pas se fier aux déclarations de Paul et Pauline, qui disent s'être séparés à la fin du spectacle, et vérifier scrupuleusement leurs dires pour faire éclater la vérité. Jean Barrière a envoyé l'un de ses hommes enquêter au Daunou Opéra, un trois étoiles du 6 rue Daunou où Chabredier est descendu (chambre 16), comme chaque fois qu'il vient à Paris. Le réceptionniste, qui le connaît bien, est formel : il est resté deux nuits et, les deux nuits, il est rentré avant 23 h 30, seul. L'inspecteur qui a mené l'enquête ajoute au bas de son rapport : *Monsieur Grenier avisé.* Dans son ordonnance de transmission de la procédure, le juge d'instruction ne mentionnera donc pas cet épisode insignifiant, puisqu'il ne s'est rien passé, mais il sera bien le seul à ne pas profiter de l'aubaine : pour tout le monde, y compris ceux qui ont pris connaissance de ce court rapport hôtelier, elle ne se contente pas de mépriser Félix au point de coucher avec un autre à peine plus d'un an après leur rupture, elle trompe cet autre avec le premier financier qui lui glisse quelques billets de banque dans la culotte.

Interrogé sur cette soirée, Paul Chabredier (sûrement un peu rougissant quand on lui met son poème sous le nez – *Oui, j'ai baisé cette photo* !) insistera principalement sur deux points. D'abord : « À aucun moment, je n'ai eu l'impression de me trouver en présence d'une personne légère » (il a dû y repenser et maudire le sort et le dieu des filles pendant une bonne heure sur son lit de la chambre 16 du Daunou Opéra), et plus finement : « J'ai eu l'impression que cette jeune fille, dont l'intelligence m'avait jadis étonné, donnait des signes de déséquilibre par son comportement. »

La semaine suivante, Bernard emmène Pauline passer deux jours et une nuit dans une auberge "de charme" à Fontainebleau, l'auberge Chante Paille (le soir au dîner, on y joue de l'accordéon pour les amoureux). Pauline s'ennuie. Il lui reparle de mariage. Elle ne sait plus où elle en est mais ne le lui montre pas. Il n'a pas le même ressenti que Chabredier. Quand on lui demandera comment il l'a trouvée à ce moment-là, il répondra qu'elle était « équilibrée », « normale » dans la vie et « en amour ».

Lorsqu'elle revient à Lille, Pauline ne parle pas de Bernard à Eva, qui est pourtant au courant de son existence. En revanche, elle lui dit qu'elle a revu avec plaisir « une vieille connaissance de Lyon » et lui montre la pochette d'allumettes avec leur photo. Elle n'a rien à cacher, sauf ses sentiments vacillants – et ça ne va pas s'arranger.

Chapitre vingt-cinq

Pâle

Pauline et Félix se sont croisés. Pendant qu'elle était à Paris, il était à Lille. Eva Gérard lui dit qu'elle l'a rencontré deux fois en compagnie d'une jeune femme blonde, la même qu'un an plus tôt et donc probablement sa fiancée. (Elle ne se trompe pas : avant de rentrer à Paris, il a demandé à Monique si elle accepterait de l'épouser (lui aussi tire profit des leçons de la vie, il a attendu près d'un an de plus qu'avec Pauline – et ne peut pas patienter davantage, leur amour est toujours platonique, il doit se lacérer le corps des pieds à la tête la nuit), elle a accepté sans hésiter.) Lorsqu'elle lui en parle, Eva remarque que Pauline devient « très pâle ». Au procès, la jeune femme dira sobrement : « J'ai eu de la peine. Je ne pouvais rien y faire. »

Elle monte dans sa chambre et se contentera de cette annonce qui balaie ses derniers espoirs – elle ne se rend compte qu'à cet instant qu'il lui en restait encore, sous les meubles. Elle ne cherchera jamais à se renseigner auprès des amis de Félix, ne demandera jamais le nom de la jeune fille blonde, ni même son prénom, la nature de ses études, et encore moins son adresse ; Guy Ledoux le garde du corps n'a pas de souci à se faire, la fille en danger que Félix l'a adjuré de protéger ne risque pas grand-chose. (On prétendra pourtant que Pauline est allée rôder comme un prédateur devant le domicile de ses parents à Croix. "On", c'est d'abord Barrière, bien sûr : il écrit que Jules Mercier, le père de Monique, pense avoir reconnu, sur une photographie de Pauline publiée dans la presse, *la jeune fille qu'il avait vue rôder autour de sa maison, plusieurs mois avant le drame. Elle était vêtue d'un pull-over bleu clair et d'une jupe de même teinte.* Comme toujours, il s'emballe. D'abord, Jules Mercier précise : « Je l'ai croisée à proximité de mon domicile, je n'ai pas remarqué si cette jeune femme a rôdé près de chez moi. » Ensuite, après avoir expliqué que si cette personne l'avait marqué et qu'il s'en souvenait encore six mois plus tard – quelle mémoire : une passante croisée dans la rue… – c'était à cause de sa « physionomie particulière » (?), il conclut : « Je ne suis pas affirmatif, mais il existe une très grande ressemblance. » Pour ce qui est de la tenue, aucune de ses relations n'a jamais vu Pauline avec une jupe bleu clair, et seule sa mère, Hélène, croit se rappeler qu'elle a peut-être un pull de cette couleur à Malo. Enfin, interrogé de nouveau pour clarifier un peu tout ça, Jules Mercier affinera : « Ce n'est pas aux abords de mon domicile mais à une distance d'un kilomètre environ de ce domicile, près de l'arrêt du tramway, que j'ai vu une personne étrangère à la localité qui ressemblait à Pauline Dubuisson. Si j'étais mis en présence de cette personne, je suis sûr que je la reconnaîtrais. » On n'estimera pas utile de le mettre en présence de Pauline, et on n'évoquera pas cette vadrouille sanguinaire lors du procès – raisonnablement : ça colle avec l'état d'esprit et le caractère de Pauline comme collerait avec les miens l'hypothèse qu'on m'aurait vu tourner, l'air sournois, autour d'une usine de tisanes Ricola.)

Après avoir présenté Monique à son ami Dumoulin, celui qui lui avait conseillé de mettre une bonne paire de baffes à Pauline, et lui avoir annoncé qu'ils comptaient se marier à Locarno, en Suisse (peut-être la terre des ancêtres de Monique), Félix retourne à Paris et écrit à ses parents dès son arrivée rue de la Croix-Nivert : *J'espère que ma lettre d'aujourd'hui ne vous causera pas une trop grande surprise, car je pense que depuis un moment déjà, vous vous attendiez tous les deux à ce que je viens vous demander maintenant. Ma petite maman, mon petit papa, je vous demande si vous voulez bien prendre Monique comme deuxième fille. Vous dire toutes ses qualités, je pense que vous sauriez le faire aussi bien que moi. Vous dire que nous nous aimons, oh, je crois bien que cela aussi, ce n'est pas la peine que j'en parle beaucoup, car je crois que vous avez dû le remarquer. Alors il ne me restera plus qu'à attendre avec impatience. Oh, dites-moi vite que vous êtes tous deux très heureux ! Je suis presque sûr de votre réponse, mais j'en ai autant d'angoisse que pour le pire de mes examens. Je vous embrasse ainsi que Maguitte, à qui, j'espère, plaira aussi sa nouvelle sœur. Votre petit garçon très impatient et très ému.*

C'est un peu tarte, bien sûr, mais les mots que j'écris le soir à mon fils pour le lendemain matin (je dors quand il part au collège) sont souvent tartes aussi.

Après la réponse rapide et ravie de ses parents, Félix exulte : *Je ne dis rien à Monique parce que je voudrais que ce soit vous qui lui en parliez, que ce soit vous qui lui apportiez cette joie. Peut-être vais-je seulement lui promettre une surprise, pour que l'effet ne soit pas trop brutal. Mais que maman se prépare à la consoler car je pense que les émotions seront trop fortes. Ah ! mon Dieu, je suis heureux, heureux !*

Pour Pauline, tout se détraque en même temps, tout s'emboîte mal : c'est au moment où elle réalise qu'elle n'éprouve que de l'affection pour Bernard, et qu'elle ne pourra s'engager avec lui qu'en mettant sa sincérité et ses vraies envies de côté, qu'elle apprend que Félix est toujours avec celle qui l'a remplacée, et donc perdu pour elle. Et lorsqu'elle regarde autour d'elle, personne ne l'intéresse.

On le sent dans ses lettres à Bernard : il continue sur le même ton passionné et caressant (il l'appelle *ma belle Flamande* ou *mon petit démon flamand*, il revient sur leur nuit romantique à Fontainebleau, l'accordéon qui *valait bien tout un orchestre*, la musique qu'il écoute en permanence en pensant à elle – *après toi, la musique est ma plus douce amie*), elle ne le repousse pas mais ne renvoie plus la balle, trouve des sujets plus neutres, qui lui évitent de se mentir – des informations économiques ou politiques qui retiennent son attention, l'état de l'Europe, les découvertes médicales, les livres qu'elle a aimés, le rhume qu'elle a attrapé, les points de ses cours sur lesquels elle bloque, ou sa décision de s'orienter vers la pédiatrie (toujours aussi cupide et insensible). À ce propos, elle a appris une mauvaise nouvelle : *Je suis catastrophée : on vient de rajouter un an au diplôme de pédiatrie : ça fait quatre ans, et on ne peut commencer qu'après la sixième année. Mais comme nous aurons probablement la guerre avant, ce n'est pas la peine de s'en faire.* La troisième guerre mondiale, ce ne sera pas pour tout de suite, mais elle semble avoir le pressentiment qu'une bombe va bientôt faire exploser sa vie, et que l'obtention de son diplôme de pédiatrie se situe quelque part au-delà, dans un futur qui n'existera jamais pour elle.

Parmi tous les sujets qu'elle aborde et les questions qu'elle pose à Bernard à propos de ses journées et de ses week-ends (ça meuble), il y a également son travail d'ingénieur électricien. C'est plutôt lui qui l'évoque d'abord, il a été embauché par une société qui vise des contrats avec l'armée de l'air, une petite boîte récente et mal organisée, qui n'ira pas bien loin, il lui écrit qu'il s'y ennuie et qu'il quittera ce premier emploi pour une structure plus importante et plus solide dès qu'il en aura l'occasion. Pauline, dans sa réponse, entre une réflexion sur les progrès de l'anesthésie et une question sur un ami à lui qui veut les inviter pour un week-end à Rouen, demande presque par politesse : *Comment marchent les affaires ? Avez-vous reçu les commandes attendues ? Pourtant, elles devraient pleuvoir, même s'il est vrai qu'on se fait tirer les oreilles pour voter les crédits d'armement, d'après ce que j'ai cru entendre à la radio.* Dans toutes les lettres qu'elle lui a envoyées, c'est la seule allusion qu'elle fait à son métier, à sa carrière – il répondra, naturellement, expliquera en quelques mots les raisons du mauvais fonctionnement de sa société, la SINTRA, et ces quelques mots seront soulignés trois fois dans sa lettre par une main policière, sans doute celle de Barrière (il lui parle régulièrement de son travail (tout est souligné), des difficultés qu'il rencontre ou des espoirs qu'il nourrit, mais il lui parle aussi beaucoup de sa passion pour le kayak, par exemple, ce qui ne signifie pas qu'elle le bombarde de questions sur le kayak, que c'est une obsession pour elle). Outre les élans d'amour de Pauline avant leur semaine à Paris (dans lesquels on ne décèlera que de l'hypocrisie), c'est tout ce qu'on retiendra de leurs cinq mois d'échange de courrier : elle s'intéresse avant tout à sa situation financière, elle veut s'assurer que c'est un bon parti, et c'est entre autres parce qu'elle estimera qu'il n'est pas assez rentable qu'elle le quittera. (Alors que d'une part, elle ne le quittera jamais réellement, d'autre part c'est lui qui a posé le "problème" le premier, par simple prudence lorsqu'ils envisageaient un éventuel mariage : *Si je t'ai demandé d'attendre, c'est beaucoup plus pour toi que pour moi, c'est pour nous, car le bonheur de l'un va avec le bonheur de l'autre, les obstacles que je voyais, je te les ai montrés, à toi d'y penser.* Et vers la fin de leur correspondance (juste avant qu'elle ne se détache de lui car, prétendra-t-on, elle comprend qu'il n'y a rien à espérer d'un point de vue matériel), c'est encore lui qui relancera le sujet : *Il y a longtemps que je ne t'avais parlé de mon travail. La situation de la société s'est stabilisée, et même un peu améliorée après quelques coups de balai. Je garde espoir.*) Pour une phrase parmi des centaines d'autres dans des dizaines de pages – *Comment marchent les affaires ?* –, on confirmera le diabolique arrivisme matrimonial de Pauline, on en fera tout un sale plat lors du procès. (Une autre est soulignée trois fois dans une lettre de Bernard : *Pour l'appartement, ah, le sens pratique des femmes ne perd jamais ses droits !* Elle veut qu'il l'installe à ses frais, cette grue, c'est ça ? Non. Il suffit de chercher à quoi correspond cette remarque dans le courrier de Pauline : ils ont envisagé la possibilité d'emménager ensemble, et elle tient à savoir si les chats sont facilement autorisés dans les immeubles parisiens.)

Quand Bernard lui annonce qu'il va bénéficier de quelques jours de congé et propose de venir les passer avec elle à Lille, elle répond : *Je ne veux pas te voir à Lille, ce serait trop désagréable.* (Je ne sais pas si c'est un prétexte pour éviter de se trouver le soir en présence d'un homme qui ne lui inspire plus que de l'amitié, ou si elle craint que son passé ne lui retombe dessus encore une fois, que Bernard soit face à des personnes mal intentionnées – ou même pas – qui pourraient lui apprendre ce qu'elle a fait sous l'Occupation, ou tout simplement avec Félix.) Lorsqu'il l'invite à un week-end de kayak (l'une de ses passions, donc) en Ardèche, elle décline aussi : *Je ne suis pas assez calée en kayak pour descendre une rivière.* (J'aime bien cette formulation (on peut légitimement supposer qu'elle n'a jamais fait de kayak), comme si je disais : “Je ne suis pas assez calé en saut à la perche pour tenter de franchir six mètres.") *Ensuite, il y a mon cher père, qui ne me voit pas volontiers m'éloigner de lui.*

C'est la deuxième semaine de ce mois de novembre 1950 que va se produire un tout petit événement, même pas, à peine une étincelle, une conjoncture banale qui va tout faire sauter.

Chapitre vingt-six

Perverse

Michel Boullet a décidé de poursuivre lui aussi ses études à Paris l'année prochaine, et s'y rend donc de temps en temps pour y chercher un logement, comme Pauline. Un après-midi, il va attendre Félix à la sortie des cours, ils boivent un verre ensemble dans un café de l'Odéon.

On ne connaît de la discussion qu'ils ont eue ce jour-là que ce qu'en rapportera Boullet, qui changera plusieurs fois de version – en démêlant et en recoupant, ça donne à peu près ce qui suit, avec les réserves dues au fait que Michel Boullet se sentira inévitablement responsable de ce qu'a déclenché cette petite conversation devant deux bières, et tentera d'amoindrir son rôle.

Les deux garçons évoquent leurs copains restés à Lille, et « tout à fait par hasard » (dira Boullet, naïf ou truqueur), le nom de Pauline est prononcé. Peut-être encouragé par ses fiançailles prochaines, validées par toute la famille, qui relèguent tout ce qui s'est passé avant dans un passé révolu et refermé, Félix se sent le droit de s'enquérir de ce qu'elle est devenue. Boullet lui répond qu'il n'en sait trop rien, qu'il ne la voit pas beaucoup, qu'elle a l'air d'aller bien et de se ficher de tout, comme d'habitude. Mais Félix la connaît mieux que ça : « Ne la laissez pas tout à fait tomber, pour qu'elle n'aille pas à la débine. Elle n'est pas méchante, elle a un bon fond. Dommage qu'elle soit si putain. » (Dans son rapport, Barrière n'ose pas écrire "putain", il traduit : *Dommage qu'elle soit si p... (perverse).* Ce n'est pas tout à fait la même chose, inspecteur-chef.) Pauline se déclarera convaincue que Félix n'a pas dit ça : « Putain. » Non pas qu'il ne le pense pas, elle peut le comprendre et même l'accepter (bien qu'elle n'ait couché qu'avec un seul autre homme (Grichon le pointeur nocturne mis à part) pendant les trois ans qu'ils ont passés ensemble), mais : « Félix n'avait pas assez d'amitié pour Michel Boullet pour lui parler de moi de cette manière. » (Cette amitié que Boullet brandira à bout et tour de bras pendant l'enquête prendra un petit coup de mou quand il sera obligé d'avouer, lors d'une confrontation, ce qu'il se sera bien gardé de raconter dans ses premières déclarations : dans ce café de la place de l'Odéon, Félix lui a demandé : « Et toi, tu n'as pas aussi couché avec elle, au moins ? ») Pour finir sur cette histoire de putain, Pauline voit peut-être juste, car c'est Boullet qui avait employé ce mot à son égard pendant le bal de la Croix-Rouge ; il a pu le mettre lui-même dans la bouche de Félix.

Devant la police et la justice, Boullet résumera ainsi cette courte entrevue avec Félix : « Il paraissait heureux, il m'a dit qu'il allait se marier avec Monique Mercier et qu'il n'était pas question pour lui de renouer avec Pauline. (Pourquoi préciserait-il cela ? Quelles raisons avaient-ils d'aborder cette hypothèse ?) Je n'ai jamais dit à qui que ce soit qu'il pensait toujours à elle. Il semblait seulement préoccupé de savoir si elle avait toujours une mauvaise conduite, il n'a manifesté à son égard aucun sentiment d'affection. Il en parlait comme d'une personne qui avait complètement disparu de son existence. »

Pourtant, à peine de retour à Lille, Boullet se rend chez Michel Gravez, proche de Pauline, pour lui relater cette rencontre avec Félix. Il se trouve que Jeannine

Lehousse est chez son amoureux à ce moment-là, et que l'étincelle va toucher la mèche.

Cette fois, on ne dispose pas que du témoignage de Boullet, mais aussi de celui des deux jeunes gens – ce qui ne va pas, c'est qu'ils ne concordent pas (là encore, cela peut s'expliquer de différentes manières – le couple ne sera pas très à l'aise non plus lors du procès, il est difficile de déterminer qui dit la vérité et qui se protège).

Selon Jeannine Lehousse et Michel Gravez, Boullet leur dit que Félix compte épouser Monique car c'est une jeune femme « bien sous tous rapports », mais ne leur laisse pas entendre qu'il n'a plus de sentiments pour Pauline (au contraire, d'après Jeannine), et ne précise pas qu'il n'est « pas question pour lui de renouer ». Il leur dit même que Félix ressent encore de la jalousie quand il pense à elle – c'est pour le prouver qu'il leur confie que son ami le soupçonne de se l'être envoyée après son départ (il ne pourra pas le nier (non qu'il se l'est envoyée, ce qui n'est pas le cas, mais que Félix l'a soupçonné) quand ils seront tous les trois devant le juge Grenier, et se raccrochera aux branches comme il pourra : « Cela démontre que Félix n'avait plus beaucoup d'illusions sur son compte, mais des inquiétudes »). “Jalousie” n'est sans doute pas le bon mot, il faudrait plutôt parler de frustration ou de désir interdit : Félix sait que Pauline est une fille plutôt souple et “libérée”, il imagine qu'elle ne doit pas se priver, tandis que Monique… Il va épouser la sainte, il est forcément un peu tenté, au moins sombrement excité, par la salope. Et jaloux, oui, de ce qu'elle vit, sexuellement. (On ne peut pas ne pas se rappeler ici la phrase *d'un cynisme révoltant* qu'aurait prononcée Pauline : « On couche avec ses amants, jamais avec son fiancé. » En fin de compte, ce n'est pas très exactement ce qu'a fait Félix ?)

De son côté, Boullet démentira formellement avoir sous-entendu que Félix pensait encore à Pauline. Dans un premier temps, il affirmera même qu'il n'a rapporté les propos anodins de son ami qu'à Michel Gravez, que cela se passait non pas à Lille mais à Paris, et au début du mois de décembre et non de novembre (on comprendra pourquoi un peu plus tard) ; il a dû reconnaître que c'était faux lors de la confrontation avec le jeune couple.

Il est probable, et ça ne mérite pas de coups de bâton, qu'il ait légèrement déformé les paroles de Félix pour se rendre plus intéressant auprès d'eux, ça peut arriver à tout le monde – « J'ai un drôle de scoop, les gars. » Souvent, si je vois un type manger trois hot-dogs d'affilée, je raconte au bistrot du coin qu'il en a mangé quatre, ou trois kebabs. On ne ferait pas le mariole avec la réalité (qui ne rigole pas) si on savait que cette petite exagération verre en main peut causer par ricochet la mort d'un jeune homme candide.

Il est également probable, avec la même conséquence et pour les mêmes raisons, augmentées de l'envie de faire plaisir, que Jeannine et Gravez déforment légèrement les paroles de Boullet quand, dès le lendemain, ils invitent Pauline à boire un café – et que, dans le petit salon de Michel Gravez, au deuxième étage du 3 boulevard Louis-XIV à Lille, l'étincelle sur la mèche se rapproche de la bombe. Ils lui disent que Félix pense toujours à elle. Qu'il a demandé de ses nouvelles à Michel Boullet, qu'il s'inquiète pour elle, qu'il est jaloux à l'idée qu'elle puisse coucher avec d'autres que lui – il craint même qu'elle se soit laissé attraper par son pote Boullet. (Ils laissent évidemment le « putain » de côté.) Le visage de Pauline se métamorphose sous leurs yeux, ils le raconteront, mais elle a « du mal à y croire ». Elle leur dit qu'elle ne comprend pas, ce n'est pas logique, Félix semble s'être fiancé avec une autre : pourquoi, s'il ne l'a pas oubliée ? Est-ce qu'ils sont sûrs de ce qu'ils disent ? Oui. Jeannine adapte encore les propos de Boullet et lui répond que s'il compte se marier avec Monique (dont Pauline apprend alors le prénom), c'est qu'il s'agit d'une jeune femme très propre sur elle, qui fait bonne impression, et qu'il pense avant tout au jour où il ouvrira son cabinet : un médecin célibataire, ou peu conventionnellement accompagné, ce n'est pas bon. Mais c'est très certainement Pauline qu'il aime, en vrai. Même si on ne peut pas en être sûr, tempèrent à peine Jeannine et Michel.

Inutile de s'étendre sur ce qu'éprouve Pauline en ressortant sur le trottoir du boulevard Louis-XIV, elle qui stagne depuis plus d'un an dans un vide gazeux d'incertitude et de démotivation.

Elle assimile l'information seule chez elle, et quelques jours plus tard, demande à Jeannine et à Michel s'ils pensent pouvoir obtenir l'adresse de Félix à Paris.

C'est le moment que choisit Bernard Legens, le samedi 18 novembre 1950, pour lui faire une petite surprise : il débarque à Lille à l'improviste.

Ça ne se passe pas bien, elle n'est pas heureuse de le voir, elle ne lui présente personne, ils ne couchent pas ensemble : il ne reste en ville que deux jours, juste le week-end, dans un petit hôtel. Ce n'est pas qu'elle l'ait déjà supprimé de son existence, qu'il l'agace ou qu'elle se soit définitivement lassée, mais autre chose, moins simple : « Elle était devenue distante, elle m'a fait une impression que je ne saurais définir. » Bernard ne la reconnaît pas, elle lui paraît ailleurs, comme désaxée. Au cours d'une conversation dans un café, de but en blanc, elle fait une réflexion qui le laisse perplexe – et qu'elle ne développe pas : « Elle m'a dit, chose qui m'a assez surpris de sa part, qu'elle n'hésiterait pas à se tuer si elle ne pouvait mettre à exécution un projet qui lui tenait à cœur. »

En réalité, elle n'est pas certaine de pouvoir croire Jeannine Lehousse et Michel Gravez – ou Boullet, elle ne sait pas. Ce serait trop beau.

Chapitre vingt-sept

Repentante

Le mercredi 22 novembre, Michel Gravez écrit une lettre à Michel Boullet, qui est retourné à Paris pour y effectuer un stage d'internat de plusieurs mois. Le post-scriptum : *Si j'allais à Paris, j'irais peut-être voir Bailly. N'aurais-tu pas son adresse, par hasard ? Si tu l'as, voudrais-tu être assez aimable pour me la communiquer assez rapidement, car je lui écrirai avant d'y aller.*

Gravez, conscient du rôle qu'il a pu jouer, prétendra qu'il voulait réellement passer voir Félix, en vue de lui demander quelques informations sur la fac parisienne, où il souhaitait lui aussi s'inscrire, et qu'il n'a pas demandé son adresse dans le but de la transmettre à Pauline. (Interrogé en février 1952, il soutiendra même que lorsqu'il a donné cette adresse à Jeannine Lehousse, c'était « sans savoir qu'elle la communiquerait à Pauline Dubuisson » – donc juste comme ça, sans raison ? Il sent bien qu'il est en mauvaise posture – mais c'est ridicule, il ne pouvait pas prévoir ce qui se passerait, on ne vivrait plus. Dix mois plus tôt, cependant, en avril 1951, il déclarait : « C'est Jeannine Lehousse qui m'a demandé l'adresse de Félix Bailly pour la donner à Pauline. ») Boullet se défaussera de la même manière : pas un instant il n'a pensé que Gravez transmettrait l'adresse à Pauline. Dans un premier temps, il dira d'ailleurs qu'il n'a pas répondu à son courrier, qu'il n'a donné les coordonnées de leur ami à Gravez que lorsque celui-ci est venu à Paris au début des vacances de Noël (ce qui doit être vrai, Gravez ne le contredira pas), et surtout que ce n'est que plus tard qu'il a évoqué brièvement son entrevue avec Félix et ce qu'il lui avait dit au sujet de Pauline. Ainsi, on ne peut pas l'accuser d'avoir balancé l'adresse en sachant ce que cela pouvait engendrer, après avoir allumé la mèche. C'est face au juge d'instruction, aux côtés de Lehousse et Gravez formels, qu'il conviendra qu'il les a bien vus à Lille, avant de donner l'adresse – il a dû se mélanger un peu dans les dates, désolé.

Bref, c'est compliqué, tout le monde s'embrouille et ment, mais Jeannine finit bien par confier à Pauline ce qu'elle voulait savoir : Félix vit au 25 rue de la Croix-Nivert, dans l'appartement loué par Paul Poirel. Métro Cambronne ou La Motte-Picquet-Grenelle.

Depuis qu'elle a appris qu'il pensait encore à elle et demandé logiquement son adresse, l'obtenir était devenu une obsession pour elle, un but en soi, suffisant comme plan pour l'avenir. Maintenant qu'elle l'a sous les yeux, ça se complique, il faut voir plus loin. Elle ne se précipite pas à Paris, elle bloque : « Je n'osais pas y croire, expliquera-t-elle dans l'enceinte du Palais de Justice à René Floriot, l'implacable et retors avocat de la partie civile, j'avais peur de trouver un Félix indifférent. C'est pourquoi j'ai tardé si longtemps. J'avais peur que mes camarades se soient trompés. J'hésitais à courir au-devant d'une telle désillusion, je ne l'aurais pas supportée. »

Elle ne sait pas ce qu'elle doit faire. Elle écrit encore deux lettres à Bernard, comme si elle voulait s'accrocher à lui avant d'essayer de se lancer vers Félix, peut-être dans le vide. Dans la première, rédigée la veille de la Saint-Nicolas, un peu plus de deux semaines après leur mauvais week-end à Lille, elle essaie de se faire pardonner pour ne pas le perdre : *Je te promets que je ne recommencerai plus. J'espère que tu ne seras pas trop fâché et je regrette de ne pouvoir plaider ma cause de vive voix, je serais bien plus éloquente* (hum hum). *Je t'embrasse 50 000 fois et reste ta repentante.* Dans la seconde, plus lasse, après Noël, ayant reçu de Bernard une réponse indulgente et apparemment toujours amoureuse, elle tente de garder le cap, sans grande passion pourtant. *Qu'as-tu fait à Noël ? Je ne me suis pas tellement amusée, j'aurais préféré le passer avec toi à la montagne. Mais il a bien neigé, même ici* (à Malo), *et la plage était magnifique. Malheureusement, il y a des imbéciles à la énième puissance qui s'amusent à tirer sur les mouettes...*

Ce sera tout. Bernard lui écrira une dernière fois (*Ma chère Pauline, excuse-moi de te déranger dans ton travail, mais il y a bien longtemps que nous ne nous sommes pas accordé quelques minutes l'un à l'autre* ; et : *Ici, il fait un temps affreux, du brouillard, une pluie glaciale, un vrai temps d'hiver* ; et : *À bientôt, je t'embrasse bien tendrement*), Pauline ne répondra pas.

Il n'y aura pas de véritable rupture, mais c'est fini, leur histoire s'éteint toute seule. La société des policiers, des juges et des journalistes va s'arranger pour distordre un peu les faits, afin de pouvoir tirer sur la mouette encore une fois. Si elle quitte Bernard, dira-t-on, c'est bien sûr parce qu'il ne peut pas lui apporter le confort matériel dont elle rêve, mais surtout parce qu'elle a appris les fiançailles officielles de Félix et n'a donc plus qu'une idée en tête : le reprendre à l'autre petite idiote pendant qu'il est encore tout juste temps, ou plutôt – car comment peut-elle espérer lutter contre une fille parfaite, éthérée, elle, l'avilie aux pieds dans la fange ? – le buter. C'est exactement l'inverse. C'est parce qu'elle croit, espère, rêve qu'il l'aime encore (elle n'apprendra ses fiançailles officielles que bien plus tard – mais les dates, la chronologie toute bête, c'est du domaine public, c'est la société qui décide de ça, non ?) qu'elle oublie Bernard. Et elle a autant l'intention de buter Félix que Maurice Chevalier.

En revanche, se buter elle-même, c'est une éventualité qui se précise dans son planning en cas de nouvel échec, qui serait celui de trop. Jusqu'à maintenant, elle a l'impression d'avoir tout raté. Elle était frivole et volage pendant la guerre, on l'a châtiée pour cette insouciance, qu'elle traîne encore aujourd'hui comme une batterie de casseroles en fonte ; elle n'a pas voulu se laisser museler par un beau jeune homme plein d'avenir, comme on dit, il est allé proposer son avenir à une autre ; elle a rampé derrière lui, il n'a pas pris la peine de se retourner ni de baisser les yeux ; elle a essayé de jouer la comédie avec un autre qui lui ressemblait un peu, c'est elle-même qu'elle n'a pas réussi à tromper. Elle a tout raté, ce n'est pas une impression. Elle va devenir folle. Il ne lui reste plus qu'une chance – une seule, c'est pourquoi elle a peur de la tenter, elle recule le moment de jouer sa dernière carte. Elle perd pied toute seule, ses amis Jeannine et Michel le constatent sans comprendre (elle ne devrait pas être heureuse, ou au pire raisonnablement optimiste, avec l'information qu'ils lui ont transmise ?), elle va de moins en moins en cours, s'enferme dans sa chambre, tremble. Elle leur paraît malade. Peut-être, comme on développe à plus de vingt ans une affection génétique endormie depuis la naissance, se laisse-t-elle renverser, vaincre, il est temps, par le déséquilibre héréditaire des Malo, la famille de son père – ou sent-elle sur ses mollets le souffle de la malchance qui a frappé la famille de sa mère. Elle va faire une chose incompréhensible, irrationnelle et autodestructrice : à cette période de leur quatrième année de médecine, les étudiants doivent accomplir un nouveau stage en hôpital ; plusieurs hôpitaux peuvent les accueillir dans la région lilloise, dans le département, elle a le choix ; lors d'un week-end chez ses parents, à Malo, elle va trouver le docteur Félix Vautrin, qu'elle connaît un peu, l'ancien résistant, celui qui a découvert son « linge souillé » dans une poubelle de salle de bains, et lui demande s'il lui est possible d'effectuer ce stage à l'hôpital de Rosendaël. Qu'elle connaît un peu aussi.

Vautrin a du mal à en croire ses oreilles mais transmet tout de même sa requête à Émile Flecq, le directeur de l'hôpital, non sans l'accompagner d'un avis fermement défavorable, « en raison de sa conduite scandaleuse pendant la guerre », expliquera-t-il. C'était il y a plus de cinq ans, elle n'en avait même pas dix-huit à l'époque, il n'y a de toute façon aucun rapport entre un vieil amant allemand et la pratique de la médecine, mais peu importe, elle ne va pas s'en tirer comme ça, qu'est-ce qu'elle croit ? Sa candidature est évidemment rejetée, comme un linge souillé : à sa place. Elle ne pouvait que s'y attendre, qu'elle ait demandé quand même fait mal au ventre : cela témoigne d'une grande naïveté, innocente, ou d'une audace insolente de petite fille obstinée – ou bien refuse-t-elle encore d'admettre le verdict populaire, de penser comme eux qu'elle a commis quelque chose d'inacceptable, de criminel, qu'elle a injurié et blessé la France. Elle est venue chercher tête basse, ou tête trop haute, une confirmation. Elle l'a trouvée, c'est validé, tamponné, elle comprend qu'elle ne se défera jamais de son passé, il fait partie d'elle. Elle ne croit pas si bien comprendre.

Monique et Félix se sont fiancés au début du mois de janvier 1951, à Paris, en présence des familles Mercier et Bailly radieuses. (Pauline l'apprendra fin février.) Mais cela n'empêche pas le jeune homme de continuer à parler de sa ravageuse – entre garçons. Peu après les fiançailles, il discute avec son nouvel ami Bernard Mougeot et lui dit que Pauline a réussi à obtenir son adresse, il vient de l'apprendre – par Boullet, qui craint d'avoir fait une boulette ? par Gravez, qui lui aurait révélé qu'elle pensait toujours à lui, lors de l'un de ses courts séjours à Paris ? L'un ou l'autre, Mougeot sera clair sur ce point, Félix savait. Mais comme chaque fois qu'un détail vient saloper le beau scénario établi par l'accusation, on soufflera dessus : non, Félix n'était pas au courant qu'elle connaissait son adresse, évidemment que non, il en aurait été atterré, il avait donné pour consigne à tout le monde de la garder secrète, il craignait trop qu'elle vienne le relancer – enfin non, ce n'est même pas ça, elle n'aurait eu aucune chance : il craignait trop qu'elle vienne se venger sauvagement. Mais qu'on ait soufflé dessus ou pas, le témoignage de Mougeot est toujours là, sur sa fine feuille de papier pelure, jaunie et déchirée, au milieu de centaines d'autres dans le dossier d'instruction : « Ça n'avait pas l'air de l'affliger. Jamais en effet Pauline ne l'avait menacé, et il me disait qu'elle se calmerait avec le temps. »

Avant Noël, Félix s'est lié d'amitié avec un troisième étudiant, Claude Toubeau, un garçon de son âge qui vient de s'inscrire dans l'équipe de hockey sur gazon de la fac. Ils passent une soirée ensemble à siroter du cognac, rue de la Croix-Nivert, vers la fin du mois de janvier. Comme à Mougeot et Godel avant lui, Félix raconte à Toubeau son histoire avec Pauline (et on dit qu'elle a « complètement disparu de son existence » – j'essaie de m'imaginer, un an et demi après ma rencontre avec Anne-Catherine, avec qui disons je viens de me fiancer, parler à tous mes potes de la fille avec qui j'étais avant elle), en l'accommodant une nouvelle fois d'une manière différente (le souci, quand on ment, quand on donne trois versions à trois personnes, c'est qu'on s'embrouille et qu'on finit toujours par se faire démasquer et avoir l'air fin – mais le pauvre

Félix ne vivra pas assez longtemps pour avoir l'air fin). Il lui dit qu'ils sont restés plusieurs mois ensemble, qu'il était très épris d'elle mais qu'elle refusait de se marier. Elle préférait épouser le professeur Blandin, qu'elle fréquentait en même temps que lui et qui avait une meilleure situation. Malheureusement pour elle, selon Félix, la famille Dubuisson s'était opposée à ce mariage, Blandin étant catholique. Alors que lui, assure-t-il à Toubeau, il se serait aussitôt converti au protestantisme si elle le lui avait demandé : « Il m'a dit que si Pauline avait accepté de se marier avec lui, il n'aurait pas hésité un seul instant. » (Monique serait ravie de l'entendre, elle qui pense qu'il se rappelle à peine le prénom de cette fille. Mais Monique n'enlève jamais sa culotte, aussi, ça joue – si, depuis un an et demi, dis, eh. Certaines images aident à se souvenir des prénoms.) Félix confie enfin à Claude Toubeau que c'est Pauline qui a fini par le quitter, et qu'il a choisi de venir poursuivre ses études à Paris pour ne plus souffrir en la voyant tous les jours.

Si Pauline paraît fragile et cafardeuse aux yeux de ceux qui la connaissent (mais pas désespérée : Gravez la voit parfois s'éclairer, et s'étonne qu'elle fasse désormais souvent allusion à Félix, elle si contenue et opaque autrefois), si elle sèche de plus en plus fréquemment la fac pour ne pas se montrer chancelante, elle parvient à donner le change quand il faut. Vers la fin du mois de février, ayant entendu dire que Félix était officiellement fiancé, elle va rendre visite à Paul Frucquet, chez lui, pour essayer d'en avoir confirmation. Elle lui paraît étonnamment détendue et souriante, mais il se méfie : quand elle lui demande s'il est au courant, il répond qu'il ne sait pas, non, peut-être, il n'a pas vu son ami depuis un moment. L'insouciance et la bonne humeur de Pauline le déroutent : si, si, lui dit-elle, il va certainement se marier, elle compte d'ailleurs lui proposer, dès que ce sera fait, dès qu'il s'installera avec sa femme, de louer à sa place son petit appartement de la rue de la Croix-Nivert, car elle veut elle aussi partir étudier à Paris, pour sa spécialisation en pédiatrie. Frucquet est soulagé de constater qu'elle prend tout cela du bon côté, mais il ne comprend plus rien : ils se revoient ? ils sont devenus amis ? Avant de repartir, Pauline conclut : « Je n'oublierai jamais Félix mais je me rends bien compte que maintenant, il est perdu pour moi, tant pis. » On délaissera « Je n'oublierai jamais Félix » au profit de « Il est perdu pour moi, tant pis », qui connaîtra un grand succès au tribunal. Ces deux petits mots de trois grammes, « tant pis », résonneront fort parmi d'autres aux oreilles des jurés, accablants pour Pauline : elle n'a jamais espéré reconquérir Félix, elle savait qu'elle ne pouvait pas, elle voulait seulement le punir. Elle tentera en vain de justifier le comportement qu'elle a eu face à Frucquet : « Je n'ai tenu ces propos que dans le but de provoquer des confidences et des explications plus précises de Paul Frucquet sur la situation actuelle de Félix. Je pensais qu'il allait probablement faire un mariage de raison et que les sentiments qu'il avait eus pour moi pendant trois ans n'avaient pas pu disparaître aussi vite. J'essayais de savoir. » (On n'est pas soi-même pendant quelques minutes, par ruse, et on devient pour toujours et pour tous ce qu'on a fait semblant d'être. Quand j'ai connu Anne-Catherine, pour faire le comique, je lui ai dit que j'étais, dans la vie, imitateur au Don Camilo (le cabaret de la rue des Saints-Pères). (Je ne m'y attendais pas mais elle l'a cru, elle m'a avoué plus tard qu'elle avait appelé sa mère en Alsace, le soir, pour lui dire qu'elle avait rencontré quelqu'un, un homme de son quartier, qui était « imitateur dans une pizzeria ». Sa mère, Martine, n'a pas voulu la contrarier, elle s'est contentée d'un « Ah ? » dans lequel elle a tenté de mettre un peu d'enthousiasme, avant de demander : « Mais... Il a quel âge ? » Un vieil imitateur bien coiffé en costume défraîchi, entre les calzones et les escalopes milanaises.) Si on m'avait arrêté et enfermé deux semaines plus tard, je serais devenu pour l'éternité le mythomane prêt à tous les mensonges pour enjôler une jeune provinciale – majoré du débile qui croit que le métier d'amuseur en pizzeria constitue le sommet de la réussite sociale.)

La décision a été longue à prendre, mais c'est fait. Pauline va voir Félix à Paris. La semaine prochaine. Elle le dit à Eva – pas qu'elle va voir Félix, mais qu'elle part deux jours à Paris (la logeuse pense qu'elle les consacrera à la recherche d'une chambre, verra peut-être Bernard). Elle est délivrée, soulagée de ne plus avoir à hésiter, de ne plus pouvoir revenir en arrière. (Pourquoi avoir attendu si longtemps ? Pourquoi ne s'est-elle pas précipitée dès le mois de novembre ? Personne ne semble prendre en compte la possibilité que la peur la paralyse. Il fallait trouver le courage de la surmonter, de lutter contre sa retenue naturelle, de passer de l'autre côté. Ça ne se fait pas d'un hochement de tête.)

Elle demande à Jeannine Lehousse de lui copier les cours pendant deux ou trois jours. Celle-ci la trouve enjouée, lumineuse – elle ne lui pose pas de question, elle devine ce qu'elle part faire. Plusieurs personnes qu'elle croise les jours précédant son départ diront la même chose : ils ne l'ont pas vue si légère depuis longtemps. René-Pierre Buffin, le garçon qu'André Blandin a emmené avec eux en Belgique, qui ne l'a jamais ni convoitée ni méprisée (ça se souligne, le type n'est pas normal), la trouve « optimiste et gaie ». Marcel Dumoulin, l'ami de la baffe qui remet les femmes en place, lui confirme les fiançailles de Félix et lui demande si elle va bien : elle répond « Oui ! » avec un grand sourire. (De manière toujours aussi incohérente, ces quelques témoignages seront encore utilisés contre elle : c'est ça, la tristesse d'une grande amoureuse à qui l'on a enlevé l'homme de sa vie ?

Allons, ce n'est pas plutôt la satisfaction anticipée à l'idée d'aller détruire un jeune couple pur ? Les œillères d'attaque font leur office, personne ne semble envisager la possibilité qu'elle soit sereine, libérée, parce qu'elle a réussi à dépasser sa peur, et surtout parce qu'elle a bon espoir de convaincre Félix et de le ramener vers elle : elle a prévu ce qu'elle allait faire et dire, elle l'a répété plusieurs fois en pensée, elle va se placer devant lui et lui expliquer qu'elle a changé, qu'elle a compris, qu'elle est « prête à toutes les concessions », qu'elle sera une bonne petite ménagère (c'est écœurant mais c'est comme ça, elle en est là), elle est persuadée que son amour pour elle ne s'est pas évaporé dans l'air de Paris, qu'il est plus fort et profond, et impérieux, que celui qu'il éprouve pour la gentille Monique, qu'il ne pourra pas résister : elle est « optimiste et gaie ».)

Ce ne sera peut-être pas si simple. À Paris, Monique vient de passer le week-end avec Félix – les journées du week-end. Il lui a présenté ses amis Jacques Godel et Bernard Mougeot, qu'elle a trouvés très sympathiques ; il se félicite sans doute à ce moment-là d'avoir un peu transformé le récit qu'il leur a fait de son histoire avec Pauline. Monique repart vers Lille le dimanche 4 mars en fin d'après-midi. Mme Moréteau sait que rien ne peut les séparer, ni même éloigner momentanément leurs cœurs frémissants : « Félix était bien trop amoureux et trop honnête pour accepter de revoir Pauline. » Dont acte, comme on dit chez les notaires et les juges.

Pauline est sur le quai de la gare du Nord le lendemain, lundi, à 17 h 10. Elle prend le métro, ligne 5, puis 8, et se rend au 76 avenue Ledru-Rollin, au cinquième étage, chez le pasteur Gounelle. Un peu plus d'une semaine auparavant, elle lui a écrit pour savoir s'il pouvait l'héberger : elle a noté dans son répertoire les adresses de plusieurs personnes qui louent des chambres à Paris, elle aimerait passer les voir toutes, deux ou trois jours devraient suffire. Paul Gounelle est l'ancien pasteur de Dunkerque, le père d'Alice (qui a épousé Jean Hutter, le frère d'Hélène (il est mort d'une congestion cérébrale en janvier de l'année précédente, à soixante ans)). Aumônier de l'Asile des vieillards protestants (super boulot, le rêve de tous les gosses), le pasteur Gounelle est veuf et vit ici avec sa fille de cinquante-six ans, la tante de Pauline, et deux des huit enfants de celle-ci, Anne-Marie, vingt-sept ans, qui est devenue assistante sociale, et Mireille, vingt et un ans, les cousines de Pauline, qu'elle n'a pas revues depuis son bref passage dans la famille Hutter à Tassin-la-Demi-Lune, au début de la sombre année lyonnaise.

On installe Pauline dans la chambre d'Anne-Marie, qui dormira avec sa mère. C'est une petite pièce située au fond du long couloir (pour l'atteindre, il faut passer devant les chambres du pasteur, d'Alice et de Mireille), simplement meublée d'un lit en fer, d'une table avec une chaise, d'une commode et d'une étagère. On lui donne une clé de l'appartement, car elle pense sortir un peu le soir.

On la reçoit gentiment, mais sans débordement d'affection : on ne se sent pas très proche d'elle. Anne-Marie (qui épousera un pasteur l'année suivante) est sur ses gardes : « Dans la famille, Pauline avait la réputation de ne pas être sérieuse » Mireille, la plus jeune, la trouve « très libre » et Paul Gounelle, « fantasque » (mais c'est un pasteur protestant : un cochon d'Inde qui cligne des yeux lui paraîtrait hystérique).

Le lundi soir, les trois filles sortent ensemble, voir une pièce de théâtre. Elles rentrent avenue Ledru-Rollin juste après. Le matin du mardi 6 mars, Pauline envoie un pneumatique à l'hôpital où travaille Michel Boullet, celui par qui est arrivée quelques mois plus tôt la bonne nouvelle des sentiments persistants de Félix : *Mon cher*

Michel, je suis à Paris jusqu'à demain soir, ou jeudi matin, si vous pouvez je serais heureuse de vous voir, mon no est Did.61.37, bien amicalement, Pauline. Elle prépare la rencontre décisive, elle veut mettre toutes les chances de son côté et s'adjoindre peut-être l'appui du seul des amis de Félix qu'elle connaît à Paris. Quand celui-ci appelle chez le pasteur Gounelle, Alice Hutter lui dit que Pauline n'est pas là, elle est revenue de la poste mais vient de repartir. « De toute façon, je n'avais pas envie de la rencontrer », dira-t-il. (Il a quand même téléphoné du tac au tac.)

Ce matin-là, Pauline s'est soigneusement maquillée (elle a mal dormi la nuit précédente, malgré le flacon de Vériane Buriat (*Bon sommeil, gai réveil !*) qu'elle a apporté de Lille en prévision d'une insomnie – elle a perdu le sommeil ces derniers mois), du Rimmel, du rouge sur les lèvres, et bien habillée, chic et sobre : une jupe rouge tenue par une ceinture de tissu noir, un porte-jarretelles et des bas en dessous (mais ça n'a rien de spécialement sexy ou provocant à l'époque), un chemisier blanc, une petite veste noire, un manteau gris foncé, des escarpins de cuir noir à talons. Avant de partir, elle a demandé à Anne-Marie quelle était la station de métro la plus facile à atteindre depuis Ledru-Rollin : Cambronne ou La Motte-Picquet ? La Motte-Picquet, c'est direct par la 8.

À 11 h 30, elle sort de terre sous les rails du métro aérien qui domine le boulevard de Grenelle. Quelques minutes plus tard, elle franchit le portail du 25 rue de la Croix-Nivert, entre dans la cour (c'est un immeuble en U inversé, avec quatre escaliers, de A à D, le A se trouvant à gauche et le D à droite) et sonne chez la concierge, Céline Maitrot, une femme de près de soixante-dix ans dont la loge se trouve au rez-de-chaussée de l'escalier A. Cela ne fait aucun doute (ce sera contesté quand même), la gardienne se souvient bien d'une « jeune fille grande et brune en jupe rouge qui s'est présentée vers 11 h 30 » et lui a demandé « si M. Paul Poirel habitait bien cet immeuble ». Elle lui répond que oui, mais qu'il est absent pour quelques mois. Pauline lui dit que ce n'est pas grave, elle vient, en fait, voir la personne qui a repris l'appartement. M. Bailly ? Escalier C, septième étage, première porte à droite en sortant de l'ascenseur.

Je ne sais pas la tête que fait Félix quand il lui ouvre la porte, mais il lui ouvre la porte. Et la laisse entrer. Elle est intimidée (ce n'est pas dans ses habitudes – elle a du moins toujours réussi à le cacher), inquiète et mal à l'aise, elle ne l'a pas vu depuis leur scène mélodramatique dans une rue de Lille, quand Eva l'a obligée à ouvrir son sac à main. Elle ne sait pas quoi lui dire – lui non plus. Elle découvre son nouvel intérieur. Elle n'ose pas s'avancer dans le petit salon rectangulaire. Au fond, face à elle, la fenêtre. Juste devant la fenêtre, une table encombrée de papiers et deux chaises, et tout près d'elles, à gauche quand on regarde depuis la porte, un gros fauteuil rouge et un lampadaire au pied en bois verni. À la gauche de Pauline, un lit une place, la tête contre le mur opposé à la fenêtre, avec un couvre-lit multicolore. Elle remarque tout de suite, punaisées au-dessus, les deux photos de Monique ; une du père de Félix ; une de sa sœur ; deux de lui, petit, dans les bras de sa mère. Elle avance un peu. Sur le buffet, à droite, une bouteille de cognac et quatre verres. Posée à côté, une photo de lui assis sur un muret, beau gosse – elle ne la connaît pas, elle la prend pour s'occuper les mains, il lui dit qu'elle a été faite en Angleterre, l'année précédente, lors d'un tournoi de hockey sur gazon ; au dos, il a écrit : *Brewton's Gin Gordon* et *White Horse Whisky*. Elle se détend, elle lui demande s'il ne veut pas aller manger quelque part. Il lui répond qu'il ne peut pas, il doit déjeuner avec sa marraine, il est déjà un peu en retard.

« Peu de temps après, déclarera Mme Maitrot, je les ai vus redescendre ensemble et passer devant ma fenêtre » (qui donne sur la cour). Ils partent à pied vers la place Cambronne : une voisine de Félix, Suzanne Barbe, quarante-six ans, célibataire et modiste, qui rentre chez elle après le marché, les croise tous les deux, un peu avant midi – elle s'en souviendra car elle est étonnée de voir Félix avec cette jolie jeune femme brune qu'elle ne connaît pas. (Jean Barrière sera obligé de reproduire ce témoignage dans son rapport, mais, tête de linotte pour une fois, lui si tatillon quand il faut, il oubliera de préciser l'heure, pourtant bien indiquée dans la déposition de Mme Barbe, il écrira simplement qu'elle les a vus, on ne sait trop quand, « marchant dans la rue de la Croix-Nivert ».) Ils discutent place Cambronne, à l'arrêt du bus que Félix doit prendre pour aller chez sa marraine. Selon Pauline, qui veut savoir quand ils pourront se parler, Félix lui dit qu'il est pris également le soir, il dîne avec un ami, mais lui demande si elle reste à Paris quelques jours encore. Comme elle l'a écrit à Boullet, elle comptait rentrer à Lille le lendemain, ou jeudi matin au plus tard ; mais : « Lorsque j'ai senti que Félix désirait me revoir, je lui ai dit que j'étais là pour plusieurs jours. » Ces propos de Pauline feront pousser des hauts cris à tous ceux qui connaissent bien Félix, c'est impossible, comment cette menteuse ose-t-elle prétendre cela, qu'il ait pu lui laisser entendre qu'il était d'accord pour la voir ? Hauts cris ou pas, d'accord ou non, ils se donnent rendez-vous le lendemain à dix-neuf heures devant le métro Odéon.

À mon avis, qui vaut ce qu'il vaut (c'est difficile à calculer), si Félix préfère la voir à l'extérieur, loin de chez lui, c'est soit pour éviter le regard de la concierge derrière le voilage de sa porte vitrée, soit par crainte de se retrouver avec elle, le soir, dans une chambre : il connaît ses pouvoirs, l'effet qu'elle lui fait (et sait que résister n'est pas commode : il a couché avec elle le lendemain matin de la nuit animale qu'elle a passée avec Blandin). Ça ne s'oublie pas, même si on aime quelqu'un d'autre. Et surtout quand ce quelqu'un d'autre ne vous a pas touché autre chose que la main ou la joue depuis vingt mois. Il ne se fait peut-être pas confiance à cent pour cent. Même à quatre-vingt-quinze, c'est risqué.

On peut dire que s'il préfère la voir à l'extérieur, loin de chez lui, c'est seulement qu'il est hors de question pour lui qu'il se passe quoi que ce soit, qu'il n'y pense même pas, qu'il n'a pas envie de la revoir, on va expédier la corvée au resto. Mais alors pourquoi ne le lui dit-il pas ? « Non, Pauline, je n'ai pas envie de te revoir, n'insiste pas. » C'est simple, non ? Il l'a déjà fait, assez sèchement même. Elle ne paraît pas au bout du rouleau, à la débine, au contraire – juste un peu traqueuse. Pas besoin de compassion particulière. Pourquoi accepte-t-il ce rendez-vous qui, si Félix est ce qu'on dit qu'il est, s'il ressent ce qu'on dit qu'il ressent, ne peut apporter que des ennuis ?

Ce mardi, Pauline passe l'après-midi à sonner aux portes des gens dont elle a noté l'adresse dans son répertoire, un peu partout dans Paris : une veuve qui a fait paraître une annonce dans le journal *Christianisme*, Jeanne-Louise Hatger, boulevard Pereire, près de la porte Maillot ; Jean Hooge, un cousin par alliance, boulevard Pasteur, près de la gare Montparnasse ; Geneviève Dewulf (la mère de Marie-Rose, que Pauline aime beaucoup), rue Erlanger, près de la porte d'Auteuil ; Jeanne-Antoinette Raabe (la mère d'Henriette, la religieuse), rue du Rocher, près du parc Monceau ; et enfin Georges Smaage, l'ex-mari d'une lointaine cousine, auquel elle va demander un soutien pour obtenir une chambre à la Cité universitaire, sans l'avoir prévenu de sa visite, dans les locaux d'EDF où il est directeur de service, rue de Vienne, près de la gare Saint-Lazare – c'est un ancien ami de François, le sous-marinier, il n'a pas revu Pauline depuis l'avant-guerre, elle avait dix ans, il est étonné qu'elle lui parle « comme si nous nous étions vus la veille », elle lui paraît étrange, excitée, « exaltée » : « Je me souviens que nous avons parlé notamment d'architecture de cathédrales, chose qui évidemment n'arrive qu'entre gens ayant l'habitude de discuter fréquemment entre eux sur divers sujets, au lieu de s'en tenir aux banalités d'usage comme cela aurait dû être le cas. »

Le mardi soir, elle va dîner chez les Huret, le couple chez qui elle logeait en octobre lors de sa semaine avec Bernard, près de l'Arc de Triomphe. Ils discutent longtemps après le repas, ils la trouvent « extrêmement gaie ». Elle rentre tard dans la nuit chez le pasteur Gounelle. Mireille l'entend passer dans le couloir, pas Anne-Marie.

Le lendemain, elle reste toute la matinée dans sa chambre. Puis elle prend son temps pour se maquiller et s'habiller, et sort en fin d'après-midi. Avant de quitter l'appartement, elle dit à Alice et Anne-Marie qu'elle va voir son ancien ami, avec qui elle doit dîner (sa tante boucle sa valise, elle s'apprête à partir passer le reste de la semaine en province). Elle prend le métro et, peu avant son rendez-vous à Odéon avec Félix, passe rue Cassette, chez la sœur de Solange (la femme de son frère Gilbert), Colette, une prof de gym d'une quarantaine d'années, adepte du yoga et passionnée de psychologie, de graphologie, de comportementalisme, de choses de ce genre. Pauline doit avoir besoin de se détendre. Les deux femmes s'entendent bien.

À dix-neuf heures, enfin, ce mercredi 7 mars, elle arrive devant la bouche du métro Odéon, où Félix, qui sort de la fac, l'attend déjà. Je ne sais pas ce qu'ils se disent mais, quelques minutes plus tard, ils descendent dans le métro et prennent la direction de La Motte-Picquet, à six stations de là. Elle a réussi à le convaincre d'aller dîner chez lui. Elle est forte.

Vers 19 h 30, la concierge de l'immeuble de Félix les regarde passer tous les deux devant sa loge et se diriger vers l'escalier C. C'est la première fois qu'elle voit le jeune homme rentrer chez lui avec une fille à cette heure-là ; une fille qui n'est pas du tout son amie blonde.

Tout cela n'a jamais existé. Lors du procès, deux ans plus tard, Monique Mercier fera pleurer bien des dames et emportera l'adhésion de toute la salle d'audience lorsqu'elle s'écriera à la barre : « Dès l'instant où Félix m'a connue, j'ai la certitude, oh, la certitude qu'il ne l'a jamais revue ! »

C'est Pauline qui prépare le repas. Félix lui a dit qu'il y avait de quoi manger chez lui, mais c'est un peu juste : dans la toute petite cuisine, où l'on peut faire un pas en largeur et moins de trois en longueur (et où bientôt on la retrouvera mourante sur le carrelage), elle fait chauffer de la choucroute en boîte (elle précisera : « de la choucroute avec des saucisses » – là, ce n'est pas moi) sur la petite cuisinière à gaz. Ils boivent du vin rouge, mangent deux oranges en dessert, et terminent par du café. Puis du cognac. Pauline, pour la première fois depuis sa naissance, se trouve en position d'infériorité (si l'on écarte l'humiliation de la tonte – elle ne pouvait que se sentir supérieure à ce troupeau d'abrutis ivres de puissance postiche) : elle est en demande. Elle a l'impression de jouer sa vie maintenant, elle doit être morte de trouille. Encore une fois, je ne sais pas ce qui s'est passé exactement après le digestif, comment ils ont enchaîné vers autre chose que la choucroute, mais je crois Pauline, qui dira : « Après le dîner, nous nous sommes couchés et nous avons eu des rapports au cours de la nuit. » Barrière écrira : *Cette version présentée par l'inculpée ne semble pas admissible.* Tout le monde le suivra, au tribunal bien sûr, mais aussi dans la presse, et dans les différents livres qui rendront compte de l'affaire – même dans ceux de Pierre Scize et de Serge Jacquemard, qui pourtant prendront la défense de Pauline –, la version officielle sera entérinée : après le café, Félix explique à Pauline que c'est bon, voilà, elle a eu son heure et demie avec lui, il ne veut plus entendre parler d'elle, elle peut remettre son manteau, salut, il est dévoué corps et âme à Monique. (Seul Jean-Luc Seigle, dans *Je vous écris dans le noir* – je remonte encore une fois, furtivement, des dernières pages –, la suit quand elle dit qu'ils ont couché ensemble cette nuit-là. Mais il réinvente la scène. Pauline n'est pas venue la veille, elle débarque ce soir-là à l'improviste chez Félix, ils ne sont pas vus depuis une éternité, il ouvre la porte, dit tranquillement « Je t'attendais » et soudain glisse une main vicelarde sous sa jupe sans lui laisser le temps de parler. Ensuite il la besogne vigoureusement, puis la traite de *salope* et de *pute, juste bonne à se faire baiser par les Boches*, et regrette qu'elle n'ait pas été *liquidée à la Libération.*)

On ne dispose bien entendu que du témoignage de Pauline, mais pour plusieurs raisons (dont l'une est qu'il n'a pas touché une fille depuis lustres et lurettes et que Pauline est irrésistible – on couche avec ses maîtresses etc.), je parierais ma chemise de mariage (c'est la seule que j'ai) qu'elle dit vrai. Peut-être qu'elle se lève de sa chaise après deux verres de cognac, s'approche de Félix et l'embrasse, peut-être qu'elle se lève de sa chaise après deux verres de cognac, marche vers le lit et dégrafe son chemisier en le regardant, je n'en sais rien, mais il la rejoint sur le couvre-lit multicolore, style mexicain, et la baise. À un mètre au-dessus de leurs têtes, une étagère de coin est fixée au mur, elle porte la trentaine de livres de Félix, un poste de radio, un cendrier de bistrot genre

Cinzano et les photos de Monique. Après la première fois, Pauline sans doute se déshabille entièrement et se glisse sous les draps, il l'imite probablement honteux et furieux contre lui-même, mal, il regrette ce qu'il vient de faire mais ne peut pas la jeter maintenant, ils baisent une deuxième fois, une troisième peut-être.

Durant toute cette partie de la nuit, Pauline ne lui pose aucune question, ne parle pas de Monique ni de leur avenir, profite de sa chance – tout se déroule précisément comme elle l'espérait – sans le brusquer et risquer de le gêner ou de le mettre face à ses contradictions en lui demandant ce qu'il a l'intention de faire maintenant : « Étant donné ce qui se passait, j'ai pensé que c'était un fait acquis. »

Elle a très peu dormi mais se réveille à huit heures dans un autre monde que la veille, toute langoureuse de bien-être : l'espoir s'est transformé en réalité. Mais cinq secondes plus tard, quand elle ouvre les yeux et reprend tout à fait conscience, la froideur de Félix, à deux mètres d'elle, est plus réelle encore. Il a déjà fait sa toilette, il est en train de s'habiller pour partir à la fac. Il ne lui dit pas bonjour, lui demande seulement de se dépêcher, il a un cours à neuf heures. Elle n'ose pas s'étonner de cette dureté sèche, ils ne prennent pas de petit déjeuner et ne s'adressent pas la parole jusqu'à ce qu'elle soit prête, ni dans l'ascenseur. Il sonne à la loge de Mme Maitrot, au rez-de-chaussée de l'escalier A, et entre pour chercher son courrier, Pauline l'attend devant la porte. Il ressort avec une lettre, qui ressemble à un télégramme ou à une facture. Ils franchissent les grilles de l'immeuble et prennent la rue Letellier puis la rue du Commerce vers La Motte-Picquet, Félix marche vite et ne parle pas. Avant d'entrer dans le métro, où chacun se dirigera vers un quai différent (elle doit prendre la ligne 8, lui la 10), Pauline trouve le courage, au moment de lui dire au revoir, ne sachant si elle peut l'embrasser ou non, d'obliger Félix à sortir de son mutisme buté en lui demandant s'il est vrai qu'il est fiancé. Il répond vite que oui, c'est exact, il est fiancé à une étudiante en lettres, ils se marieront dès la fin de leurs études, c'est sûr. Il part vers son quai sans rien ajouter, sans lui donner d'autre rendez-vous, sans rien lui dire de ses intentions, qui sont claires.

Pauline a pris le métro aérien sur la tête, elle ne cherche pas à rattraper Félix pour lui demander ce qu'il compte faire d'elle, elle regarde son dos s'éloigner, puis elle se dirige vers le quai de la ligne 8, monte dans la rame, arrive au 76 avenue Ledru-Rollin peu après neuf heures, ouvre avec sa clé, marche dans le couloir jusqu'à sa chambre.

Elle dira qu'elle a croisé ce matin-là la bonne du pasteur Gounelle, une dame Marie Neuhausler, soixante-dix-huit ans (et ça bossait tard, à l'époque), qui travaille de 8 h 30 à 20 heures (ça bossait dur). Dans son rapport, Barrière écrira : *Elle a indiqué que la bonne du pasteur l'avait vue rentrer le matin vers 9 heures.* C'est un peu déformé, mais proche de ce qu'aurait déclaré Pauline, et qu'on trouve dans sa déposition tapée à la machine : « En arrivant, à 9 h 30, je crois avoir rencontré la bonne. » Marie Neuhausler, l'honnêteté faite vieille femme, affirmera de son côté : « Je ne l'ai jamais vue rentrer du dehors le matin de bonne heure. » Pauline a donc menti, comme souvent, et cette odieuse affabulation viendra s'ajouter à la liste des preuves que, contrairement à ce qu'elle prétend, son ancien amant n'a pas bassement profité d'elle une dernière fois (cette question de la nuit du 7 au 8 mars sera l'un des points déterminants (et bien glauques) du procès). Ce qui peut avoir son importance, il me semble, c'est que Pauline n'a jamais dit qu'elle avait croisé la bonne « en arrivant ». Dans le dossier d'enquête, celui de la police judiciaire, à partir duquel a été constitué le dossier d'instruction, j'ai trouvé l'original de la déposition de Pauline, notée à la main par un inspecteur (ce n'est pas le seul procès-verbal manuscrit qui sera ensuite recopié "au propre", au calme et à la machine, avant d'être transmis, plus net et signé par le témoin, au juge Louis Grenier). Ce qu'elle dit véritablement, c'est : « En arrivant, je suis allée directement dans ma chambre. Vers 9 h 30, j'ai croisé la bonne. » On a juste enlevé quelques mots et changé un point en virgule (en ajoutant « je crois » par souci d'honnêteté), ce n'est pas ce qu'on appelle une falsification, si ? La seule petite chose qui change, c'est que, du coup, elle n'a pas menti. Surtout si on tient compte de l'intégralité du témoignage de Marie Neuhausler : « Je n'ai pas pu me rendre compte si elle avait découché ou non, mais je ne l'ai jamais vue rentrer du dehors le matin de bonne heure. Je me souviens parfaitement l'avoir vue le matin aller et venir plusieurs fois dans l'appartement. »

Ce sont des détails, Jean Barrière préfère se faire un avis et fonder son résumé sur des considérations moins triviales, plus élevées : *Si l'on s'en rapporte à ce que l'on sait de Félix Bailly, il est peu probable qu'il ait voulu renouer avec son ancienne maîtresse.* D'une part, personne n'a jamais dit qu'il ait voulu renouer avec elle (mais pour l'inspecteur-chef, du moins dans l'exercice de ses fonctions, mettre une fille dans son lit, c'est lui proposer le mariage devant Dieu), surtout pas Pauline, qui insiste justement sur le fait qu'il ne voulait pas ; d'autre part, *ce que l'on sait de Félix Bailly*, c'est nébuleux. (Lors du procès, reprenant à la fois cette théorie et cette méthode, le président Jadin et l'avocat général Lindon brandiront plus ostensiblement le bâton de la moralité masculine au-dessus de la tête de la salisseuse : le premier contredira sévèrement les allégations ignobles de l'accusée en soulignant « le caractère unanimement reconnu de la victime » le second s'exclamera, pas la main sur le cœur mais presque, l'âme blessée d'être obligé de le rappeler : « C'était un garçon trop propre et trop droit pour qu'il ait pu commettre une telle muflerie ! » Dans sa plaidoirie, René Floriot, l'avocat de la famille Bailly, s'indignera lui aussi qu'elle veuille faire passer Félix pour un jeune homme qui serait capable d'une abjection pareille : abuser d'elle puis « la chasser au matin comme une fille ». Non, tout de même, pas comme une fille, ce serait horrible.)

Ce que l'on sait de Félix Bailly, par exemple, c'est ce qu'il raconte de sa soirée avec Pauline, le lendemain, à son ami Bernard Mougeot. Dès le premier cours, à neuf heures, tu sais pas ce qui m'est arrivé, il lui dit que la fille dont il lui a parlé, celle de Lille, si, celle qui lui en a tant fait baver, eh bien cette fille a, se souvient Mougeot sans erreur possible, « débarqué chez lui la veille à l'improviste, à vingt-trois heures ». (On sait que Céline Maitrot, pourtant honnêteté faite concierge, a vu la jeune femme arriver dans l'immeuble avant midi la veille, puis redescendre avec le jeune Bailly, et encore revenir avec lui le lendemain soir peu après dix-neuf heures, mais on se débrouillera pour ne pas trop la mettre en avant, Céline Maitrot, et on réussira à croire plutôt ce que Félix a dit à Mougeot.) Elle est donc apparue chez lui, comme tombée du ciel (ou surgie de l'Enfer), en toute fin de soirée, il l'a laissée entrer, pris de court, et a fait chauffer une boîte de conserve. En dînant (il avait sans doute oublié de manger avant), ils ont parlé de leurs études, elle lui a demandé s'il était agréable de vivre à Paris, ils ont échangé encore quelques banalités, puis Félix a fait comprendre à Pauline que tout était bel et bien terminé entre eux et elle est partie : « Elle n'est restée que deux ou trois heures chez Félix. Selon lui, elle était sûrement venue pour le fléchir. » Qu'ils aient ou non passé la nuit ensemble, Félix ne dit pas la vérité à son ami, puisqu'ils sont arrivés à dix-neuf heures et n'ont pas pu passer que

« deux ou trois heures » ensemble. Pourquoi ce mensonge ?

Après plus d'une heure à pleurer dans sa chambre de l'avenue Ledru-Rollin, Pauline décide de se tuer. Elle est ravagée de s'être fait jeter après la nuit, et en manque de sommeil – elle a peut-être la gueule de bois, aussi, le cognac de Félix est du cognac d'étudiant. Près du téléphone, dans le salon, elle trouve un Bottin et y cherche l'adresse d'un armurier. Elle ne risquera pas de se rater. Elle note l'adresse de la maison Guyot, 48 au 52 rue de Lyon, à quatre cents mètres à peine de chez le pasteur Gounelle. Elle prend tout l'argent qu'elle a emporté à Paris, sort sans croiser personne dans l'appartement, et quelques minutes plus tard, elle pénètre dans la boutique. Plusieurs employés sont derrière le comptoir. Elle s'approche de l'un d'eux, un jeune en blouse grise, et lui demande le prix d'un pistolet. Il lui dit que cela dépend du modèle, lui en montre un de milieu de gamme, qui coûte « environ sept mille francs », dira-t-elle. Elle n'a pas cette somme sur elle et n'insiste pas. (Dans un but que j'ai pour l'instant du mal à comprendre, on fera tout un pataquès pour essayer de prouver que c'est faux, qu'elle n'a jamais mis les pieds dans cette armurerie. On lui demandera de dessiner un plan précis de l'intérieur du magasin, on interrogera le patron et tous les employés, tout ça pour démontrer qu'elle n'avait pas l'intention de se tuer ce matin-là. C'est idiot, il me semble.)

Pauline avait prévu de rentrer à Lille ce jeudi, mais elle n'en a pas l'énergie, elle est vidée de tout. Elle s'enferme de nouveau dans sa chambre chez le pasteur, n'en sortira que pour dîner, et y retournera jusqu'au milieu de l'après-midi du lendemain, couchée, cassée.

Pendant ce temps, de l'autre côté de la Seine, Félix écrit à Monique – qu'il doit retrouver à la fin de la semaine suivante pour un voyage en Angleterre, où il doit disputer un tournoi de hockey (son père, Richard Bailly, a accepté de bonne grâce de payer le voyage à sa future bru). La lettre est datée du jeudi 8 mars. Je veux bien que ce soit un garçon excessivement romantique à qui un brin de gnangnan ne fait pas peur, l'amour c'est l'amour, mais là, il y va vraiment fort : *Chérie, ces jours-ci sont un peu tristes, mais pas trop heureusement, parce que les jours heureux sont si proches. Oh ! mon petit bébé, mon petit, tout petit... Je pense et je revis toute notre vie pendant ces jours. Chérie, je suis si bien auprès de vous. Je voudrais dire mille et mille choses à mon petit bébé chéri, que jamais je ne peux, parce que mon cœur étouffe de bonheur et de tendresse. Chérie, je vous aime, je vous aime de tout mon cœur, de toute ma force. Je suis plein de bonheur quand je suis auprès de vous. Chérie, je suis heureux parce que je vous aime, que vous êtes mon petit poussin, mon tout petit, ma toute petite fille chérie, toute petite enfant faible, toute gentille, toute blonde, toute bonne, toute douce* (sans vouloir manquer de respect à un disparu, il se tripote en même temps, c'est pas possible), *mon petit bébé à qui j'ai peur de faire mal quand je la serre trop fort dans mes bras. Chérie, il me semble que nous sommes chez nous, que je sors pour faire une course, et que tout à l'heure, quand je rentrerai, je vous retrouverai là, dans notre maison. Alors, chérie, je vous donne un tout petit baiser avant de sortir, comme je le ferai plus tard avant de partir, le matin, pour ne pas vous réveiller. Au revoir, mon tout petit. Votre petit ours : Félix.*

J'ai retranscrit l'intégralité de la lettre, pardon si vous êtes à table, mais cela m'a semblé utile (comme il semblera utile à l'impitoyable René Floriot, l'avocat de la partie civile lors du procès, de la lire jusqu'au bout « malgré » les flots de larmes des jurés et des spectateurs du tribunal, après avoir fait cette confession fracassante : « Je vous avoue que je n'ai pas pu parcourir cette lettre sans émotion »), car si beaucoup, pour ne pas dire tous, y verront une preuve supplémentaire et incontestable de l'amour (le mot est faible) que Félix portait à Monique, et donc l'impossibilité qu'il se soit abaissé à le souiller entre les jambes d'une autre, je ne sais pas si j'ai l'esprit tordu mais il ne me paraît pas totalement fou de penser que cet épanchement indigeste de guimauve au miel, qui donnerait à toutes les ruches des Alpes, en comparaison, le goût du sel de Guérande, que cette interminable litanie sirupeuse écrite quelques heures à peine après la visite de Pauline puisse avoir été dictée par une conscience un peu flageolante. Non ?

Le vendredi 9 mars, Pauline quitte l'avenue Ledru-Rollin en demandant au pasteur Gounelle s'il pourrait l'héberger de nouveau quelques jours la semaine suivante : elle doit revenir à Paris pour poursuivre et, espère-t-elle, conclure ses démarches de recherche de logement. (Elle a donc déjà en tête une idée précise de ce qu'elle veut faire, je me demande pourquoi on ne la croit pas quand elle dit qu'elle est passée chez l'armurier de la rue de Lyon.) Il accepte, bien sûr.

Chapitre vingt-huit

Très calme et très convenable

De retour à Lille dans la soirée, Pauline se confie aussitôt à Eva Gérard. Elle avoue qu'elle ne s'est pas rendue à Paris seulement pour trouver une chambre, mais avant tout pour voir Félix, dont Jeannine Lehousse lui a donné l'adresse après lui avoir appris qu'il pensait toujours à elle – elle ne cache pas grand-chose à Eva, elle a besoin de parler. Elle lui dit qu'elle a été « très émue de le revoir », mais qu'elle a l'impression que lui ne l'aime plus et ne veut pas renouer avec elle. Elle mentionne les deux photos de Monique au-dessus du lit.

Elle lui dit surtout quelque chose de surprenant, qu'on laissera de côté – et que même son avocat ne relèvera pas : « Quand je suis allée chez lui, nous avons dîné en compagnie d'un ami commun. » C'est faux, aucun doute là-dessus, mais pourquoi invente-t-elle ce troisième convive autour de la choucroute ? Eva en déduit que « Félix ne voulait pas la voir en tête à tête » et n'en demande pas plus pour ne pas la blesser. Pauline expliquera : « J'ai dit cela pour éviter qu'elle ne me pose d'autres questions sur le comportement de Félix. » Il est certain qu'elle a parlé de ce troisième convive à Eva ce soir-là ; il est certain que ce troisième convive n'existe pas ; c'est pour moi la preuve indirecte mais tangible qu'ils ont bien passé la nuit ensemble. Ça ne peut pas être pour justifier, par amour-propre, qu'il ne l'ait pas touchée, puisqu'elle reconnaît sans orgueil qu'il ne veut plus d'elle. Il n'y a qu'une seule explication à ce mensonge : elle ne veut pas "salir" Félix en révélant qu'il n'a pas pu se retenir de tromper sa fiancée – ou, si on veut, c'est possible aussi, se rabaisser elle-même en confessant qu'elle a utilisé sa carte la plus triviale, ses fesses, pour tenter de le reconquérir. Elle n'a aucune autre raison d'ajouter cet intrus imaginaire à leur soirée.

Quand Eva lui fait remarquer qu'elle ne peut s'étonner que Félix l'ait repoussée, qu'elle doit l'admettre, puisqu'il va se marier, Pauline supprime ses dernières barrières et va plus loin dans la confidence. Elle lui répond qu'elle ne peut tout simplement pas supporter l'idée de ne pas faire sa vie avec lui. La manière dont elle l'énonce est importante, on y reviendra longuement lors du procès, car selon l'emploi d'un mot ou d'un autre, on peut comprendre qu'elle a décidé de se suicider ou de tuer Félix. Dans la déposition d'Eva, effectuée à Lille et tapée à la machine le 11 avril 1951, elle (ou on) fait dire à Pauline : « Je n'ai pas l'élégance ni suffisamment d'amour pour le laisser partir avec une autre. » Ce qui indique d'une part qu'elle ne l'aime pas tant que ça, qu'elle peut donc envisager de le supprimer (même si on peut discuter de l'intérêt de tuer quelqu'un pour qui l'on n'éprouve pas de sentiments très appuyés), d'autre part qu'elle s'apprête à faire quelque chose de peu élégant (bonne litote). J'avais du mal à imaginer Pauline prononcer cette phrase à la fois un peu grandiloquente et mollassonne : « Je n'ai pas l'élégance ni suffisamment d'amour... » Et effectivement, elle ne l'a pas prononcée. Eva Gérard sera formelle lors du procès, où personne ne pourra modifier ce qu'elle déclarera. Et ce qu'elle rapportera des paroles de Pauline est sensiblement différent de ce qu'on trouve dans le procès-verbal. D'abord, Pauline ne dit pas qu'elle n'a pas suffisamment d'amour mais : « Mon amour pour Félix est grand, mais pas assez élevé. » On ne peut prendre « élevé » que dans le sens céleste du mot, pur et désincarné – ce que ressent une nonne, disons, qui accepte sans problème de partager son amour du Christ avec des millions d'autres, bienvenue les filles. Pauline reconnaît qu'elle a besoin de présence concrète et d'exclusivité, bassement. Ensuite – la déformation est plus grave encore –, Eva ne fera pas dire à Pauline : « pour le laisser partir avec une autre », mais « pour supporter de le savoir avec une autre ». C'est la différence entre penser au meurtre et penser au suicide.

« Mon amour pour Félix est grand, mais pas assez élevé pour supporter de le savoir avec une autre. » Voilà, selon Eva, ce que lui a réellement confié Pauline. C'est pourtant, comme tant d'autres fois, la version fausse qui restera, dans la presse et dans la bouche des exécuteurs de justice. Elle sera même encore décalée, presque inversée, et “améliorée” dans le film qui sera consacré à une partie (seulement) de la vie de Pauline Dubuisson. Dans le box des accusés, elle déclare : « Je ne l'aimais pas assez pour vivre avec lui, mais je l'aimais trop pour le laisser à une autre. » C'est beau, montez le son des violons, mais c'est n'importe quoi.

En janvier 1952, le juge Grenier convoquera Eva Gérard à Paris. Elle répétera fidèlement devant lui tout ce qu'elle a dit neuf mois plus tôt à l'inspecteur lillois à propos de cette discussion avec Pauline, sauf cette phrase dont les mots exacts et le sens posent problème, et qu'on préférera écarter carrément de la déposition. On a mieux.

Avant de monter se coucher, Pauline fait une dernière confidence à Eva : « Je ne peux plus attendre, j'en arriverai à une solution extrême, et malheureusement, c'est moi qui me mouillerai. » Ce « mouillerai » ne pardonnera pas. Pour l'accusation, c'est-à-dire presque tout le monde, le sens de “se mouiller” est clair : “prendre un risque, se compromettre” (et donc “tuer Félix et en subir les conséquences”). Honnêtement, c’est l’interprétation la plus évidente, et je me sentirais champion de mauvaise foi si je critiquais ceux qui s’en sont servis. Mais Pauline (évidemment) s’en défendra. Elle ne se souviendra pas d’avoir utilisé ce terme, mais admettra que c’est possible, on ne se souvient pas de tout. Cependant : « Si j’ai prononcé ce mot, c’est pour exprimer que je voulais me suicider, et non pas me compromettre. » (Barrière, dans son rapport, est didactique et péremptoire : *Ce n’est pas le sens qu’on doit donner à cette expression.*) Il n’est pas insensé de la croire. Pourquoi aurait-elle fait comprendre si clairement à Eva qu’elle comptait tuer Félix ? Pour que la logeuse le mette en garde, pour qu’elle alerte sa famille et la police ? Pour être sûre qu’on va l’arrêter ensuite, et lui faire payer cher ce crime ? Et puis on peut consulter tous les dictionnaires qu’on veut et disséquer un mot lettre par lettre, ce n’est qu’un élément de vocabulaire, une brique de Lego – verte ou rouge ou jaune. Pauline n’est pas la seule à ne pas donner à ce mot, à tort, le sens qu’il a dans le Robert. L’autre personne qui n’a pas donné à ce mot le sens qu’il a dans le Robert, c’est celle qui se trouvait en face d’elle à ce moment-là. Eva la regardait, l’écoutait, la phrase lui était destinée : elle était au contact de la chair du mot, de la parole, et pas une seconde elle n’a pensé que Pauline en voulait à la vie de Félix : « J’ai compris qu’elle voulait se suicider. » (En recopiant à la machine, l’inspecteur de Lille tempère un chouia : « J’ai cru comprendre qu’elle voulait se suicider » (sous-entendu : « Je me suis trompée »). Mais le greffier du juge d’instruction, l’année suivante, est plus fidèle à ce qu’il entend : « J’ai déduit de cette phrase qu’elle avait à nouveau l’intention de se suicider. ») Je suis convaincu, sans preuve mais tant pis (chacun est convaincu de ce qu’il veut), que c’est bien la seule idée que Pauline a en tête : se tuer, sous les yeux de Félix.

Le lendemain matin, samedi 10 mars, Pauline s'apprête à partir à Malo-les-Bains. En descendant avec une petite valise, elle se contente de dire à Eva : « J'ai quelque chose à faire là-bas. »

Elle arrive peu avant midi chez ses parents, et on fête en famille – sobrement – ses vingt-quatre ans au déjeuner (son frère Vincent étant mort un 11 mars, Hélène et André ont pris l'habitude de souhaiter un bon anniversaire à leur fille la veille). Au dessert, Pauline reçoit cinq mille francs des mains de son père. Je fuis quand je peux devant les gros sabots mélo, mais là, tout de même… André, pygmalion irresponsable et mauvais génie involontaire de sa fille, lui donne de la main à la main de quoi se détruire pour de bon – et le détruire lui-même par la même occasion, tant qu'on y est.

L'après-midi, vers seize heures, ses billets en poche, Pauline se rend chez l'armurier de Dunkerque, Paul Kerckhove, place de la République (cette fois, personne ne doute (on ne peut pas) qu'elle y soit allée – mais l'avant-veille à Paris, ha ha, elle veut nous rouler dans la farine). Il n'est pas là, c'est son épouse, Marthe, qui tient la boutique. Pauline demande à voir un pistolet, la femme lui présente deux ou trois modèles, mais quand sa cliente désigne celui qui correspond à son budget, le moins cher, Marthe Kerckhove l'informe qu'elle ne peut pas l'acheter sans une autorisation de la police. Pauline sort du magasin et se rend directement au commissariat de Malo, où elle est reçue par le brigadier-chef Jules Fardel. Il lui demande pourquoi elle a besoin d'une arme, elle lui explique qu'elle est étudiante à Lille et qu'elle vit seule dans un quartier assez dangereux le soir, où d'ailleurs l'une de ses amies s'est fait attaquer deux semaines plus tôt (c'est faux, bien sûr) : elle aimerait pouvoir se défendre s'il lui arrivait la même mésaventure, les grandes villes sont inquiétantes pour une jeune femme qui a grandi dans un petit sanctuaire tranquille comme Malo-les-Bains. Le brigadier-chef Fardel a deux choses à lui dire, à la gentille gamine du coin : il ne pourra lui accorder qu'un permis de possession d'arme, et non pas de port (elle n'aura pas le droit de la sortir de chez elle), et de toute façon le fonctionnaire chargé de rédiger les autorisations n'est pas de service le samedi, elle devra donc revenir lundi. Il la décrira comme « une jeune femme qui ne semblait pas surexcitée, et s'exprimait très calmement ».

Pauline est déterminée. Elle devait retourner à Lille lundi matin pour reprendre les cours, mais elle fait croire à sa mère qu'elle ne se sent pas bien, elle va rester un ou deux jours de plus dans le confortable cocon familial. Elle passe le dimanche au lit, et sort se promener le lundi matin en faisant un détour l'air de rien par le commissariat. Le gardien de la paix Hubert Verschaeve, cette fois, est de service. Mais le brigadier-chef, qui n'en loupe pas une, ça reste entre nous, a oublié de préciser à Pauline que pour obtenir un permis de possession d'arme, il faut qu'elle fournisse la marque du pistolet, son calibre et son numéro d'immatriculation. Elle doit donc repasser chez l'armurier, où elle est reçue à nouveau par Marthe Kerckhove, qui lui communique les renseignements nécessaires. De retour au commissariat, elle les transmet au pétillant Hubert (dont le prénom doit lui rappeler un commandant prussien élégant, hautain et protecteur, dans une autre vie mais tout près d'ici) : c'est un petit pistolet de marque Unique, modèle 10, de calibre 6,35 et dont le numéro d'immatriculation est 432949. Très bien. Le permis sera prêt mercredi, le surlendemain. L'administration, ma petite dame. Au plaisir ? Non, Pauline, craignant qu'on ne lui réclame, quand elle viendra le récupérer, des précisions sur la raison exacte de sa volonté de disposer d'une arme, demande à Hubert s'il sera possible à sa mère de passer le chercher à sa place – car elle ne pourra peut-être pas se libérer mercredi matin. Pas de problème, mademoiselle (c'est bien sa veine, à Hubert). Puis elle rentre rue des Fusillés et reste couchée deux jours.

Le mercredi 14 mars, à 9 h 30, Pauline fait mine d'être en retard, elle n'a pas entendu le réveil, elle dit à sa mère qu'elle doit prendre le train de onze heures pour Lille mais que ça risque d'être juste car il faut d'abord qu'elle aille retirer un papier au commissariat, elle n'aura jamais le temps de se laver et de faire sa valise, est-ce que maman pourrait lui rendre un service ? Hélène accepte bien volontiers. Pauline lui explique qu'il s'agit d'une autorisation de possession d'arme. Devant le juge Louis Grenier, sa mère aura cette phrase qui laisse comme deux ronds de flan : « Je ne lui ai pas demandé plus d'explications. » On a la mesure, comme dit l'autre, de l'état d'abrutissement dans lequel se trouve la pauvre Hélène Dubuisson quand on essaie de transposer la scène dans sa propre famille – je viens de passer quelques jours chez ma mère dans le Vaucluse, avant de repartir vers Paris je lui demande si elle peut faire un aller et retour rapide au commissariat pour récupérer le permis de port d'arme que j'ai sollicité : « Pas de souci, mon grand, je te rapporte ça. »

À 9 h 45, Hélène se présente donc devant le gardien de la paix Hubert Verschaeve, qui lui tend deux exemplaires du document à faire tamponner par l'armurier, l'un devant rester chez celui-ci, l'autre être de nouveau présenté au commissariat où il sera encore tamponné puis rendu à la désormais propriétaire du pistolet. Au revoir madame.

De retour chez elle, elle remet les deux feuilles à Pauline, qui l'attendait dans l'entrée, habillée, valise en main, prête à partir. (En résumé : son père lui donne l'argent nécessaire à l'achat du pistolet, sa mère l'autorisation de s'en servir.) Hélène trouve sa fille « dans un état tout à fait normal » (elle est restée trois jours couchée, mais c'est vite oublié), Pauline prend congé d'elle aussi gentiment et tranquillement que d'habitude (sans l'embrasser, selon la coutume familiale), ce à quoi sa mère, qui suppose qu'elle reviendra les voir le week-end suivant, répond aussi gaiement qu'elle peut : « À samedi ! »

À 10 h 30, Pauline est place de la République, où c'est encore Marthe qui tient l'armurerie – Paul Kerckhove n'est pas un gros bosseur, j'ai l'impression. Elle tamponne les deux récépissés, en garde un, lui tend l'autre, mais Pauline lui demande si ça ne l'ennuie pas de l'envoyer elle-même au commissariat, elle passera le chercher dès son retour à Malo, samedi. (Elle ne reviendra jamais à Malo.) Marthe lui fait une brève démonstration du fonctionnement du pistolet – comment le charger, l'armer, enlever le cran de sûreté, tirer (c'est un automatique) – et lui donne un chargeur avec six balles Browning 6,35. « C'était une personne très calme et très convenable, elle portait une valise, elle m'a demandé l'heure, elle semblait pressée. »

À 10 h 50, Pauline est sur le quai de la gare de Dunkerque. Quand elle entrouvre son sac à main de cuir verni noir, elle voit l'Unique modèle 10, le premier de la marque, créé en 1923 par la Manufacture des Pyrénées-Hendaye (il n'est plus fabriqué depuis 1940). C'est une copie améliorée du Browning de 1906, un très petit pistolet (*une arme de gonzesse*, commente Alphonse Boudard) : il mesure seulement 11,4 centimètres de long sur 7 centimètres de large (ou de haut), il tient dans la paume de la main, et ne pèse que 370 grammes à vide – 401,5 grammes avec les six balles, chacune pesant 5,25 grammes (une cuillère à café de sucre en poudre).

Chapitre vingt-neuf

Midinette

À Lille, quand Eva Gérard voit sa jeune locataire revenir de Malo, elle essaie de savoir ce qu'elle est allée y chercher. En se forçant à rire, elle lui dit de faire attention, car « le poison rend très laid ! ». Pauline répond seulement : « Ce n'est pas du poison. » Devant sa gravité et son air absent, comme déjà partie, Eva, qui la trouve « dans un état physique lamentable », comprend que si ce n'est pas du poison, il s'agit tout de même de quelque chose de sérieux. Peut-être un pistolet, pense-t-elle, qu'elle aura pris à son père. En tout cas, sa volonté de se suicider ne fait plus de doute pour la logeuse, qui lui offre un café et essaie « de la convaincre que la vie a encore des possibilités pour elle ». Mais Pauline semble imperméable à tous ses arguments, elle ne parle que de Félix, répète qu'elle est incapable de vivre sans lui, que ça ne lui paraît tout simplement pas possible, elle ne parvient plus à se projeter dans les mois et les années à venir. Elle comptait se rendre à Saint-Omer cet après-midi, pour voir la maison de Félix, « celle où j'aurais pu vivre », mais il pleut fort et sans arrêt, elle y renonce. Eva essaie de plaisanter : « Tu es amoureuse comme une midinette ! » Pauline sourit faiblement. « Promets-moi de ne pas faire de bêtise. » Elle ne promet rien mais lui apprend qu'elle compte retourner à Paris, ce qui rassure Eva dans l'immédiat – et seulement dans l'immédiat. Elle lui demande ce qu'elle veut y faire. « Vous verrez. » En temps voulu : Pauline lui semble si épuisée, exsangue, qu'elle n'aura pas la force de partir pour Paris avant deux ou trois jours, ça laisse du répit.

En début de soirée, Eva monte la voir dans sa chambre, à la fois pour lui proposer de dîner avec elle, son mari et leur jeune fille, et s'assurer qu'elle ne s'est pas empoisonnée, ou quelque chose de ce genre. Pauline n'a pas faim, elle est couchée, mais elle va bien, oui, elle est en train de lire.

En arrivant de Dunkerque, à midi, à la gare de Lille, elle a acheté un roman, un policier de Bernice Carey dont la traduction française est parue le mois précédent : *L'assassin manque d'enthousiasme*. C'est difficile à croire mais c'est vrai. Le titre français est amusant, le titre américain, qui n'a pas tout à fait le même sens, l'est moins : *The Reluctant Murderer*. Je l'ai acheté d'occasion sur Internet (*Achevé d'imprimer le 5 février 1951*). Je le commence en même temps qu'elle.

Avant d'éteindre sa lampe, elle se lève, arrache une page à carreaux de l'un de ses cahiers d'étudiante, et rédige un testament court, sec, et enfantin.

Je voudrais que mes affaires soient données de la façon suivante :

1. À ma filleule, Annick, tous mes bijoux. (Je ne sais pas qui est Annick, peut-être l'une des filles de son frère Gilbert, ou de François, qui a coulé dans son sous-marin. Pauline laissera ses bijoux sur sa table de chevet : une broche, un pendentif, une chaînette en or, un bracelet, en or aussi, avec des "brillants", une bague et une broche en argent, deux épingles à chapeau avec têtes en verre coloré, une bague avec un émail ovale, un collier en verroterie et un bracelet en plastique.)

2. À mon filleul, Antoine, le produit de la vente de mes livres de médecine. (Je ne sais pas non plus qui est Antoine.)

3. Mes affaires personnelles seront partagées entre mes deux belles-sœurs. (Solange et la veuve de François, chez qui elle a tenté de se suicider après avoir été tondue.)

4. Mon album de chats à Mme Dewulf. (Elle ne précise pas s'il s'agit de Geneviève ou de sa fille Marie-Rose, plutôt cette dernière à mon avis.)

Toutefois, je voudrais que le bracelet en or avec un petit bouquet de brillants soit donné à Béatrice (la fille d'Eva). *Pauline Dubuisson.*

Une goutte d'eau a dilué l'encre du *u* de *Pauline* – peut-être une larme, ou pas. Elle glisse la feuille dans une enveloppe et la cache sous la pile de livres de sa table de chevet.

Ce soir-là, à Paris, Bernard Mougeot dort chez Félix, comme souvent. Ils sont de bonne humeur : dans deux jours, ils partent disputer un tournoi de hockey sur gazon en Angleterre, à Felixstowe – ça doit l'amuser, d'aller jouer à "Félixville" (il ne sait pas que c'est là que Guillaume Gaspard Malo, le grand pirate et ancêtre de Pauline, a épousé une Anglaise et subi quelques années plus tard sa plus cuisante défaite, poursuivi comme un lapin sur les terres de la commune). Le lendemain matin, en partant plus tôt que Mougeot, Félix lui laisse la clé qu'il confie d'habitude à sa femme de ménage, Marie Benedetti, qui vit dans le même immeuble, au rez-de-chaussée de l'escalier C. Bernard la lui rapportera dans la soirée.

À Lille, Pauline est restée enfermée toute la matinée et une partie de l'après-midi. Elle se lave, s'habille, se coiffe, se maquille et met quelques affaires dans sa valise, puis regarde sa chambre – qu'elle ne reverra pas. Elle laisse derrière elle le flacon de cyanure, dans l'armoire à pharmacie, à côté de la photo du vieux Domnick ; ses bijoux ; seize grandes pages écrites par Bernard ; une lettre de lui, qu'elle a reçue avant de partir à Paris, la semaine précédente, et qu'elle n'a même pas décachetée ; la pochette d'allumettes et la photo du Lido, avec Paul Chabredier ; dans la bibliothèque, ses livres de médecine et ses romans. Son regard se pose sur *La Moisson de Jalna*, que Félix lui a offert et qu'elle n'a pas lu. Elle l'ouvre, déchire la page de garde, sur laquelle il a écrit sa dédicace trop molle, et la glisse dans son portefeuille – qu'elle range dans son sac de cuir noir, avec deux mille cinq cents francs, un paquet de dix cigarettes Week-end, une boîte d'allumettes, un mouchoir, un poudrier, une paire de lunettes à monture claire (elle n'a pas de très bons yeux, quoique beaux, et depuis deux ans, elle en a besoin pour lire), *L'assassin manque d'enthousiasme*, un plan de Paris, un carnet d'adresses bleu, une boîte de Maxiton Delagrange et le pistolet. Elle pose en évidence sur la table de chevet l'enveloppe contenant son petit testament et sort en prenant garde de ne pas croiser Eva Gérard.

Elle arrive à la gare du Nord à 17 h 10. Un quart d'heure plus tôt, inquiète de ne pas l'avoir vue de la journée, Eva a frappé plusieurs fois à sa porte et a fini par entrer dans sa chambre. Elle a constaté que la valise n'était plus là et a trouvé le testament près du lit. Elle est aussitôt redescendue au rez-de-chaussée pour téléphoner à Richard Bailly, à Saint-Omer, le prévenir et surtout lui demander l'adresse de Félix, afin de l'avertir que Pauline a certainement l'intention, de nouveau, comme un an et demi plus tôt avec le cyanure, de se tuer devant lui.

Louise Bailly et sa fille, Marguerite, sont en Angleterre, où leur fils et frère les rejoindra bientôt, le docteur est en visite chez un patient, il n'y a que la bonne à la maison. Elle donne à Eva l'adresse parisienne de Félix, et note, sur un prospectus médical des laboratoires Ciba, le message pour son patron : *Lille, 7 place du Temple, Mme Gérard, où habite Mlle Dubuisson, prévient monsieur que Mlle Dubuisson est partie aujourd'hui même pour Paris pour essayer de revoir Félix. Étant donné l'état d'énervement de cette demoiselle, Mme Gérard demande à monsieur de prévenir son fils le plus vite possible.*

À 17 h 20, Eva fait envoyer un télégramme à Félix au 25 rue de la Croix-Nivert : *Pauline partie ce soir Paris. Je vous conseille éviter absolument rencontre. Téléphoner urgent Lille 73-466. E. Gérard.* Devant le juge Grenier, elle confirmera, encore une fois, la nature du seul risque que courait Félix selon elle : « Je ne pensais pas qu'elle allait le tuer, mais qu'elle se suiciderait chez lui pour gâcher sa vie. C'était dans son tempérament de comédienne. » Céline Maitrot, la concierge, donnera le télégramme à Félix lorsqu'il rentrera de la fac, vers dix-neuf heures.

De la gare, la comédienne se rend directement avenue Ledru-Rollin, chez le pasteur Gounelle. Sa cousine Anne-Marie se souviendra de l'impression anormale qu'elle lui a laissée lors de son arrivée : « Elle avait l'air énervée. » À dix-neuf heures, comme tous les soirs, la famille se met à table. Pauline parle très peu pendant le dîner.

Vers vingt et une heures, Bernard Mougeot arrive chez Félix, pour lui rendre la clé qu'il gardait depuis le matin. Son ami lui montre le télégramme qu'il a reçu deux heures plus tôt – et qui ne semble pas l'alarmer plus que ça. Mougeot, si : il lui conseille d'aller téléphoner immédiatement à cette dame Gérard. Les deux jeunes gens descendent donc pour aller appeler depuis un petit café de la rue de la Croix-Nivert, qui reste ouvert tard. Ils sortent de l'ascenseur : Pauline est dans le hall.

Félix doit sentir une sorte de gargouillement intérieur. Mougeot, qui marche devant et ne la connaît pas, passe près d'elle sans autre réaction qu'un regard en coin pour la jolie fille, mais s'arrête et se retourne quand il l'entend s'adresser à son ami : « Félix, je voudrais te parler. » Il comprend que c'est Pauline. Il écoute.

— Je ne peux pas maintenant. Si tu veux, on se retrouve demain à 14 h 30 au Luxembourg.

— Non. Quand est-ce que je pourrai te voir chez toi ?

— Pas avant les vacances, en tout cas, je pars samedi.

— Alors ce sera après les vacances.

Rassuré, et ne voulant pas se montrer indiscret, Mougeot sort, traverse la cour de l'immeuble et monte dans sa voiture, garée juste devant les grilles du portail. Pauline et Félix le suivent de quelques secondes et discutent environ cinq minutes en faisant de petits allers et retours sur le trottoir, calmement selon Mougeot. « Nous avons parlé amicalement de choses et d'autres », dira Pauline.

Quand Félix rejoint son copain dans la voiture, ils partent en direction du petit café, qui se trouve à l'angle avec la rue Lakanal – ce n'est qu'à quatre cents mètres, mais à cette époque-là, on n'hésite pas à prendre la voiture pour rien, on peut se garer n'importe où. Eva attendait le coup de téléphone. Elle dit à Félix ce qu'elle sait : que Pauline a « quelque chose de dangereux dans son sac », qu'elle n'est plus dans son état normal, elle lui demande de se souvenir de l'épisode du cyanure et de la clé, l'informe qu'elle a prévenu son père et lui déconseille vivement de la recevoir chez lui. Dès qu'il a raccroché, Félix appelle à Saint-Omer pour rassurer son père, mais il n'est toujours pas rentré. Il laisse un message à la bonne, que papa ne s'inquiète pas, il vient d'avoir Mme Gérard au téléphone, il ne risque rien de grave, c'est juste Pauline Dubuisson qui fait du chantage au suicide.

Curieusement, Bernard Mougeot prétendra que la première personne que son ami a eue au bout du fil lui a appris que Pauline avait « un revolver dans son sac ». Il s'embrouille peut-être, sachant ce qui s'est passé ensuite, ou bien Félix a voulu ajouter un peu de soufre comme au cinéma, mais Eva est sûre d'elle (et n'a aucune raison de mentir) : « Je ne lui ai pas dit que je supposais que Pauline avait une arme à feu. » On se servira pourtant de ce revolver dans le sac pour montrer Félix terrorisé, convaincu qu'elle veut l'assassiner. En réalité non, tout ce qu'il craint, c'est qu'elle attende d'être seule avec lui pour se tuer, ou faire mine de. Mais ce n'est pas rien, loin de là, il y a de quoi se sentir mal et regretter de ne pas être à l'autre bout du monde.

Au bistrot, Félix demande à Mougeot de rester dormir avec lui ce soir encore, car il a peur « qu'elle vienne le relancer ». Il la connaît, elle n'abandonne pas comme ça – il n'a peut-être pas non plus la conscience très tranquille, il sait qu'elle a quelques motifs de dépit et d'amertume –, elle ne va sûrement pas tirer un trait fataliste en haussant les épaules. Il a raison. Elle entame son deuxième tour du pâté de maisons.

Mougeot ne veut pas, ne peut pas, il a des choses à faire le lendemain matin. Il propose donc à Félix de venir plutôt coucher chez lui, à Passy, mais celui-ci n'est pas chaud, Mougeot vit encore chez ses parents, c'est gênant. Ils décident alors de se rendre en voiture chez leur ami Claude Toubeau (qui sera aussi du voyage à Felixstowe), rue Cardinet, près du parc Monceau – le téléphone est encore un luxe en 1951, surtout pour les jeunes, il faut faire des kilomètres pour se parler (mon fils vient d'entrer dans le bureau, il a lu ce que j'étais en train d'écrire, j'ai confirmé, il m'a regardé comme si je voulais lui faire croire que son grand-père portait des peaux de bêtes et tuait lui-même sa nourriture à la lance). Malheureusement, Claude Toubeau n'est pas chez lui ce soir-là.

Pauline s'est installée dans un grand café de la place Cambronne, à l'angle avec la rue de la Croix-Nivert, elle essaie de lire *L'assassin manque d'enthousiasme* mais ne parvient pas à se concentrer (il faut dire que pour l'instant, c'est plutôt ennuyeux, écrit (ou traduit) platement et alourdi de descriptions pataudes et sans intérêt). Je ne suis pas certain que je lirai encore quelques minutes avant ma mort.

Félix et Bernard traversent une nouvelle fois Paris à bord de la peut-être Renault 4CV ou Simca 8 de Mougeot, dans l'autre sens, jusqu'au 232 boulevard Raspail, à l'angle avec le boulevard Edgar-Quinet, où M. et Mme Héran, des amis de la famille Bailly, tiennent l'hôtel Aiglon. Félix espère qu'ils pourront l'héberger pour la nuit.

Pauline n'est plus dans le café de la place Cambronne. Vers 22 h 30, Suzanne Barbe descend sa poubelle. Une jeune femme vêtue d'un manteau gris foncé se tient dans l'entrée de l'escalier C. Elle reconnaît la grande et jolie fille brune qu'elle a croisée la semaine dernière dans la rue avec son voisin. Quand elle s'approche d'elle, Pauline ouvre son sac à main et se regarde les yeux dans un petit miroir à maquillage – ça ne trompe pas Suzanne, qui lui trouve l'air nerveux : elle pense qu'elle attend le jeune homme, fébrile, sans doute amoureuse.

À l'hôtel Aiglon, Marcelle Héran est heureuse de voir le fils des Bailly (il vient régulièrement lui rendre visite, c'est un bon garçon) et lui offre une chambre avec plaisir. Félix discute quelques minutes avec ses enfants à la réception et leur explique qu'il ne veut pas dormir chez lui « parce qu'une fille l'ennuie ». Il monte dans sa chambre. Celles qui donnent sur le boulevard Edgar-Quinet donnent surtout, au-delà, sur le cimetière du

Montparnasse. Je ne sais pas si celle de Félix se trouve de ce côté-là, mais je n'espère pas pour lui, je me souviens d'une nuit que j'ai passée il y a une douzaine d'années à l'Ibis de la place de Clichy – je m'étais sauvé de la cellule conjugale après une violente dispute avec Anne-Catherine. En regardant par la petite fenêtre de mon huitième ou neuvième étage, je ne sais plus, je pouvais distinguer les tombes du cimetière Montmartre alignées dans l'obscurité au fond du gouffre. Même lorsqu'on ne se sent pas concerné par la mort d'une façon ou d'une autre, à court terme du moins, c'est impressionnant et nocif pour le moral, surtout quand on est seul et confus dans une chambre inconnue. Les yeux plongés vers les pierres tombales, rectangles gris qui se détachaient de la pénombre, je percevais moins nettement que le jour la différence entre les vivants, qui dormaient à cette heure, et les morts, qui semblaient simplement dormir un peu plus – qui, la nuit, réduisaient l'écart.

Avant de se coucher, ce jeudi 15 mars 1951, vingt-trois ans avant la création du premier hôtel Ibis, Félix écrit quelques mots en style télégraphique sur un calepin : *Demander à Godel venir coucher chez moi ce soir Urgent Confirmer son accompagnatrice Explication sur Chardin et ami Loyer Paris ou Dieppe PD 910.* Il arrache la feuille, la plie et la glisse dans son paquet de Gitanes. Encore une preuve de la terreur que lui inspire Pauline, il sait ce dont elle est capable, elle n'hésitera pas à l'éliminer : réclamer de toute urgence l'aide de son ami Godel, c'est la première chose qu'il note. Et ces initiales, à la fin ? Pauline Dubuisson ? 910 ?

On demandera quelques explications à Jacques Godel, mais elles ne s'avéreront pas très utiles, on se contentera de retenir le début, *Demander à Godel venir coucher chez moi Urgent.* (Ce que dit Godel, qui est pourtant plutôt enclin, c'est normal, à se ranger du côté de l'accusation pour venger son ami (il n'hésitera d'ailleurs pas à arranger la réalité sur certains points), c'est qu'il n'y a rien d'alarmant dans ce mot, même la première phrase : « Elle ne me semble pas extraordinaire car il m'arrivait souvent de le faire, nous étions très liés. » Il explique ensuite que tout le reste du pense-bête concernait leur prochain voyage en Angleterre : « Le terme *Urgent* ne s'applique pas à cette demande, mais il était urgent pour lui de savoir si je serais accompagné, et cela en vue de lui permettre d'établir la liste des participants au voyage. Je devais effectivement être accompagné par Mlle Denise Desseaux, sage-femme à l'hôpital Lariboisière. » Le reste concerne deux joueurs, Chardin et Loyer, dont Félix ne savait pas s'ils venaient ou non, *Paris ou Dieppe* hésite entre un trajet en avion depuis Paris ou en bateau depuis Dieppe, et *PD 910* signifie que le voyage en train Paris-Dieppe coûte neuf cent dix francs (Félix passera d'abord par Saint-Omer, mais bien entendu, pas les autres). Jacques Godel conclut : « Je ne vois par conséquent aucun rapport entre ce billet et l'affaire Dubuisson. » Il sera bien le seul.)

Au septième étage du 25 rue de la Croix-Nivert, la voisine immédiate de Félix, Suzanne Barbe, ne dort pas encore. Elle entend la porte de l'ascenseur s'ouvrir, et des talons sur le palier. C'est Pauline qui est venue vérifier, en s'assurant qu'il n'y a pas de lumière sous la porte, que Félix n'est pas rentré pendant qu'elle était dans le café de la place Cambronne. Elle redescend. Elle pense qu'il est allé au cinéma avec Mougeot, ou voir un spectacle quelconque, comme il y en a tant à Paris.

Mme Barbe entend l'ascenseur et les talons une autre fois, juste avant de se coucher. Il est plus de minuit.

Une pauvre fille qui marche rue de la Croix-Nivert en pleine nuit, dans un sens puis dans l'autre, et rue Letellier, rue Frémicourt, place Cambronne, rue de la Croix-Nivert, rue Letellier, rue de l'Avre, boulevard de Grenelle, place Cambronne, rue de la Croix-Nivert, numéro 25, les grilles, la cour, escalier C, une fille perdue qui monte sept étages en ascenseur et se baisse pour regarder sous la porte, une malheureuse qui n'a plus de dignité, qui tourne seule en rond depuis bientôt quatre heures. On est triste pour elle, presque trop, on aurait envie de la secouer, de se moquer d'elle, il s'en fout, de toi, il ne pense qu'à son tournoi de hockey sur gazon, réveille-toi, ou va te coucher. Elle n'est même plus sûre de vouloir se suicider, elle perd toute volonté : « J'espérais qu'il serait ému par ma constance. Je n'aurais mis mon projet à exécution que s'il m'avait clairement signifié que tout était rompu. » À 1 h 45, elle finit par se décider à prendre un taxi et à rentrer chez le pasteur Gounelle. Elle arrive dans l'appartement de l'avenue Ledru-Rollin après deux heures du matin. Mireille et Anne-Marie dorment, mais la première entrouvre un œil, une oreille, l'entend ouvrir la porte et marcher, cloc cloc des talons sur le parquet du couloir, jusqu'à sa chambre.

En arrivant chez lui, très tard aussi, le docteur Richard Bailly prend connaissance des deux appels qu'a reçus sa bonne, le premier d'Eva Gérard, qui l'inquiète, le second de son fils, qui le calme. Il ne se couche pas tranquille tout de même, en se disant qu'il ira demander conseil le lendemain matin à l'un de ses amis, le commissaire de police de Saint-Omer (ça peut paraître disproportionné, mais voilà, c'est l'instinct du père).

Le lendemain, vendredi 16 mars, les conducteurs de métro et de bus sont en grève, Paris se fige. Bernard Mougeot, dévoué, vient chercher son ami à 10 h 30 à l'hôtel Aiglon, pour le ramener chez lui. En partant, Félix prévient le couple Héran qu'il passera certainement la nuit prochaine chez eux, encore – mais cette fois, il paiera la chambre, il y tient. Si ça lui fait plaisir…

Mougeot dépose Félix devant chez lui, en lui promettant de revenir le chercher à 13 h 30 : ils ont rendez-vous à quatorze heures avec les autres joueurs de l'équipe de hockey à l'association sportive de la fac, rue Férou, près du Luxembourg.

En milieu de matinée, Richard Bailly est passé voir son ami le commissaire, qui, étonnamment – car il ne dispose que de très peu d'éléments pour se faire une opinion –, se montre alarmiste et lui conseille de réagir sans tarder : il ne faut surtout pas prendre cette affaire à la légère. Le médecin se rend donc aussitôt à la poste pour télégraphier à Mme Maitrot, la concierge. Il enjoint à son fils de rentrer au plus vite, et lui suggère même de ne pas revenir par le train, probablement pour être sûr qu'elle ne puisse pas le suivre. Le télégramme est envoyé à 11 h 05 : *Prière prévenir Félix Bailly rentrer immédiatement Saint-Omer par autocar Amiens ou détour. Merci. Docteur Bailly.* (J'ai d'abord pensé qu'il lui conseillait de prendre le car à cause de la paralysie des transports, mais non, j'ai vérifié, ce 16 mars, seule la RATP était en grève – les journaux du soir rapportent de *formidables embouteillages d'autos et de vélos* dans Paris et précisent que de nombreux ouvriers ont choisi le « *footing* », entre guillemets, pour se rendre au travail. Les trains roulent normalement. Richard Bailly demande donc bien à son fils de rejoindre rapidement l'abri familial par un itinéraire inconnu de Pauline. Le plus surprenant, c'est que le médecin et le commissaire avaient raison de s'affoler.)

Pauline se réveille tard et amorphe. En phase dépressive, dirait un expert. Elle ne se sent la force de rien. Quand elle apprend de ses cousines que métros et bus seront à l'arrêt toute la journée, elle décide de ne pas sortir de l'appartement, de ne pas bouger.

Après avoir envoyé son télégramme, le docteur Bailly téléphone à Eva Gérard dans l'espoir d'obtenir des précisions sur les intentions de celle qui poursuit son fils. Elle ne peut que lui répéter en substance ce qu'elle a dit la veille à sa bonne, que sa locataire était partie brusquement, « très exaltée », qu'elle avait « quelque chose dans son sac » et qu'elle allait certainement « faire du scandale ». Richard Bailly raccroche anxieux et n'aura plus de nouvelles de son fils jusqu'au lendemain midi.

Félix reste toute la fin de la matinée chez lui, seul. La concierge est montée lui donner le télégramme de son père, qu'il a lu d'un œil presque distrait. Il ne semble plus craindre de voir surgir Pauline, son truc dangereux à la main. Je me projette trop, peut-être, mais je pense, quand je me mets à sa place, qu'il redoute surtout (son père ne peut pas le comprendre) de l'entendre frapper à sa porte le soir, dans sa jupe rouge – et pas dans le but de le tuer, ni même peut-être de se tuer devant lui : il la connaît bien, il la sait « comédienne », comme ils disent tous, vicieuse à sa manière et capable de chantage affectif (il a eu très peur la première fois, dans les rues de Lille, au point d'appeler Eva à son secours comme un enfant, mais finalement, elle n'avait pas de cyanure dans son sac, et il a suffi de lui reprendre la clé de l'appartement pour ne plus jamais entendre parler de suicide ; il a dû se sentir un peu ridicule), il sait aussi maintenant qu'elle est réellement amoureuse de lui ; or il ne se fait plus confiance ; une fois, c'est lourd à porter mais pardonnable, deux, ce serait tromper Monique comme dans une pièce de boulevard, elle ne mérite pas ça. Mais ce ne sont que des suppositions, personne n'est, n'a jamais été et ne sera jamais dans sa tête.

Ce matin-là, il écrit à Monique, une lettre qu'il postera dans l'après-midi. *Chérie, je rêve souvent au moment où nous aurons des petits Félix ou des petites Monique, toutes blondes, et aussi sages que leur maman, alors que les petits Félix seront aussi vilains que leur papa. Et celui-ci leur dira : « Vous n'avez pas honte ? Moi, quand j'avais votre âge, j'étais beaucoup plus sage. Demandez à votre grand-mère. » Et je ne rougirai même pas d'un si gros mensonge. Puis nous ferons la grosse voix. Ils auront un peu peur. Et nous nous regarderons sévèrement en pensant : « Comme ils sont adorables ! » Et je vous prendrai dans mes bras en disant : « Ma petite Monique chérie. » Et nous serons très, très heureux. Tout est merveilleux, chérie : le moment où nous nous sommes connus, maintenant, plus tard. Je vis un vrai conte. Ma petite fée chérie, ma petite fée aux cheveux d'or* (il insiste beaucoup, dans ses lettres, sur la couleur des cheveux de Monique – la brune, c'est l'autre, le démon), *ma petite princesse chérie. Chérie, mon petit poussin, comme je suis heureux. Nous sommes heureux. Tout est bonheur auprès de nous. Au revoir, mon amour, je vous embrasse comme un fou, de toute ma force.* Ce sont les derniers mots qu'il écrira.

Comme prévu, Bernard Mougeot vient frapper chez lui à 13 h 30. Félix lui montre le télégramme qu'il a reçu de Saint-Omer, Mougeot lui demande ce qu'il compte faire : rien. Il avait prévu de partir demain, il partira demain. Quand on connaît les rapports qu'il a avec son père, qui reposent principalement sur l'admiration et l'obéissance, voire la soumission, ce refus d'obtempérer paraît extraordinaire. Félix n'est pas devenu rebelle du jour au lendemain, il néglige pourtant les fermes consignes paternelles. Cette indifférence, ou insouciance, me semble plutôt provenir, pour une fois, d'une réflexion de l'ordre de : « Il ne peut pas savoir. » Bernard Mougeot donnera son analyse : « Je pense que Bailly ne voulait pas avoir l'air de fuir devant les assiduités de Pauline. » (Et non pas ses menaces.)

Pourtant, selon Mougeot, il se passe à ce moment-là quelque chose de primordial, qui prouve que Félix « savait » que son ancienne maîtresse, dont il connaissait le tempérament violent, était déterminée à le tuer pour se venger. Il affirmera que son ami lui a remis les deux télégrammes, celui d'Eva et celui de son père, en lui disant : « Tiens, garde-les, s'il m'arrive quelque chose, tu pourras établir la préméditation. » Personnellement, cette scène de gravité soudaine me paraît artificielle, scénarisée, cliché de film policier ordinaire, mais elle sera présentée aux jurés (on connaît le poids du mot "préméditation" dans un tribunal) comme la confirmation éclatante des thèses de l'accusation : la victime elle-même vous le dit, mesdames et messieurs, sa mort était prévue, inéluctable, il a dénoncé lui-même sa meurtrière dans un dernier geste émouvant à l'intention de la justice des hommes, il a confié les preuves à son ami, de la main à la main, son ami fidèle qui les sauverait de l'oubli et serait son porte-parole sur terre après sa disparition ! Au procès, personne ne semblera gêné par le fait que ces deux télégrammes, censés être désormais en possession de Bernard Mougeot, ont été retrouvés sur le buffet de Félix, dans son salon, à l'endroit même où il les avait posés après les avoir lus.

En descendant, ils sonnent au rez-de-chaussée pour donner la seconde clé de l'appartement à Marie Benedetti, la femme de ménage. Félix lui dit en riant : « Vous allez voir, demain, les coups de pétard ! » Elle lui suggère de rédiger vite fait un testament en sa faveur, il promet d'y penser : « J'ai compris qu'il ne prenait pas la chose au sérieux », dira-t-elle. Dans la voiture, au milieu des bouchons, Félix demande à Mougeot s'il pourra l'accompagner dans la soirée, comme la veille, à l'hôtel Aiglon de ses amis. Bien sûr, il doit dîner avec ses parents, mais ensuite, pas de problème.

Avenue Ledru-Rollin, Pauline ne sait pas quoi faire d'elle. Dans sa chambre, elle essaie encore de s'intéresser à *L'assassin manque d'enthousiasme*, mais relit plusieurs fois les mêmes phrases. Si ce n'était pas écrit de façon aussi mécanique et banale, ça pourrait être amusant : ça se passe lors d'une réunion de famille (protestante) dans une villa de Los Gatos ("Les chats"), dans le nord de la Californie, c'est l'histoire d'une quadragénaire qui veut tuer quelqu'un, l'une des personnes présentes, on ne sait pas laquelle, on ne sait pas pourquoi – et elle ne sait pas comment. Mais petit à petit, elle se rend compte que c'est elle que quelqu'un veut tuer – elle ne sait pas qui, ni pourquoi, ni comment. On nage, c'est déjà ça. C'est une drôle de sensation de le lire en même temps que Pauline à plus de soixante ans d'écart. Je cherche des phrases qui ont pu la faire sourire ou tiquer, il n'y a pas grand-chose. La riche et vieille tante Maud, dont on se dit qu'elle pourrait bien être la future victime de la narratrice, mène sa vie selon *des principes essentiels et solides, fondés strictement sur la Bible, avec une forte tendance calviniste. Elle a conservé, en théorie tout au moins, l'opinion puritaine d'après laquelle tout ce qui procure un plaisir physique est nécessairement un péché.* Obligatoirement, Pauline interrompt sa lecture quelques secondes, peut-être en souriant. Une centaine de pages plus loin, la narratrice, en évoquant la dame de compagnie qu'a engagée sa vieille tante, dit qu'elle comprend que l'on a besoin d'être rassuré par un contact humain quand on s'approche de *la porte close de la mort.* Obligatoirement, ce jour-là, Pauline, qui s'approche aussi, s'arrête sur cette expression lugubre, et voit mentalement une porte close – noire, je suppose. En fait, grâce à ce livre, c'est la seule certitude que j'ai, sur toute une vie, quant aux pensées de Pauline : le vendredi 16 mars 1951, elle a en tête, furtivement, l'image d'une porte close.

Sans savoir ce que contient ce livre (qui relève plus du vaudeville, au mieux du sous-Agatha Christie, que du noir traité d'assassinat à l'usage des indécis), on citera son titre avec délectation dans les articles, rapports et plaidoiries, comme une preuve, ou peu s'en faut, de la préméditation. Il est vrai que c'est tentant (fait-diversier à l'époque, je n'aurais certainement pas résisté non plus), mais seulement comme on soulignerait une coïncidence amusante (si on est de très bonne humeur en l'occurrence), pas sérieusement, il n'y a pas plus de lien entre ce roman et le drame qui s'annonce qu'entre Donald Duck et Hiroshima, il suffit d'en lire quelques pages pour le comprendre. En réalité, titre à part, c'est aussi absurde que si on rappelait sans cesse que Lee Harvey Oswald lisait *Autant en emporte le vent* ou *Gatsby le Magnifique* la veille du jour où il a tiré sur Kennedy (si c'est bien lui), ou que Guy Georges avait *Les Lettres de mon moulin* dans la poche quand on l'a arrêté. "Vous aviez *Les Lettres de mon moulin* dans la poche !"

Même si elle s'effondre à l'intérieur, Pauline conserve ses réflexes acquis de blindage externe et d'impénétrabilité. C'est presque un exemple d'école, une expérience en milieu parfait : elle passe une journée entière enfermée dans un appartement avec quatre personnes, qui peuvent l'observer à leur guise du matin au soir – sauf quand elle s'isole dans sa chambre pour dériver sans témoin –, et pas une ne sait ce qu'elle ressent ni n'a la même opinion de son état psychologique. Pour la mère, Alice Hutter, elle est ce jour-là « normale, calme, un peu fatiguée » pour le pasteur Gounelle, « elle paraissait gaie, elle jouait du piano, elle a joué aux dames avec ses cousines » les deux filles, Anne-Marie et Mireille, la trouvent « encore plus renfermée que d'habitude, très nerveuse, préoccupée » tout cela le même jour dans le même lieu. Pauline, elle, décrit son humeur de cette manière : « J'étais sans réaction, je n'avais pas le courage de sortir, incapable de coordonner mes idées et de prendre une détermination. » (Elle vérifie ce qu'elle disait à Josette Devos dix-huit mois plus tôt : « Il faut un courage extraordinaire pour se suicider. »)

Rue Férou, à l'association sportive de la faculté, Félix rencontre Claude Toubeau, lui dit qu'il est allé sonner chez lui avec Mougeot la veille au soir, lui explique pourquoi en deux mots (le télégramme d'Eva, le truc dangereux dans le sac de Pauline, la crainte qu'elle vienne le relancer en menaçant de se tuer) et lui demande si ça ne l'embête pas de coucher rue de la Croix-Nivert ce soir, pour éviter qu'elle essaie de s'incruster – il préfère tout de même dormir chez lui qu'à l'hôtel. Mais Toubeau ne peut pas, il doit être le lendemain matin de bonne heure à Versailles, pour obtenir son passeport en vue du voyage en Angleterre. Pas grave, lui dit Félix, il verra avec Godel, qui doit aussi passer rue Férou, et sinon, il retournera chez ses amis du boulevard Raspail, ça ira très bien. En partant, à dix-huit heures, Toubeau lui lance : « Rendez-vous à Felixstowe ! » Félix lui répond, l'air sérieux : « Au revoir, mon vieux ! Sur le terrain… ou jamais ! » Interloqué par son ton grave, Toubeau s'arrête à la porte et lui demande s'il plaisante. « On ne sait jamais », conclut Félix. (C'est étonnant : alors qu'il ne peut pas envisager logiquement que Pauline veuille le tuer – la raison élémentaire l'en empêche, et son comportement, dans les faits, prouve qu'il n'y croit pas –, il crée le danger autour de lui, fait apparaître un revolver dont personne ne lui a parlé, annonce des coups de pétard, évoque sérieusement la possibilité de ne jamais revoir son ami… Je ne sais pas si c'est pour se donner un genre, "faire l'intéressant" de manière un peu puérile – le jeune homme menacé par une jolie fille prête à tout, mais courageux ; ou si ce sont les manifestations d'un pressentiment qu'il ne contrôle pas, qui lui semble incongru à lui-même.)

Après le départ de Toubeau, Félix appelle chez ses parents sur le téléphone de l'association, pour expliquer qu'il n'a pas jugé nécessaire de rentrer un jour plus tôt à Saint-Omer, ni en train, ni en autocar par Amiens ou ailleurs, mais comme la veille, son père est absent. Il dit à la bonne que tout va bien, pas d'inquiétude, il sera là demain après-midi.

En attendant Godel, il traîne dans les locaux de l'association. Pendant toute cette journée, il doit se demander où est Pauline, ce qu'elle fait.

À dix-neuf heures, Jacques Godel arrive enfin – son dernier espoir de dormir dans son lit. « Tu ne veux pas coucher chez moi ce soir, mon vieux ? Ma ravageuse est à Paris, et elle a quelque chose de dangereux dans son sac. » Ça fait peur. Mais Godel accepte avec plaisir, il est content de lui rendre service, et ça l'arrange aussi : il n'aura pas besoin de rentrer ce soir à Bois-Colombes, avec cette satanée grève, ce serait la barbe.

Félix est soulagé, il ne sait pas que rien ne pouvait lui arriver de pire que cette disponibilité providentielle de son ami. Il téléphone aussitôt à Bernard Mougeot pour le prévenir qu'il peut rester tranquillement avec ses parents ce soir, inutile de revenir le chercher pour l'emmener à l'hôtel. Sans ce coup de fil, il aurait certainement participé au tournoi de hockey sur gazon de Felixstowe.

Il décide de rester dîner dans le quartier avec Godel, mais rappelle Mougeot dix minutes plus tard : est-ce qu'il compte quand même passer chez lui dans la soirée ? Non ? Ça ne l'ennuierait pas, juste après le repas avec ses parents, de faire un saut rue de la Croix-Nivert en voiture pour voir s'il y a du courrier chez la concierge ? Il risque de rentrer tard, avec Godel, elle sera sûrement couchée. Le cas échéant, il pourrait le lui glisser sous la porte ? Mougeot est vraiment un chic type. (Je pense que Félix s'attend à un nouveau télégramme de son père. Pour la première fois de sa vie, à vingt-sept ans, il ne lui a pas obéi, il s'est conduit en adulte indépendant, mais il culpabilise un peu tout de même.)

Il part manger avec Godel dans un petit restaurant près d'Odéon, Pauline termine le repas frugal et silencieux du soir chez le pasteur Gounelle, et après une dernière partie de dames contre Anne-Marie, rejoint sa chambre, où elle sait qu'elle ne s'endormira pas. Elle se déshabille, se démaquille avec deux tampons de coton qu'elle laisse sur la table de chevet, passe de l'huile de ricin sur ses lèvres, qui gercent, enfile sa chemise de nuit et prend une bonne dose de Vériane Buriat, bon sommeil gai réveil – qui ne servira à rien. Pendant qu'elle se tourne et se retourne dans les draps encombrants, la tête chaude et bruyante, en se passant sans cesse les lèvres l'une contre l'autre, je pense à quelque chose. Personne n'a jamais songé à demander à Eva Gérard pourquoi elle avait prévenu Félix et son père de l'arrivée de Pauline à Paris, avec la mort dans son sac, mais pas Hélène et André Dubuisson. C'est pourtant une proche amie de Solange, donc de Gilbert et de la famille, elle a forcément leur adresse et leur numéro de téléphone (qui est d'ailleurs indiqué sur le bristol qu'André lui a envoyé pour la remercier d'avoir aidé Pauline à retrouver le moral et à réussir ses examens : *511-Dunkerque*), et elle ne leur dit pas que leur fille est partie avec une arme ou du poison et la volonté quasiment affichée de mettre fin à ses jours ? Il est même probable qu'Eva ait les coordonnées du pasteur Gounelle, ou puisse du moins les obtenir facilement : pas un coup de téléphone, pas un télégramme pour lui conseiller de confisquer le sac de Pauline et éviter ainsi un drame, quel qu'il soit ? Je ne comprends pas. Ou alors elle pense elle aussi que c'est de la comédie et ne veut pas déranger la famille, celle de Félix sera assez ennuyée comme ça. Ou encore elle la croit à moitié folle, inutile d'essayer de la raisonner, mieux vaut se concentrer sur les dégâts qu'elle peut causer. Ou elle ne veut pas mettre Pauline dans l'embarras en alertant, peut-être pour rien, ceux qui l'entourent ? Aucune de ces raisons ne paraît suffisante, un simple appel aurait permis de sauver une vie – deux, trois. Obnubilée par le tort qui pourrait être causé à l'honorable famille Bailly, elle n'y a peut-être tout simplement pas pensé.

Pauline rallume la lumière, lit quelques pages (la narratrice, qui se dit dégoûtée d'elle-même et des autres, qui se met à vouloir tuer tout le monde parce qu'elle pense que tout le monde veut la tuer, évoque brièvement le suicide et repousse vite *cette solution absurde, réservée aux êtres lâches* – mais elle est devenue très antipathique au fil des pages, Pauline doit se foutre de son avis, dodeliner de la tête dans son lit), éteint. Une heure plus tard, elle ne dort toujours pas, deux heures plus tard non plus.

En sortant du restaurant, Félix et Jacques Godel ont marché quelques centaines de mètres sur le boulevard Saint-Germain et trouvé un taxi devant chez Lipp, en face du Café de Flore. Ils arrivent rue de la Croix-Nivert vers vingt-trois heures, entrent dans l'ascenseur, Félix appuie sur le bouton du sixième étage. À Godel qui s'étonne, il explique que sa ravageuse est peut-être en haut, à l'attendre sur le palier, et qu'il ne veut pas tomber nez à nez avec elle en ouvrant la porte de l'ascenseur – ce n'est pas très rationnel : il tombera de toute façon nez à nez avec elle en haut de l'escalier ; et croit-il réellement qu'elle l'attend le doigt sur la détente, des flammes au fond des yeux, prête à tirer à vue ?

Lorsque Félix ouvre la porte de l'appartement, il trouve à ses pieds une feuille pliée en deux. Avant de se baisser pour la ramasser, il regarde Godel d'un air entendu (et inquiet), mais non, ce n'est qu'un mot du brave et fidèle Mougeot, qui l'informe qu'il n'y avait pas de courrier chez la concierge.

Les deux jeunes gens ont à peine ôté leurs manteaux que Félix s'immobilise. Il lui est soudain venu à l'esprit qu'il avait oublié de prévenir les Héran de l'hôtel Aiglon qu'il n'aurait pas besoin d'une chambre ce soir. Ils ne sont certainement pas en train de s'arracher les cheveux à la réception, se demandant ce qui a bien pu lui arriver, mais c'est un garçon bien élevé, on ne laisse pas les gens en plan quand on a annoncé qu'on passerait la nuit chez eux, même lorsqu'il s'agit d'un hôtel. Contrarié par sa propre impolitesse, il convainc donc Godel de redescendre avec lui pour aller leur téléphoner : ils remettent leurs manteaux et son ami le suit à contrecœur jusqu'à la place Cambronne et au grand café, à l'angle de la rue de la Croix-Nivert, dans lequel Pauline a patienté une heure la veille. Godel attend dehors, Félix entre et demande au patron s'il peut utiliser la cabine. Il est près de 23 h 30, c'est bien entendu le veilleur de nuit qui décroche et prend note pour ses patrons : qu'ils se rassurent, Félix dort finalement chez lui avec un ami, et les prie de l'excuser.

De retour dans l'ascenseur de l'immeuble, Félix appuie de nouveau sur le bouton du sixième étage. Godel commence à se lasser de cette parano, de ces précautions de cinéma. Il a bien compris que son ami Bailly menait une vie dangereuse et trépidante, oui, certaines femmes sont de véritables prédateurs, d'accord. Quand il essaiera de se souvenir de ce qu'il a pensé sur le moment, il dira que la conduite de Félix ce soir-là, pour lui, était « de l'enfantillage ».

Ils boivent deux ou trois verres de cognac, discutent de tout et de rien, de leur séjour en Angleterre (Félix a déjà commencé à remplir sa valise, posée par terre, et sorti du placard de l'entrée ses protège-tibias et ses deux crosses de hockey), de leurs études (Godel remet deux pages manuscrites à Félix, quelques explications qu'il lui a demandées au sujet de l'hypertension rénale), mais pas de Pauline, Félix comprenant que le sujet ne passionne pas son pote. Puis ils se couchent et s'endorment vite, Félix dans son lit, Godel sur le fauteuil rouge convertible, après avoir poussé le lampadaire contre le mur, la table et les deux chaises contre la fenêtre. (En configuration normale, il y a très peu de place entre le fauteuil et le dossier de la chaise qui se trouve devant, on peut à peine mettre ses genoux.)

Pauline n'a pas dormi de la nuit, ou très peu, une heure ou deux. Le jour n'est pas encore levé, elle si. Pendant sa longue insomnie, elle a pris la ferme résolution, désormais inamovible, d'aller affronter Félix ce matin. En se levant, épuisée, sur les nerfs, elle se sent « extrêmement déterminée », mais pas exactement à mourir, il reste une petite porte entrouverte, et ce n'est que si elle se referme qu'elle se tuera : « S'il maintenait son attitude, je me suiciderais sans hésitation sous ses yeux. » Elle s'est répété cent fois, en boucle, dans le noir, ce qu'elle lui dira pour tenter une dernière fois de le faire changer d'avis, comme un texte qu'on apprend par cœur – c'est plus facile quand on cherche en vain le sommeil, les mêmes phrases reviennent sans arrêt, incontrôlables et tenaces –, puis elle s'est répété cent fois ce qu'elle lui dira s'il la rejette, les derniers mots avant de se tirer une balle dans le cœur. Ou la bouche. Le cœur.

Elle veut partir tôt, car elle ne sait pas à quelle heure Félix doit quitter Paris aujourd'hui. Dans l'espoir de provoquer peut-être une petite secousse émotionnelle, elle s'habille exactement de la même manière qu'une semaine plus tôt, quand il l'a revue pour la première fois depuis leur séparation : jupe rouge, chemisier blanc, petite veste noire. Elle se maquille soigneusement, rince sa brosse à Rimmel dans un petit verre d'eau posé sur sa table de nuit, à côté de celui qui contient l'huile de ricin pour ses lèvres, du flacon de Vériane Buriat et des deux cotons de démaquillage de la veille, puis s'assied sur le lit et arme le petit pistolet Unique comme le lui a montré l'armurière, en tirant la culasse vers l'arrière. Elle le range dans son sac et pose *L'assassin manque d'enthousiasme* sur la tablette de la cheminée – je ne sais pas si elle l'a fini ou non, si elle a découvert qui voulait tuer (et qui voulait tuer) la narratrice, mais on le retrouvera là. (Si elle ne l'a pas terminé, elle n'a pas perdu grand-chose, c'est tiède et mou. Il n'y a qu'un passage intéressant, où la narratrice sans nom monte vingt et une marches d'escalier lentement, en se souvenant de son enfance, de son passé, par flashes, et arrive en haut transformée, apaisée.) Elle enfile ses chaussures noires à talons, un peu trop grandes pour elle, son manteau, prend son sac et sort de la chambre, à 7 h 30.

Dans le couloir de l'appartement, elle croise Mireille, qui s'étonne de ce départ si matinal. « Je vais le voir », dit-elle sans préciser qui. Sa jeune cousine présume qu'il s'agit de cet amoureux chez qui elle est allée l'avant-veille et la semaine précédente, et Pauline lui explique que si elle doit le retrouver de si bonne heure, c'est « parce qu'il va partir en vacances » (le pauvre, on ne peut pas mieux dire).

Rive gauche, dans le XVe arrondissement, Félix Bailly et Jacques Godel dorment encore.

Il reste un peu plus de mille huit cents francs dans le portefeuille de Pauline, elle décide de prendre un taxi : soit Félix se laisse émouvoir et finit par changer d'avis (elle a conscience que les chances sont infimes, mais la fatigue physique et nerveuse déforme la réalité et accroît la place du rêve), et dans ce cas, ce trajet de petit luxe est permis pour fêter ça par avance ; soit il reste hermétique, inaccessible, et elle n'aura plus jamais besoin d'argent. Elle marche jusqu'à la gare de Lyon sans trouver de taxi libre, puis attend à la station, déserte en ce samedi matin. Près de trois quarts d'heure, immobile sur le trottoir dans son manteau gris sombre, et le froid de mars.

Félix et Godel se réveillent à 8 h 30, ce 17 mars 1951. C'est le jour du départ. Félix se dirige ensommeillé vers la petite cuisine, débouche un flacon posé sur la table encombrée de boîtes de choucroute vides, d'épluchures d'oranges et de pain rassis, et, comme tous les matins depuis deux semaines, avale une cuillère à café du liquide qu'il contient. C'est ce qu'on appelle alors du "phosphosthénique" (des laboratoires Dausse) : une préparation à base d'acide phosphorique, de sulfate de strychnine, de coca et de quinquina, qui est censée augmenter les capacités respiratoires et le tonus musculaire, entre autres. Il veut être prêt pour son tournoi de hockey, le plus performant possible – on considérerait aujourd'hui que c'est un produit dopant, et pas qu'un peu ; un produit dangereux, mortel à haute dose, en raison de la présence de strychnine. Mais la forme avant tout !

Le taxi dépose Pauline devant le 25 rue de la Croix-Nivert quelques minutes avant neuf heures. Elle entre directement dans la cour de l'immeuble, électrique, du vide dans le corps et la tête. Elle passe devant la loge de la concierge, à gauche, se dirige vers l'escalier C, mais au dernier moment, bifurque vers la porte de l'escalier B. Elle vient de penser à quelque chose. Elle entre et, sans allumer la lumière, sort le pistolet armé de son sac et le met dans la poche droite de son manteau. On dira que c'est pour abattre Félix dès son arrivée. Elle dira que c'est pour être sûre de l'avoir sous la main et de pouvoir se tuer, ou menacer de se tuer, s'il se montre froid et désagréable avec elle. À ce moment-là, Marie Benedetti, la femme de ménage de Félix, sort de chez elle. Dans la cour, à travers la vitre de la porte, elle aperçoit « une jeune femme cachée dans l'escalier B ». Après son passage, Pauline se recoiffe avec le peigne qu'elle garde dans la poche gauche de son manteau, et attend là encore quelques instants, à respirer.

Puis elle sort et pénètre dans le petit hall de l'escalier C. Elle ne prend pas l'ascenseur, elle monte les sept étages à pied. On lira dans la presse que c'est *pour mieux surprendre sa victime*. On surprend mieux sa victime quand on arrive au dernier étage d'un immeuble à bout de souffle ? ("Pas un… han… han… pas un geste, t'es… attends… t'es… han… mort.") Dans son rapport, Barrière précisera la pensée générale : *Elle craignait de croiser son ancien fiancé en prenant l'ascenseur*. C'est amusant, l'inspecteur-chef se propulse dans le futur, dans un monde où ceux qui montent croisent ceux qui descendent dans un ascenseur à dédoublement spatio-parallèle simultané (les cabines DSPS de chez Roux fils & Combaluzier Jr). Non, il doit entendre par là qu'elle ne veut pas risquer de se retrouver face à lui sur le palier quand elle ouvrira la porte de l'ascenseur. Mais pourquoi ? Elle va sonner chez lui, de toute façon – c'est faible, comme attaque surprise. Elle ne compte pas défoncer la porte d'un grand coup d'épaule et tirer sur tout ce qui bouge dans la pièce. Bref, n'importe quoi, comme souvent. Pauline, elle, dira qu'elle veut simplement avoir le temps de se répéter une dernière fois mentalement tout ce qu'elle a à lui dire, et surtout : « J'étais tendue, je voulais tenter de maîtriser mon émotion avant de me présenter à Félix. » Sept étages, ça calme. Elle arrive essoufflée sur le palier. En haut des marches, elle est face à l'ascenseur. La porte de Félix est la première sur sa gauche.

Les deux amis sont en train de terminer leur toilette, la sonnette de l'appartement retentit. C'est Godel qui va jusqu'à l'entrée et demande, sans ouvrir la porte : « C'est toi, Bernard ? » (Félix lui a appris la veille que Mougeot devait venir le chercher en voiture pour l'emmener à la gare du Nord.) Curieusement, Pauline, qui n'a aucun intérêt à mentir sur ce point, affirmera qu'elle ne l'a pas entendu (ce doit être vrai, la peur coupe les oreilles : si elle avait su que Félix n'était pas seul, elle n'aurait pas insisté – mais elle n'a peut-être tout simplement pas su quoi répondre (« Non, ce n'est pas Bernard, non »)). Godel hausse les épaules et retourne dans le salon. Pauline sonne à nouveau. Cette fois, c'est Félix, sortant de la salle de bains, qui s'approche de la porte.

— Qui est là ?

— C'est moi, Pauline.

— Je ne peux pas te laisser entrer, je suis en pyjama. Et je ne suis pas seul, un ami est là.

Assis sur le fauteuil qu'il a replié, où il finit de se couper les ongles, Godel lance : « Non, nous sommes en slip, et pas beaux à voir ! » L'effroi ne règne pas en maître dans l'appartement. Félix, d'ailleurs, ne craignant pas de se prendre un pruneau entre les deux yeux, entrouvre la porte. À partir de là, rien n'est très clair.

Ce qui est sûr, c'est que Pauline dit à Félix qu'elle aimerait le voir seul. Il lui demande pourquoi, elle lui répond : « Au cas où je verserais une larme. » C'est ce qu'elle déclarera aux policiers, et ce sera confirmé par Godel, qui entend une partie de leur conversation, même s'ils parlent à voix basse – et « d'un ton très calme », précisera-t-il. Félix lui donne alors rendez-vous « à 9 h 45, place Cambronne ». C'est ici que s'arrête la discussion, d'après Godel : Pauline s'en va et Félix referme la porte. Ce n'est pas la version de Pauline. Selon elle (et la suite prouvera qu'elle ne ment pas), elle dit à Félix qu'elle préfère le voir ici, chez lui, car elle ne veut pas « pleurer devant tout le monde ». Félix rechigne un peu mais finit par accepter, et lui propose de repasser à dix heures. Elle appelle l'ascenseur, il referme la porte.

Jacques Godel sera interrogé deux jours plus tard. Il expliquera clairement qu'il n'a presque rien entendu de cet échange de paroles. Il était « occupé à se faire les ongles ». Quelqu'un a dit : « À 9 h 45, place Cambronne », mais il ne peut même pas indiquer s'il s'agit de Pauline ou Félix. En revanche, il est certain que c'est la jeune femme qui a murmuré : « Au cas où je verserais une larme. » C'est tout ce qu'il a pu comprendre de cette conversation qui « a duré environ trois minutes ». C'était l'avant-veille, il ne peut pas se tromper. Un an plus tard, presque jour pour jour, le 14 mars 1952, devant le juge d'instruction Grenier, l'ouïe et la mémoire lui sont revenues. Maintenant, il a entendu « très distinctement » ce qu'ils se sont dit. C'est bien Félix qui a parlé de la place Cambronne (c'est vrai) après la phrase sur la larme, et « la jeune fille est partie aussitôt après que ce rendez-vous lui a été fixé ». Je veux te voir, seul, pourquoi, au cas où je verserais une larme, d'accord, 9 h 45, place Cambronne. Trois minutes. Ils parlent très, très lentement, en articulant au maximum.

Pauline partie, les deux garçons n'échangent pas un mot à propos de cette visite matinale pourtant insolite. Rien. Pas « C'est elle », pas « Quel crampon » ni « Bon, je vais la revoir une dernière fois et je serai débarrassé », absolument rien. Godel connaît Monique, Félix n'est peut-être pas très à l'aise. Il retourne directement dans la salle de bains pendant que son ami reste concentré sur son coupe-ongles (dans le salon, ce n'est pas très poli, espérons qu'il contrôle les rognures).

Pauline ressort de l'immeuble et va s'installer en face, dans le café qui fait l'angle avec la rue Letellier. Il est tenu par un quadragénaire auvergnat, Jean Lautard. J'y étais ce matin. Aujourd'hui, depuis peu, l'endroit s'appelle le Comptoir moderne, c'est un bar spécialisé dans les brunches, les bagels, les burgers, les choses comme ça. Les vingt-cinq ans précédents, c'était un bistrot à vin, le Saint-Vincent. Quand Pauline y entre, fébrile et fatiguée, c'est simplement la maison Lautard, un bon café de quartier, VIN – TABAC – LIQUEURS – ARTICLES DE FUMEURS (une vitrine présente des dizaines de pipes de toute sorte). Elle s'assied devant une petite table ronde, entre le comptoir et la fenêtre qui donne sur la rue de la Croix-Nivert, sur l'immeuble de Félix. Je me suis assis à la même place – c'est une grande table ronde, maintenant. Le décor intérieur n'a plus rien à voir, mais j'ai quand même du mal à respirer, elle était où je suis, il y a presque soixante-quatre ans. J'ai commandé un Oban. Quatre centilitres, douze euros. En 1951, le père Lautard servait plutôt du saint-pourçain et de la bière Comète. Pauline, elle, demande un café filtre. Le patron n'en a pas, mais il peut lui proposer un « très bon express ». Allez.

Pendant que Félix termine sa toilette, Jacques descend acheter « des petits pains et du Nescafé » pour le petit déjeuner – Félix n'est pas mauvais en choucroute et en oranges, mais le petit déj', c'est pas son truc. Pauline voit Godel sortir de la cour de l'immeuble, sans savoir que c'est lui. L'Auvergnat avait raison, son express est fameux. Elle se lève pour acheter un paquet de dix Week-End et une boîte d'allumettes au guichet tabac, et en profite pour lui demander un autre express, « bien fort », il est très bon, avec un verre d'eau s'il vous plaît. Elle règle les clopes, les allumettes et les deux cafés, et revient s'asseoir où je suis assis. Juste derrière moi, le patron d'aujourd'hui a voulu ajouter une touche de culture en entassant sur une étagère basse tous les livres dont il ne voulait plus chez lui – ou qu'il a achetés au kilo. C'est très hétéroclite, il y a des classiques et des guides de bien-être mental, *Roméo et Juliette*, *Autant en emporte le vent*, mais aussi *Les Trois Mamans du petit Jésus*, d'Alphonse Boudard, l'un des seuls à avoir posé un œil bienveillant sur la fille qui était à ma place le 17 mars 1951. Curieusement, au niveau de mes reins, se trouvent côte à côte deux romans que je vois côte à côte sur une étagère en face de mon lit quand je vais dormir chez ma mère, dans le Vaucluse, et qu'on ne voit pourtant pas partout (encore moins côte à côte) : *Premier de cordée*, de Frison-Roche, qui est le livre préféré de ma mère, et *Toinou, le cri d'un enfant auvergnat* (au secours), d'Antoine Sylvère, que quelqu'un de la famille, je ne sais plus qui, avait offert à mon père Antoine parce que Toinou était son surnom (qu'il détestait) quand il était petit – Sylvère, mort à l'automne 1963, n'a écrit qu'un seul autre ouvrage, *Le Légionnaire Flutsch* (c'est le nom de notre médecin blagueur et sensationnel). Dans le passé, Pauline boit la moitié de son verre d'eau, Jean Lautard, derrière son comptoir, ne remarque pas si elle s'en sert ou non pour avaler un cachet de Maxiton, une amphétamine aussi en vogue dans ces années-là chez les sportifs que chez les étudiants. Elle dira que non.

Félix, qui s'est contenté d'un bol de Nescafé pour le petit déjeuner, a installé sa valise sur son lit pour finir de la remplir, tandis que Godel s'envoie tous les petits pains dans la cuisine (l'évier et le réchaud étant encombrés, il a mis par terre deux casseroles sales qui se trouvaient sur la table, fais comme chez toi). Quand il revient repu dans le salon, il jette un dernier coup d'œil aux deux feuilles sur l'hypertension rénale qu'il a apportées à son ami la veille, les pose sur le fauteuil rouge (ce type n'a pas le sens du rangement) et annonce à Félix qu'il doit partir car il a rendez-vous avec sa chérie à dix heures à l'hôpital Lariboisière, où elle travaille. Tiens, c'est juste à côté de la gare du Nord, il ne veut pas venir avec lui pour prendre son train vers Saint-Omer ? Euh, non, Félix ne peut pas partir tout de suite, il n'a pas encore l'argent nécessaire pour le billet, dit-il, il faudra d'abord qu'il passe à la banque. Il semble quand même avoir envie de savoir ce que Pauline a à lui dire. La curiosité, malheureusement.

Dans le café Lautard, elle a demandé au patron le journal du jour, et mis ses lunettes pour le lire. Un ouvrier de retour en France raconte *le paradis tchécoslovaque*. Le maréchal de Lattre de Tassigny estime que *toute politique d'abandon est inconcevable en Indochine*. Le décolleté de Martine Carol fait jaser.

À 9 h 30, elle voit Félix et le jeune homme aux petits pains sortir tous les deux dans la rue. Elle ne bouge pas. Ils partent vers la place Cambronne. C'est la preuve, paf, qu'elle a bien rendez-vous là-bas avec lui. (Non, Félix va téléphoner.) Les deux jeunes gens se saluent devant l'arrêt du bus 49, que Godel prendra jusqu'à son terminus, gare du Nord. Félix lui dit qu'il doit appeler Mougeot pour savoir à quelle heure celui-ci pourra l'emmener à la gare (après qu'il sera passé à la banque, bien sûr), fait un dernier signe de la main à son ami et entre dans le grand café à l'angle. « Bailly était parfaitement détendu et n'avait pas l'air soucieux, il fumait sa pipe », déclarera Godel. Lors de sa toute première déposition, il ajoutera qu'il portait « un manteau, une veste de tweed, un pantalon bleu et des chaussures à semelles de crêpe ». (On n'en reparlera plus.) « S'il avait donné rendez-vous à la fille chez lui, il me l'aurait certainement dit, et m'aurait demandé de rester avec lui. » Eh bien non. Bailly préfère solliciter Mougeot, dont il est plus proche, qui connaît un peu mieux son histoire avec Pauline (déformée par ses soins), et qui l'a déjà vue l'avant-veille.

Dans quelques jours, ce sera une certitude pour tous les accusateurs et l'un des nombreux points d'appui de la thèse du meurtre prémédité : Pauline avait bien rendez-vous place Cambronne avec Félix, elle a refusé d'y aller, préférant rester cachée pour guetter son retour (comment sait-elle qu'il va revenir, au fait ?) et le traquer jusqu'à chez lui. Le petit hic, regrettable, c'est qu'un jeune homme, pourtant très proche de Félix et directement concerné, n'est pas d'accord. Bernard Mougeot est précis et ne changera jamais ses premières déclarations : Félix Bailly lui a téléphoné d'un café un peu avant 9 h 45, il ne semblait ni affolé ni même véritablement inquiet, mais il lui a dit : « La fille est dans l'escalier, je vais la recevoir, tu peux venir à dix heures ? » Mougeot n'est pas levé depuis longtemps, il faut qu'il se lave et s'habille, il habite Passy, il ne pourra pas être là avant 10 h 15, au mieux. OK, Félix prend note, raccroche et retourne vers chez lui.

Dans un premier temps, on tentera d'écarter discrètement ce témoignage encombrant, au profit de celui de Jacques Godel, le seul à pouvoir soutenir la théorie de la place Cambronne – puisqu'il a « très distinctement » entendu Félix fixer le lieu de la rencontre et constaté que Pauline était repartie aussitôt, après trois minutes en temps extraterrestre. Mais on aura du mal. Mougeot est quand même la dernière personne à avoir parlé à Félix Bailly, ça compte, celui-ci lui a annoncé clairement qu'il allait voir Pauline Dubuisson chez lui dans un quart d'heure – et on ne peut raisonnablement pas soupçonner Bernard de mentir, ce serait absurde, un sale coup porté à la mémoire de son ami. On est coincé. Mais Jean Barrière ne recule devant rien, et va trouver la parade. (Il sera suivi lors du procès par l'accusation, qui n'est pas non plus du genre à faire la fillette.)

Puisque Bernard Mougeot ne démord pas de son histoire abracadabrante de rendez-vous à domicile, et qu'on est bien obligé d'admettre qu'il n'a pas de véritable raison de mentir, il ne reste qu'une explication : c'est Félix qui lui a menti. Certes, c'est un peu embêtant de charger un mort (surtout quand on refuse par ailleurs de répertorier ses autres petits mensonges), mais il faut ce qu'il faut, l'accès à la Vérité est à ce prix. Quand il appelle Mougeot, Félix se sent traqué, l'imminence du danger le fait renoncer à ses solides principes d'honnêteté : *Afin de justifier cette urgence, il prétexte qu'il va la recevoir*, écrit sérieusement Barrière. En tant qu'inventeur de cette ingénieuse interprétation, il sera même convoqué comme témoin par le juge d'instruction, et s'impliquera personnellement (le "je" d'un inspecteur-chef, c'est du lourd) : « Je suis persuadé que si Bailly a tenu de tels propos au téléphone à Mougeot, c'est dans le seul but de le faire activer. » Jacques Godel, présent dans le bureau de Louis Grenier ce jour-là, ne ratera pas l'occasion de conforter sa version, puisque le grand homme est de son côté : « Notre camarade Mougeot est assez lent à se mettre en mouvement, et il n'est pas impossible que, pour le faire activer, Bailly lui ait laissé entendre qu'il courait un danger immédiat. » Il n'est pas impossible, d'accord, mais il n'est pas impossible non plus que les vaches volent en douce la nuit : quel motif avait Félix de faire activer Mougeot alors que Godel était là trente secondes plus tôt ? (Il ne cherche d'ailleurs pas très énergiquement à le faire activer, en tout cas Mougeot ne perçoit pas l'urgence de la situation : « Sur le moment, je n'ai pas pensé à lui conseiller de m'attendre avant de la recevoir. ») Et surtout, s'il attend effectivement Pauline place Cambronne, pourquoi demanderait-il à Bernard de se précipiter chez lui ? Ni l'avocat de la défense ni personne d'autre ne prendra la peine de poser ces questions enfantines pour aider Pauline.

Le journal ouvert devant elle, ses lunettes posées dessus, elle a la tête tournée vers la vitre et ne quitte pas des yeux le trottoir d'en face. Félix arrive, dans son grand manteau gris à chevrons. Elle aime beaucoup ce manteau, élégant, large, un manteau d'homme fort. Il tient sa pipe à la main. Pas plus qu'à l'aller avec Godel, il ne songe à regarder du côté de la maison Lautard, où il pourrait pourtant penser qu'elle attend. Il entre dans la cour de l'immeuble et monte chez lui. Il sait qu'elle est là, qu'elle va venir le voir, il est prétendument paniqué et redoute une rencontre avec cette folle, mais il monte chez lui, tout seul, à l'endroit même où elle est sûre de le trouver.

Pauline attend quelques minutes encore, jusqu'à dix heures, comme prévu, et en profite pour peaufiner son plan. « J'espérais qu'en sachant lui parler, je pourrais le toucher et l'attendrir. » Elle avoue qu'elle ne se sent pas tout à fait prête à mourir (qui l'est réellement, en se regardant dans la glace – ou dans une vitre de bistrot ?) et se dit, s'il lui confirme qu'il ne veut définitivement plus d'elle, qu'il restera une chance pour qu'il l'empêche au moins de se suicider. Ce serait toujours ça, comme preuve d'amour.

Au septième étage, Andrée Darquets, née Barbe, qui occupe l'un des trois appartements voisins de celui de Félix, sort de chez sa sœur, Suzanne, qui vit sur le même palier, deuxième à droite en sortant de l'ascenseur. Il est « entre 9 h 45 et dix heures ». Deux enveloppes à la main, elle va descendre payer le chauffage à la concierge, sa note et celle de Suzanne. Quand l'ascenseur arrive, Félix en sort. Ils se saluent et se sourient. (Lorsqu'il est seul, et alors que sa ravageuse est toute proche, comme il l'a dit à Mougeot, il ne se donne pas la peine de s'arrêter au sixième pour grimper prudemment le dernier étage à pied.)

Mme Maitrot n'a pas eu le temps d'établir les factures de chauffage ce matin, elle propose à Andrée Darquets de revenir payer le lendemain. Quand celle-ci remonte chez elle et sonne à la porte de sa sœur pour lui rendre son argent, il n'y a personne sur le palier du septième étage.

À 9 h 55, Pauline se lève, met distraitement ses lunettes dans la poche de son manteau, contre le revolver, au lieu de les ranger dans son sac, laisse Frison-Roche et Toinou derrière elle, adresse un signe de tête à Jean Lautard et sort du café. Il la voit traverser la rue. Le lendemain, il tombera sur la photo de cette cliente aux Week-End dans les pages “Faits divers” de son journal de comptoir, et contactera la police.

Dans la cour de l’immeuble, juste à gauche de l’entrée de l’escalier C, le chat de Marie Benedetti est couché sur le rebord de sa fenêtre du rez-de-chaussée. Pauline s’arrête dix secondes près de lui pour le caresser, doucement, se concentrer, retrouver un peu de calme et de densité, d’équilibre. De l’autre côté du voilage blanc, la femme de ménage la regarde toucher la tête de son chat. C’est le dernier geste de Pauline avant de tout détruire.

Une nouvelle fois, elle monte les sept étages à pied. Je monte avec elle. Je n’avais pas le code mais j’ai pu franchir le portail au moment où un jeune homme à mallette sortait (exercice très difficile et un peu grotesque, où il faut aller vite, avant que la porte ne se referme, tout en donnant l’impression d’aller lentement), je suis passé dans la cour près du couple de gardiens, qui nettoyaient une grande poubelle verte devant la porte de l’escalier A et de leur loge, à gauche, ils m’ont dévisagé tous les deux mais paraissaient sympathiques, et j’ai eu de la chance, une dentiste et un médecin sont installés escalier C, la porte s’ouvre en appuyant simplement sur un bouton, j’ai pu me glisser derrière Pauline. À l’intérieur, presque tout est différent : l’ascenseur, que je ne prends pas, est moderne, fonctionnel et moche, les murs et plafonds des paliers semblent récents, ils sont peints en blanc hôpital, lisses et sans ornements, les portes des appartements sont métalliques, blindées, vert sauge, mais l’escalier et la rampe n’ont manifestement pas été changés. Je compte cent vingt-sept marches, c’est long, et pénible – j’ai vingt-six ans de plus que Pauline, faut dire. Du rez-de-chaussée au septième étage, je laisse ma main gauche sur la rampe usée – et je ne vais pas essayer d’expliquer ce que je ressens, il y a des limites au mélo. (J’ai le sentiment de poser ma main sur la main de

Pauline, sur le dos de sa main, de monter superposé à elle et de l'accompagner vers sa fin – on peut toujours repousser un peu les limites du mélo, ça ne fait pas de mal.)

La porte de Suzanne Barbe donne quasiment sur celle de Félix, à angle droit. Quand Andrée Darquets sort de chez sa sœur après lui avoir rendu l'enveloppe du chauffage et bavardé deux minutes avec elle, elle bute presque sur une grande fille debout sur le paillasson du voisin, immobile, calme mais très pâle. Elle ne l'a jamais vue. Elle s'excuse d'avoir failli la bousculer (la jeune femme ne répond pas), fait deux pas dans son dos et entre chez elle.

Pauline ne se souviendra pas d'avoir croisé qui que ce soit à ce moment-là. Elle est dans un tel état d'appréhension et de tension que plus rien n'existe autour d'elle, elle est seulement face à la porte close.

Le temps de poser son enveloppe, de prendre son panier et de prévenir son mari qu'elle part au marché, Andrée Darquets ressort de chez elle. Il n'y a plus personne sur le palier.

Chapitre trente

Émue

En rentrant chez lui cinq minutes plus tôt, Félix a accroché son grand manteau gris à la patère qui se trouve dans la salle de bains, au dos de la porte, posé sa veste sur le dossier de l'une des deux chaises du salon, et s'est changé. À la place du pantalon bleu et des semelles de crêpe, il a enfilé son pantalon de costume, noir, et ses chaussures de ville, cirées. Il a mis une chemise blanche qu'il n'a pas boutonnée jusqu'en haut, le col est largement ouvert. Des boutons de manchettes. Quand il entend sonner, il n'est pas tout à fait dix heures, il s'apprêtait à nouer sa cravate.

Il la pose sur le buffet et va ouvrir la porte. On s'étonne qu'il ne prenne pas plus de précautions, car il avait donné rendez-vous à sa ravageuse place Cambronne, ça ne fait pas de doute, et il ne veut surtout pas la voir seul, mais Jacques Godel résout le problème : « Lorsque Bailly a ouvert au coup de sonnette, il a dû penser que c'était Mougeot qui arrivait. » Eh oui, bien sûr. Quand il l'a eu au téléphone, Bernard était en pyjama, mais le temps que Félix parcoure les cent soixante-dix mètres qui séparent le café de son immeuble, il suppose qu'il a tourbillonné sur lui-même, bondi dans sa voiture, foncé rive gauche en quelques secondes et surgi au septième étage. Notre camarade Bernard Mougeot est peut-être assez lent à se mettre en mouvement, mais Buzz l'Éclair peut aller se rhabiller.

Félix fait entrer Pauline, referme derrière elle, elle pénètre à gauche dans le salon, la chambre. Elle pose son sac à main sur le buffet, le long du mur de droite. Ils n'ont pas encore prononcé un mot. Elle cherche où s'asseoir. Lui s'est instinctivement placé devant le buffet, les fesses en appui sur le rebord, le sac noir est juste derrière lui : s'il y a effectivement quelque chose de dangereux dedans, ce dont il n'est pas sûr, elle ne pourra pas le prendre. Pauline debout se retourne vers Félix. Il allume sa pipe. Elle est une petite fille qui ne sait pas comment se comporter. De part et d'autre de la petite table ronde, les chaises sont couvertes de vêtements. Le plus évident serait de s'asseoir sur le lit, à côté de la valise. Elle ne le fait pas. Elle sent peut-être que ce serait trop intime. Ou plutôt, elle ne serait qu'à un mètre à peine en face de lui, presque à portée de main, elle n'aurait aucune chance de pouvoir se tuer ou menacer de le faire, si elle doit en arriver là (si elle voulait lui tirer dessus, par contre, ce serait l'idéal). Elle choisit le fauteuil rouge. Ce n'est pas très naturel, car il y a peu d'espace pour les jambes, il est encastré entre le mur et le dossier de l'une des deux chaises qui entourent la table. Mais justement, il y aura la table entre eux, au moins un coin, elle pourra tranquillement sortir son pistolet, poser le canon sur son cœur et dire son texte. Car elle sait maintenant qu'elle va le faire, Félix est froid et distant. Ensuite, on verra ce qu'il répondra.

Elle prend les deux feuilles sur l'hypertension rénale qui se trouvent sur l'épais coussin rouge, fait mine d'y jeter un coup d'œil intéressé pour se donner une contenance, se déplace d'un pas sur le côté pour les poser sur la valise, puis revient s'asseoir sur le fauteuil. (Bien entendu, c'est elle qui raconte tout cela.) Elle a déjà joué cette scène cent cinquante fois en pensée, mais la seule chose qu'elle n'avait pas prévue, c'est que Félix ne dirait rien, ou simplement : « Je préparais ma valise, je pars cet après-midi. » Puis il se contente de la regarder en fumant sa pipe, pas méchamment car il en est incapable, mais sans indulgence, attendant qu'elle se décide. C'est sa façon de lui faire comprendre qu'il ne veut plus la voir, que c'est fini, elle devrait déjà le savoir. Elle n'ose pas affronter ses yeux, tourne les siens vers la porte, vers la fenêtre, elle a perdu tous ses mots et ne sait plus par où commencer. « J'étais tellement émue que je me trouvais dans l'impossibilité de lui dire tout ce que j'avais préparé à son intention. » Lorsqu'il finit par lui demander : « Qu'est-ce que tu voulais me dire ? », son ton ne laisse aucune ambiguïté ni aucun espoir, même s'il surjoue sans doute un peu : rien de ce qu'elle pourra dire ne l'adoucira. Elle tarde à répondre, sa bouche ne s'ouvre pas. Sa pipe dans la main droite, de la gauche, il prend sa cravate sur le buffet, comme pour lui signifier que l'entretien est terminé puisqu'elle n'a manifestement rien de spécial à dire, et qu'il va maintenant devoir se préparer, je ne te retiens pas. Avant qu'il ne passe la cravate autour de son cou, elle se lance, mécaniquement : « Félix, j'ai compris maintenant, et définitivement, que tu ne tiens plus à moi et que nous ne nous marierons jamais. Je ne pourrai pas vivre sans toi. Je vais me tuer. » La cravate dans une main, la pipe dans l'autre, il ne bouge plus, il la fixe. « Je vais me tirer une balle, Félix. » Tout en prononçant ces derniers mots, toujours assise, elle plonge la main dans la poche droite de son manteau et en sort le pistolet.

Dans l'appartement voisin, Suzanne Barbe, la modiste, est en train de dessiner un chapeau quand elle entend « vers dix heures, trois détonations sourdes et rapprochées ». De l'autre côté de l'ascenseur, André Thierry, un représentant en électroménager d'une cinquantaine d'années, enfile son manteau pour partir avec sa femme et leurs deux enfants au Salon des arts ménagers, qui s'achève le lendemain au Grand Palais. « Peu avant dix heures », il entend « trois coups secs ». Ils semblent provenir de chez ce jeune homme qu'ils ne connaissent que de vue (ils se trompent d'ailleurs sur son prénom et, entre eux, l'appellent Philippe), mais cela n'a rien de particulièrement alarmant. Quand la famille sort quelques instants plus tard, tout est calme sur le palier. Enfin, dans le quatrième appartement, Louis Darquets, le mari d'Andrée, ouvrier chez Renault, qui est en train de lire dans sa cuisine, entend, « peu après le départ de ma femme pour le marché, un bruit assez fort, comme si un meuble bougeait ou tombait, suivi aussitôt de deux autres coups plus secs et étouffés, comme de grosses billes qui tombent sur du marbre ». Il n'y prête pas spécialement attention.

C'est ce qu'a déclaré Louis Darquets quand on l'a interrogé, et ce qui a été retranscrit à la main par son interlocuteur. Cette feuille manuscrite ne figure pas dans le dossier de procédure, je l'ai retrouvée dans les archives de la PJ. Celle qui a été recopiée à la machine, datée du même jour, et retenue pour l'instruction, présente quelques petites différences mineures. M'sieur Darquets n'a pas entendu les coups de feu « peu de temps après » que sa femme est partie au marché, mais « dix ou quinze minutes plus tard », désormais (ce qui laisse du temps pour une énumération exhaustive des motifs de la rupture, et une bonne dispute). Et le premier coup de feu, ou le bruit de meuble, n'est plus « aussitôt » suivi de deux autres, la phrase est devenue : « J'ai entendu un bruit assez fort, suivi à quelques dizaines de secondes de deux coups plus secs et étouffés. » Quelques dizaines de secondes ? Quoi, trente secondes ? Quarante ? Bien que ce témoignage ait été grossièrement modifié, ne soit pas crédible si l'on réfléchit quelques dixièmes de secondes, et ne concorde pas du tout avec les deux autres, pourtant similaires, c'est celui qui sera utilisé. Le seul. C'est le mieux.

Au sujet de ce qui s'est réellement passé à l'intérieur de l'appartement de Félix, étant donné qu'on ne dispose que de la parole de Pauline, la meurtrière, autant dire de rien du tout, chacun peut recréer la scène comme il veut. L'accusation fabriquera sa version, bien tournée, pratique, qui sera nonchalamment adoptée par tout le monde – alors qu'il aurait été si facile de l'atomiser en quelques remarques simples : l'avocat de la partie civile lui-même, René Floriot l'invincible, sera décontenancé par l'inattention, la mollesse et la docilité de son confrère de la défense, adversaire décevant. J'y reviendrai quand la Justice entrera en action. Pour l'instant, je vais donner la mienne, qui ne s'appuie pas que sur les déclarations sujettes à caution de Pauline (elle n'a pas dit grand-chose, de toute manière), mais sur des trucs de poètes rêveurs comme le rapport d'autopsie ou la balistique, de petites choses évidentes et concrètes qui auraient dû sauter aux yeux de quiconque en a deux, mais que les artistes officiels de la Société Bien Protégée, dans leurs belles robes de scène rouges ou noires, ont habilement dissimulées sous leurs foulards soyeux et colorés de magiciens.

Chapitre trente et un

Asphyxiée

« Je vais me tirer une balle. » Pauline assise sort le pistolet de sa poche droite et le porte vers son cœur. Par réflexe malheureux, dès qu'il l'aperçoit, Félix se jette tête baissée sur elle pour le lui prendre des mains. Il doit contourner le coin de la table en se ruant vers elle et le heurte (c'est le bruit de meuble entendu par Louis Darquets, qui se mêlera dans son esprit avec ceux qui suivent immédiatement), trébuche, une bouteille tombe. J'ai mesuré sur le plan de l'appartement dressé par l'identité judiciaire, il y a moins de deux mètres entre le buffet contre lequel il était appuyé et le fauteuil, il s'écoule moins d'une seconde, une demie, entre le moment où elle le voit bouger et le moment où il est devant elle. Ce n'est pas la réaction qu'elle attendait. Elle voulait qu'il l'empêche de se tuer mais pas comme ça, elle espérait qu'il allait pâlir, trembler, et la supplier de ne pas faire de bêtise, quelque chose de ce genre. Il lui saute dessus. À l'instant où il percute la table, elle se lève et tire vers lui en même temps, par réflexe aussi, plus malheureux encore, comme pour le chasser, comme on se protège du bras quand une menace inattendue surgit dans notre champ de vision. « Je n'ai eu à aucun moment la volonté consciente de tirer sur Félix. » Il n'est qu'à vingt ou trente centimètres d'elle, la balle l'atteint en plein front. Sans un mot ni un cri, il continue dans son élan, vraiment comme on dit “fauché en plein vol”, et tombe contre elle, sa cravate dans la main gauche et sa pipe dans la main droite. Elle est tétanisée, en déséquilibre, le coussin du fauteuil derrière les genoux, le poids mort s'écroule et la pousse, elle essaie de lui échapper, de se décaler sur le côté, vers la fenêtre, elle lève la main comme attaquée par un monstre et tire une deuxième fois dans la tête, derrière l'oreille droite, à bout touchant. Le vacarme de ses propres coups de feu la terrorise – elle dira ne se souvenir de rien après le premier tir, seulement : « Il est tombé sans rien dire. » Félix déjà mort sursaute et s'effondre à genoux par terre face au fauteuil, les reins contre le dos de la chaise, la tête sur le coussin rouge, qui s'ensanglante, tournée vers la droite, vers la fenêtre, le regard vide vers Pauline en crise de nerfs qui a fait un pas de côté et se trouve adossée à la vitre, coincée là, épouvantée, le corps de sa victime occupe toute la place devant elle entre le fauteuil et le dossier de la chaise, elle ne peut pas s'échapper, elle n'est plus Pauline, elle a disjoncté, elle tire une troisième fois dans le dos de Félix, sous l'omoplate droite, comme si elle espérait qu'il disparaisse. Il est mort depuis la première balle. Elle longe la fenêtre et contourne la table par le côté opposé – ce n'est pas elle, c'est un corps qui marche, un esprit explosé –, s'enfuit de ce piège par l'espace étroit entre la table et le buffet, marche, va s'asseoir sur le lit à côté de la valise, place le canon du revolver sur son cœur – elle dira qu'elle reprend à peu près conscience à ce moment-là – et tire.

Rien ne se passe. Elle tire une deuxième fois, une troisième, rien, son cœur est intact, la culasse est bloquée. Elle essaie de la bouger, plusieurs fois, dans les deux sens, tire encore, le pistolet est enrayé. Elle s'en rappelle vaguement, mais elle est par exemple incapable de dire si elle est assise ou couchée sur le lit, et Félix n'existe plus, elle ne sait plus qu'il est à moins de deux mètres d'elle sur sa gauche. « Je ne me suis plus occupée de Félix, je ne me souvenais même plus qu'il était là, je n'ai pas cherché à lui porter secours. » Elle pose le petit Unique sur la valise, sur les deux feuilles sur l'hypertension rénale rédigées par Godel, se lève, ôte son manteau et le laisse sur le lit, sort du salon, traverse l'entrée, pénètre à gauche dans la cuisine, referme la porte derrière elle.

La petite fenêtre de la petite cuisine est fermée. Tout est vieux et sale, figé, craquelé, seul le carrelage, de grands éclats multicolores qui forment un genre de mosaïque désordonnée, crée un fond de vie – deux casseroles sont posées par terre. Sous la fenêtre, Pauline ferme les deux battants de la porte du garde-manger, qui donne sur l'extérieur et que Félix laisse toujours ouverte, dira la femme de ménage. Elle ouvre le robinet du gaz, pose sa tête sur le réchaud qui se trouve à côté de l'évier, attend. Elle comprend que ça n'ira pas, ce sera trop long, et quand elle commencera à perdre connaissance, elle tombera et ne sera plus suffisamment proche des brûleurs. Elle tente d'arracher le tuyau du gaz, de toutes ses forces, altérées, tremblantes, n'y parvient pas. Elle prend un grand couteau sale dans l'évier et le sectionne. Ce sont des gestes mécaniques : « Félix était complètement sorti du champ de mon esprit. » Le tuyau est trop court pour descendre jusqu'au sol mais elle peut au moins s'accroupir, le met dans sa bouche en regardant vers la fenêtre et mord. Quelques instants plus tard, elle bascule inconsciente en arrière, sa tête percute la mosaïque multicolore, son pied gauche se prend dans ceux de la chaise, dont le dossier chargé d'un pull, de deux chemises et d'une serviette de toilette lui tombe sur les jambes. Elle perd sa chaussure gauche. Elle est en train de mourir, elle bave et se pisse dessus.

À 10 h 15, comme prévu, Bernard Mougeot gare sa voiture devant les grilles de l'immeuble, traverse la cour, entre dans l'escalier C, monte au septième étage et sonne chez son ami. Personne ne répond, pas un bruit à l'intérieur. Il sonne encore plusieurs fois avant de redescendre. Au rez-de-chaussée, il frappe chez Marie Benedetti, qui sait peut-être où il est. Elle lui dit qu'il est parti avec un ami, il n'est sûrement pas encore rentré, en tout cas elle ne l'a pas vu passer. Mougeot sort, attend un petit moment sur le trottoir, avance de quelques pas vers la place Cambronne mais fait demi-tour : non, Félix ne peut pas être encore là-bas alors qu'il l'a appelé il y a une demi-heure pour lui donner rendez-vous chez lui. Il retourne vers l'immeuble et remonte. Dès qu'il ouvre la porte de l'ascenseur au septième étage, il sent une forte odeur de gaz sur le palier. Il sonne tout de même deux fois à la porte par acquit de conscience puis descend en vitesse chez Marie Benedetti pour lui demander le double de la clé de l'appartement et remonte encore, ouvre la porte, pénètre dans le salon en retenant sa respiration et découvre le corps de Félix effondré et tordu entre la chaise et le fauteuil, presque coincé entre les deux, les jambes repliées tournées plutôt vers la gauche (sa fesse droite repose sur le parquet, ses mollets touchent les pieds de la chaise et de la table), les épaules sur le coussin, un trou noir dans le dos de la chemise, la tête, sur la tempe gauche, tournée vers la fenêtre, sur une grande tache de sang, rouge sombre sur le tissu rouge plus vif, un trou au-dessus de l'oreille droite, un autre au milieu du front. Il l'appelle plusieurs fois par son prénom – bêtement, mais tout le monde ferait pareil, bêtement –, horrifié par la pâleur cadavérique de son visage, touche son poignet gauche, ne sent pas de pouls, ressort en courant (aperçoit au passage le pistolet posé sur la valise) et se précipite dans l'escalier. Il tambourine à la porte de Marie Benedetti, il faut appeler les secours, Félix est mort, elle n'a pas le téléphone, il part en courant jusqu'à l'escalier A, entre chez la concierge mais la ligne est momentanément coupée, il lui demande de réessayer et retourne vers Marie Benedetti, elle a la clé d'un appartement au troisième où elle fait le ménage, il y a le téléphone, il ne fonctionne pas non plus, ils montent tous les deux à pied au septième, le plus vite possible.

Dans le salon, la femme de ménage affolée glisse une main sous le torse de Félix, constate que son cœur bat encore « mais très faiblement », demande à Mougeot de descendre pour joindre les pompiers par n'importe quel moyen, puis se précipite vers la cuisine à cause de l'odeur de gaz. La porte qu'elle ouvre vivement passe à quelques centimètres de la tête de Pauline, étendue sur le sol coloré dans sa jupe rouge, les pieds vers la fenêtre – Marie Benedetti reconnaît la jeune femme « brune et élancée » qui a caressé son chat, enjambe son corps pour aller ouvrir la fenêtre et les deux petites portes du garde-manger puis ferme le robinet de gaz mural. Elle repart ensuite ouvrir les fenêtres du salon et de la salle de bains.

En bas, dans sa loge, Céline Maitrot a réussi à prévenir les pompiers et la police. Mougeot les attend sur le trottoir. À 10 h 54 arrive la camionnette des premiers secours de la caserne Violet, située à moins d'un kilomètre de là. Mougeot guide trois pompiers jusqu'au septième étage, ils seront suivis à quelques minutes par ceux du fourgon, que fera monter la concierge.

En haut, le lieutenant Gérard s'avance dans le salon vers le corps de Félix, constate au jugé qu'il est mort, évite donc de le toucher et se rend dans la cuisine, qu'il décrit comme « pleine de gaz » et où il trouve Pauline « allongée par terre sans connaissance, asphyxiée », de la bave sur le carrelage près de la bouche, une flaque d'urine sous elle. La jeune femme occupe presque toute la place au sol, il demande donc à deux de ses hommes, les sergents Malpois et Jolidon, de la transporter jusqu'au salon pour tenter de la réanimer. L'équipe du fourgon entre à ce moment-là dans l'appartement.

Pauline est maintenant allongée entre le lit et le buffet, le seul endroit de la pièce où il y ait suffisamment d'espace – même si c'est beaucoup dire – pour lui apporter les premiers soins. Le sergent Malpois dégrafe la ceinture de tissu noir à boucle métallique qui tenait la jupe, puis lui enlève sa chaussure droite et la pose par terre près du lit, à côté de la ceinture et des deux crosses de hockey de Félix. Le sergent Jan (qui n'a pas de bol d'être sergent, phonétiquement parlant – en contrepartie, il a l'honneur de porter le nom d'un écrivain formidable, mon pote Guillaume Jan, alias Traîne-Savane dans l'équipe des Descendeurs de Ménilmontant (pseudonyme vagabondo-broussier qu'il a d'ailleurs utilisé comme titre de son très beau et dernier roman en date)) recouvre Pauline du manteau qu'il trouve sur le lit – le sien. Les asphyxiés se refroidissant très rapidement, son collègue Jolidon rapporte de la salle de bains un imperméable beige et le grand manteau à chevrons de Félix, qu'il pose également sur elle. Aidé du caporal Oudot, il commence à lui faire des inhalations de carbogène (un mélange d'oxygène et de gaz carbonique, qu'on utilise à cette époque pour la réanimation), elle ne se réveille pas.

Le gardien de la paix Henri Ferry, du commissariat du XVe arrondissement, quartier Necker, est le premier policier sur les lieux, il arrive à 11 h 10 et effectue les premières constatations, en commençant par relever l'identité des deux personnes concernées par le drame (l'adresse mentionnée sur la carte d'identité de Pauline, celle qu'elle a fait établir juste après sa sortie de la forteresse de Dunkerque, est celle de sa belle-sœur, la femme de François, 18 rue de l'Oiseau à Moulins dans l'Allier – où elle a fait sa première tentative de suicide au gaz). Il est rejoint à 11 h 25 par son supérieur, le commissaire Yves Martha, accompagné de deux inspecteurs. Pauline est toujours sans connaissance. Mais après plus d'une demi-heure de carbogène sans résultat, les pompiers lui font une piqûre de solucamphre, un tonique cardiaque, et elle ouvre enfin les yeux. Ses premiers mots sont déroutants, quand on sait l'importance de la figure de son père dans son éducation et l'éloignement vaporeux de sa mère : « Maman, ma petite maman chérie… » Avant de l'évacuer vers l'hôpital le plus proche, le lieutenant de pompiers Gérard lui pose quelques questions auxquelles elle ne répond pas. Elle n'est manifestement pas en état d'être entendue par la police. Elle récite le Notre Père.

Pendant que Pauline, recouverte du manteau le plus chaud (celui de Félix), est transportée par l'escalier sur un brancard afin d'être conduite à l'hôpital Boucicaut, qui est aujourd'hui une école primaire, le commissaire Martha examine le pistolet Unique retrouvé sur la valise. Il constate qu'il est enrayé, une balle étant coincée entre le canon et la culasse, qui est donc en retrait de sa position normale. Le seul moyen de débloquer l'arme est de retirer le chargeur – qui contient encore deux balles. Ses inspecteurs retrouvent trois douilles dans la pièce. L'une entre l'épaule gauche de Félix et l'accoudoir droit du fauteuil (quand on est assis dessus), l'autre sous le buste de Félix, la dernière au sol, entre le fauteuil et la fenêtre, à côté de la pipe. La cravate de Félix est sous son buste aussi, près de l'accoudoir droit du fauteuil. Sur le lit (quand on est couché, on a les pieds vers le fauteuil et la fenêtre, la tête près du mur opposé), à une vingtaine de centimètres du traversin, Yves Martha trouve une balle déformée et écrasée. Elle a probablement ricoché sur l'accoudoir droit du fauteuil, dont le tissu est éraflé.

Sur le mur derrière le fauteuil, aussi bien un peu plus haut qu'un peu plus bas que le haut du dossier, le commissaire remarque des éclaboussures de sang.

Il fouille le sac de cuir verni noir qui se trouvait sur le buffet. Cigarettes Week-End, Maxiton, poudrier, carnet d'adresses, etc. Dans le portefeuille de Pauline, il découvre trois photos d'enfants, sans doute ses neveux et nièces, et une d'elle petite avec sa mère. Il en sort également un morceau de papier sur lequel est écrit, notera-t-il dans son rapport : *Pour ma chère amie Pauline, un nouveau jalou, Félix.* Pendant des mois, jusqu'à ce qu'on pense à en parler à Pauline, on restera là-dessus. Tant pis pour l'orthographe, le fond peut être intéressant.

Sur le buffet, il saisit aussi deux télégrammes, celui d'Eva et celui de Richard Bailly, ainsi qu'une feuille de calepin pliée en deux dans un paquet de Gitanes, *Demander à Godel venir coucher moi ce soir Urgent*... Dans la poche gauche du manteau de femme laissé là par les pompiers, il trouve un peigne, et dans la poche droite, une paire de lunettes à monture claire, dont un verre est cassé.

La jeune victime sera transférée à l'Institut médico-légal du quai de la Rapée dès que l'identité judiciaire aura terminé son travail, et que les photos des lieux et du cadavre auront été prises – je les regarde en écrivant, Félix est seul dans la mort, disloqué entre la chaise et le fauteuil dans son appartement désert.

De Pauline, au septième étage du 25 rue de la Croix-Nivert, hormis la bave et la pisse sur le carrelage de la cuisine, il ne reste plus qu'un sac noir, un manteau gris, une ceinture et deux chaussures à talons noires par terre, l'une dans la cuisine à côté de la chaise renversée, l'autre près du lit.

Chapitre trente-deux

Vive, intelligente et belle

De retour dans son commissariat, Yves Martha téléphone à l'hôpital Boucicaut, rue de la Convention, où deux de ses inspecteurs gardent Pauline dans les vapes, pour savoir si elle est en état d'être conduite à l'Hôtel-Dieu, salle Cusco, où l'on retient sous surveillance policière les prévenus blessés, qu'ils soient voleurs, truands ou criminels, jusqu'à ce qu'ils soient remis d'aplomb et incarcérés. Oui, elle est très faible mais on peut la déplacer, sa vie n'est plus en danger.

Le corps de Félix, lui, est transporté à la morgue.

À Saint-Omer, Richard Bailly est très inquiet : son fils n'est pas rentré la veille comme il le lui avait demandé, il a simplement laissé un message laconique et peu clair à la bonne, plus de nouvelles depuis. Peu après midi, il reçoit un coup de téléphone de la police. Il faut qu'il vienne dès que possible à Paris, il est arrivé un accident à Félix. Le fonctionnaire ne lui en dit pas plus, mais cela ne fait aucun doute pour le médecin, Pauline a quelque chose à voir là-dedans. Le temps d'enfiler son manteau, il prend le train pour Lille, et de là pour la capitale où l'attend le cauchemar. Il arrivera vers 16 h 30 au Quai des Orfèvres, on l'amènera directement à la morgue, où il reconnaîtra son fils.

De retour dans les locaux de la brigade criminelle à 17 h 30, il déclarera au commissaire Pinault, hors-sujet, au présent : « Mon fils est un garçon extrêmement calme, un peu timide, très bon. » Je m'entends prononcer ces mots. Si quelqu'un tuait mon fils, Ernest, qui que ce soit, je perdrais la tête aussi, et je ne serais plus que haine.

Le commissaire Martha a transmis l'affaire à Lucien Pinault, le patron de la brigade criminelle depuis la Libération. (Il a, entre autres, arrêté le docteur Petiot et retrouvé le corps enterré de Pierrot le Fou, trois ans après sa mort, après l'avoir poursuivi en vain de son vivant.) À 16 h 30, on l'avertit que la suspecte, Pauline Dubuisson, est désormais à même de répondre à ses questions (elle a reperdu connaissance dans l'ambulance et ne s'est réveillée que vers treize heures, dans son lit – ses premières paroles ont été pour demander des nouvelles de Félix, le personnel soignant ne lui a pas répondu). Il quitte donc son bureau 315 du 36 quai des Orfèvres et se rend à l'Hôtel-Dieu en compagnie de deux hommes de son service, l'inspecteur Salavert et l'inspecteur-chef Jean Barrière, qui va toucher l'enquête de sa vie. Ils montent au sixième et dernier étage de l'hôpital et franchissent les deux portes surveillées qui permettent d'entrer dans ce qu'on appelle la salle Cusco : neuf chambres de part et d'autre d'un long couloir (j'ai lu ça dans la salle d'attente de l'infirmière de mon quartier, en attendant qu'on m'enlève mes quatre agrafes), dans l'une desquelles se trouve Pauline, couchée, livide, un roman en mains : *Le Séducteur*. (Celui-là non plus, à cause de son titre, on n'oubliera pas de le mentionner (les forces de l'ordre sont bien plus bibliophiles qu'on le croit). Pourtant, ce n'est qu'une bluette colonialiste inoffensive (du point de vue de la bonne morale, parce que pour le reste, ça fait mal aux yeux, c'est plein de *noirs et bons esclaves*, de *négrillons* touchants quand ils *se livrent à leurs singeries*, de *nègres au bon visage obscur, aux yeux roulants, terrorisés et naïfs*, et de *négresses* dont la peau *rappelle la couleur d'un cheval bai* ; l'une d'elles dort par terre devant la chambre de l'adolescente de la famille, *veillant comme un fidèle animal sur le sommeil de sa maîtresse bien-aimée* – le style non plus n'est pas très inoffensif : *Les montagnes bleues escaladaient de leur azur foncé l'azur doux du ciel pâle, et tout se noyait dans une diaphanéité si lumineuse et si pure que l'on ne pouvait pas croire à la sombre mort*), signée Gérard d'Houville, le nom de plume de l'une des filles de José-Maria de Heredia, Marie. Et de toute façon, ceux qui soulignent ce détail en plissant les yeux et en hochant la tête – *Le Séducteur*, comme par hasard... – oublient (c'est pratique) que Pauline a été emmenée à la salle Cusco sans sac ni manteau, et que personne n'est venu la voir : c'est donc un livre qui devait traîner dans le service et qu'on lui a donné parce qu'elle a manifesté l'envie de lire. Mais voilà, justement, c'est ça : comment peut-on réclamer un livre dans ces circonstances ? À la plage, d'accord, mais là ?! Elle n'a pas un examen de conscience à faire, ou un truc comme ça, au lieu de s'amuser à lire ? (Le roman commence par l'enterrement pompeux et lugubre d'une fille de vingt-cinq ans, c'est gai quand on végète vaseux à l'hôpital, puis tourne vite au plus doucereux lyrisme à la *Jalna*, je suis sûr qu'elle l'a refermé après vingt pages.))

C'est Lucien Pinault lui-même qui l'interroge et retranscrit ses aveux à la main, à l'encre bleue. Elle est en piteux état et choquée par ce qu'elle a fait, elle sait qu'elle a tiré sur Félix mais la scène est dans le brouillard, ou rescapée d'un mauvais rêve. Elle dit au commissaire que face à la froideur de son « ancien ami », elle lui a annoncé qu'elle allait se tuer puis : « J'ai sorti rapidement l'arme de ma poche et j'ai tourné le canon vers ma poitrine, à hauteur du cœur. Il se tenait adossé contre le milieu du bahut. Je me souviens que devant mon geste, il s'est précipité vers moi sans rien dire. J'ai tiré alors mais je ne me souviens pas exactement comment. Je n'avais certainement pas eu le temps d'appliquer vraiment l'arme contre moi, sans quoi j'aurais été atteinte. Je ne sais pas combien de cartouches ont été percutées. Je crois que Félix devait être près de moi, et me faisant face, quand j'ai tiré. Il est tombé sans rien dire. Je n'ai pas tenté de lui porter secours. J'ai appliqué l'arme contre ma poitrine et j'ai tiré. L'arme n'a pas fonctionné. J'ai manœuvré la culasse à plusieurs reprises mais sans succès. Comme je savais que l'oxyde de carbone procure une mort rapide et sans souffrance, j'ai eu l'idée de m'asphyxier au gaz d'éclairage. »

Elle ne sait pas que Félix est mort. On peut avoir du mal à le croire, étant donné qu'elle lui a tiré deux balles en pleine tête et une dans le dos, ça ne laisse rarement que des égratignures, mais je pense que c'est vrai ; son attitude et surtout plusieurs de ses déclarations le prouveront, et personne (pour une fois) ne contestera cette allégation. Cet après-midi-là, les policiers ne le lui disent pas, sous-entendent même qu'il a survécu. C'est une technique classique – et de bonne guerre – pour obtenir des informations plus authentiques, l'interrogé sachant, croyant, qu'il pourra être contredit par le survivant, mais Pinault et ses troupes ne l'assumeront pas (car sur un point, cette tactique se retournera contre eux), et Jean Barrière se fera passer pour un tendre, qui sait mettre le boulot entre parenthèses quand son cœur frappe à la porte : « Nous lui avons caché sa mort par esprit d'humanité. » Et le cul de ma tante, c'est du poulet basquaise. Pauline, quoi qu'il en soit, n'apprendra le décès de Félix que cinq jours plus tard.

Dans ce premier récit de quatre pages, elle résume leur histoire d'amour, et raconte brièvement leur rendez-vous de la semaine précédente, le mercredi 7 mars. Ce qu'elle en dit la poursuivra longtemps – toujours. Car elle ne parle pas de la nuit qu'ils ont passée dans son lit, du moins pas clairement : « Nous avons dîné ensemble, chez lui. Nous ne nous sommes pas disputés. J'ai simplement dit à Félix que je l'aimais et que je n'avais pas changé à son égard. Il m'a répondu qu'il avait pour moi une grande affection mais il ne m'a pas parlé de mariage. Cependant, il m'a embrassée comme dans le temps. » Elle n'a pas précisé qu'ils avaient couché ensemble, donc ils n'ont pas couché ensemble. C'est la vérité, selon les inspecteurs, puisqu'elle croit qu'il pourrait la démentir si elle prétendait le contraire. Pauline tentera d'expliquer que c'est justement parce qu'elle le pensait encore vivant qu'elle n'a pas voulu « le compromettre » auprès de sa famille et de sa fiancée, et qu'elle s'est contentée de sous-entendus pudiques. Les policiers regretteront momentanément de lui avoir caché la mort de Félix, puisque cela lui offrira cette petite porte de sortie, mais s'en tireront en levant les yeux au ciel, c'est trop facile, elle profite bassement de leur gentillesse, ils se sont montrés humains et voilà comment ils sont remerciés : par le mensonge ! (On ne les y reprendra pas.) C'est le début de la réécriture de la vie de Pauline Dubuisson, le premier épisode modifié (d'une longue série) : elle n'a pas couché avec Félix le 7 mars. (Personne ne rappellera qu'elle a tout de même déclaré : « Il m'a embrassée comme dans le temps. » Il ne pourrait pas le contredire, ça ? C'est donc la vérité, qu'il l'a embrassée comme dans le temps, non ? Mais ce ou ces baisers, cette phrase qui ressemble fort à un euphémisme de jeune fille de l'époque, et qu'on peut rapprocher de ce qu'elle écrivait à Bernard Legens : *Dis-moi encore que tu me serres bien dans tes bras, et que tu es si gentil, comme il n'y a pas longtemps*, disparaîtront complètement de la procédure et des débats.)

D'autres paroles qu'elle a prononcées ce 17 mars à la salle Cusco ne sont pas notées dans le procès-verbal de Lucien Pinault, mais seront rapportées plus tard par les inspecteurs présents. Par exemple, ils la trouvent un peu trop insouciante et en forme à leur goût. (Parallèlement, ils conviendront que, « en raison de son état de santé, elle n'a pas pu être interrogée longuement », mais ils ne sont plus à une petite contradiction près – on soutiendra évidemment qu'elle n'a jamais eu l'intention de se suicider et que sa tentative n'était qu'une mise en scène ; interprétée avec un talent rare, alors.) N'ayant pas véritablement conscience de la gravité de ce qui vient de se passer (« Je n'ai pas cherché à lui porter secours », avouerait-elle cela si elle se souvenait qu'il avait reçu trois balles dans le corps, toutes potentiellement mortelles, et n'avait pas une chance sur mille de survivre ? – autant dire "Je m'en tape, de ce type-là…"), elle leur demande si Félix a porté plainte contre elle, ce qu'elle risque comme peine de prison, dans combien de temps elle peut espérer pouvoir reprendre ses études, et surtout : est-ce qu'elle sera autorisée à exercer la médecine ? Lorsqu'ils lui font remarquer, ajouteront-ils, qu'elle semble tout de même très concernée par les « choses matérielles », elle répond selon eux : « Il y a cette lâcheté qui vous pousse à apprécier la joie de vivre lorsqu'on a failli mourir. » Elle l'a peut-être vraiment dit. Elle estime peut-être qu'elle est passée plus près de la mort que Félix, ou aussi près. (Trois jours plus tard, elle commencera à comprendre que c'est plus sérieux qu'elle ne croyait, mais quand on lui redemandera, quai des Orfèvres cette fois, combien de coups de feu elle a tirés, elle répétera : « Je ne sais pas, je ne sais plus ce qu'il s'est passé, je ne l'ai même pas vraiment vu tomber, je ne voyais plus rien, il est possible que j'aie encore tiré sur Félix alors qu'il était tombé sur le fauteuil, puisque vous me dites l'avoir trouvé à cet endroit-là, mais je ne m'en souviens pas. ») Ces coulisses du premier interrogatoire, révélées par les policiers, serviront à poser la deuxième brique déformée de sa vie reconstruite, et marqueront le début de la manipulation – de "bonne volonté", pour certains, dans le but de venger Félix, mais de la manipulation bien sordide quand même. En ce qui concerne les « choses matérielles », il ne sera plus question, dans la presse, d'interrogations sur la durée de la peine et la possibilité de continuer ses études plus tard, mais plutôt de la somme qu'elle devra verser en dommages et intérêts à la victime ou à sa famille. C'est ça qui la tracasse, Pauline. Ni Barrière, pourtant peu porté sur le scrupule, ni son supérieur Pinault n'ont jamais mentionné ni même subtilement insinué qu'elle ait fait la moindre allusion à l'argent, quelle qu'elle soit, mais c'est plus excitant et savoureux pour le lecteur que des histoires d'études (l'idée séduira également les garants de la loi, puisqu'elle sera reprise jusque dans l'enceinte du Palais de Justice : qu'est-ce qu'une femme, si on peut l'appeler ainsi, qui vient de tuer un jeune homme droit et plein d'avenir et se soucie de ce que cela va lui coûter financièrement ?) ; quant à la lâcheté qui vous pousse à apprécier la joie de vivre lorsqu'on a failli mourir, la phrase sera fidèlement reproduite dans les journaux juste avant le procès, clap clap, mais déplacée dans le temps : en contradiction flagrante avec les dires de Barrière et Pinault, on écrira dans plusieurs quotidiens qu'elle l'a prononcée lors de l'examen psychiatrique qu'elle a subi en prison un mois plus tard, alors qu'elle sait depuis trois semaines que Félix est mort ; elle a tué un garçon qui n'avait rien fait de mal, mais le principal pour elle, c'est qu'elle puisse encore apprécier la joie de vivre. (Pour faire bonne mesure, certains journalistes tiendront à rétablir l'équilibre en déplaçant aussi dans le temps, mais dans l'autre sens, une phrase qu'elle a dite lors dudit examen psychiatrique. Quand les trois experts lui demanderont si elle a conscience de la gravité de son acte, elle répondra évidemment que oui ; quand les trois experts lui demanderont si elle regrette son acte, elle répondra évidemment que oui ; quand les trois experts lui demanderont ce qu'elle pense de son acte, elle répondra : « C'était inutile et stupide. » Et on pourra lire : *À la salle Cusco de l'Hôtel-Dieu, où on la transporte, on lui demande si elle regrette son geste : « Du repentir ? répond-elle. Pourquoi cette chose inutile et stupide ? »* C'est bon, ça compense l'autre inversion.)

Tandis qu'elle s'inquiète sur son lit d'hôpital pour sa future carrière de pédiatre, la foule se masse devant le 25 rue de la Croix-Nivert. *Détective* publiera une photo prise ce jour-là, en milieu ou en fin d'après-midi, depuis l'intérieur de la cour de l'immeuble. Sur le trottoir, on voit une cinquantaine ou peut-être une centaine de personnes agglutinées contre les grilles (certaines tiennent les barreaux à deux mains), les yeux avides tournés vers le lieu du crime. (Derrière elles, on distingue à peine le haut des vitres du café Lautard et le store : ...QUEURS – ART... DE FUMEURS.) Des meurtres dans Paris, il y en a tous les jours, sans que cela provoque de tels attroupements. Celui-ci est au mieux un petit crime passionnel, sans envergure, on ne sait même pas exactement de quoi il s'agit, la police elle-même devine seulement que c'est de l'ordre de l'amour déçu, et l'édition de *France-Soir* qui circule n'y consacre encore qu'un entrefilet. Pourtant, toute la rue est là, attirée. L'instinct. L'odeur indéfinissable du drame, du scandale, du vice ou autres émanations appétissantes. C'est le même principe que pour les films en salles : on sait, mystérieusement, dès la première séance du mercredi matin, si ce sera un échec ou un triomphe. Rue de la Croix-Nivert, c'est inexplicable, pour l'instant, mais ça sent le triomphe.

À 21 h 30, le téléphone sonne chez le pasteur Gounelle. Anne-Marie décroche. C'est Mme Huret. Elle lui demande si elle a vu Pauline aujourd'hui – elle non mais Mireille oui, ce matin, pourquoi ? Parce que son mari, Georges, est rentré du travail avec la dernière édition de *France-Soir*, ils y ont lu que Pauline avait tenté de se suicider et se trouvait en ce moment à l'Hôtel-Dieu. Elle ne lui parle pas de Félix.

Le lendemain matin, à neuf heures, Anne-Marie se présente à l'hôpital, accompagnée de l'un de ses frères, Michel, élève à l'école navale de médecine, qui vient d'arriver à Paris pour les vacances de Pâques. Ils ont appris entretemps, dans le journal du matin, que leur cousine était soupçonnée de meurtre. Comme ils le craignaient, on ne les laisse pas pénétrer dans la salle Cusco, ils ne la verront pas.

Pendant ce temps, le pasteur Gounelle rentre chez lui après sa visite matinale quotidienne à l'asile de vieillards dont il est l'aumônier. Deux inspecteurs sont en train de perquisitionner, la bonne leur a ouvert. Sa petite-fille Anne-Marie n'a pas voulu lui parler de ce qui était arrivé avant de s'être renseignée, il doit s'asseoir, percuté, quand il apprend la raison de la présence des policiers. Ils saisissent tout ce qui leur paraît important dans la chambre qu'occupait Pauline, celle d'Anne-Marie : un flacon de Vériane Buriat, deux verres, l'un empli d'un liquide jaune et huileux, l'autre d'un liquide très fluide, légèrement teinté de noir, deux morceaux de coton sur lesquels on remarque quelques cheveux et des taches qui peuvent être du sang (c'est du Rimmel et du rouge à lèvres), et *L'assassin manque d'enthousiasme*. Ils repartent en laissant le pasteur assommé. Personne de la famille, ni l'homme de Dieu, ni sa fille Alice, ni ses petits-enfants, n'osera téléphoner à Malo pour prévenir les parents de Pauline.

Dans la matinée, en feuilletant les pages régionales de l'édition du dimanche de *La Voix du Nord*, André Dubuisson s'arrête sur un article longuement intitulé : *Une étudiante lilloise abat le fils d'un médecin audomarois à coups de revolver, à Paris.* À la quatrième phrase, il lit : *Elle, Pauline Dubuisson, fille d'un entrepreneur de travaux publics à Malo-les-Bains…* On dit souvent, facilement, "son cœur s'est arrêté de battre", mais pour une fois, il est difficile de trouver une autre expression, ce doit être très proche de la réalité. Le papier (qui se termine par : *Il reste encore bien des points à éclaircir dans ce triste drame de la jalousie*) indique qu'il s'agit d'un accident selon la jeune femme (*« J'ai tenté de me suicider, il a essayé de m'en empêcher »*) mais que la police en doute. Félix y est présenté comme *un beau garçon, très grand, très fort, très brun*, et Pauline comme *une jeune fille vive, intelligente et belle.* Pour le reste, dès ce 18 mars, lendemain du meurtre, c'est le top départ, on commence à romancer, à mentir. De manière parfois accessoire et ridicule (Félix, mort à genoux, la tête sur le fauteuil, *avait encore sa pipe entre les dents*) mais aussi plus lourdement : quand Félix, à la rentrée 1949, confirme à Pauline que tout est bien fini entre eux, elle s'écrie : *« Je te tuerai ! »* ; le télégramme qu'Eva Gérard envoie à Félix lorsqu'elle se rend compte que sa locataire est partie pour Paris est ainsi libellé : *Attention, Pauline va venir ! Je crains pour vous !* ; et dans sa première déposition devant le commissaire Pinault, la veille à la salle Cusco, Pauline se souvient de ce qu'elle a ressenti quand elle a compris, deux ans plus tôt, qu'il ne reviendrait pas sur sa décision de la quitter : *« L'idée de la vengeance s'empara de moi. Mais mes missives menaçantes ne firent aucun effet. »* (Inutile de dire qu'il n'y a pas la première lettre d'un mot de ce genre dans le procès-verbal rédigé par Pinault.) C'est parti, les autres suivront. (Dans *Le Monde* – qui n'est pas tout à fait une feuille de chou fantaisiste – du lendemain soir, 19 mars, on lira : *On sait déjà par ses aveux qu'elle avait prémédité son acte.*) La première victime de ces falsifications n'est-elle pas André Dubuisson ? Dans son journal du matin, il apprend non seulement que sa fille a tué un homme, mais que c'était planifié, qu'elle l'avait menacé, que l'idée de la vengeance s'était emparée d'elle depuis deux ans. Sa fille est une meurtrière froide et déterminée. Comment pourrait-il accepter ça ?

Dans un encart, on lit une interview à chaud d'Eva Gérard (dont le nom n'est pas mentionné, elle est présentée comme celle *qui hébergeait Pauline Dubuisson*). Ce qu'elle dit est en contradiction avec le reste de l'article (et avec ce qu'on prétendra plus tard au sujet de Pauline), mais peu importe, ça passe. « C'était une fille épatante. En quatre ans, j'ai eu l'occasion de la connaître, de l'apprécier et d'éprouver pour elle une réelle sympathie. » Plus loin : « C'était une exaltée. Elle avait déjà tenté de s'empoisonner en 1949, à la suite de leur rupture. Pour elle, Félix était une idée fixe. Elle était sujette à des crises de dépression nerveuse. Elle n'avait jamais oublié. » (Alors qu'on clamera que pendant deux ans, jusqu'à ce qu'elle apprenne qu'une autre allait le lui barboter et se marier avec lui, c'est à peine si elle se souvenait de son prénom.) Enfin, elle déclare le contraire des mots télégraphiés qu'on lui prête dans l'article (« Je crains pour vous ! ») : « Au téléphone, j'ai dit à Félix que j'avais peur qu'elle fasse une bêtise. C'est pour ça qu'il l'aura revue samedi matin. »

Comme toujours, extérieurement, André donne l'impression d'avoir appris la défaite de l'équipe locale de foot. Mais il rentre chez lui et n'en sortira plus de la journée. Il attend deux heures avant de communiquer la nouvelle à sa femme. Hélène s'effondre, c'est le coup de grâce – croit-elle. André ne téléphone pas à Paris, ne cherche pas à se renseigner davantage, il n'a plus que la force de paraître impassible. Il s'enferme dans son bureau, qui est aussi sa chambre.

En milieu d'après-midi, Gilbert, informé du crime de sa sœur par une voisine du 53 quai Vauban, se rend chez ses parents au 6 rue des Fusillés. Il entre dans le bureau de son père, essaie de le pousser à réagir, on ne peut pas rester sans rien faire, il faut trouver un avocat, mais André semble inaccessible, indifférent aux aspects techniques ou administratifs du drame qui les frappe, et se contente de donner à son fils deux feuilles manuscrites sur lesquelles il vient de rassembler quelques informations utiles concernant le fonctionnement de l'entreprise Dubuisson, travaux publics, « ça te servira un jour ou l'autre ». Gilbert sent que son père s'éloigne, mais ne sait pas quoi faire. Après avoir tenté, en vain bien sûr, de consoler sa mère en lambeaux dans sa chambre (Hélène et André ne dorment plus ensemble depuis de nombreuses années), il quitte la maison : il n'y a plus que lui pour essayer de prendre les choses en main. Il faut lui reconnaître ce mérite, il le fera plutôt bien.

Depuis la fin de la guerre et le départ de leurs derniers enfants, les époux Dubuisson vivaient seuls dans un logement trop grand pour eux : deux ans plus tôt, ils ont loué le troisième étage, celui qui donne côté cour sur la terrasse où Pauline adolescente faisait la belle en maillot, à une veuve de soixante-neuf ans, Marie-Louise Vanlerberghe. Ce dimanche soir, à 20 h 50, elle revient de chez sa sœur, avec qui elle a dîné. Devant la porte, elle croise André, son propriétaire, qui sort. Il la salue faiblement et lui dit qu'il va « faire un tour ». Elle lui trouve une voix étranglée, pense d'abord qu'il a des maux de gorge, puis réalise qu'il retient un sanglot. La cuirasse d'André Dubuisson se fendille. Marie-Louise commentera : « Il aimait beaucoup son enfant, ses agissements l'ont bouleversé. »

Il ne marche dehors que quelques minutes, dans les rues de sa petite ville ou le long de la plage, sur la digue de Mer.

À vingt et une heures, comme tous les soirs, il entre dans la chambre de sa femme, couchée en larmes, et lui souhaite bonne nuit – pour une fois, il s'avance jusqu'au lit et l'embrasse sur le front. Puis il rejoint la sienne, se déshabille, se met en pyjama et commence à écrire.

Il rédige d'abord une lettre à l'intention du directeur de l'agence locale de la banque Scalbert, un certain Lestavel, puis une à son cousin avocat, Georges Dubuisson, et une à son demi-frère Émile, qu'il surnomme Milo. On frappe à la porte de sa chambre, il est 22 h 15, il cache ce qu'il vient d'écrire, son fils Gilbert entre. Il a passé le début de soirée à Dunkerque chez leur cousin Georges, pour lui demander des renseignements et des conseils sur la marche à suivre pour aider Pauline. Selon lui, il n'y a qu'une chose à faire : se rendre à Paris dès que possible et choisir un ou deux bons avocats – il lui a donné une liste sur laquelle figurent, entre autres, les noms de l'un de ses amis, maître Jean Robert, pourtant plutôt spécialiste du droit commercial, et d'une grande star parisienne, maître Maurice Garçon (qui a défendu avec succès, parmi beaucoup d'autres, Henri Girard, Georges Arnaud de son nom de plume, l'auteur du *Salaire de la peur* (et accessoirement le grand-père de notre voisin et ami Emmanuel Girard), accusé d'avoir assassiné, à la serpe, son père, sa tante et leur femme de ménage, dans leur château d'Escoire, en Dordogne – c'est une affaire mystérieuse et passionnante ; il sera acquitté après dix minutes de délibération). André se sent aussi disposé à aller chercher un avocat à Paris qu'à partir à la nage vers New York, en pyjama. Il dit à son fils : « Débrouille-toi sans moi, je suis un homme fini. » Alarmé par ces paroles définitives et ce ton las inhabituel, Gilbert insiste longuement pour dormir sur place cette nuit-là, mais André refuse obstinément et, reprenant brièvement un peu de fermeté, lui ordonne de rentrer chez lui. Ce qu'il fait. C'est la dernière fois qu'il voit son père, faible, brisé, en pyjama.

Dès le départ de son fils, André recommence à écrire. Une courte lettre à Gilbert, justement, pour lui demander de prendre la tête de l'entreprise Dubuisson après lui. Quelques lignes au docteur Richard Bailly, sur un bristol à en-tête (où il a rayé le *du Maréchal-Pétain* de l'adresse pour le remplacer à la main par *des Fusillés* – son passé, il l'assume, peut-être avec une touche de provocation jusqu'au bout ; depuis six ans, alors qu'il en avait largement les moyens, il n'a pas pris la peine de se faire imprimer de nouvelles cartes) : *Monsieur, Prenez ceci comme vous le jugerez bon, mais croyez à la part que, dans notre propre affliction, nous prenons à votre malheur, dans la fatalité incompréhensible qui nous frappe. Simplement parce que c'est vrai. A. Dubuisson.* (Gilbert transmettra ces mots au père de Félix (la mère devra se contenter d'excuses et regrets indirects, si son mari fait passer le message), accompagnés de quelques lignes tracées sur une feuille blanche d'une écriture presque enfantine : *Monsieur, Mon père a laissé derrière lui la lettre que je vous fais parvenir ci-joint. Je ne puis que m'associer à ses termes, et vous prier de bien vouloir pardonner à ma famille d'avoir causé cette catastrophe qui nous plonge, vous et nous, dans un irréparable deuil.*) André rédige ensuite une procuration qui confère à sa femme le *pouvoir d'exécuter en mon nom toutes opérations commerciales ou non commerciales, concernant mes affaires, propriétés ou biens quelconques, de signer toutes pièces, de recevoir et de payer toutes sommes y ayant rapport*, et, méthodique jusqu'au bout, ses souhaits pour ses funérailles : *Je tiens expressément à ce que mon enterrement ait lieu le plus matin et le moins cher possible. Civil. Pas de faire-part. Sur la tombe des Malo, inscrire : André Dubuisson – Officier Légion d'Honneur – 1882-1951. Désire que l'enterrement soit suivi exclusivement par la famille de Milo, Hélène si elle le veut bien, et Georges Dubuisson. Fait à Malo-les-Bains, le 18 mars 1951. A. Dubuisson. Pas de faire-part ni de publication d'aucune sorte. Civil, à moins qu'Hélène en décide autrement.* (Gilbert ne fait pas partie des personnes "autorisées" à suivre son cercueil, mais ce n'est peut-être qu'un oubli – c'est presque pire.) Enfin, une dizaine de lignes pour Hélène :

Ma chère petite Hélène,

Je n'en puis plus. Merci de m'avoir aidé à vivre si longtemps. Pardon de te quitter ainsi et pour toute la peine que je te cause, mais vraiment je n'en puis plus.

André

Je te fais verser par la poste 30 000 francs. J'ai demandé à Milo de t'aider à voir clair dans tous les embarras qui vont surgir.

À tout hasard, je joins une procuration sans savoir si elle est valable telle qu'elle est faite.

Je joins aussi mes désirs pour l'enterrement.

Il y a quelques pièces d'or et bijoux, et montre en or, dans mon bureau-chambre à coucher.

(C'était bien parti, et la rigueur protestante reprend le dessus après la signature, dans les derniers instants de sa vie.)

Depuis son lit, Hélène entend encore son mari se déplacer dans sa chambre, descendre au rez-de-chaussée (je me dis qu'il va jeter un dernier coup d'œil, dans le salon sombre, aux tableaux de chevaux et à ses maquettes de bateaux, mais je suis peut-être trop sentimental), remonter au premier, puis elle finit par s'endormir. Pour lui, il est temps de mettre ses principes en pratique. On a prétendu qu'il savait qu'il ne pourrait pas supporter l'horreur du geste commis par sa fille, il ne pourrait plus l'aimer, il préférait mourir. Mais dans le mot pour Richard Bailly, il n'accable pas Pauline, il ne parle même pas d'elle mais de fatalité. Elle n'apparaît nulle part non plus dans l'adieu à Hélène, il écrit deux fois qu'il n'en peut plus. De quoi ? Pas de Pauline, ce n'est pas comme si c'était le quatrième ou cinquième garçon qu'elle tuait. De lui, de ses règles de vie, qui ne mènent toujours qu'à l'échec, au malheur ? Je pense que c'est lui qu'il juge, pas elle. Ce qu'il lui a appris avec Nietzsche quand elle était petite, c'est qu'il faut avoir le courage de se suicider quand on a irrémédiablement échoué. Il prend conscience de ce qu'il a fait de sa fille, de ce qu'il a fait à sa fille. Il se juge et se condamne à mort.

Dans le cabinet de toilette de sa chambre, André Dubuisson, soixante-huit ans, ingénieur des Arts et Manufactures, colonel du génie et officier de la Légion d'honneur, branche un long tuyau souple sur le chauffe-eau (c'est peut-être ce qu'il est allé chercher quand sa femme l'a entendu descendre, et non un dernier regard sur ses chères maquettes, je suis une fillette). Il ouvre le robinet de gaz. Dans l'armoire à pharmacie, il prend une bouteille bleue. Il repasse dans sa chambre, le tuyau à la main, défait le drap de son lit et l'imbibe d'éther, surtout au niveau de la tête. Puis il en boit, de l'éther. (Les pompiers et les médecins qui tenteront de le réanimer en auront la certitude : une très forte odeur émanait de sa bouche.) C'est son dernier message à sa fille : "Quand on fait quelque chose, on le fait bien." Il prend le tuyau de gaz entre ses dents, s'allonge et se recouvre du drap, entièrement.

Sur la table de chevet, le flacon d'éther est vide. Mais rebouché.

Chapitre trente-trois

Pas disposée à vivre sans lui

À 1 h 30, dans la chambre voisine, Hélène est réveillée par un bruit. « Un bruit étrange et inaccoutumé », dira-t-elle. C'est un râle de son mari. Elle se lève intriguée, entre dans la chambre d'André, sent le gaz et l'éther, voit le drap sur le lit, le tuyau glissé dessous, entend des gémissements, de plus en plus faibles. Elle arrache le drap, découvre son mari, le tuyau tombe par terre. Elle ouvre la fenêtre et, « ne connaissant pas le fonctionnement du chauffe-eau », ramasse le tuyau et le fait pendre dehors. Puis elle monte vite au troisième étage et tambourine à la porte de Marie-Louise Vanlerberghe en lui criant d'appeler les secours, son mari va mourir. La veuve dévale deux étages endormie pour téléphoner dans le salon, mais ni les pompiers ni les deux médecins arrivés sur place peu de temps après, malgré plus d'une heure de carbogène et une piqûre de solucamphre, ne pourront sauver André Dubuisson, qui a raté sa vie mais pas sa mort.

Hélène est dépressive depuis de longues années, je ne sais pas jusqu'où on peut descendre dans le malheur, si les chagrins s'ajoutent, continuent de s'accumuler ou finissent par se superposer. Deux de ses enfants et son mari sont morts, sa fille est emprisonnée pour avoir tué un jeune homme. Hélène Hutter, épouse Dubuisson, vivra encore vingt-sept années et n'arrivera au bout de ses souffrances qu'à l'été 1978, à quatre-vingt-dix ans.

À l'Institut médico-légal du quai de la Rapée, le cadavre de Félix Bailly est étiqueté sous le numéro 446. C'est le docteur Charles Paul qui est chargé de l'autopsie, le 20 mars.

Le 23, il fêtera ses soixante-douze ans. Dans son domaine, c'est le meilleur, une étoile du scalpel, on le surnomme « l'homme aux cent mille autopsies » – c'est lui qui a avancé le chiffre, cent mille corps ouverts et disséqués ; et il lui reste encore neuf ans de carrière (il mourra, à son tour, en janvier 1960, trois jours après sa dernière autopsie, celle d'une femme écrasée par une voiture – certains affirmeront qu'il s'agissait de sa cent cinquante-neuf mille trois cent quatre-vingt-dix-huitième, mais il n'aimait pas que l'on soit si précis à ce sujet, il disait : « Cela me rappelle trop ce maître d'hôtel de la Tour d'argent, qui ne manquait pas de me glisser à l'oreille : "Et maintenant, monsieur le professeur, je vais avoir l'honneur de découper devant vous mon huit mille neuf cent dix-septième canard au sang"). Il intervient depuis quarante-cinq ans dans neuf procès criminels sur dix (à tel point qu'un autre de ses surnoms est « Docteur Monopaul » – et un troisième, « L'homme qui parle aux morts », car tout le personnel de la morgue en témoigne, il s'adresse aux corps en les découpant (quelqu'un qui passait un jour devant la salle où il œuvrait l'a entendu s'exclamer : « Bougre de bougre, vas-tu me dire de quoi tu es mort ?! »)), il a autopsié Jean Jaurès et Paul Doumer, Bonnot et plusieurs membres de sa bande, Baptiste Nozière, le père de Violette, et les victimes – ou leurs restes – de Petiot et de Landru (lors du procès de ce dernier, il s'enflamme, si on peut dire : « Trois crânes, six mains, cinq pieds ! Et le plus difficile, mesdames et messieurs, le plus long à brûler, ce sont les intestins ! » (c'est vrai, on n'y pense pas assez souvent)). Il est chauve, avec une tête ronde et rose ornée d'une moustache blanche, il pèse cent vingt kilos et sourit tout le temps. Il ne prend jamais de vacances, on dit de lui qu'il passe « ses matinées à la morgue, ses après-midi au Palais et ses soirées dans les salons », et depuis quelques années, il refuse avec coquetterie de dire son âge. C'est un dandy, il porte des guêtres beiges et des gants beurre frais. Trois accessoires ne le quittent jamais : sa pèlerine, son béret et sa canne à pommeau d'argent. C'est un ami de Georges Simenon, il apparaît sous son vrai nom dans une trentaine de *Maigret*.

Un matin où il venait assister à une exécution, on l'avait laissé entrer dans la prison sans même lui demander ses papiers, car tout le monde le connaissait, mais derrière lui, l'avocat du bientôt guillotiné avait été stoppé par les gardiens. Le docteur Paul s'était retourné : « Laissez-le passer, c'est le fournisseur. » (Ce devait être un avocat du genre de Paul Baudet, le futur défenseur de Pauline.) La liste de ses piques et pirouettes verbales est interminable, juste une encore, qui a été adaptée par la suite en blague de comptoir et dont je ferais bien une sorte de devise : à un magistrat qui, profitant d'un dîner avec lui pour tenter de lui soutirer une consultation gratuite, lui expliquait qu'il ressentait une douleur vive quand il appuyait sur son foie et lui demandait ce qu'il devait faire, il a accepté de donner un aperçu de sa science : « N'appuyez plus. »

Outre son métier (il dit : « J'aime la Justice parce qu'elle est vivante », ça le change), il a deux passions : la gastronomie (c'est un habitué de Lapérouse, quai des Grands-Augustins, où il dîne presque tous les soirs et où un plat a même été créé en son honneur, le poulet Docteur) et les cockers – l'homme est éclectique. Il en élève avec sa femme dans sa propriété de Vieux-Moulin, dans l'Oise, et il est même – je donnerais la moitié d'un bras pour pouvoir mettre ce titre sur ma carte de visite – président du Cocker Club de France.

Mais pour l'instant, il doit ouvrir le corps et la tête de Félix. Il prend une photo du jeune homme nu sur la table d'autopsie. La regarder suffit à détester Pauline. Il le mesure : un mètre quatre-vingt-un. Il constate, dans le dos, sous l'omoplate droite, un orifice d'entrée de balle, sans traces de poudre (c'est normal, note-t-il, cette zone ayant été recouverte par la chemise ; il ne peut donc pas préciser la distance de tir – l'expert en balistique qui examinera la chemise (de marque Rexy – *Messieurs, l'œil d'une femme voit tout, la chemise Rexy parfait l'élégance !*) estimera, en fonction des traces de poudre sur le tissu, que le canon du pistolet se trouvait à environ vingt-cinq centimètres). Un autre orifice de sept millimètres de diamètre se situe *dans la région temporo-occipitale droite* (en arrière de l'oreille droite, au niveau de la partie inférieure de celle-ci), les cheveux sont brûlés, des grains de poudre sont incrustés dans le cuir chevelu : *Ce coup de feu a été tiré à bout touchant.* Un troisième sur le haut du front, un peu au-dessus de l'insertion des cheveux, sans tatouage de grains de poudre autour de la plaie : *Ce coup de feu n'a été tiré ni à bout touchant, ni à bout portant* – donc à plus de vingt-cinq centimètres. Le docteur Paul ne trouve trace d'aucune autre lésion sur le corps, hormis *un aspect ecchymotique de la narine gauche.*

Il passe ensuite à l'intérieur du corps, en commençant par ouvrir la cage thoracique. *La cavité pleurale est remplie de sang et dans l'épaisseur du poumon droit, à la partie antérieure, nous retrouvons un projectile d'arme à feu, balle Browning 6.35. Le poumon gauche est exsangue, le cœur est vide de sang.* La balle n'a pas été arrêtée par un os, elle a fini sa course *dans l'épaisseur du lobe antérieur du poumon.* Il ouvre la cavité crânienne, y trouve du sang en abondante quantité et une autre balle Browning dans la région occipitale (à l'arrière du crâne). La troisième balle, *suivant une trajectoire d'arrière en avant, de droite à gauche, et légèrement de bas en haut, a traversé l'hémisphère cérébral droit, fracturé la selle turcique, brisé la lame criblée*, puis est ressortie par la narine gauche. Il estime que les trois blessures sont mortelles.

Tous les viscères sont placés sous scellés.

On peut refermer.

De son côté, l'expert en balistique relève d'une part que le projectile qui a été retrouvé sur le lit est très aplati sur une face, d'autre part que l'une des douilles retrouvées sur les lieux (il ne précise pas laquelle, il ne le sait probablement pas, on a dû les lui transmettre toutes les trois ensemble, et c'est bien dommage) *est légèrement gonflée et présente une fissure*. C'est signe que la balle a éclaté dans le canon de l'arme au moment de l'explosion de la poudre, et qu'elle s'est donc dilatée. *Elle est alors fortement serrée dans la chambre du canon, et son extraction ainsi que son éjection se font mal. La cartouche qui se présente ensuite devant le canon ne peut s'y introduire : l'arme est enrayée.*

Ce mardi 20 mars, Pauline est encore faible mais suffisamment rétablie pour être extraite de la salle Cusco. Avant d'être incarcérée, elle est conduite directement au 36 quai des Orfèvres pour y être longuement interrogée par le commissaire Pinault. Elle ne sait toujours pas que Félix est mort. On ne lui a rien dit non plus pour son père.

Quelqu'un la prend en photo alors qu'elle attend, assise sur une chaise en bois, devant le bureau 315 du chef de la Crim' – je me demande qui, ça ne ressemble pas à une photo officielle de police, elle ne sera publiée qu'une seule fois, neuf ans plus tard, et ne sera pas créditée (l'œuvre d'un flic amateur de souvenirs ? ou un photographe de presse ami de la maison, qui traînait par là, et a préféré rester anonyme). Elle n'est pas menottée, elle a les bras croisés sur le ventre, comme si elle avait un peu froid, la tête inclinée sur le côté, les yeux fermés, on dirait qu'elle dort – ou qu'elle est morte. C'est une photo en noir et blanc mais on devine que ses paupières sont légèrement violacées, et ses lèvres gercées. Elle porte, en le serrant contre elle, le grand manteau gris à chevrons du garçon qu'elle a tué.

Lors de cet interrogatoire, Pauline répète sensiblement les mêmes choses que lors du premier, à la salle Cusco, en précisant plusieurs points en fonction des questions du commissaire (elle revient brièvement sur sa jeunesse à Malo et ce qu'elle a fait sous l'Occupation (elle parle de Domnick), sur sa vie d'étudiante à Lille, plus longuement sur les circonstances de sa rencontre avec Félix et de leur rupture, elle nie fermement avoir jamais menacé son ex-amant ou sa fiancée Monique, explique pourquoi elle a détruit les lettres et photos de Félix (« Les regarder m'aurait fait de la peine »), la présence du cyanure de potassium dans son armoire à pharmacie à Lille et la provenance des différents vêtements et objets qu'on a retrouvés rue de la Croix-Nivert ou avenue Ledru-Rollin (« Je précise que ces deux morceaux d'ouate m'ont servi à me démaquiller », « Les chaussures de dame à talons, noires, qui m'ont été restituées tout à l'heure à la salle Cusco, m'appartiennent bien, je ne me souviens pas à quel moment j'ai pu les perdre dans le logement de Félix, mais je dois dire qu'elle ne me serrent pas beaucoup le pied et que de ce fait je les perds aisément »), et elle raconte en détail tout ce qu'elle a fait entre son arrivée à Paris, le jeudi précédent, et le moment où elle a tiré sur Félix le samedi matin). Sur les dix pages dactylographiées qu'en a tirées Lucien Pinault, deux passages sont très importants et seront utilisés contre elle au procès, façon puissants coups de matraque – on se servira du premier en martelant qu'elle a menti, et du second en martelant qu'elle a dit la vérité.

D'abord, elle confirme qu'elle voulait se suicider devant lui (« Je lui ai dit que je n'étais pas disposée à vivre sans lui »), qu'elle n'a jamais eu l'intention de le tuer, qu'elle ne se souvient que du premier coup de feu, mais que ce dont elle est sûre, c'est qu'elle était assise sur le fauteuil au moment où elle a sorti son arme de sa poche, et qu'elle l'a dirigée vers sa poitrine – elle ne s'est levée qu'en voyant Félix bondir sur elle. (Elle reconnaît : « Je ne me souviens pas si j'ai eu le temps d'appliquer le pistolet contre moi, je me souviens simplement que Félix s'est élancé alors vers moi. »)

L'autre passage qui sera brandi hors de ces dix pages, c'est celui qui concerne la soirée du mercredi 7 mars. Pauline, plus lucide que trois jours plus tôt, a supprimé de sa version le fait qu'il l'a « embrassée comme dans le temps ». C'est effacé. Elle a sûrement conscience du foutoir que cela pourrait provoquer, après l'avoir déjà envoyé à l'hôpital. Donc : il lui a bien dit qu'il avait « beaucoup d'affection » pour elle, mais que c'est avec sa fiancée (dont il n'a pas précisé le prénom) qu'il se marierait à la fin de ses études. Quand elle a évoqué les amis lillois qui lui ont appris qu'il pensait encore à elle, Félix « n'a pas répondu ». Enfin, elle déclare mot pour mot : « Nous n'avons pas eu de relations. » Juste après ce récit de leur soirée, “sur interpellation” (c'est-à-dire suite à une question du commissaire, qui semble avoir besoin de quelques infos sur son côté chaudasse), elle dresse la liste de ses autres aventures amoureuses. Là encore, elle couvre ceux qui pourraient ne pas apprécier, pour diverses raisons, de se retrouver à poil dans un procès-verbal. À part Félix du temps de leur liaison à Lille, elle n'avoue qu'un seul autre amant : le colonel Domnick (qu'on ne risque pas d'aller chercher au fond de l'Allemagne, et qui ne serait d'ailleurs probablement pas très furieux de se voir citer comme partenaire de la schöne demoiselle – à propos de lui, elle indique qu'il était divorcé, qu'il lui avait demandé de l'épouser, et qu'il était âgé de quarante à quarante-cinq ans). Elle reconnaît un « flirt » avec le docteur André Blandin, qui était marié, mais : « Nous n'avons jamais eu de relations sexuelles. » Au sujet de René Grichon, le dentiste : « Je sais qu'il s'est flatté d'avoir été mon amant, mais j'affirme que jamais je n'ai couché avec lui. » (Là, c'est certainement la vérité, ou peu s'en faut, mais il aurait bien aimé, lui, qu'elle dise le contraire – dès le surlendemain du meurtre, il fait le tour des journaux, *La Voix du Nord* d'abord puis les quotidiens nationaux, et, selon Armand Gatti, qui travaille au *Parisien libéré* et le décrit comme *un être repoussant*, il *propose dans les rédactions l'étalage de son intimité supposée avec l'étudiante en médecine.*) Enfin, Pauline évoque devant le commissaire sa relation avec le jeune ingénieur rencontré en Autriche, Bernard Legens, admet qu'ils se sont vus quelques fois en octobre dernier à Paris et en novembre à Lille, mais soutient encore : « Je n'ai jamais été sa maîtresse. » (De retour le 25 mars de Val-d'Isère, où il a passé dix jours de sports d'hiver, Bernard trouvera une convocation dans sa boîte aux lettres de la villa Amalia. Il se rendra au Quai des Orfèvres le 27, et ce n'est que lorsqu'il s'assiéra en face de Lucien Pinault que celui-ci lui apprendra ce dont est accusée son ancienne amie. On ne peut évidemment déceler aucune stupeur ni tristesse dans les mots remaniés et posément tapés à la machine par le commissaire, mais il en ressort que Bernard, exception dans le dossier, n'a rien de mauvais à dire sur elle, il ne l'accable d'aucune façon. Et ne cache pas qu'elle a été sa maîtresse.) Ce n'est peut-être pas dans le noble but de protéger la réputation de ses amants que Pauline nie avoir eu des rapports sexuels avec eux, il est possible aussi que ce soit simplement pour ne pas être estampillée « Paulette-couche-toi-là » (bien essayé...), pour soigner son image en voie de délabrement, mais l'un ou l'autre, elle ment.

Dans les mois qui suivront, l'accusation s'emparera donc des deux points principaux de cette première véritable déposition et s'en servira méthodiquement (à sa manière) contre elle.

Pour ce qui est de sa volonté de se suicider, manifestée par le geste qu'elle prétend avoir eu de tourner l'arme vers sa poitrine alors qu'elle était encore assise, c'est bien entendu une pure invention de sa part : après avoir échangé quelques mots avec Félix (il est plus probable qu'elle ait tiré à peine entrée, à la Lucky Luciano, mais enfin accordons-lui ça, quelques phrases préliminaires), elle a braqué le pistolet sur lui et l'a abattu comme un chien. Trois balles, froidement tirées, bien placées, toutes mortelles.

En revanche, quand elle déclare qu'ils n'ont pas couché ensemble le mercredi 7 mars, il faut la croire. Elle changera de version lors de l'interrogatoire suivant, le 26 juin, face au juge d'instruction Louis Grenier (affirmant avec force qu'elle n'est repartie de chez Félix qu'au matin, et reconnaissant puisqu'on y est avoir aussi baisé, l'animale, avec Legens et Blandin – toujours pas avec Grichon le repoussant, il y a des limites), mais on sait bien pourquoi : Félix n'est plus là pour la contredire, youpi. Trois mois plus tôt, pensant alors qu'il avait survécu, elle était coincée, elle ne pouvait pas mentir.

Belle démonstration des forces punitives. Juste un truc : au début, puisqu'elle pense que Félix est toujours vivant, et se sait donc selon eux condamnée à la vérité, ne se dit-elle pas qu'il risque de ne pas être tout à fait d'accord avec sa version selon laquelle elle n'a pas fait feu directement sur lui mais a d'abord pointé l'arme sur elle ? L'étourdie. Remis de ses blessures, qu'aurait-il contesté en premier lieu et avec le plus de véhémence ?

Qu'ils aient fauté une semaine plus tôt, ou qu'elle ne voulait pas se suicider comme elle le dit mais, en vrai, l'abattre comme un chien ? ("Je jure devant Dieu que je n'ai pas trompé Monique ! Sur la Bible ! J'ai seulement fait chauffer une choucroute ! Et sinon, au fait, j'aimerais si possible qu'on note quelque part que Pauline Dubuisson m'a abattu comme un chien.")

On ne devient pas machiavélique d'une minute à l'autre en plein interrogatoire. Si l'on croit que Pauline n'a pas couché avec Félix, il faut croire aussi, c'est un package, on ne peut pas dissocier, qu'elle projetait de se suicider et non de le tuer. Mais les vengeurs se foutent de la logique.

Le 20 mars, avant d'être extraite du quai des Orfèvres, Pauline demande la restitution de son manteau gris foncé, récupéré dans l'appartement, et laisse celui de Félix au commissaire Pinault, pour qu'il le lui rende.

Chapitre trente-quatre

Brisée

Pauline est conduite à la prison de la Petite-Roquette, dans le XIe arrondissement – elle s'élève, en forme d'étoile cernée de murs épais et de six tourelles, à l'emplacement de ce qui deviendra le square de la Roquette en 1974 (il n'en reste aujourd'hui que deux guérites à l'entrée du jardin et, à l'angle avec la rue de la Croix-Faubin, près du trottoir, les dalles rectangulaires qu'on enlevait pour installer la guillotine – à partir de juin 1939 et l'interdiction des exécutions publiques, c'est à la Petite-Roquette qu'on tranchait la tête des femmes : une mère infanticide et une avorteuse (condamnée par un tribunal d'exception mis en place par Pétain, qui estimait sans manquer d'air que l'avortement était « une attaque contre le peuple français ») y sont passées en 1942 et 1943). Prévue pour cinq cents détenus, elle a d'abord été réservée aux mineurs (Jean Genet y a été incarcéré trois mois à quinze ans), avant de devenir une maison d'arrêt pour femmes en 1935. Sous l'Occupation, les Allemands y ont fait enfermer quatre mille résistantes. Quand Pauline y est amenée, ce 20 mars 1951 au soir – *sans ressort, brisée, portée presque par deux inspecteurs*, selon *La Voix du Nord* –, ce sont des sœurs de la congrégation Marie-Joseph qui s'occupent des détenues. Elle est placée dans une cellule-dortoir avec cinq autres femmes, dont une certaine Colette, qui a tué ses deux enfants.

Voilà, la petite femelle est en cage. Dehors, on va pouvoir s'en donner à cœur joie, elle va comprendre sa douleur, c'est parti mon kiki. C'est maintenant que vieux messieurs et dames aigries vont passer à l'action. Policiers et journalistes se donnent la main – dès le surlendemain de son interrogatoire par le commissaire Pinault, on peut en lire tous les détails dans la presse. Je ne connais pas exactement le chemin suivi par l'information, s'il est à découvert ou souterrain, mais dans les journaux, on trouve parfois des extraits précis et fidèles des déclarations de Pauline à la police ; assortis bien sûr de commentaires personnels des spécialistes à distance, par télépathie, de l'âme et du comportement humains : *Calculatrice et méthodique en ses sentiments comme dans tous les actes de sa vie...* (analyse journalistique daté du 22 mars 1951.)

L'inspecteur qui a créé le dossier d'enquête sur l'affaire L27501 a écrit, à la main, sur la chemise qui lui servira d'écrin de carton : *Affaire Bailly – Meurtre (passionnel).* C'est un titre de travail. La passion disparaîtra vite de la vie de Pauline, dans le crépitement des machines à écrire. Dès le premier rapport de Jean Barrière, on lit que seules deux hypothèses sont envisageables, *le drame passionnel ou le drame de dépit*, que *la conduite passée de Pauline Dubuisson lui interdit la prétention d'avoir tué Félix Bailly par amour*, et que donc : *Il ne semble pas douteux que le dépit soit le mobile principal de ce meurtre.* Hop. (Un meurtre motivé par le dépit, il faut quand même être bien énervé et susceptible. Elle savait que si elle ne mourait pas (on soutiendra de toute façon qu'elle n'a pas réellement essayé de se tuer), elle passerait une bonne partie de sa vie en prison, puisqu'elle n'a jamais eu l'intention de fuir, mais tant pis, on n'est pas là pour faire du sentiment, elle le crible de balles quand même parce qu'elle est dépitée ?)

Un juge d'instruction est nommé, Louis Grenier. Les Bailly prennent pour avocat un ami de longue date, bon petit soldat de la Justice, maître Legrand-Guyot. Plus tard, pour être vraiment certains que la meurtrière de leur fils ne puisse pas s'en tirer (on ne peut pas leur en vouloir), ils engageront la terreur des prétoires, le Jesse James de la plaidoirie, le foudroyant pourfendeur de partie adverse : maître René Floriot. Mais Pauline ne sera pas mal épaulée non plus. Aux côtés du sympathique maître Jean Robert, un proche des Dubuisson, son frère Gilbert a réussi, comme on le lui a conseillé, à convaincre maître Maurice Garçon, autre pointure redoutable, de prendre sa défense en main.

Le 22 mars (Pauline ne le sait pas, mais c'est le jour de l'anniversaire de Monique Mercier, la fiancée du mort : elle a vingt-deux ans), maître Robert vient rendre une première visite à sa cliente à la Petite-Roquette. Elle a retrouvé des forces. Il lui apprend la mort de Félix et le suicide de son père. C'est beaucoup. Elle prend un mur de pleine face – deux. Elle ne pleure pas, ne crie pas. Elle reste prostrée, fracassée.

Une heure plus tard, trois experts psychiatres, les professeurs Abely, Boutet et Cenac (la team ABC, ça sent le sérieux, le pragmatique) arrivent pour l'examiner. Le moment n'est pas remarquablement bien choisi, mais ils ne pouvaient pas deviner. Constatant la torpeur dans laquelle elle se trouve, ils ne procéderont qu'à un bref examen, purement somatique, pour ne pas la blesser davantage – ils écrivent tout de même : *étant donné l'état d'émotion où elle est censée se trouver*, et entament leur rapport, comme si de rien n'était, par : *Elle se présente à nous calme, distante, avec une certaine réserve* (fidèle à ses habitudes hautaines, en gros). Ce jour-là, ils notent simplement que son pouls est normal (soixante-quatre pulsations à la minute), que la tension artérielle est basse (10,5/8), et remarquent *quelques signes discrets d'hypothyroïdisme*, ce qui peut générer de la fatigue, des crampes, une intolérance au froid, une tendance à la dépression, des pertes de mémoire… Ils concluent ce premier examen rapide en soulignant : *Elle ne manifeste en apparence aucune émotion.*

À l'extérieur, pendant ce temps, on a commencé le boulot, convoqué tous les témoins possibles, on fera le tri ensuite. Dans le dossier, sans vouloir brandir les sempiternelles banderoles du complot, tous les témoignages en sa faveur sont très courts, quelques lignes à peine, et aucun (vraiment aucun) ne sera repris dans le rapport de Barrière, ni par conséquent dans la presse, dans le réquisitoire définitif et encore moins dans l'acte d'accusation – nulle part, pour résumer. (Une étudiante, Eliane Leviez, affirme qu'elle avait des relations normales avec tout le monde, qu'elle ne demandait qu'à rendre service ; une autre, Lucie Escande, qu'elle se comportait toujours de façon très correcte et qu'elle était « une excellente camarade » un certain Pierre Wallerand, qu'elle était « aimée de tous » Geneviève Dewulf déclare qu'elle n'a « pas constaté chez elle la moindre tendance à la mythomanie ou à la comédie » Yvonne Failhoux, qu'elle n'a jamais remarqué le moindre signe de « mauvaise conduite » et qu'elle était d'une « nature passionnée » : « Si je tiens à vous préciser ce dernier point, c'est que j'ai lu dans la presse qu'il s'agissait d'un acte de dépit ou d'intérêt. Pour moi, cette version ne cadre pas avec son véritable tempérament. » Pas une seule de ces personnes ne sera citée dans le rapport, ni où que ce soit ailleurs – elles seront convoquées au procès par la défense, mais leurs propos à la barre, parasites, ne seront pas relayés par la presse.) Tous ceux, par contre, qui lui tapent dessus, en particulier s'ils lui sont proches, seront longuement entendus, et leurs déclarations reproduites à tour de bras vengeur. Pour n'en citer que deux : Solange, sa belle-sœur, explique que « Pauline était une fille qui avait besoin de beaucoup d'argent, elle a dû se rendre compte que la situation de son père n'était pas florissante et a pu penser redorer son blason en se mariant avec Félix » car « sans dot, il lui était difficile d'espérer faire un bon parti » (pour rappel, André Dubuisson était riche) ; et Gilbert, son propre frère (qui la connaît mieux que lui ?), révèle que « le trait dominant du caractère de ma sœur était son égoïsme » (c'est ce qui la définit le mieux, objectivement, selon le gentil frérot – soit dit en passant, il parle de Pauline au passé), qu'elle était « très préoccupée par son installation après son doctorat, elle aurait voulu se marier avec un médecin », et loin de lui l'idée de vouloir lui causer du tort mais la conclusion s'impose : « Je pense qu'elle a agi par dépit. »

(Dans *Le Séducteur*, que je referme peu après Pauline, bien avant la moitié, j'ai trouvé quelques lignes sur la tombée de la nuit, ce moment de la journée où je me sens comme un bébé : *L'heure du crépuscule est, dans ce pays clair, particulièrement triste ; on l'appelle l'heure des morts. Une détresse, brève mais impérieuse, s'empare de toute la nature ; un vol vaste et noir semble un instant assombrir toutes choses et fait pénétrer son deuil jusqu'au fond des pauvres pensées humaines.*)

À la Petite-Roquette, Pauline est placée plus particulièrement sous la surveillance de sœur Saint-Gérard (chaque religieuse a son lot de prisonnières à chaperonner), qui l'a à la bonne dès les premiers jours et n'en dira toujours que du bien : elle est intelligente, aimable, calme, appliquée dans tout ce qu'elle fait et chaleureuse avec ses codétenues. Rapidement, elle l'affecte à la comptabilité générale de la prison.

Pauline a du mérite de se montrer de si bonne volonté, car les conditions d'incarcération sont dures (dit-on quand on voit tout en rose) : la prison n'a pas été rénovée du tout depuis 1830, ça suinte, il y règne une puanteur épouvantable et les cellules sont glacées – heureusement que l'hiver vient de se terminer, il n'y a qu'un poêle à charbon par couloir. Les femmes sont réveillées le matin à 6 h 30, elles passent directement à la toilette, en commun dans de grands baquets d'eau froide, puis elles se mettent en ligne devant leur dortoir délabré et la "sœur tisane" verse dans les bols un ersatz de café, du jus d'orge. Elles partent ensuite travailler dans les ateliers (de couture, principalement), puis se regroupent à onze heures au réfectoire, où on leur donne de la soupe et une petite boule de pain qui devra leur faire la journée. Elles retournent bosser jusqu'à dix-sept heures, puis dînent, encore de la soupe, et s'allongent sur leurs grabats humides.

Pauline est devenue très amie avec Colette, l'une des femmes qui partagent sa cellule. Colette Bigot. Elle a sept ans de plus qu'elle, elle est incarcérée depuis trois mois ici pour avoir tué son fils de trois ans et demi, en janvier. Huit ans plus tôt, elle avait asphyxié sa fille d'un mois.

Elle est née en juin 1920 dans la Meuse, à Commercy, terre de madeleines. Son père se carapate à sa naissance, laissant sa mère se débrouiller seule avec trois enfants. Colette a des armes pour s'en sortir, c'est une fillette vive et douée, elle finit première du canton au certificat d'études, à dix ans et demi. On ne lui laisse pas trop le temps de profiter de ses bonnes cartes : à onze ans, on la fourre en usine. À quinze ans, elle est devenue une jolie fille, à la taille fine et aux grands yeux noirs. Sa mère a rencontré un homme, il s'est installé à la maison et tente plusieurs fois de choper Colette dans un coin. Elle se laisse tripoter, bien obligée, mais quand il essaie de la violer, elle se débat farouchement : il la fout à la porte. Sa mère ne proteste pas, les hommes disponibles pour elle ne courent pas les rues. À seize ans, Colette est à Paris où, après quelques jours d'errance et de misère, elle a réussi à trouver du travail dans une fabrique de chaussures – qui lui fournit un petit logement, pas gratuitement mais c'est bien quand même. Dès la première semaine, le contremaître l'informe qu'elle a le choix (c'est un homme bon, il ne la force pas) : soit elle se laisse tringler dans la réserve, soit il la rejette dans le caniveau. Va pour la réserve : la faim, la crasse et le froid ne la tentent pas. Deux mois plus tard, elle est enceinte. Elle n'en parle pas tout de suite à son bienfaiteur, elle a peur de l'ennuyer et de le mettre en colère, mais au bout d'un moment, elle ne peut pas faire autrement. Il n'apprécie pas. Le brave homme étant marié, il exige qu'elle avorte, il faut le comprendre, et l'emmène chez une de ses connaissances, qui règle le problème comme on vide un lapin. Colette reste deux semaines sans pouvoir se lever. Lorsqu'elle est à peu près rétablie et demande à revenir travailler, le contremaître lui explique gentiment qu'elle peut toujours courir : déjà, une ouvrière qui tombe enceinte à la moindre occasion, non merci, et en plus, qui sait si elle ne va pas se mettre à raconter ses petits malheurs à tout le monde ? Il a une femme, lui, eh.

Elle retourne à la rue, crève la dalle et enchaîne les boulots éphémères de serveuse ou d'ouvreuse de cinéma : elle couche souvent avec un petit chef ou un collègue légèrement au-dessus d'elle, pour garder sa place et trouver où dormir, mais quand elle ne veut plus, on la vire, va mendier ailleurs, pouilleuse. Belle mais pouilleuse. Enfin, au début de l'hiver 1940, à l'usine Renault de Billancourt, qui fournit des ribambelles de camions aux Allemands, elle rencontre un ouvrier qui veut l'épouser. Il s'appelle Marquez, il est petit, moche, tordu, bègue et d'humeur toujours sombre, mais elle a vingt ans et se sent déjà à bout de forces, grelottante et maigre. Elle accepte. Très vite, bien sûr, il se met à lui taper dessus en rentrant bourré, et l'empêche de sortir. Elle encaisse, c'est ça ou les ponts, ou le trottoir. Au début de l'année 1943, elle est de nouveau enceinte. Marquez, qui sent que cette petite bouche de plus va venir lui pomper sa soupe, lui suggère patiemment l'avortement, torgnole après torgnole. Mais elle a déjà donné, c'est hors de question pour elle, qu'il tape si ça le défoule, il ne peut pas la forcer. La petite Manuella naît fin septembre. Si le nabot a fini par laisser faire, c'est qu'il avait un plan : il va mettre la gamine à l'Assistance publique, et cette fois, Colette ne peut pas s'y opposer, c'est la loi, c'est quand même l'homme le patron chez lui. Coincée, imaginant son bébé loin d'elle et ne voyant pas trop l'intérêt de rester sans elle, seule avec un sale type, elle ouvre le gaz et s'allonge sur son lit avec la petite, le 30 octobre 1943. Quand Marquez rentre le soir, un peu plus tôt que prévu, Manuella est morte, sa mère plus résistante peut encore être sauvée. La police ne creuse pas, c'est une simple fuite de gaz, un accident comme il en arrive souvent – Colette, hospitalisée anéantie, ne dit rien, elle les laisse classer l'affaire. Mais son mari n'est pas dupe, il en a assez de cette chieuse sentimentale, il obtient le divorce – sans avoir à verser de pension : est-ce qu'une mère assez négligente pour oublier de fermer le gaz et laisser mourir sa fille (qu'il adorait, lui) peut encore être considérée comme une mère, et donc comme une épouse valable ? Qu'elle ne vienne pas se plaindre, pauvre homme.

Colette repart à la débine, comme disait Félix. Belle mais misérable. Les petits emplois, les lits et les amants de passage se suivent entre les gouttes et les uniformes vert-de-gris, jusqu'à ce qu'elle rencontre l'homme de sa vie. À la fin de la guerre, en 1945, elle est serveuse le midi dans un petit restaurant, un client régulier tombe amoureux d'elle. Vraiment, pour une fois. Il s'appelle

André Vivien, il a trente-deux ans (elle vingt-cinq), il est marié mais peu heureux, et sa femme ne peut pas avoir d'enfant. Ils se voient dans la chambre de bonne de Colette. L'année suivante, quand elle lui annonce qu'elle est enceinte, il est fou de joie – ça doit lui faire bizarre, à Colette ; sa vie prend enfin un sens, comme celle d'André d'ailleurs, rien ne peut plus lui apporter de malheur, si ce n'est cette épouse qui se trouve là par malchance. Peu de temps après la naissance du petit Jean-Louis, Colette lui écrit : *Je lui ai donné un fils, laissez-moi André, je vous en supplie.* Mme Vivien est contente pour son mari, elle sait bien qu'elle ne pouvait pas réaliser son rêve, mais faut pas la pousser dans les orties, elle ne va quand même pas le lâcher comme ça. Sport, elle passe un marché avec Colette : elle peut garder le marmot (André est triste mais n'ose pas protester), le couple lui trouve un studio plus confortable que sa chambre de bonne et paie le loyer, on lui donne un peu d'argent en plus, mais qu'elle ne touche plus à André. Colette souffre de la séparation avec le seul homme qu'elle ait aimé, mais dans un premier temps, s'estime heureuse qu'on ne lui enlève pas le petit, qu'on lui permette même de l'élever dans des conditions correctes. Pour être sûre qu'il ne soit pas tenté, Mme Vivien exige de son mari, en échange de son pardon, qu'ils partent vivre en province, à Tarare, près de Lyon. De là, ils envoient des cadeaux à Jean-Louis pour son anniversaire et Noël.

Mais Colette ne tient pas longtemps. Elle a besoin d'amour et de soutien. Ses lettres au couple deviennent de plus en plus sombres et nerveuses, elle se sent seule et ne veut pas d'un autre homme dans sa vie, elle n'arrive plus à s'occuper convenablement de l'enfant, c'est à la fois trop difficile et trop triste. Mme Vivien, une idée en tête, accepte que son mari aille passer huit jours avec elle à Paris, puisque cette fille n'arrive pas à se débrouiller toute seule. Huit jours délicieux, au terme desquels André revient à Tarare avec Jean-Louis, que Colette a fini par accepter de confier au couple « pour son bien, pour qu'il soit élevé comme un véritable enfant et non comme un bâtard ».

À partir de là, ils coupent les ponts et ne donnent plus de nouvelles. Tout étant réglé, Mme Vivien consent à revenir vivre dans leur appartement parisien : elle a l'enfant qui lui manquait, ils ont une famille, André ne risque plus d'aller chercher autre chose ailleurs. Mais Colette se sent trahie, humiliée et surtout écartée, dépossédée de son fils : « J'étais l'intruse, ils voulaient de mon fils et personne ne voulait de moi. » Elle commence à rôder boulevard Edgar-Quinet, où ils habitent. Un dimanche matin, elle voit le couple sortir de chez lui, le petit entre eux, chacun lui tenant une main. Elle les regarde s'éloigner, elle a l'impression de se vider, de tomber. Elle revient quelques jours plus tard, le 22 septembre, avec un couteau qu'elle a pris dans le restaurant où elle travaille. Elle veut menacer Mme Vivien et reprendre le petit. Celle-ci sort seule. Colette lui barre le chemin, lui dit qu'elle sait que c'est elle qui empêche André de la revoir et lui interdit de lui donner des nouvelles de Jean-Louis, elle veut le reprendre, ils n'ont pas le droit. Mme Vivien la repousse brutalement, Colette lui donne trois coups de couteau maladroits, ne la blessant que légèrement. Elle est arrêtée aussitôt et condamnée à trois mois de prison, à la Petite-Roquette déjà.

Dès qu'elle est libérée, elle retourne boulevard Edgar-Quinet. Le 2 janvier 1951, elle voit sortir de l'immeuble la nounou de Jean-Louis, seule avec lui. Elle la bouscule, parvient à lui prendre le petit garçon et s'enfuit. Elle va directement chez elle, oblige son fils à croquer des tablettes de Méta, de l'alcool solidifié qui sert de combustible. Craignant que ce ne soit pas assez toxique pour elle, elle avale en plus deux tubes de Gardénal.

Comme avec Manuella, elle s'allonge avec lui sur son lit. Comme avec Manuella, elle sera sauvée à temps, pas lui. Et cette fois, condamnée aux travaux forcés à perpétuité. Elle n'échappera à la peine de mort que parce que l'avocat général, maître Raphaël, lui a trouvé quelques circonstances atténuantes.

Pauline et Colette passent tout leur temps "libre" ensemble, à discuter, de leurs vies ou des livres qu'elles s'échangent – à la bibliothèque de la prison, Pauline a trouvé quelques ouvrages de médecine, qu'elle essaie d'expliquer à son amie, elles lisent aussi des manuels de psychologie et d'anglais. Elles s'aident.

(L'année dernière, j'ai cherché Colette Bigot sur Internet, sans trop d'espoir – elle est née vingt ans avant la Deuxième Guerre mondiale, et même si je me sens proche de Pauline, l'époque où elle vivait me paraît engloutie dans le temps, close comme un grand coffre au fond de l'océan : sur Google, j'avais l'impression de chercher Denis Diderot sur pagesjaunes.fr, on ne sait jamais, ça me ferait plaisir de boire un verre avec lui. Je ne l'ai pas trouvée. Et puis ce matin, 30 octobre 2014, avant de commencer à écrire, je ne sais pas pourquoi, j'ai réessayé. En changeant les termes de recherche. Je l'ai trouvée. Juste un peu trop tard : elle est morte le 18 octobre 2014, à Salbris, une petite ville à cinquante kilomètres au sud d'Orléans. À quatre-vingt-quatorze ans. L'avis de décès est rédigé au nom de Mme Colette Vivien, née Bigot. J'ai cherché autre chose. André Vivien est mort à quatre-vingt-dix-sept ans, le 30 janvier 2011, à Salbris lui aussi.)

Grâce à elle, Pauline retrouve un semblant d'équilibre. Elle écrit une lettre à sa mère, Hélène : *Ma petite maman, je reprends contact avec la réalité.* Elle parle de son père et de Félix, mais avec pudeur, sans grands élans de douleur. (On prendra cette retenue pour de la froideur, voire de l'indifférence. (Qui peut avancer sans honte qu'elle se fout de la mort de son père ? Certains policiers, certains journalistes. Qui ne notent *aucun remords* (elle ne doit d'ailleurs pas en avoir, au sujet de son père : de la tristesse, oui, mais elle sait sans doute que ce n'est pas à cause d'elle qu'il s'est tué, mais parce que lui estimait avoir échoué) et constatent que *le ton de cette lettre contraste singulièrement avec l'idée qu'on peut se faire d'une jeune fille qui a tué son amant et qui est la cause du suicide de son père.*) Anna, la grand-mère protestante de ma femme, qui est morte la semaine dernière (Anne-Catherine est partie ce matin à son enterrement, en Alsace), a perdu une fille de quinze ans, Geneviève. Elle voulait bien parler d'elle, mais ne revenait jamais sur l'accident qui l'a tuée, un jour où elle avait accepté qu'on l'emmène en voiture au bal du village voisin, ni sur son chagrin : « Il faut laisser les morts tranquilles. ») À sa mère, qui est désormais (avec Colette) la seule personne qui l'aime, la seule à qui elle puisse se confier sans crainte, qui ne la juge pas, elle affirme : *La mort de Félix était un accident, je ne voulais faire du mal qu'à moi-même.* Puis elle décrit son existence enfermée, difficile à supporter, le froid et la faim, elle lui demande si elle peut lui envoyer un colis avec quelques choses à manger pour changer de la soupe, un filtre à café, et un peu d'argent pour cantiner. *Le régime de la prison ne peut pas permettre de résister, surtout si on doit y rester pour un temps assez long.* Elle lui fait part d'autres soucis "ménagers", ce genre de détails du quotidien qui permettent d'entretenir une correspondance avec quelqu'un de perdu, de laminé, sans le blesser davantage. *Il n'a pas cessé de pleuvoir depuis douze heures, et je ne peux pas laver mon linge. Toutes ces questions matérielles, qui ont leur importance, sont vraiment bien empoisonnantes.* On lui reprochera ces mots ordinaires, bien entendu, encore ces *questions matérielles* qui sont sa seule préoccupation. Dans le résumé de l'affaire que les psychiatres reproduiront avant de donner les conclusions de leur examen, on lit : *Depuis le drame, ses lettres à sa mère ne manifestent ni regrets ni repentir des deux morts qu'elle a causées, mais seulement le souci de sa petite existence, à laquelle elle paraît beaucoup tenir.* Elle ose essayer de survivre. *Sa petite existence, à laquelle elle paraît beaucoup tenir.* Dans un rapport de psychiatres.

Pendant que Pauline essaie d'agrémenter sa soupe et de laver son linge, témoins, flics, magistrats et journalistes, avec un bel ensemble et une organisation impeccable (inspirée du téléphone arabe), recréent toute sa vie, de sa naissance au crime. Le principe est simple : les témoins, accablés par la mort de Félix, accentuent volontairement ou non tout ce qui pouvait laisser présager un tel drame ; la police, c'est-à-dire l'inspecteur-chef Barrière, trie ce qui l'intéresse, les dépositions à charge, et les accentue légèrement ; les magistrats chargés d'établir le réquisitoire définitif et l'acte d'accusation interprètent le rapport de Barrière, en le modifiant sensiblement et, si besoin est, en le renforçant (ce qui n'est pas peu dire) ; enfin, la presse scénarise et dramatise tout ça : ayant moins de règles et de devoirs, elle se charge de présenter comme avéré tout ce que les officiels du système ne peuvent raisonnablement pas se permettre d'inventer. (Armand Gatti (l'une des seules voix en kiosque à ne pas crier à la satanique, avec Jean-Marc Théolleyre, du *Monde*, et, mais sur le tard, Pierre Scize, du *Figaro*) analyse le mécanisme dans la revue *Esprit* : *La plupart du temps, les avant-papiers* (tout ce qui est publié avant un procès, pour mettre le public en condition) *ne sont qu'une décalcomanie plus ou moins forcenée de l'acte d'accusation.* (À propos de cet acte d'accusation, Pierre Scize constate : *Tout aussi secret que le dossier, il est tout aussi prodigué.*) Gatti poursuit : *À lui seul, l'acte d'accusation, avec sa partialité et sa psychologie fondamentalement policière, est une fraude. Il peut devenir, selon le chroniqueur qui le manipule dans un journal, un véritable appel au meurtre.* De la rue (la vraie vie, les témoins) à la rue (l'opinion publique façonnée par la presse) en passant par le filtre de l'enquête et de la procédure, une fille comme une autre se transforme en créature de l'Enfer. Comme l'écrit Armand Gatti : *Pauline Dubuisson prenait désormais place parmi les « monstres », les « êtres indéracinablement pervers », les « femmes froides aux mains couvertes de sang » et, pour couronner le tout, les « femelles SS ».* Pierre Scize, lucide, conclura quatre ans plus tard : *Qui donc, avant que le rideau ne se levât sur le dernier acte du drame, avait brossé de la coupable un si hideux portrait ? Je me suis demandé, je me demande encore, si ce ne fut pas nous. Nous : les journalistes.* Il fait son mea culpa, c'est sympa, mais plus tôt aurait été plus utile. Il doit le savoir, car pour compenser, il exagère l'autocritique : les fonctionnaires de police et de justice ont leur part de responsabilité, tout de même. Celle des commanditaires.)

André Dubuisson ayant disparu du cadre, s'étant sacrifié, non sans panache et dignité, en prenant pour lui le châtiment que méritait sa fille et qu'elle n'a pas été capable de s'infliger correctement, il est amnistié à titre posthume. Ce qu'on retient de lui partout, c'est qu'il était officier de la Légion d'honneur, ça suffit à définir son homme, et qu'il aimait beaucoup sa fille (*un peu trop*, souligne-t-on parfois quand on s'autorise un petit reproche). Qu'il ait empêché sa fille d'aller à l'école jusqu'à huit ans, qu'il ait tenté de lui apprendre à dominer les autres et à ne jamais montrer ses émotions, on le mentionne rapidement, sans plus. Qu'il ait tout fait pour travailler avec l'occupant, on ne peut pas l'occulter complètement, mais on trouve des tournures. Dans son rapport, Barrière écrit seulement, et prudemment :

Certains lui ont reproché une trop grande amitié pour les Allemands.

Si Pauline, à peine pubère, est allée se faire sauter par les majors d'officiers influents, ça n'a rien à voir avec lui ni avec le fait qu'il l'y envoyait toute seule, c'est simplement que le diable qu'elle avait au corps commençait déjà à se manifester ; si les puissants de la forteresse venaient si souvent prendre le thé chez les Dubuisson, c'était à cause de la petite Pauline, qui se mettait en maillot devant eux pour les exciter. Sa conduite au collège n'était pas un effet de son éducation à la maison, mais de sa nature. Simone France cite deux extraits d'un court rapport rédigé après le meurtre par un inspecteur-chef lillois, Charlemagne Lasselin, qui la dit *Plus volage qu'assidue aux études* ainsi que *Hautaine, coquette, voire aguichante et provocante, conduite médiocre*, et elle écrit sans gêne que ce sont des *appréciations scolaires* qu'elle aurait trouvées, Simone la détective, sur ses bulletins de collège.

Elle s'est baignée nue dans une fontaine de la ville, elle a été surprise à quatre pattes les fesses en l'air dans un bas-fond de square avec un Boche, un conseil de discipline réuni en urgence l'a virée logiquement du collège, pas de ça chez nous. Ça ne l'a pas calmée. Quand tout le monde a quitté la ville, elle a réussi à convaincre son père et son frère de rester à l'hôpital, car elle voulait se taper le chef. *S'il n'avait s'agi* (sic) *pour elle que de prendre un amant,* remarque Barrière, *elle aurait pu choisir un autre Allemand, d'un niveau intellectuel égal au sien, mais plus jeune. On a là une manifestation du besoin de cette fille de paraître, d'être en vedette.*

Pendant ces mois à l'hôpital de Rosendaël, elle a soulagé sexuellement à peu près tout ce que les chambres comptaient de soldats – cette rumeur ne repose sur rien, mais Barrière entame le processus par *Certains pré-*

tendent même, et de fil en aiguille, on la consolide, c'est turlutte à tous les étages.

À la Libération, elle s'en est sortie comme une fleur, c'est injuste mais c'est comme ça (elle a la chance de faire partie d'une bonne famille, puissante et respectée – elle ne l'a pourtant pas méritée), puis a filé à Lyon pour pouvoir continuer impunément ses saletés. (C'est un bon exemple de la complémentarité de la police et de la presse : Barrière ni personne ne peut prétendre qu'elle ait fait quoi que ce soit d'inconvenant à Lyon, puisque la police a en main les résultats de l'enquête effectuée sur place, mais les journalistes ne sont pas censés disposer de ces informations selon lesquelles elle serait restée repliée sur elle-même pendant un an, et peuvent donc en toute bonne foi – promis – supposer avec Madeleine Jacob qu'elle y mène l'existence d'une fille avide de plaisir. Merci les gars.)

Félix, comme André, n'étant plus là pour se défendre, on le débarrasse magnanimement de tous ses petits défauts, on le lisse, on le vernit, on en fait un être angélique et parfait. C'était certainement ce qu'on appelait "un chic type", mais dans les rapports et les articles, il devient la pureté absolue, l'incarnation impossible de l'idéal humain. Dans l'acte d'accusation rédigé par le procureur général, deux adjectifs suffisent à le qualifier, à en faire le tour : *Félix Bailly était doux et loyal.* C'est mesuré, encore. Ailleurs, on en trouve bien d'autres, dithyrambiques, que j'ai déjà cités. Dans l'introduction du rapport psychiatrique, il est *un garçon parfait qu'elle terrorise et dont elle se moque : elle en avait fait sa chose.* Dans *Le Figaro*, Pierre Scize, pourtant loin d'être le pire, écrit : *Elle a abusé longtemps la candeur de sa victime qui l'adorait, se moquant de lui, le trompant avec qui voulait, repoussant avec mépris les offres de mariage que le malheureux benêt réitéra.* Elle, par effet de vases communicants, est débarrassée de toutes ses qualités. En conséquence, tout ce qui est arrivé de non parfait entre eux est de la faute de Pauline. Ce n'est pas seulement à cause de sa méchanceté naturelle, de sa cupidité et de son égoïsme (ça joue quand même, le procureur général écrit dans l'acte d'accusation que *tous les témoignages concordent pour souligner, avec le propre frère de l'accusée, que la demoiselle Dubuisson était essentiellement égoïste* – ce n'est pas vrai, menteur, sale bonhomme (ordure, si je peux me permettre), de nombreux témoignages disent au contraire qu'elle était attentive aux autres et toujours prête à rendre service, ils ont tous été balayés), mais aussi parce qu'elle avait un *caractère masculin.* (Beurk.) On ne supporte pas qu'elle ne reste pas à sa place de femme : en dessous, passive.

Pendant qu'elle jouait hypocritement l'amoureuse avec Félix, elle a couché sans vergogne avec Blandin et Grichon (*Elle est successivement la maîtresse de deux chefs de travaux pratiques, dont elle se sert pour ses examens*, dans le dossier psychiatrique). Le cas Grichon est symptomatique. Dans le rapport de Barrière, on ne lit à aucun moment qu'elle a formellement, et plusieurs fois, démenti avoir eu des relations sexuelles avec cet homme qui la dégoûte – on ne le lit donc pas ailleurs non plus. (En revanche, on apprend que Félix *a révélé lui-même* qu'elle avait couché avec le dentiste – ce qui est faux, ce qui est un mensonge de Barrière : Félix parlait de Blandin.) Elle était tellement prête à tout pour la réussite et l'argent qu'*elle a d'abord accepté de l'épouser, puis elle se serait reprise, prétextant que le témoin était trop vieux ; celui-ci pense qu'elle ne le trouvait pas assez fortuné.* Le substitut du procureur de la République, M. Barc, qui a souligné en rouge dans le dossier tout ce qui pouvait lui servir à établir efficacement son réquisitoire définitif, extrait seulement de cette phrase : *elle ne le trouvait pas assez fortuné.* C'est donc ce qu'on retiendra, même si ce n'est que l'avis d'un petit porc qui se vante d'avoir été son amant.

Je pensais qu'elle était allée à la fête foraine avec des amis et les avait battus au tir à la carabine, mais pas du tout. Le souvenir que Marcel Dumoulin a de cette journée est lui aussi passé par la machine à déformer savamment : *Selon un camarade, elle s'entraînait au tir dans les stands forains.*

Si Pauline a rejeté plusieurs fois les demandes en mariage de Félix, c'est *« par fierté »*. Jean Barrière lui fait dire ces mots, bien entre guillemets, alors qu'elle ne les a jamais prononcés, mais ça passe tout seul : quelle autre raison aurait une fille de renoncer à la chance de devenir une épouse ?

Quand Félix a enfin compris qui elle était (la voyant *passer d'une chandelle à l'autre*, comme écrit Simone France avec beaucoup d'élégance poétique – Ronsard et Bigard ne font pas le poids) et l'a quittée, elle s'en est foutue royalement, apprend-on par exemple dans la synthèse de l'enquête produite par les psychiatres : *Elle ne manifeste qu'un désappointement très limité.* (Dans la foulée, après une simple virgule : *à cette époque où elle joue la veuve éplorée, elle devient la maîtresse d'un ingénieur français au cours d'un voyage en Autriche.* À la médisance, on peut toujours ajouter la connerie, ça reste assorti : quel abruti peut écrire dans la même phrase qu'elle manifeste juste un vague désappointement et qu'elle joue la veuve éplorée ?) Madeleine Jacob est plus claire au sujet de cette rupture : *Pauline n'en éprouve nulle peine.* Quand Josette Devos essaie d'expliquer pourquoi, selon elle, son amie cachait sa tristesse : « C'est peut-être par orgueil qu'elle ne s'est pas livrée à moi », le substitut du procureur ne souligne en rouge et ne retient qu'un mot : « orgueil ».

Concernant sa rencontre et ses ébats avec Bernard Legens, on ne sait pas trop : soit c'est le signe qu'elle a complètement zappé Félix de son esprit, soit au contraire qu'elle ment à Bernard quand elle prétend l'aimer alors qu'en fait elle n'a que Félix en tête et ne fait la mignonne que pour le fric (un ingénieur, miam) et éventuellement le cul, qui ne fait pas de mal, surtout quand on a de gros besoins comme elle. Peu importe. Le plus révélateur à cette période, c'est son voyage à Ulm, sa visite à Domnick : *Ce qu'elle voit en cet homme,* écrit Simone, *c'est la puissance et l'argent* (c'est la crêpe et la patate sautée, surtout).

Elle est complètement oublieuse de Bailly à ce moment (la preuve qu'elle n'aime ni Félix ni Bernard, c'est sa *rencontre suspecte avec un homme d'un certain âge au Lido* – et ça prétend éprouver des sentiments purs ?), et *ne se souvient de lui qu'en apprenant son futur mariage.* Car, analyse finement Jeannot Barrière, *elle s'est certainement rendu compte que si elle pouvait trouver des hommes pour coucher et même se marier, elle ne retrouverait pas chez ces hommes les qualités physiques, morales et surtout matérielles qu'elle avait trouvées en Bailly.* Jean Laborde, dans *France-Soir*, reconnaît que Félix *ne serait plus tard qu'un médecin de province*, c'est pas le Pérou, mais : *Ça valait mieux que d'être une fille sans dot.* Cette soudaine prise de conscience de ce qu'elle allait louper est la seule manière d'expliquer le temps infini qui s'est écoulé entre leur séparation et le moment où elle a décidé d'aller le récupérer : apprenant qu'une blondasse allait toucher le gros lot, elle s'est précipitée pour récupérer son bout de gras. Qu'elle ait su depuis longtemps que Félix était avec une autre, qu'elle ne se soit remise à espérer que lorsqu'on lui a assuré qu'il pensait toujours à elle, qu'elle ait attendu avant de tenter sa chance à Paris parce qu'elle avait peur de griller sa toute dernière carte, on oublie. "Mon bout de gras !"

Mais tout cela, ce n'est que de l'histoire ancienne et du secondaire, du plus ou moins abstrait, de la psychologie. Après tout, un vrai policier ne doit pas s'en soucier. C'est à partir du mercredi 7 mars qu'on peut discuter vraiment, dans le domaine du factuel, du technique : on entre dans le cœur palpitant de l'enquête. Plusieurs épisodes sont dans la balance. En résumé, la théorie soutenue, bec et ongles, par l'accusation est la suivante : le 7 mars, Pauline a surgi à l'improviste chez Félix, peu avant minuit, il lui a poliment fait chauffer de la choucroute puis lui a fait comprendre qu'il fallait qu'elle s'en aille ; elle est partie après le repas, blessée dans son amour-propre et surtout furieuse de passer définitivement à côté du bon parti ; elle n'a pas essayé d'acheter une arme le lendemain, ce n'est qu'en rentrant dans le Nord que son aigreur et sa malveillance ont débordé en elle et qu'elle a pris la décision de se venger, de le tuer ; après avoir magouillé pour obtenir un pistolet, elle est retournée à Paris pour mettre son plan criminel à exécution ; il a refusé de la recevoir, lui a fixé rendez-vous dehors, mais elle s'est cachée, l'a surpris chez lui, il a eu la faiblesse de la laisser entrer, après avoir ouvert la porte en pensant que c'était son pote Mougeot, elle lui a expliqué qu'elle ne supportait pas qu'il se marie avec une autre, a braqué le pistolet sur lui, lui a tiré en pleine tête, puis dans le dos quand il est tombé à genoux, et enfin, alors qu'il était déjà mort sur le fauteuil, elle a posé le canon sur sa tempe et, geste ignoble, le coup de grâce, elle l'a achevé comme un animal, pour être sûre ; ensuite, elle a attendu qu'on sonne à la porte (elle savait que Mougeot allait venir, non ?), imaginé une petite mise en scène de suicide au gaz dans la cuisine, et s'est allongée (en ricanant intérieurement) jusqu'à ce qu'on vienne la sauver. Si elle échappe à la peine de mort avec ça, elle aura de la chance.

La première affirmation de Pauline qui sera contredite par tout le monde, c'est qu'elle a passé la nuit du 7 au 8 mars dans le lit de Félix. (Ce n'est pas qu'un truc de cul, c'est fondamental : pour la police, il ne fait aucun doute qu'il ne s'agit pas d'un "homicide par imprudence" (ayant entraîné la mort sans intention de la donner, et sans préméditation), mais il reste encore deux possibilités : le crime passionnel ou le crime tout court. Or, les anti-Pauline le reconnaissent eux-mêmes, si Félix et elle ont bien couché ensemble cette nuit-là, on entre sans conteste dans le cadre du crime passionnel.) J'ai déjà dit pourquoi cette affirmation me semblait crédible – et pas seulement parce que c'est humain, que Félix est peut-être un ange mais un ange humain, avec une bite, qu'il n'a pas touché une fille depuis près de deux ans, qu'il est seul une nuit chez lui avec celle qui lui a fait découvrir les merveilles et magies du sexe, et que Pauline, depuis le début de son adolescence, sait ce qu'il faut faire pour qu'un homme oublie sa femme, Dieu, les bonnes mœurs ou ses promesses. Un baiser ou quelques boutons de chemisier suffisent. Pas seulement non plus parce que la première chose qu'elle ait déclarée, encore gazée, quelques heures après avoir été arrêtée et sans savoir qu'il était mort, c'est qu'il l'avait « embrassée comme dans le temps » – comment pourrait-il soudain lui venir à l'esprit de dire ça, à propos d'une soirée a priori sans importance qui a eu lieu dix jours plus tôt, si ce n'était pas vrai ? Pas seulement enfin parce que Félix n'a parlé de sa venue, pourtant surprenante et signifiante, qu'à un seul de ses amis, et qu'à cet ami, il a menti.

La thèse des enquêteurs s'appuie sur cinq « preuves ».

La première, c'est le caractère et la droiture morale de Félix, incapable de commettre une telle ignominie, qui salirait à la fois son amour pour sa fiancée et sa conception vertueuse de la vie sur terre.

La deuxième, ce sont les déclarations de Pauline, qui n'a évoqué cette nuit qu'après avoir appris la mort de son amant ; son explication par le souci de ne pas le compromettre fera beaucoup de mal au petit cœur de Jean Barrière (*Elle exploite par ce moyen les sentiments d'humanité dont ont fait preuve les enquêteurs*) et ne sera pas jugée valable, dans l'acte d'accusation : *On peut penser qu'après avoir tiré trois coups de feu sur la victime, un tel scrupule d'éviter le scandale apparaît comme assez étonnant.* (Quel rapport ?)

La troisième, c'est que Pauline aurait affirmé avoir croisé en arrivant la bonne du pasteur Gounelle, Marie Neuhausler, et que celle-ci est certaine de ne jamais l'avoir vue rentrer le matin. Pauline n'a pas dit qu'elle avait croisé en arrivant la bonne du pasteur Gounelle, Marie Neuhausler, mais même si on se met deux secondes à la place des enquêteurs et qu'on est du coup sûr qu'elle l'a dit, ou allez, que c'est ce qu'elle a voulu dire, est-ce qu'on ne se demande pas furtivement, une seconde trois quarts, pourquoi elle préciserait cela, sur une sorte d'intuition saugrenue, si elle était rentrée se coucher à deux heures du matin ? Elle est dingue ? Ou elle espère que Marie est dingue et va confirmer en hochant la tête sans réfléchir, ou pour lui faire plaisir ? (Dans le même genre, Pauline a déclaré, là oui, qu'en descendant le matin de chez Félix elle avait attendu devant la porte de la loge de la concierge pendant qu'il allait chercher son courrier. Et qu'il en était ressorti avec un télégramme ou une facture, un truc administratif. Encore, pourquoi prendre la peine d'inventer cela s'il n'y a aucune chance que ce soit validé par l'intéressée ? Pauline a elle-même demandé à ce que le juge d'instruction interroge Mme Maitrot à ce sujet, en sa présence (si ce qu'elle prétend est faux, elle aime le risque). Une confrontation a été organisée le 23 janvier 1952, plus de dix mois après les faits. La concierge se rappelle bien avoir vu passer Pauline et Félix la veille vers dix-neuf heures, mais pas le matin. Elle pense que c'est le soir qu'elle a remis son courrier au jeune homme – une « taxe » – tandis que Pauline attendait devant la porte. (À soixante-huit ans, Mme Maitrot n'est plus très sûre de sa mémoire. Interrogée le jour même du meurtre, elle avait déclaré avoir ouvert à Pauline une dizaine de jours plus tôt, quand celle-ci était venue lui demander si l'appartement de M. Poirel se trouvait bien dans l'immeuble (le mardi 6 mars), puis l'avait vue redescendre avec Félix, et elle avait ajouté : « C'est la dernière fois que j'ai vu cette jeune femme. » Quand elle redescendait avec Félix, donc. Devant le juge Grenier, elle admet qu'elle s'est trompée : un autre jour, elle a remarqué que Pauline attendait dans la cour pendant que Félix prenait son courrier.) Assise à côté d'elle, Pauline maintient ses déclarations : « C'est sans doute le mercredi 7 dans la soirée que Mme Maitrot m'a vue en compagnie de Félix Bailly. Pourtant, je ne me souviens pas que ce dernier soit allé prendre son courrier dans la loge avant de monter. Par contre, je me souviens très bien que le lendemain matin, lorsque nous sommes descendus, Félix est entré dans la loge et que j'ai attendu dans la cour. » Céline Maitrot tempère alors (et semble admettre que Félix ait pu passer le matin) : « Il est possible que je ne me sois pas trouvée dans ma loge à ce moment-là. Si j'étais dans ma cuisine, je n'aurais pas pu remarquer la présence de la jeune fille dans la cour. » Cette question de l'éventuel passage matinal chez la concierge disparaîtra de tous les rapports, c'est le plus simple.)

La quatrième preuve des enquêteurs, c'est un témoignage de Bernard Mougeot. Dans l'acte d'accusation, qui reprend fidèlement le réquisitoire définitif, le procureur général conclut ainsi le passage censé démontrer que Pauline a menti : *Enfin, un témoignage indirect contredit la version de l'accusée. Bailly se confiait volontiers, en effet, à ses camarades d'études, et ne leur faisait pas mystère de sa vie sentimentale.* (Mouais...) *Le sieur Mougeot reçut des confidences sur cette visite le lendemain même, et d'après ces confidences, la fille Dubuisson, dans la soirée du 7 mars, surgit à l'improviste dans l'appartement de Bailly* (dans une gerbe d'étincelles et un nuage de fumée), *qui prépara hâtivement un repas et s'entretint avec elle de leurs études, mais refusa de reprendre des relations.* Alors là, c'est irréfutable. C'est la preuve en or. D'autant que Mougeot le rappelle : « Il ne m'a jamais rien caché de ce qui s'était passé entre elle et lui. » Pour que ce soit réellement efficace, on laisse de côté les précisions horaires du sieur Mougeot (Félix lui a dit qu'elle avait déboulé à vingt-trois heures) – sinon, c'est bizarre à imaginer : elle débarque chez lui une heure avant minuit et il lui prépare hâtivement une choucroute... Et surtout, on laisse un peu de côté aussi un autre témoignage, pas indirect du tout, celui de Céline Maitrot, qui les voit monter ensemble vers dix-neuf heures. On le laisse bien de côté, même. Il est mieux, celui de Mougeot.

La cinquième, celle qui fera le plus de bruit et nécessitera le plus de travail (attention, c'est compliqué, il faut bien suivre – courage), c'est celle qui s'appuie sur les déclarations d'Anne-Marie Hutter, la cousine assistante sociale de Pauline. Fin juin, l'accusée a affirmé aux enquêteurs qu'elle avait demandé à Anne-Marie, en quittant l'appartement de l'avenue Ledru-Rollin le mercredi 7 mars vers 17 h 45 (et en l'informant qu'elle avait rendez-vous avec son ancien ami pour dîner, ce que confirme sa cousine et qui égratigne encore l'hypothèse du surgissement chez Félix à vingt-trois heures), de la réveiller le lendemain à sept heures, car elle avait prévu, comme elle l'a écrit à Michel Boullet, de repartir le jeudi matin à Lille pour assister à ses cours. Elle suppose donc qu'Anne-Marie a constaté que le lit n'était pas défait. Selon la police, Mlle Hutter nie avoir eu avec Pauline Dubuisson cette conversation au sujet du réveil. C'est presque ça, mais pas exactement : « Je ne puis pas dire si elle m'a demandé de la réveiller le 8 mars au matin, mais si elle me l'avait demandé, je l'aurais certainement fait », dira-t-elle au cours de son deuxième interrogatoire. Lors d'une confrontation ultérieure, Pauline maintiendra lui avoir réclamé ce service (en ajoutant que sa cousine s'est forcément rendu compte, à sept heures, qu'elle n'avait pas dormi là) et Anne-Marie maintiendra qu'elle n'est pas entrée dans sa chambre ce matin-là. Il est difficile de se faire une opinion, aucune des deux n'ayant d'intérêt particulier à mentir (Pauline, bien entendu, aurait un intérêt particulier à faire croire qu'elle n'a pas passé la nuit chez le pasteur, mais pas à s'entêter à répéter que sa cousine a obligatoirement constaté qu'elle n'était pas dans son lit). On ne dirait pas, mais pour l'instant, tout est simple. C'est ensuite que ça s'alambique.

Le 20 novembre 1951, huit mois après le meurtre, lorsqu'elle arrive au Quai des Orfèvres pour être entendue seule par le commissaire Pinault, Anne-Marie est d'abord reçue, dans le couloir, par l'inspecteur-chef Barrière. Je ne sais pas si c'est très académique, mais il s'enquiert en off, comme on ne disait pas, de ce qu'elle va déclarer à son supérieur.

(Une parenthèse encore, pardon, mais ça me paraît utile. Dans un court rapport rédigé une semaine plus tard, le 28 novembre, au sujet de cette nuit du 7 mars, Barrière rappelle que lors de ses deux premières dépositions, des 17 et 20 mars, Pauline n'a pas évoqué de rapports sexuels avec Félix, bien qu'on lui ait posé la question *à plusieurs reprises*. J'ai les procès-verbaux sous les yeux, c'est faux. On ne lui a peut-être même pas posé la question, ou bien juste une fois. À partir du moment où elle a dit, d'elle-même ou non : « Nous n'avons pas eu de relations », il est difficile de croire que Pinault lui ait redemandé à plusieurs reprises si elle en était bien sûre (« Allez, même pas un peu de frotti-frotta ? »). On tique encore à la phrase suivante : *À la même époque* (juste après le meurtre, donc), *toute la famille Hutter avait été entendue, et nous avions particulièrement insisté sur le fait de savoir si Pauline Dubuisson avait découché. Mlle Anne-Marie Hutter, qui était la plus liée avec sa cousine, avait été tout particulièrement entendue à ce sujet.* C'est encore plus faux, gros mytho. *Particulièrement insisté ? Tout particulièrement entendue ?* On peut relire douze fois ces dépositions du début de l'enquête avec les meilleures lunettes du monde, la question d'un découchage n'est jamais posée ni même finement sous-entendue, ni à Mireille, ni à Alice, ni au pasteur Gounelle, ni à Anne-Marie – encore moins à Anne-Marie, j'ai envie de dire, pour faire comme Barrière. Pas une ombre d'évocation subliminale de cette nuit du 7 mars (la soirée, oui, on indique qu'elle est allée voir Félix, mais la nuit : silence). Et c'est normal, qu'est-ce qu'il prendrait aux inspecteurs de vouloir à tout prix vérifier que Pauline ne leur a pas raconté de bobards en leur disant qu'ils n'avaient pas eu de relations ? ("Ils se sont envoyés en l'air, patron, je vous le dis, aussi vrai que je m'appelle Barrière !") Ce que l'inspecteur-chef veut faire croire par là, c'est qu'Anne-Marie a toujours clamé, depuis le début, que sa cousine avait dormi chez eux cette nuit-là. Mais non. Ils n'ont commencé à s'intéresser à ce problème qu'à partir du 26 juin, lorsque Pauline est revenue sur ce qu'elle avait d'abord prétendu. Et la première chose qu'Anne-Marie en a dit, c'est ce qu'elle va déclarer dans quatre secondes à Barrière.)

Devant la porte du bureau 315 de Lucien Pinault, elle lui répond que selon elle, Pauline n'est pas rentrée de la nuit. On n'en saura pas beaucoup plus sur cette discussion "hors micro", hors machine à écrire, car seul Barrière l'a rapportée. On ne saura pas, surtout, ce qui incite Anne-Marie à penser cela. Est-ce qu'elle dit à Barrière qu'elle est entrée dans la chambre pour la réveiller et ne l'a pas trouvée, contrairement à ce qu'elle déclarera par la suite ? Ou qu'elle est certaine qu'elle l'aurait entendue si elle était arrivée à deux heures du matin ? On ne sait pas, elle n'est peut-être pas entrée dans les détails. Ce qui est sûr, c'est que dans le couloir, Jean Barrière – c'est lui qui le raconte – l'a dissuadée de témoigner en ce sens. Sachant qu'elle est issue d'une famille très religieuse – son grand-père et son frère Alain sont pasteurs, elle est elle-même fiancée à un pasteur, Pierre Roy (qu'elle épousera l'année suivante, « par vocation », dira Alain) –, il lui rappelle en substance que si l'on ment sous serment, c'est la cata, du point de vue de la vie dans l'au-delà et du salut de l'âme. (Elle ne va évidemment pas jurer sur la Bible, mais il essaie de lui faire peur quand même. Je me demande dans quelle mesure il ne sous-entend pas (voire ne lui dit pas), puisqu'on parle de religion et d'âme tranquille, qu'elle s'apprête, s'en rend-elle compte, à aider une meurtrière ?) Barrière tient tant à ce que Pauline n'ait pas couché avec Félix qu'il demande carrément à Anne-Marie « la raison de ce mensonge ». (Cette question peut interloquer (quand un témoin non-suspect déclare quelque chose, on lui rétorque rarement du tac au tac : « Pourquoi mentez-vous ? »), mais Barrière se justifie en expliquant que s'il l'a ainsi sommée de se reprendre et de dire la vérité, c'est que ce qu'elle avançait à présent était *en contradiction formelle avec sa déclaration faite au moment des faits*. C'est toujours faux, archi faux, tête de veau. Au moment des faits, le

19 mars, tout ce qu'a dit Anne-Marie au sujet de ce premier séjour de Pauline chez eux, c'est qu'elle était sortie quasiment tous les soirs et qu'elle « rentrait très tard dans la nuit » – à l'imparfait, de manière générale. Elle n'a pas parlé du 7 mars en particulier (le seul jour qu'elle isole des autres, c'est celui où Pauline lui a demandé comment se rendre à la station La Motte-Picquet-Grenelle, et ça, c'était la veille, le mardi, quand elle a dîné chez le couple Huret). De plus, elle a précisé qu'elle dormait lors de ces retours tardifs, et que pas une fois elle ne l'a entendue revenir. Elle a appris qu'elle était rentrée tard quasiment tous les soirs, c'est tout.)

Quelle est « la raison de ce mensonge » ? Anne-Marie répond à Barrière que si elle s'apprêtait à dire devant le commissaire qu'elle pense que Pauline a découché, c'est que l'avocat de celle-ci, maître Robert, lui a expliqué que cela pourrait aider sa cousine. Ce que Barrière résume habilement par : « Lorsque je lui ai demandé pourquoi elle mentait, elle m'a expliqué que c'est parce que le conseil de Pauline Dubuisson lui avait dit que cela aiderait sa cousine » (en filigrane : qu'elle mente).

C'est Pauline qui a indiqué à son avocat qu'Anne-Marie, qui avait dû trouver son lit intact à sept heures, pourrait prouver aux enquêteurs qu'elle avait dormi ailleurs. Jean Robert est donc allé voir la cousine, et ils en ont discuté. Alice Hutter, la mère, est au courant de cette entrevue entre sa fille et l'avocat, et du fait qu'ils ont parlé de cette nuit du 7 mars. Je ne sais pas exactement ce qu'ils se sont dit, mais il en est certainement ressorti qu'Anne-Marie pensait en effet que Pauline n'était pas rentrée : Jean Robert est un avocat respectable et réputé pour son intégrité, je le vois mal demander de but en blanc un faux témoignage à la jeune femme (qui n'est en outre pas assez proche de Pauline pour accepter de prendre un tel risque), je vois mal

Anne-Marie ne pas avertir sa mère qu'on lui suggère de mentir à la police et à la justice, et je vois mal Alice ne pas s'élever très vivement contre ce plan malhonnête ; rien ne cadre avec cette famille.

(Tout cela n'est pas très clair, le rôle, les déclarations et les motivations d'Anne-Marie sont troubles, mais une chose est sûre, Pauline ne digérera pas de sitôt. Des années plus tard, alors que sa cousine sera partie vivre avec son époux pasteur à Doullens, une petite ville de Picardie où se trouve une prison de femmes dont il est l'aumônier, elle écrira à sa mère, depuis sa prison : *Je me demande ce que le mari d'Anne-Marie raconte à celles de Doullens. Probablement qu'il faut s'aider les uns les autres, etc. C'est très facile à dire, fort difficile à appliquer soi-même. Mais il est normal qu'on l'attende de la part de ceux qui disent vivre de cette parole et qui ont mission de l'administrer aux autres. Or quand je pense à Anne-Marie, je vois rouge. Je n'aurais jamais cru avoir la rancune si tenace. Il est vrai que ce n'est pas pour une vétille. Quand je pense à Anne-Marie, Jean Robert me vient immédiatement à l'esprit. Le pauvre, rien que de parler d'elle lui faisait perler la sueur sur le front : elle a bien failli lui faire perdre son honneur d'avocat. Après avoir bien dit du mal de mon prochain, et ce sans aucun remords, je t'embrasse, maman chérie, de tout mon cœur.*)

Qu'a pu faire Anne-Marie qui laisse à Pauline une rancune si tenace ? Confier à maître Robert qu'elle avait bien trouvé le lit de Pauline non défait puis se rétracter devant le commissaire pour ne pas aider une meurtrière ou salir la mémoire d'un jeune homme bien ? Non, elle ne peut pas être malhonnête et déloyale à ce point. Ce 20 novembre, cependant, quand Pinault revient officiellement cette fois sur ce possible mensonge, elle explique à nouveau : « Si j'ai déclaré tout à l'heure à M. Barrière que ma cousine avait découché, c'était pour lui rendre service, car son conseil m'avait demandé de dire cela pour les besoins de sa défense. » Mais ce n'est que la phrase qu'on lui prête dans un premier temps, celle que Pinault tape sur sa machine. Il ne faut pas exagérer, Lucien. Anne-Marie réclame qu'on raye la fin et qu'on la corrige dans la marge, avec son paraphe : « car son conseil m'avait déclaré que cela aiderait à sa défense. » Là, sans le subtil « m'avait demandé de dire cela » de Pinault, il n'y a plus de mensonge dans l'air. Il semble qu'Anne-Marie, en prenant la peine de rectifier en marge, montre que ce qu'elle veut dire, c'est : « Je pensais que Pauline avait pu découcher, et son avocat m'a dit que si je témoignais en ce sens, ça lui rendrait service. » Il est possible qu'elle croie sincèrement, aidée ou non par je ne sais quels indices, que Pauline n'est pas rentrée de la nuit, mais qu'elle décide finalement de ne pas en faire part à la police car elle n'en est pas certaine.

Ce dont elle a fait part à la police, après la séance de coaching avec Barrière, et qui va donner lieu au raisonnement le plus tordu de l'histoire mondiale du raisonnement, c'est ceci : elle s'est couchée à 23 h 30, elle a lu jusqu'à 1 h 30, elle a éteint et s'est endormie, elle n'a pas entendu sa cousine rentrer, et le lendemain matin, elle n'est pas allée la réveiller. C'est tout. Quand on la pousse un peu pour préparer le raisonnement historique, elle précise : « Je ne l'ai pas entendue arriver mais elle aurait très bien pu pénétrer dans sa chambre après que je me suis endormie, sans que je l'entende. » Rien à dire, imparable. Mou mais imparable. Il ne manque plus qu'un élément pour démasquer infailliblement la coupable : une semaine plus tard, le 15 mars, quand Pauline a attendu le retour de Félix toute la soirée devant le 25 rue de la Croix-Nivert et a regagné sa chambre à deux heures du matin, Anne-Marie ne l'a pas non plus entendue rentrer ! Emballez, c'est pesé : quand Anne-Marie ne l'entend pas, c'est que Pauline est rentrée.

CQFD. Ça ressemble à une blague, mais non, c'est bien le principe de la démonstration de Barrière, qu'il développe dans son rapport en rappelant que lorsque le témoin s'est couché, sa cousine n'était pas là, *ce qui n'implique pas qu'elle ne soit pas rentrée plus tard* (c'est vrai, imparable (au risque de me répéter), qui oserait prétendre le contraire ?) et en concluant par l'indice suprême, qu'on peut légitimement s'autoriser à appeler une preuve – c'est la dernière phrase du paragraphe, que le substitut du procureur a soulignée deux fois en rouge et qui sera reprise telle quelle dans l'acte d'accusation : *Elle affirme qu'elle n'a jamais constaté que Pauline Dubuisson avait découché.* C'est encore vrai, il n'invente rien. Anne-Marie, puisqu'elle n'est pas entrée dans la chambre de Pauline le matin, affirme bel et bien : « Je n'ai pas constaté qu'elle avait découché. » Tout logicien digne de ce nom en tirera la conclusion qui s'impose. (Je n'ai jamais vu de gros vibromasseur rose dans la maison de ma mère. Ce qui n'implique pas qu'elle n'en ait pas un caché quelque part, bien sûr. Mais attention, n'ayant pas regardé dans le tiroir de sa table de chevet (on connaît les femmes, c'est dissimulation et compagnie), j'affirme n'avoir jamais constaté qu'elle n'en avait pas. OK, c'est bon, ma mère a un gros vibromasseur rose, au secours.) Et s'il faut des preuves supplémentaires (il y a toujours des sceptiques), on en a : PERSONNE de la famille n'a jamais constaté que Pauline avait découché (on atteint des niveaux de drôlerie assez raffinés quand Alice Hutter, qui est partie en province le soir où Pauline dînait avec Félix et n'était donc pas là le lendemain matin, se joint au chœur : « Je n'ai pas constaté que ma nièce a découché » – si on était allé le chercher au fin fond du Tibet, le dalaï-lama, un homme de confiance s'il en est, aurait pu, sans mentir, achever de confondre la suspecte : « Je n'ai pas constaté que cette jeune personne a découché » n'en jetez plus, son compte est bon). Tous les témoignages concordent : Pauline Dubuisson est rentrée vers deux heures du matin, 2 h 30 peut-être. (Au passage, cela signifierait qu'elle est restée seule avec Félix au moins six heures chez lui, dans son petit salon-chambre, sans qu'il ne se soit rien passé entre eux et alors qu'il est censé ne plus rien avoir à lui dire, mais ça, c'est leur problème.)

On insiste moins sur l'autre versant de cette litote dialectique, plus dangereux, l'autre chose que personne n'a faite : entendre que Pauline rentrait. (On en parle brièvement quand même, par conscience professionnelle. Ou pour le plaisir d'une petite pointe d'humour. Le pasteur Gounelle, qu'il ne faut pas oublier d'interroger, a-t-il entendu l'accusée pénétrer cette nuit-là dans son appartement ? « Non, mais je suis un peu dur d'oreille. » Encore une preuve, vlan.) Tout cela permet à Jean Barrière de conclure en tout confort : *Les témoignages sollicités par Pauline Dubuisson n'ont nullement établi, au contraire, qu'elle avait couché avec Bailly dans la nuit du 7 au 8 mars.* Cet *au contraire* est magnifique. *Un examen minutieux des rues de Paris n'a pas permis de prouver que les vaches existaient, au contraire.* (On peut en tirer une réflexion, de l'*au contraire* en question : si Pauline n'avait pas elle-même réclamé l'audition de la famille sur ce point, en particulier celle d'Anne-Marie, on n'aurait rien pu faire semblant de démontrer, elle aurait eu bien moins de problèmes. Dans un courrier qu'elle écrit depuis la Petite-Roquette, au moment de ces auditions, à sa cousine, elle lui demande de dire la vérité, autant qu'elle s'en souvienne, et regrette : *Les enquêteurs m'ont fait donner des renseignements* (je suppose : la bonne croisée le matin, et le lit que sa cousine aurait dû trouver intact en allant la réveiller, mais le rapport ne précisera pas de quel *renseignements* il s'agit) *qui se retournent aujourd'hui contre moi. Si j'avais su, je n'aurais rien dit.* Dès réception de cette lettre, Anne-Marie l'apporte à la police. C'est bien. Elle servira, dans le même esprit de logique que tout le reste, à prouver le côté dissimulateur de Pauline, qui avoue là qu'elle s'en veut de n'avoir pas *rien dit.*)

Quand on se penche, même distraitement, sur le versant auditif de l'enquête, ce qui saute aux yeux et à l'esprit, c'est que le témoignage de Mireille, la jeune sœur d'Anne-Marie, est évidemment important : elle doit avoir le sommeil plus léger que les autres, elle est la seule à s'être réveillée, le 15 mars à deux heures du matin, au bruit de la porte et des talons de Pauline sur le parquet (elle l'a aussi entendue rentrer dix jours auparavant, quand elle revenait d'un dîner chez les Huret). Mais, penché sur ce versant, on fronce les sourcils en se rendant compte que, si l'on a rapidement englobé toute la famille dans la formule *Personne n'a entendu* (on n'en parle plus), si l'on a laissé la possibilité au pasteur et à Anne-Marie de le notifier explicitement (ça ne mange pas de pain, l'un est sourd, l'autre n'entend jamais rien quand elle dort), Mireille n'a pas été questionnée à ce propos, lors de ces auditions du 20 novembre. C'est dommage, non ? La raison en est donnée par Barrière, elle est simple : ce jour-là, la jeune cousine de Pauline *était absente de Paris*. Flûte, poisse. C'est rageant, on aurait enfin pu disposer d'un repère, d'un moyen de comparaison, quelque chose comme : "Le jeudi 15 mars, je me suis réveillée à deux heures du matin en entendant Pauline rentrer ; vous me dites qu'elle est rentrée à deux heures du matin le mercredi 7 mars, mais cette fois-là, je ne l'ai pas entendue." Ce ne serait pas le témoignage du siècle, on peut dormir plus ou moins profondément, mais ce serait mieux que ce qu'on a pour l'instant : rien. Tant pis. On ne va quand même pas la convoquer au quai des Orfèvres le lendemain, à son retour, ce serait tout un bazar à organiser.

Face à ces méthodes de déduction aussi véreuses qu'implacables, Pauline n'aura rien d'autre à opposer qu'une petite phrase qu'elle répétera lors de tous les interrogatoires suivants, dans toutes les confrontations et devant la salle comble du Palais de justice : « Je vous assure que j'ai passé la nuit avec lui. »

La discussion sur le passage de Pauline à l'armurerie de la rue de Lyon, le lendemain matin, peut sembler sans intérêt, de toute façon elle a acheté une arme quelques jours plus tard, on perd du temps pour presque rien. Pourtant, elle a bien eu lieu, Barrière ayant tout fait pour montrer que, là encore, elle mentait. J'ai d'abord eu du mal à comprendre cet excès de zèle et ce déploiement d'énergie : il a interrogé tous les employés de l'armurerie Guyot, le patron, son fils et même l'une de ses amies, il a ensuite organisé des confrontations entre Pauline et tous ces gens… Et puis j'ai compris. Je n'ai pas de mérite, c'est Barrière lui-même qui l'explique, comme naïvement, dans un rapport préliminaire dont le procureur ne s'est pas servi : *À la lumière de l'enquête, on se rend compte qu'il était difficile à Pauline Dubuisson de présenter son affaire comme un crime passionnel, mais s'il était établi que depuis la rupture, elle était redevenue la maîtresse de Bailly, on pourrait admettre que cette nuit avait pu lui laisser espérer avoir reconquis l'amour de son amant. S'apercevant au matin qu'elle s'était trompée, la prise de contact avec la réalité étant trop brutale, elle se serait laissée aller à son geste fatal.* (Je suis d'accord avec lui. Par *geste fatal*, il entend "crime passionnel" et moi plutôt "suicide", mais sinon, on est d'accord.) *L'importance de ces faits n'a pas échappé aux enquêteurs, qui ont tout fait pour faire la lumière sur ces points.*

Tout est lié : si elle est redevenue sa maîtresse la nuit précédente, le choc est violent le matin quand il la rejette, elle pense aussitôt à se procurer une arme, sans réfléchir, sous le coup du désespoir – pour se ou le tuer, peu importe pour l'instant, on reste dans le passionnel. Il suffit de dégommer l'un de ces éléments pour que toute la défense de Pauline s'écroule. Or l'armurerie, qui n'a l'air de rien, est en fait le point d'appui central : si elle n'a pas essayé d'acheter un pistolet en sortant de chez Félix, c'est qu'elle n'était pas sous le coup du désespoir, donc que le choc n'a pas été particulièrement violent le matin, donc qu'ils n'ont pas couché ensemble et que c'est pour ainsi dire un crime de sang-froid, qui a pris le temps de s'installer dans son esprit.

Barrière s'appuie sur deux constatations. D'abord, bien qu'il ait mis Barthélemy Saint-Rémy, le patron de l'armurerie, son fils de vingt-deux ans, Jacques, son amie Suzanne Aubry, qui vient de temps en temps leur donner un coup de main à la caisse, et les jeunes vendeurs Jacques Lesouef et Maurice Nede en présence de Pauline, aucun d'eux ne l'a reconnue – elle non plus. C'est ennuyeux pour elle. Mais ces confrontations ont lieu le 16 janvier 1952, dix mois après leur première et brève éventuelle rencontre. J'ai fait deux petites expériences. Je me suis rendu dans un magasin de vêtements où j'ai acheté une veste il y a un peu moins d'un an. J'y étais resté plus longtemps que Pauline qui a simplement demandé le prix d'une arme, mais je serais incapable d'affirmer que la vendeuse que j'ai vue est celle qui m'a vendu la veste ; si ce n'est pas elle, ça ne veut pas dire grand-chose, je ne risquais pas de la reconnaître, mais honnêtement, je n'en sais rien. Comme j'avais essayé plusieurs vestes, que j'étais aussi paniqué que d'habitude quand j'entre dans une boutique pour demander quelque chose, et que je transpirais comme un psychopathe qu'on n'oubliera pas de sitôt, je n'ai pas cherché à savoir si elle me reconnaissait, ça n'aurait pas été équitable (je n'en aurais pas eu le courage, de toute façon : « Bonjour mademoiselle, vous me reconnaissez ? », en entrant dans un magasin, c'est au-dessus de mes forces). J'ai donc demandé à ma femme de faire la même chose. Hier, elle est allée dans une boutique de décoration près de République, où elle était entrée l'année dernière pour y regarder des vases colorés. Plus téméraire que moi, elle a demandé à la patronne si elle l'avait déjà vue, en lui expliquant que c'était un petit test pour un livre qu'écrivait son mari. « Je ne suis pas sûre mais je ne crois pas, non », a dit la dame (Anne-Catherine n'est pourtant pas du genre passe-partout, elle porte toujours des machins improbables et de toutes les couleurs, ainsi que des fausses lunettes extravagantes et des chapeaux ou des couronnes sur la tête). D'accord, ça ne prouve rien, mais la démonstration de Barrière non plus. Tout le personnel de l'armurerie, sans exception, a déclaré : « Il est cependant possible que cette personne soit venue et que je ne la reconnaisse pas. »

L'autre argument de Barrière repose sur le récit de Pauline : elle dit que le magasin comporte deux grandes vitrines séparées par la porte d'accès, et que derrière le comptoir, qui est au fond, parallèle à celle de gauche, se tiennent plusieurs vendeurs, devant des casiers contenant des armes dans leurs boîtes. Elle est entrée, s'est approchée d'un jeune homme – dont elle ne peut pas donner une description exacte, il était peut-être en blouse grise, elle n'en est pas certaine, mais pas en blouse blanche –, lui a demandé combien coûtait un pistolet, il lui a répondu que ça dépendait, lui en a montré un qu'il a pris dans la petite vitrine qui se trouve sous le comptoir et lui a indiqué qu'il valait « environ sept mille francs ». Elle n'avait pas assez d'argent, elle est ressortie. Barrière ne se fera pas rouler comme ça. Elle n'est pas entrée dans cette boutique ! D'abord, il remarque un truc : la description du magasin est la même que si elle ne l'avait vu que de l'extérieur. C'est sûr, avec deux grandes baies vitrées, les magasins vus de l'extérieur ressemblent un peu à ce qu'on en voit à l'intérieur… Un détail forge sa conviction : quand on entre, il faut passer à gauche sous une sorte de grande arche arrondie pour accéder à la salle où se trouve le comptoir. *Il semble difficile d'admettre que Pauline Dubuisson ne se soit pas rendu compte de cette particularité.* Elle s'en est peut-être rendu compte, mais on ne lui a pas posé de question au sujet de cette arche, il ne semble pas difficile d'admettre qu'elle n'ait pas pensé à la mentionner. Elle n'a pas mentionné non plus la présence d'un pot de fleurs au fond à droite ni d'un bloc-notes bleu sur le comptoir. (Et puis faites le test, souvenez-vous d'un magasin dans lequel vous êtes entré quelques minutes (deux ?) il y a huit mois, si possible déprimé(e) et fatigué(e), et essayez de le décrire précisément à quelqu'un.) Ensuite, deux indices accablants permettent de régler une fois pour toutes cette affaire dans l'affaire : chez Guyot, un pistolet Unique coûte six mille cent francs, et non « environ sept mille francs » (la maison vend même d'autres 6,35 à quatre mille deux cents francs) ; d'autre part, il est impossible que le vendeur ait montré un pistolet à Pauline sans lui rappeler d'abord qu'elle devait avoir une autorisation de possession d'arme. Bingo, on n'a peut-être pas réussi à prouver réellement qu'elle n'a pas découché, mais on a presque prouvé qu'elle n'a pas voulu acheter un pistolet ce matin-là. L'un dans l'autre, c'est bon, tout son système s'effondre.

Aidons-la un peu, puisqu'elle se contente de dire : « Je maintiens mes déclarations », et que son futur avocat, maître Paul Baudet, qui sera alors tout occupé à guider sa cliente sur le chemin lumineux de la rédemption, ne jugera pas utile de pinailler sur ce point trivial (comme sur beaucoup d'autres). Pourquoi le vendeur aurait-il précisément montré un 6,35 ou un Unique à cette jeune femme ? Barthélemy Saint-Rémy, le patron, indique aussi à Barrière le prix du pistolet MAB, par exemple : 6 850 francs (si on n'est pas là dans les « environ sept mille francs », on n'y sera jamais). Il dit aussi, puisqu'on parle de lui : *Nous ne vendons jamais d'arme sans autorisation, et en principe, nous la demandons toujours avant de présenter les armes au client. Il arrive cependant que les clients demandent à se faire présenter des armes, et nous accédons à leur désir.* Donc en principe, sauf quand non. Ce qui cloche surtout dans le raisonnement de Jean Barrière, c'est que soit l'inspecteur-chef a la puissance logique d'un rideau de douche, soit il fait exprès. Au moment de l'interrogatoire, Pauline sait combien coûte un pistolet, elle en a acheté un. Pourquoi s'amuserait-elle à augmenter le prix de deux mille francs, au risque de ne pas être crue ? Elle sait aussi qu'une autorisation est nécessaire, elle a fait quatre-vingt-six allers et retours entre le commissariat de Malo et l'armurerie Kerckhove de Dunkerque. Pourquoi ne dit-elle pas que c'est à cause de cela qu'elle n'a pas pu se procurer l'arme ? (« Je n'avais pas d'autorisation », c'est simple et efficace.) Et l'inspecteur-chef a-t-il conscience du ridicule de sa théorie du "vu de l'extérieur" ? Le magasin ne se trouvant pas sur l'un des chemins empruntés par Pauline lorsqu'elle sortait de chez le pasteur, ou revenait, il est peu probable qu'elle soit simplement passée devant par hasard (de plus, elle semble avoir bien observé à travers les vitres : elle sait qu'il y a des casiers au fond, derrière le comptoir, une vitrine de présentation en dessous, plusieurs vendeurs, dont un jeune peut-être en blouse grise – le patron confirme que ses jeunes vendeurs travaillent en blouse grise, seuls son fils et lui n'en portent pas). Elle serait donc allée à dessein faire une sorte de repérage. Cette femme est un génie, à côté de qui Sun Tzu et Napoléon sont des buses. Avant d'être arrêtée, avant donc de se rendre chez Félix pour le tuer, elle aurait pris soin de chercher une armurerie pour l'examiner de l'extérieur (seulement de l'extérieur, petite faute tactique) afin de pouvoir faire croire plus tard qu'elle avait voulu acheter un pistolet le 8 mars et non le 10.

L'enquête est bientôt bouclée, il ne reste que la scène même du crime, le noyau mortel. Il se scinde en deux parties : le meurtre et le suicide.

Pauline n'a jamais voulu se suicider, ni avant ni après avoir tué Félix. Avant, c'est une évidence, elle essaie de tromper grossièrement son monde en faisant croire que c'est sur elle qu'elle voulait braquer le pistolet. Le rapport de Barrière, le réquisitoire définitif et l'acte d'accusation, calqués l'un sur l'autre, ne laissent aucune place à l'incertitude : *Il n'est pas possible d'admettre la version de l'accusée. Avant que le sieur Bailly ne s'élançât vers elle pour lui retirer son arme, elle avait, en effet, le temps de presser sur la gâchette et de se tirer plusieurs balles.* L'inspecteur, le substitut, le procureur général, il aurait fallu les installer dans un fauteuil. On leur demande de sortir un pistolet de la poche de leur manteau, assis. À précisément un mètre quatre-vingt-cinq d'eux se trouve un grand garçon, jeune et sportif, debout, qui se jette sur eux dès qu'il aperçoit l'arme. S'ils ont le temps – même en tenant compte du fait qu'il a cogné le coin de la table – de poser le canon sur leur poitrine ou leur tête et de se tirer plusieurs balles, il faut les inscrire aux Jeux olympiques. Mais Pauline est Wonder Woman. Pauline, en moins de dix secondes, elle te construit une maquette de la tour Eiffel en allumettes. Dans son ordonnance de renvoi de la procédure (qui se situe chronologiquement entre le réquisitoire définitif et l'acte d'accusation), le juge d'instruction Grenier fait disparaître cette hypothèse des superpouvoirs. Elle réapparaît dans l'acte d'accusation.

Pour la suite, pas un policier ni un magistrat ne peut contester que le pistolet était bien enrayé. (*Il ne paraît pas contestable*, tempère tout de même le procureur général, mais enfin c'est pour la forme.) C'est pas grave : le coup du gaz dans la cuisine, en revanche, on n'est pas loin de pouvoir affirmer que c'est du bidon. Elle savait que Mougeot allait venir. Non, bon, elle ne pouvait pas le savoir, d'accord. Mais elle attend quand même, le hasard faisant parfois bien les choses, et au premier coup de sonnette (« Et voilà, merci ma bonne étoile, j'en étais sûre ! »), elle ouvre le gaz et s'allonge. Mais elle prend la peine quand même de fermer la porte, et même le garde-manger ? Elle coupe le tuyau de gaz au couteau, alors qu'ouvrir le robinet aurait suffi à faire croire à une vraie tentative ? Rha, ce sont des détails techniques, ça, c'est terre à terre, le côté psychologique est bien plus important. Or les témoins qui pensent que c'est une simple mise en scène sont légion – et parmi eux, il y a une tripotée de spécialistes, comme le souligne l'acte d'accusation : *Divers médecins ou étudiants en médecine familiers de l'accusée ont mis en doute la sincérité de cette tentative et indiqué que Pauline Dubuisson pouvait, grâce à ses études médicales, avoir adroitement simulé les symptômes de l'asphyxie* (Wonder Woman is back). Le docteur Félix Vautrin, qui ne l'a pas vue depuis ses quatorze ans (et encore, de loin) est partisan de cette thèse : « Il est fort possible qu'elle ait simulé, ce qui serait dans la norme, en raison de son hystérie. » Le docteur André Blandin va dans le même sens, mais pour une autre raison : « Il est possible qu'il s'agisse d'une mise en scène, car elle avait un sens très net des réalités, et elle avait l'air très attachée à la vie. » (Il a du flair, le prof d'anatomie.) Le docteur Grichon, l'un des mieux placés : « Elle n'a jamais parlé de suicide en ma présence. J'ai l'impression que sa tentative de suicide est une mise en scène. Ceci est bien dans son tempérament de comédienne. » L'étudiant Paul Frucquet : « Je suis persuadé que sa tentative de suicide était du bluff, elle a un tempérament assez comédien. » Les trois experts psychiatres évoquent, eux, *une tentative de suicide assez théâtrale.* (Il n'est pas facile de saisir ce qu'ils entendent par là : personne n'a assisté à la scène pour savoir si elle s'est effondrée les mains sur le cœur, dans une robe de velours pourpre du Moyen Âge, en criant : « Jésus ! Je me meurs ! » – il faudrait savoir ce qu'est pour eux une tentative non théâtrale : se tuer caché sous un lit, en avalant des comprimés sans faire de bruits de déglutition et en espérant que personne ne nous découvre après notre mort ?)

Ce que je trouve intéressant, c'est que parmi toutes les personnes auxquelles les policiers ont demandé leur avis – pas forcément pertinent – sur la question, pas une fille ou femme n'a envisagé cette possibilité de trucage, même celles qui n'aimaient pas Pauline. Pas une seule. La majorité des hommes a fait moins de chichis. On les connaît, les bonnes femmes. C'est colérique, ça te tuerait n'importe qui sur un coup de tête, ça préserve sa petite personne tant que ça peut et ça joue la comédie comme c'est pas permis pour te mener en bateau (ça te fait croire avec tout le sérieux du monde que ça a la migraine, et tutti quanti).

Les pompiers, tous, du chef aux bons sapeurs de base, feront bravement face aux penseurs et à leurs témoins fiables. Le lieutenant Gérard : « Il ne fait aucun doute pour moi que la femme a effectivement tenté de se suicider. Il ne s'agissait pas d'une mise en scène. » Le caporal Pierre Oudot : « Je suis convaincu que cette femme a bien tenté de mettre fin à ses jours. » Le sergent Robert Jan : « Sa tentative de suicide ne fait aucun doute. » Le sergent Jean Jolidon : « Il ne pouvait pas s'agir d'une mise en scène. » Ces hommes sont, pour certains, pompiers depuis vingt ans. Des suicides au gaz, des malheureux qui ont l'écume aux lèvres et se pissent dessus, qu'il faut ranimer pendant plus d'une demi-heure, ils en ont vu des brouettes et des camions (rouges), on la leur fait pas, c'est pas une gamine de quatrième année qui va les mystifier. Et pourtant, on s'en taperait la tête contre les murs que ça ne servirait à rien, dans l'acte d'accusation comme au tribunal en plein procès, on balaiera sans honte leur expertise, comme si des marmots donnaient leur avis sur la politique monétaire européenne. Qu'est-ce qu'ils y connaissent à la psychologie, ces gars-là ?

Vient le meurtre. Pour finir. Pauline n'est venue chez Félix que pour ça. (Dans le résumé reproduit en introduction du rapport des psychiatres, il est écrit textuellement : *Elle a prémédité son coup.* Je me demande qui l'a rédigé, ce résumé, il semble qu'une petite frappe des faubourgs se soit infiltrée dans la police.) *La question de l'accident*, explique Barrière, *ne saurait être envisagée avec sérieux, il ne fait aucun doute que c'est volontairement que Pauline Dubuisson a fait feu.* Assise ou debout, peu importe, elle sort donc son pistolet de sa poche (*froidement*, indique dans son réquisitoire définitif le substitut du procureur de la République (amateur comme elle, à ce qu'il semble, de romans policiers – jamais une vermine ne bute un type autrement que *froidement*)) et le braque sur Félix.

J'ai longtemps pensé qu'on ne pouvait pas savoir (puisqu'on ne dispose que de la version de Pauline), que c'était peut-être vrai, après tout, même si tout ce que je crois présomptueusement connaître d'elle me dit le contraire. Et puis un jour, j'ai mimé la scène avec ma femme. Je voulais simplement m'assurer qu'elle n'avait pas le temps de se tirer plusieurs balles avant que je ne saute sur elle. Nous nous sommes positionnés à environ deux mètres l'un de l'autre, elle assise moi debout, un coin de table entre nous (ronde, celle de notre salon, donc sans coin, mais en me précipitant, j'ai imaginé que si). Elle a fait mine de plonger une main dans sa poche et d'en sortir un pistolet, elle finissait tout juste de le tourner vers son cœur quand je suis arrivé sur elle (et pourtant, question physique et tonicité, je suis à Félix ce que le sèche-linge est au jaguar). Nous nous sommes dit qu'elle n'avait pas eu le temps de réfléchir, qu'elle s'était levée comme pour protester avec son corps et lui avait tiré dessus avant même de comprendre pourquoi (« C'était comme un réflexe, ma main s'est crispée », Pauline a-t-elle analysé plus tard – ce que Serge Jacquemard traduit par une formule qui me plaît : *un léger décalage de la main meurtrière*), mais quelque chose, en rejouant cette scène, m'avait chatouillé le cerveau. Je devinais quoi, mais sans précision. Je me suis replacé à deux mètres et j'ai demandé à Anne-Catherine, cette fois, de faire semblant de sortir un pistolet et de me braquer, moi, pas elle. Elle est allée plus vite : le geste est plus direct, et surtout, l'intention n'est pas la même (quand on veut se suicider, on n'essaie pas de se surprendre soi-même, c'est plus lent). Et là, j'ai compris. Si on braque de cette manière vingt personnes situées à moins de deux mètres, combien vont s'élancer vers le canon de l'arme ? Soit elles se paralyseront, on ne peut pas leur en vouloir, soit, par réaction instinctive incontrôlée, elles plongeront au sol, ou sur le côté, ou derrière la table, mais se précipiter droit sur la bouche noire d'une arme quand le doigt est sur la détente, non, ce n'est pas un réflexe humain. Or il est certain, étant donné l'endroit où Félix a été retrouvé, et sa position face au fauteuil, qu'il est allé vers Pauline – ils ne pouvaient pas, au moment où elle a sorti son arme, être en train de discuter ou de se regarder dans les yeux coincés l'un contre l'autre dans les trente ou quarante centimètres qui séparaient le coussin rouge du dossier de la chaise. C'est donc que lui, au moins, a pensé qu'elle voulait se suicider.

L'ordre des balles, c'est le dernier point. Au procès, l'avocat de Pauline estimera que c'est un débat accessoire (ça n'a rien à voir avec l'âme), il ira même jusqu'à demander à ses adversaires, cette nouille, d'arrêter d'en faire tout un plat, et de passer à des choses plus importantes. René Floriot, l'avocat de la partie civile, à l'inverse, y consacrera beaucoup de temps et d'énergie. Il ira même, ce diable, jusqu'à se livrer devant la cour et les jurés à une petite pantomime, comme un enfant : « Pan ! Pan ! Et enfin… Pan ! »

Il est évident, l'ordre des balles. Même Barrière, dans son rapport, ne peut, pour une fois, faire passer son côté vindicatif et fielleux avant son côté policier. Sans développer les raisons logiques qui permettent d'expliquer l'enchaînement des tirs, car il ne faut pas trop lui en demander, il écrit tout de même, dans cet ordre : une balle dans le front, une balle derrière la tête, une balle dans le dos. Dans le réquisitoire définitif, le substitut du procureur de la République modifiera la série l'air de rien, ça passe tout seul : une balle dans le front, une balle dans le dos, une balle derrière la tête. L'intègre juge Grenier, dans l'ordonnance de renvoi de la procédure, tentera vaillamment de redresser la barre : une balle dans le front, une balle derrière la tête, une balle dans le dos. Peine perdue. Dans l'acte d'accusation, le procureur général corrigera définitivement le tir, si on peut dire : une balle dans le front, une balle dans le dos, une balle derrière la tête. C'est l'ordre qui restera, qui sera admis une fois pour toutes. (Espiègle, maître Floriot s'amusera, lors du procès, à pousser encore un peu plus loin, en avançant l'hypothèse – qui donne d'exquis frissons – que la première balle était peut-être celle qui a été tirée dans le dos. Il ne le pense pas, il sait bien que Pauline aurait dû ensuite soulever et retourner la tête de Félix pour lui tirer dans le front, à plus de vingt-cinq centimètres (c'est le docteur Paul qui le dit), il précise donc aussitôt que ce n'est qu'une supposition, n'en parlons plus – mais enfin il l'a dit quand même.) Cet ordre des balles, que reprendront tous les avocats de la partie civile et de l'accusation, qu'admettront tous les journaux sans exception et que maître Paul Baudet ne s'abaissera pas à essayer de contredire (Pauline, peu aidée, ne pourra, elle, que répéter : « Je ne m'en souviens plus »), implique inéluctablement un coup de grâce de chasseur ou de tueur à gages. (Rappelons que si tous adoptent cette idée de coup de grâce mafieux, tous claironnent parallèlement que si elle a dit qu'ils n'avaient pas couché ensemble le 7 mars, c'est qu'elle le croyait encore vivant – se sachant manifestement pas très douée en coup de grâce.) Floriot, qui n'en avait pourtant pas besoin, le détachera même des deux autres en se servant des « quelques dizaines de secondes » évoquées par un voisin, un seul, Louis Darquets – pas évoquées du tout, en fait, mais apparues quand sa déposition a été recopiée à la machine.

La première balle ne peut être que celle du front – ni celle de l'oreille, à bout touchant (ou bien vraiment, Félix était en train de rêvasser), ni celle dans le dos (Félix aurait alors pivoté et se serait jeté sur le fauteuil...) ; entrée un peu au-dessus de l'insertion des cheveux et retrouvée à l'arrière du crâne, elle a suivi une trajectoire légèrement de haut en bas, et n'a donc pu être tirée que lorsque Pauline était debout (ou bien il était à genoux devant elle, même Floriot n'a pas osé) et que Félix baissait un peu la tête, soit en se propulsant dans sa course, soit au moment où il a cogné le coin de la table ; la douille ne peut être que l'une des deux qu'on a retrouvées sur le fauteuil, d'où Pauline venait de se lever (en l'occurrence, certainement celle qui se trouve près de l'accoudoir droit, puisqu'elles sortent du côté droit de l'arme lorsqu'elles sont éjectées). Restent deux coups de feu et deux douilles. Il peut sembler impossible de choisir un ordre plutôt que l'autre, mais il peut toujours sembler pas mal de choses quand on fait bien attention de ne pas regarder ce qu'on a sous les yeux.

Les douilles, c'est le moins clair, mais ça peut servir. L'une d'elles est sur le coussin du fauteuil, près de l'accoudoir gauche : sous le buste de Félix. Ça ne peut pas être la dernière. Cela voudrait dire qu'après avoir reçu une balle en plein front et une autre en plein dos ou en plein crâne, il n'est toujours pas tombé, c'est un titan. La douille sous lui est très probablement la deuxième. Celle de la balle qui a été tirée dans le dos, selon l'accusation. Pauline étant donc toujours près du fauteuil, la scène serait la suivante : Félix court vers elle, elle lui tire dans le front, sous le choc il effectue un vif demi-tour sur lui-même, elle lui tire dans le dos, il pivote une nouvelle fois vers elle, véritable toupie, et s'effondre ("J'ai la tête qui tourne...") face contre le fauteuil, tandis qu'elle s'écarte puis l'achève d'une balle derrière l'oreille, mettant ainsi un terme à ses souffrances tourbillonnantes. Cela dit, on m'objectera que les douilles, on ne sait jamais vraiment où ça part. Mais les balles, si. C'est plus simple.

Dans la position où a été retrouvé Félix, à genoux la tête sur le fauteuil, tournée vers la fenêtre à sa droite, donc la tempe gauche sur le coussin, il constituait une cible idéale pour le coup de grâce, puisque la balle est entrée à l'arrière de son oreille droite. Mais il y a un problème. Deux, même. La balle est ressortie par la narine gauche. Elle devrait donc se trouver à peu près entre le coussin et l'accoudoir gauche. Or elle n'y est pas, mais alors pas du tout. Elle est sur le lit, du côté opposé à la fenêtre, donc, où elle a fini sa course après avoir rebondi sur l'accoudoir droit. Même dans un épisode de *Bip-Bip et Vil Coyote*, les balles ne suivent pas ce genre de trajectoire, partant vers la droite et le bas puis remontant et tournant soudain vers la gauche, plongeant de nouveau vers l'accoudoir et y rebondissant pour finir sur le lit. Félix avait donc la tête tournée vers sa gauche, vers le lit, et légèrement surélevée (pour que la balle sortant par la narine puisse rebondir sur l'accoudoir droit) quand Pauline lui a tiré derrière l'oreille à bout touchant. Un autre détail annexe de rien du tout aurait mérité que maître Baudet y consacre cinq ou six secondes. Il y a des éclaboussures de sang sur le mur, derrière le fauteuil, au niveau du haut du dossier et un peu plus bas. J'ai demandé à mon ami Pupuce, ainsi qu'à l'une de ses consœurs du quartier, une blonde et savante commandante, chef de groupe crim' : il est presque impossible que ce sang ait été projeté depuis l'orifice d'entrée de l'une des deux balles qu'on a retrouvées dans le corps de Félix, l'une dans le poumon, l'autre dans le crâne. Si l'on ajoute que le pistolet était un 6,35, une arme peu puissante, qu'on n'a retrouvé qu'une très légère coulure de sang dans le dos de la chemise, et que la balle dans le front a été tirée à plus de vingt-cinq centimètres, ce n'est plus presque, c'est impossible. Pour que les gouttes aient atteint le mur, elle ne peuvent avoir jailli que d'un orifice de sortie, sous l'effet d'une balle qui a traversé le corps : celle qui est entrée derrière l'oreille et ressortie par la narine. Félix n'avait donc pas seulement la tête légèrement surélevée, il était encore quasiment debout. Il tombait contre Pauline. Les jambes déjà fléchies et la tête baissée, puisque la balle est "descendue" percuter l'accoudoir du fauteuil. Il ne s'est effondré à genoux qu'ensuite. Sous le choc, sa tête a peut-être pivoté brutalement vers la droite pendant sa chute, ou bien la troisième balle, dans le dos, a provoqué un sursaut qui l'a positionnée comme on l'a retrouvée, tournée vers la fenêtre, je n'en sais rien, mais ce que je sais, et j'aimerais bien avoir Floriot ou l'avocat général Lindon en face de moi pour papoter devant une bière, c'est qu'il était encore à peu près debout et les yeux vers le mur ou son lit quand il a reçu ce prétendu coup de grâce.

Le troisième coup de feu ne peut être que celui qu'il a pris sous l'omoplate droite – la douille retrouvée au pied de la fenêtre. (Je me dis, mais sans preuve – et cette fois, la commandante et Pupuce ne peuvent rien pour moi, ils ne sont pas sûrs –, que cette balle étant la dernière, le fait qu'elle ait éclaté dans le canon au moment de l'explosion de la poudre (il est bien regrettable que l'expert en balistique n'ait pas pu préciser si cette douille trouvée par terre était bien la douille fissurée) explique peut-être son manque de force : elle a fini sa course dans le poumon sans avoir été arrêtée par un os. Mais là, on ne peut rien affirmer.)

Ce dernier coup de feu, dans le dos, tiré à environ vingt-cinq centimètres (je viens de calculer avec Anne-Catherine, qui fait exactement la même taille que Pauline : debout, quand elle tend le bras, si le canon est à vingt-cinq centimètres de l'omoplate de Félix (moi) à genoux, c'est qu'elle ne s'est pas approchée de lui, elle a le dos presque contre la fenêtre), ne ressemble plus vraiment à celui d'un tueur froid qui achève sa victime. C'est plutôt le geste irrationnel et inutile de quelqu'un qui ne se contrôle plus, qui n'en peut plus ou panique (qui, avec mes excuses à la mémoire de Félix, continue à piétiner une souris déjà morte), un geste de phobique en crise.

Chapitre trente-cinq

Maudite

Pauline, pour l'instant, ne sait rien de tout cela, de ce que l'on invente de sa vie, de son caractère, de ses motivations et de ses actes. Elle n'en perçoit certains échos que lorsque le juge Grenier la convoque, et lui dit par exemple : « Il est improbable que vous ayez passé toute la nuit chez Bailly : dès le lendemain, il a déclaré à son ami Mougeot que vous n'étiez restée que deux ou trois heures avec lui » (elle répond : « Je maintiens que j'ai passé cette nuit avec lui et que nous avons eu des relations intimes »), « Bailly a de sérieuses raisons de vous craindre, il se souvient des menaces de mort que vous lui avez faites antérieurement et dont il a fait part à sa fiancée, Mlle Mercier » (elle répond : « Je persiste à affirmer que je n'ai jamais menacé Félix, comme l'ont déclaré certains de ses camarades qui le lui avaient entendu dire »), ou : « On ne sait à la suite de quelle circonstance Félix Bailly a pu vous laisser accéder à son appartement, et quel subterfuge vous avez employé pour vous y introduire, mais il est étonnant que ce garçon qui venait de recevoir des avertissements de différents côtés et qui, depuis deux jours, s'était entouré de précautions, ait pu vous recevoir ainsi de son plein gré » (elle répond : « Félix m'a fait entrer chez lui sans aucune difficulté, puisqu'il m'attendait »). Elle doit se demander ce qui se passe. On ne la croit pas ?

Le 12 avril 1951, les psychiatres Abely, Boutet et Cenac sont revenus la voir à la Petite-Roquette, estimant qu'elle s'était remise de ses émotions. Ils rédigent leur rapport définitif le 26 juin (deux mois et demi plus tard), qu'ils font précéder de la fameuse synthèse hardcore de l'enquête (qu'ils intitulent *Rapport du cabinet du commissaire divisionnaire Penault*, et non Pinault, et dans laquelle on trouve assenées des vérités du style : *Elle se vante de tenir Bailly sous sa coupe*, ou : *À Bernard Legens, elle joue la comédie de la virginité*, ou enfin, en conclusion (c'est la dernière phrase) : *Elle a dans l'ensemble un passé déplorable*). Elle s'est peut-être remise de ses émotions, mais lorsqu'ils arrivent, ce 12 avril, elle est en observation depuis près d'une semaine à l'annexe psychiatrique de la prison. Elle leur dit cependant qu'elle va mieux, mais que jusqu'à ces derniers jours, elle avait un sentiment de totale irréalité à propos de son « existence antérieure » que sa raison lui répète que son père et Félix sont morts, mais qu'elle ne parvient pas à l'accepter ; qu'elle a l'impression que désormais, plus rien ne peut lui arriver, ni en bien ni en mal, que sa vie lui paraît définitivement figée ; qu'elle passe ses journées à lire.

Lorsqu'ils lui demandent de leur parler de ce qu'elle était avant le drame, de ses états d'âme, elle leur confie qu'elle traversait des périodes de plaisir et de fort optimisme, de deux semaines environ, alternées avec des phases de tristesse ou de cafard, de la même durée, pendant lesquelles elle voyait tout en noir, manquait de capacités pour travailler cérébralement, et préférait parfois rester enfermée et couchée. Dans ces moments-là, il lui arrivait souvent de penser au suicide, qu'elle considère, leur dit-elle en reprenant les mots de papa, comme « une chose simple ».

Et ses règles ? Parlons un peu de ses règles, suggèrent les hommes de l'art – c'est très important, pour une femme, les règles, c'est la base. Eh bien normalement, elle a des règles à peu près régulières, qui durent cinq jours, grosso modo. Douloureuses, oui, surtout au tout début (avec congestion des seins et du bas-ventre). Elle les a eues juste après son arrestation, tiens, avec deux semaines d'avance. Depuis, elles sont bien moins abondantes (flux léger, disons) et durent moins longtemps – à peine quatre jours, et encore. Et à quel âge a-t-elle eu ses premières règles ? (Ça compte, car tout vient de l'utérus, chez la femelle, c'est son centre, tout est dominé par la fonction de reproduction – par le sexe, si on veut.) À dix ans et demi, messieurs. Ah, elle n'était pas en retard, dis donc. (Je ne suis pas sûr que les experts psychiatres chargés d'examiner un prévenu, lorsque c'est un homme, lui demandent à quel âge sont apparus les premiers poils sur ses couilles.) Et les, comment dire, les premiers rapports ? Elle ne sait plus. Et par la suite, au point de vue physique, comment ça se passait, les rapports ? Elle a toujours éprouvé un plaisir sexuel « normal ». Ah. Bon, d'accord.

Nous sommes frappés, écrivent-ils, *par son manque d'affectivité et son absence de réactions émotives.* En effet, c'est un peu ce qui frappe chez Pauline Dubuisson, étant donné qu'elle s'entraîne depuis vingt ans, et que son père, même mort, est toujours sur elle. Le but, ce serait de chercher un peu au-delà de l'armure – certains, moins diplômés dans le domaine, l'ont fait, comme l'un de ses professeurs, le docteur Jules Morel, ou Pierre Combemale, le doyen de la fac de Lille, marqués tous les deux par sa forte émotivité.

Les Castors Juniors de la nature féminine se lancent ensuite dans une série de constatations techniques et brumeuses qui prouvent leur science, médicale à défaut de psychologique. Ils notent d'abord, sans l'expliquer, que bien qu'elle mange mal et peu, Pauline a pris sept kilos depuis son incarcération, c'est-à-dire en moins d'un mois (tombant sur ce rapport, Simone France écrira qu'elle est *empâtée de sept kilos*). Ils rappellent les signes discrets d'hypothyroïdisme qu'ils ont repérés la première fois, alors que selon Pauline, elle est plutôt atteinte d'hyperthyroïdie, c'est un médecin qui lui aurait dit ça – n'importe quoi, soupire la team ABC, qui, dans son rapport, après *médecin*, glousse entre parenthèses : *(?)*. Puis ils constatent un réflexe oculo-cardiaque (lorsqu'on appuie sur les yeux) extrêmement positif, allant presque jusqu'à l'arrêt du pouls, avec abaissement très sensible de la tension artérielle : si l'on prend également en compte les troubles du métabolisme des graisses, de la menstruation, et la forme très accentuée de son type neuro-végétatif, c'est le signe d'un net état vagatonique, qui s'accompagne naturellement d'un déséquilibre des centres hypothalamiques – et par conséquent, de par sa formule nerveuse et biologique, *elle est exposée à des réactions impulsives, coléreuses*, violentes et brutales *(on ne sait pas en revanche si elles peuvent être furieuses, irascibles et virulentes), suscitées entre autres par un égocentrisme exagéré. Ils en tirent cette affirmation utile :* C'est au cours d'une colère qu'elle a tiré sur sa victime. *En conclusion, ils n'étonneront personne en déduisant de tout cela que Pauline Dubuisson est une dysharmonique, tant au point de vue morphologique qu'endocrinien, et que son psychisme est celui d'une déséquilibrée (et puisque les gens ont toujours besoin de preuves :* On constate son déséquilibre à la lecture de son curriculum vitae*). Elle n'était pas en état de démence au moment des faits (juste une petite colère), mais l'ensemble de ces constatations est, pour terminer,* de nature à atténuer sa responsabilité pénale.

Les forces en présence exposent leur stratégie : on refusera d'admettre que Pauline n'a pas tué volontairement Félix, sa nature coléreuse et égocentrique laisse peu de doute là-dessus, on refusera aussi d'envisager qu'il n'y ait pas eu préméditation, mais en échange et pour faire contrepoids dans la belle balance de la justice sans prendre trop de risques, on veut bien lui accorder, peut-être, tope là, quelques circonstances atténuantes. C'est toujours ça, merci.

Durant les trente mois qui suivent, Pauline reçoit peu de visites. Sa mère trouve la force de venir quelques fois. Sa tante Suzanne, la sœur de son père, fait le déplacement depuis Chalon-sur-Saône à trois reprises pour lui apporter un peu de réconfort. Et une visiteuse de prison, Mme Prieuret, vient discuter longuement avec elle une fois par semaine : Pauline écrit à sa mère que cette femme attentive, compréhensive et calme, lui fait *beaucoup de bien*.

Sur une recommandation de la sœur Saint-Gérard, en raison de ses facultés intellectuelles, de son goût pour la lecture et de sa conduite irréprochable, aussi bien avec les autres détenues qu'avec les sœurs-gardiennes, elle a été nommée responsable de la bibliothèque de la prison. C'est une occupation qui l'intéresse et la détend, et lui donne le privilège inestimable de bénéficier d'une cellule individuelle. Elle ne voit plus son amie Colette Bigot aussi souvent qu'avant, même si elles parviennent à trouver des moments dans la journée pour discuter, mais c'est incomparablement plus confortable – bien que le mot soit chimérique dans une prison moisie – qu'une cellule à cinq ou six.

Le 8 juillet 1952, ses deux avocats lui annoncent au parloir une fort mauvaise nouvelle. Suivant fidèlement le réquisitoire définitif, le procureur général vient de conclure ainsi son acte d'accusation : *En conséquence, la susnommée est accusée d'avoir, à Paris, le 17 mars 1951, en tout cas depuis moins de dix ans, dans le département de la Seine, volontairement donné la mort au sieur Bailly Félix ; et ce, avec préméditation. Crime prévu par les articles 295, 296 et 302 du Code pénal.* Le meurtre est requalifié en assassinat.

Elle le redoutait, mais elle avait tout de même l'espoir qu'ils n'aillent pas jusque-là. Maître Maurice Garçon, qui en a vu bien d'autres, la rassure : il est peu probable qu'ils maintiennent cette position, qui ne s'appuie que sur des hypothèses et des impressions, pas l'ombre d'une preuve, ça ne tient pas, il est hors de question de se battre en vain dans ce sens, contre une accusation d'assassinat aussi peu fondée. Le 31 juillet, il fait donc signer à Pauline un pourvoi en cassation.

Il est rejeté. Maurice Garçon comprend que c'est foutu. Si le ministère public s'accroche à la préméditation alors que rien ne le justifie objectivement, hormis les prétendus égocentrisme colérique et passé déplorable de sa cliente, c'est qu'il veut sa peau et qu'il l'aura quoi qu'on fasse. Il se désiste, il laisse tomber (Pauline). Maître Jean Robert le suit – le droit commercial, c'est moins tordu. Gilbert, aidé par les relations et l'argent de son défunt père, dégote pour sa sœur une autre star de la profession (dans un genre très différent) : Paul Baudet. Il ne pourra vraisemblablement pas faire mieux que le maestro Garçon, mais il a sa technique : il ne craint pas d'aller dans le sens de l'accusation, de reconnaître les torts de ses clients, c'est sa spécialité, mais mise sur l'expiation et le pardon de la société pour qu'ils s'en sortent, si ce n'est la tête haute (quand elle est coupée, c'est compliqué), mais au moins avec les honneurs. Dieu les y aidera. Pauline est abandonnée en de bien faibles mains.

Paul Baudet est né à Bourges en 1907, et garde de mauvais souvenirs de son enfance (ce qu'il considère plutôt comme une bonne chose : selon lui, une enfance heureuse ne prédispose pas au métier d'avocat). Son père était un drapier sec et buté qui ne pensait qu'à son commerce et à son argent, qui méprisait son fils un peu trop chochotte et intellectuel à son goût, et sa mère couchait avec tout ce qui, en ville, ne ressemblait pas à son mari. Paul en gardera une double trace contradictoire : une crainte ou un dégoût des femmes, qui ne sont pas fiables, et un penchant incoercible pour ce qui les attire et les souille, les voyous, les garçons perdus (il rejette ainsi à la fois sa mère et son père). Bien que très doué pour les études et notamment pour le droit, qui le passionne, il tarde à concrétiser à Paris les espoirs placés en lui par ses professeurs, car il passe toutes ses soirées dans les bars borgnes de Pigalle à draguer le marlou et le petit caïd cruel, Lulu les Longs Cils ou Francky la Sauterelle, et en ramène un presque chaque nuit dans son appartement des Batignolles – or pour être un bon avocat, il faut dormir un minimum (il s'en tamponne un peu, de sa carrière, son père est riche). Mais un jour de 1950, après un week-end chez ses parents passé à se remettre d'un procès éprouvant, las et déprimé sur le quai de la gare de Bourges en attendant son train de retour, Dieu lui tombe dessus comme la foudre sur un rat mort. Ça le réveille. (Enfin, on voit ça comme on veut, je dirais plutôt que ça le pulvérise.) Il devient chaste d'une minute à l'autre et décide dans la semaine de se faire moine cistercien à l'abbaye Notre-Dame de la Trappe, dans l'Orne – ça, c'est la foudre, ça pardonne pas : ouste, à la Trappe. Mais ce n'est pas un moulin, le père Abbé le refroidit gentiment et lui conseille de mettre à profit sa foi nouvelle dans les tribunaux, au service de la justice humaine.

C'est ce qu'il va faire. Il devient un avocat de premier plan, réputé pour le style incomparable de ses plaidoiries, puissantes, lyriques et dignes (« le plus beau style du Palais », tout le monde le reconnaît), et surtout pour la compassion qu'il montre à l'égard de ses clients, l'ardeur charitable qu'il met à leur faire assumer leurs fautes et à guider leur âme vers la grâce – un être humain n'étant pour lui jamais perdu, quel que soit le degré d'ignominie de son crime (et de toute façon, il est coupable par nature, donc peu importe). Dans le métier, on dit que Paul Baudet plaide à genoux. Malheureusement, c'est parfois au détriment de considérations plus terrestres comme la condamnation ou l'ampleur de la peine, qu'il a tendance à oublier un peu. Dans les couloirs du Palais de Justice, on dit aussi qu'avec Baudet, on va souvent droit à la guillotine, mais que l'avantage, c'est que ce n'est qu'une étape vers le Ciel.

Il a définitivement fait une croix, si on peut dire, sur les plaisirs charnels et la débauche, se rend à la messe tous les dimanches et chaque fois qu'il peut dans la semaine, et quitte régulièrement Paris pour des retraites ou des pèlerinages. Un crucifix est accroché au mur de la salle d'attente de son cabinet, au 25 rue Clapeyron, à l'angle avec le boulevard des Batignolles, et plusieurs images pieuses ornent son bureau. Malgré sa réussite dans son métier et l'argent hérité de son père, il mène une existence simple et rigoureuse. Il ne se déplace qu'en bus – souvent le 21, entre la gare Saint-Lazare, près de chez lui, et le Palais. Il ne perd pas son énergie à cacher scrupuleusement son homosexualité, qui n'est d'ailleurs plus que platonique : certains de ses confrères l'appellent la duchesse de Berry (où il est né), ça l'amuse.

S'il accepte sans hésiter de prendre la défense de Pauline, abandonnée par Maurice Garçon, c'est que l'accusation d'assassinat ne le dérange pas – il dit lui-même qu'il « aime les coupables ». Il suffit de changer de méthode, c'est tout : il va demander à Pauline de "reconnaître" qu'elle a bien tué Félix avec préméditation. C'est le seul moyen, pense-t-il, de s'en sortir : personne ne la croira si elle continue à prétendre qu'il s'agit d'une sorte d'accident, autant accepter son sort et compter sur les circonstances atténuantes, c'est le plus sûr. Il faut que Pauline fasse un travail sur elle-même, admette sa culpabilité et s'offre au pardon des hommes. Qu'elle suive son avocat sur ce chemin.

Quatre ans après le procès Dubuisson (qui le rendra célèbre), maître Baudet défendra un jeune homme de vingt-sept ans, Jacques Fesch, accusé d'avoir tué un policier. En février 1954, il braque un changeur de la rue Vivienne, le frappe à la tête avec la crosse de son pistolet et lui prend trois cent mille francs (il espérait plus, pour s'acheter un voilier et partir vers les îles du Pacifique), puis ressort tranquillement dans la rue. Sa victime titube derrière lui, crie au voleur, des passants le poursuivent, il passe en courant devant sa voiture garée sans oser y monter, ou sans y penser, pousse au hasard la porte d'un immeuble du boulevard des Italiens, monte au dernier étage et attend. Il redescend un moment plus tard en jouant maladroitement le locataire lambda qui sort faire ses courses, un homme le reconnaît, « C'est lui ! », il se remet à courir. Un policier arrivé sur place, Jean-Baptiste Vergne, se lance à ses trousses dans la cour de l'immeuble et lui crie de s'arrêter ou il tire. Jacques Fesch, qui a perdu ses lunettes dans sa course et qui est myope comme une taupe affolée, se retourne sans s'arrêter et c'est lui qui tire, au jugé, à travers la poche de son imper, sans même avoir sorti son arme. Le policier est atteint en plein cœur – la taupe a malheureusement fait mouche – et meurt sur le coup.

Baudet a été attiré par une déclaration du jeune homme qu'il a lue dans la presse : « Ce que j'ai fait est atroce, je mérite la guillotine. » Il est mûr pour la rédemption, celui-là. L'avocat ne se trompe pas : après de longues heures à lui parler de Jésus qui pardonne aux pires criminels, à le pousser tendrement vers la foi, il obtient que son client, qui était athée comme l'herbe est verte, plonge tout entier dans l'amour de Dieu. Cette conversion radicale est une belle victoire, mais le procès, qui débute le 3 avril 1957, ne s'annonce pas facile : c'est le type même du meurtre qu'on peut qualifier d'accidentel si l'on est indulgent, il a tiré sans voir, au pif (« Ce n'était qu'un réflexe », répétera Jacques Fesch dans le box des accusés), a priori du gâteau même pour un avocat qui sort de l'école, mais d'une part les journaux ont solidement bouclé l'affaire avant l'heure et réclament ouvertement la peine de mort (le policier de trente-cinq ans était veuf et père d'une petite fille de quatre ans, Marie-Annick), d'autre part l'avocat de la partie civile sera René Floriot. Paul Baudet ne tremble pas face à cet adversaire. Sur ses conseils, son client assume pleinement sa faute, sans chercher à finasser ni à se dérober. Le 6 avril, Jacques Fesch est condamné à mort.

Il sera décapité le 1er octobre de la même année, heureux. La nuit précédente, il a noté dans son journal : *Plus que cinq heures à vivre ! Dans cinq heures, je verrai Jésus. Qu'il est bon, notre Seigneur. Il n'attend même pas l'éternité pour récompenser ses élus.* À Paul Baudet, qu'il a affectueusement surnommé *la panthère de Dieu* en raison de sa *foi féroce*, il a écrit ce dernier soir une lettre qu'il signe *Votre frère en Jésus*, et qui commence par : *D'abord, un grand merci pour tout ce que vous avez fait pour moi.*

Peu de temps avant la mort de l'avocat (en avril 1972), celui-ci reconnaîtra toutefois qu'il regrette d'avoir pensé davantage à sauver l'âme de son jeune client qu'à protéger sa vie sur terre. Il faut dire que sa foi l'a un peu détourné des exigences de base de son métier : pendant le procès, il a laissé de côté quelques aspects bassement matériels de l'affaire, ne jugeant pas utile, par exemple, de rappeler que Jacques était myope et avait perdu ses lunettes quand il a tiré.

Le gagnant par K.O. du combat pour la vie ou la mort de Jacques Fesch, maître René Floriot, a fait dans le moins pur, le moins élevé. Quand son confrère a déclaré avec émotion que le jeune homme passait ses journées, dans sa cellule, à lire la Bible, il a rétorqué tranquillement : « Que voulez-vous qu'on fasse d'autre en prison ? » Rires dans la salle et couperet qui se profile.

(Le soir du vendredi 5 avril 1957, à la veille du verdict qui condamnera Jacques Fesch à avoir la tête séparée du reste du corps, Floriot, sûr de sa force et donc de sa victoire après une formidable plaidoirie en faveur de la mise à mort, va dîner avec un ami dans un restaurant de la rue Gît-le-Cœur, tenu par un joyeux Corse, à trois cents mètres du Palais de Justice (il suffit de traverser un bras de la Seine). Ils sont accompagnés de plusieurs jolies femmes, entre autres une journaliste peu farouche et une avocate gironde, c'est l'avocat et écrivain Stephen Hecquet qui le raconte, et picolent gaiement avec elles, une main par-ci, une main par-là, c'est la fête, jusque tard dans la nuit, en trinquant plusieurs fois à la santé du petit Fesch, dont les jurés décideront le lendemain, ça ne fait pas de doute, que la vie est arrivée à son terme. L'ami de Floriot doit quelques fières chandelles à l'avocat : celui-ci a brillamment fait acquitter son neveu, impliqué dans un trafic louche, et plus récemment son fils, arrêté à Macon en possession d'une arme sans autorisation. Entre potes, on s'aide, c'est normal. Mais ces agapes corses feront du bruit, certains utopistes tenteront même de faire annuler le verdict de peine capitale contre Jacques Fesch, car cet ami qui célèbre au champagne, au figari ou au patrimonio la victoire quasi assurée du maître (et portera plainte contre Stephen Hecquet la balance, mais ne démentira jamais avoir participé à ce dîner) n'est pas un simple copain de beuverie, il a participé lui aussi au procès qui s'achève : c'est Raymond Jadin, qui tenait le rôle de président du tribunal. Quatre ans plus tôt, il a également dirigé les débats lors du fameux procès de Pauline Dubuisson.)

René Floriot est un génie des salles d'audience, aussi bien quand il est du côté de la défense que de la partie civile – il aurait, comme l'eau mouille, sauvé la tête de Jacques Fesch (en trois phrases et deux soupirs). Je suis une tanche en droit, mais il ne me paraît pas juste qu'une telle pointure puisse passer d'un côté ou de l'autre : quand il défend un accusé, il lutte seul contre l'avocat général, l'avocat de la partie civile, parfois le président du tribunal et souvent l'opinion publique donc les a priori des jurés, il est si aguerri et talentueux que c'est à peu près équilibré ; quand il est du côté de l'accusation, il ajoute sa puissance redoutable à celle des autres contre l'avocat de la défense, seul. L'avoir avec soi, c'est être associé à Shaquille O'Neal dans la décapotable du manège, pour attraper la queue du Mickey. Il est prêt à tout pour faire gagner son client, quitte à mentir, à tricher, à embrumer les jurés. Bien que très instruit et cultivé, il a adopté un langage populaire et démago dont certains refrains reviennent souvent : « Il paraît qu'on est c'qu'on est » (ou une variante : « Il paraît que les chiens n'font pas des chats »), « moi j'veux bien, on est ce qu'on est, on m'dit ça, d'accord, mais enfin… » Deux mois après le procès de Pauline, lors de celui d'une femme accusée d'avoir tué sa cousine pour lui piquer son mari, il s'adresse aux jurés, d'un air humble : « Je n'sais pas faire de grandes phrases, moi, je plaide mon dossier. Je n'ai qu'une arme, c'est l'bon sens. Je n'm'adresse pas à des juristes, quand j'plaide, j'm'adresse à des honnêtes gens. » Les grosses ruses de serpent étrangleur ne lui font pas peur non plus. Avocat du docteur Petiot, qu'il essaie de faire passer pour cintré (une bonne idée), il s'oppose à un expert psychiatre qui le prétend tout à fait "normal", simplement dépourvu de tout sens moral, et qui témoigne :

— Tous ses proches sont sains d'esprit.

— N'avez-vous pas, tout de même, été frappé par le comportement de sa sœur ? demande Floriot, l'air perplexe.

— Sa sœur ne présente aucune tare mentale.

— Désolé, monsieur l'expert, mais mon client n'a pas de sœur.

Marcel Petiot sera guillotiné malgré les coups tordus et les six heures de plaidoirie de Floriot : soixante-trois victimes revendiquées, vingt-sept prises en compte par la justice, on ne pouvait pas s'attendre à beaucoup de tendresse de la part des jurés, et même Shaquille O'Neal n'a pas des bras de cinq mètres.

« Quand je plaide, je hais l'adversaire », a dit un jour René Floriot. Lorsqu'il perd un procès, ce qui est rare, il n'éprouve pas de regrets ni de tristesse pour son client, mais de la rage. Quand il estime avoir gagné, même si celui qu'il défendait prend perpète, au lieu de la guillotine, il est comme ivre de joie féroce, un boxeur qui hurle sa victoire. Il passe pour un homme sans pitié, méchant même, et ça ne le gêne pas – il raconte souvent, fièrement, l'anecdote de cette femme du monde venue le trouver dans son cabinet, après avoir lu un portrait de lui dans la presse, en lui disant : « Je m'adresse à vous car j'ai besoin de quelqu'un de très méchant. » Face à lui, il aura Baudet, qui a déclaré, lui, avec une belle symétrie : « Je ne sais pas haïr l'adversaire. » Mike Tyson sur le ring contre la grand-mère de l'abbé Pierre. Maurice Garçon aurait été pour Pauline un partenaire bien plus solide, et pour Floriot, un adversaire à sa mesure, qui l'a d'ailleurs déjà battu. Dans le procès de la femme accusée d'avoir tué sa cousine pour lui piquer son mari, Marguerite Marty, dont il était l'avocat et Floriot celui de la partie civile, Garçon s'est adressé durement à son confrère dans sa plaidoirie : « Vous avez tenté de piper les dés, Maître, et vous avez bâti vaille que vaille ce misérable réquisitoire auquel je ne répondrai pas. » Marguerite Marty avait été acquittée. Paul Baudet serait incapable de parler comme ça. C'est l'avocat doux et gentil qui défendra celle que l'on prend pour une enragée hargneuse, et l'avocat enragé hargneux qui défendra le doux et gentil Félix. Pour Pauline, le procès, prévu pour le 27 octobre 1953, ne s'annonce pas sous les meilleurs auspices, comme on dit quand ça sent la boucherie, mais elle ne se doute pas encore à quel point.

Le mercredi 11 mars 1953, elle a vingt-six ans. Elle se souvient peut-être de ce qu'elle avait écrit à Lyon, ou peut-être pas.

Malgré des hauts et des bas, des moments d'angoisse et de prostration, elle réussit encore à se montrer insouciante en surface et à se dire que tout n'est pas perdu. Cela va devenir de plus en plus difficile. Fin juillet, deux jours après une visite de Paul Baudet, elle écrit à sa mère : *J'ai reçu ce matin une lettre de tante Hedwige* (je ne sais pas qui c'est, peut-être la femme du demi-frère d'André, Émile). *Elle n'a pas l'air de soupçonner que je suis en prison ! Comment l'as-tu trouvée ? Elle ne doit pas être toute jeune...* (J'imagine les mots de la vieille mal à l'aise et maladroite, qui ne veut pas aggraver le moral de sa nièce, ou la blesser en lui faisant trop sentir qu'elle la plaint : *Je t'espère en pleine forme. T'entends-tu bien avec tes camarades ? As-tu beau temps ?*) Plus loin, Pauline en vient à ce qui occupe toutes ses pensées : *J'ai vu Maître Baudet mercredi. Il avait demandé à voir une photo de papa et une de toi, je lui ai donné celles que j'avais, et il a demandé à les garder. Je ne sais pas ce qu'il veut en faire. Il m'a apporté mon dossier à étudier. Ce n'est vraiment pas une besogne agréable.* (Toujours cette retenue, indéracinable.) *J'aspire au calme et à la solitude, comme toujours dans mes moments de dépression. Je ne suis contente que le soir, enfermée dans ma cellule. Pour me délasser de tout cela, je lis un roman d'anticipation,* La Fin des mondes. *Ça ressemble à Wells, et ma foi, c'est très agréable à lire. Je me demande si je supporterai facilement un long isolement. Je crois que oui, à condition naturellement d'avoir des livres. Mais l'expérience m'a appris qu'on réagit souvent autrement que prévu. Je t'embrasse, ma petite maman, et t'aime de tout mon cœur. Pauline.*

L'examen de son dossier, aux charges brutales et accablantes, l'a laissée comme sidérée, chancelante ; une autre enveloppe apportée par Paul Baudet va l'achever. Quelques jours avant le début du procès, pour lui faire prendre conscience de la gravité de leur situation et la convaincre qu'il serait irréaliste de penser pouvoir s'opposer de front à la machine judiciaire et à toute l'opinion publique, que leur seul espoir est de plaider l'assassinat, de sang-froid peut-être, mais passionnel, il lui met sous les yeux un gros paquet de coupures de presse, les avant-procès. Elle doit d'abord être surprise par le nombre d'articles, elle ne pouvait pas s'attendre à ce qu'un crime de ce type, après tout plutôt banal, pas rare en tout cas, suscite un tel intérêt, pour ne pas dire engouement, dans la population. Ensuite, elle lit ce qu'on dit et ce qu'on pense d'elle en France. Les gros titres et le reste. Les faits authentiques, sa vie, le déballage, mais aussi les interprétations, les erreurs, les mensonges, les injures. J'essaie de me mettre à sa place, seule dans la cellule où Baudet fait entrer le vacarme de l'extérieur.

PAS DE PITIÉ POUR PAULINE DUBUISSON ! – Une vie dépravée – LE DIABLE AU CORPS – LA RAVAGEUSE – L'ANGE DU MAL – Un monstre – La hyène du Nord – Une vulgaire meurtrière – Fille à soldats – EXQUISE… MAIS PER-

VERSE – *Amorale et diabolique* – SENS DE FEU, CŒUR DE GLACE – *Soif de vengeance – Son crime a été accompli froidement, c'est un crime réfléchi – Elle lui donne le coup de grâce – Ce n'est pas un réflexe féminin, c'est un crime d'homme – Il monte de ce dossier une odeur de sang et de stupre – Le désir de faire mal, de se venger de n'importe qui, de n'importe quoi – Son père, lui, ne s'est pas raté – Au procès, on l'entendra ergoter afin de sauver sa misérable petite vie, afin de reconquérir une inutile liberté – La Justice fera ployer l'orgueil de Pauline Dubuisson, ce sera la beauté du châtiment.*

C'est plié. Armand Gatti écrira, à propos de l'avocat général Raymond Lindon (il est alors maire d'Étretat, père de Jérôme Lindon, l'âme des éditions de Minuit, et deviendra le grand-père de l'acteur Vincent Lindon, neveu de Jérôme) : *Ce digne représentant de la société (en ce qui nous concerne, nous le récusons : nous n'appartenons pas à cette société-là) se promenait depuis dix jours à travers le Palais en promettant une « tête » aux amateurs de beau spectacle. La perspective du panier de son avait alléché plus d'une femme des milieux huppés, et M. Lindon s'était fait un devoir de distribuer à tour de bras des cartes d'invitation.*

À la Petite-Roquette, tout le monde, y compris le directeur de la prison, trouve Pauline étonnamment forte, presque sereine. Seule la sœur Saint-Gérard sent qu'elle est passée de l'autre côté, au contraire, là où il n'y a plus d'envie, plus d'espoir. Le 25 octobre, inquiète, elle demande à ce que la jeune femme soit placée dans une cellule avec d'autres détenues, notamment Colette. Le directeur lui répond qu'on s'occupera de ça plus tard s'il faut, il n'en voit pas l'utilité pour l'instant, elle est calme et solide.

Le soir du 26 octobre, veille du procès, enfermée seule, Pauline écrit une lettre à son avocat. Elle ne veut pas affronter cette armée de juges et de volontaires déchaînés qui ne pensent qu'à la détruire, à l'éliminer de leur monde. Elle ne veut pas qu'on la regarde *ergoter*. Elle ne se pardonne certainement pas son crime, mais elle ne les laissera pas, eux, l'écraser comme un cafard dans leur cuisine en s'extasiant sur la beauté du châtiment. En outre, il faudrait qu'elle dise avoir prémédité son acte, tué Félix parce qu'elle voulait le tuer, et cela ne servirait sans doute à rien. Paul Baudet ne révélera jamais le contenu de cette lettre – par pudeur, dira-t-il, ce qui me paraît une explication un peu légère : il a rendu publique celle de Jacques Fesch ; et son contenu pourrait plaider en faveur de sa cliente, c'est ce qu'il affirmera à l'audience. Mais il n'en citera qu'une phrase : Pauline lui écrit qu'elle aurait voulu *tout lui donner*. C'est vague, obscur. Ce qu'il sous-entendra quand il évoquera ce passage, il me semble, c'est qu'elle était prête à lui avouer toute la vérité. On peut tout aussi bien penser qu'elle aurait voulu dire ce qu'il lui demandait de dire, lui donner toutes les cartes qu'il réclamait, mais qu'elle n'a pas pu s'y résoudre.

Sur son lit, Pauline a posé un éclat de verre de bouteille. Elle rédige, pour la deuxième fois de sa vie, un bref testament. Il est simple : elle donne toute la part qui lui revient sur l'héritage de son père à Colette Bigot.

Puis elle éteint sa petite lumière et commence à se taillader le poignet gauche avec le verre. Elle sait qu'elle doit sectionner l'artère radiale. Mais elle est moins accessible et facile à trouver (surtout dans le noir, mais Pauline ne peut pas se risquer à allumer) qu'on ne pourrait le penser en se prenant le pouls : une fois la peau coupée, ce sont les tendons, les nerfs et les muscles qui morflent d'abord, et les petites veines du poignet cicatrisent assez vite (c'est pourquoi la plupart des suicides tentés de cette célèbre manière, si l'on n'est pas plongé dans l'eau chaude, échouent – mais Pauline n'a pas trop le choix). Elle s'acharne et se charcute sur la face interne et le côté extérieur du poignet, ça fait mal, ça saigne quand même beaucoup, elle attend. C'est long. Elle décide d'écrire une lettre à celui qui aurait dû, demain, présider le tribunal, Raymond Jadin :

Monsieur le président,

Je suis obligée de vous écrire dans le noir, car je ne veux pas allumer ma veilleuse. Je ne sais pas si vous pourrez me lire. Peut-être ne le voudrez-vous même pas. Il n'y avait rien à faire pour éviter cela, et tout ce qui était possible a été tenté. Je ne veux pas mourir sans remercier tous ceux qui ont été bons pour moi malgré mes défauts, c'est-à-dire la plupart de mes camarades et ceux qui, à leur façon, m'ont témoigné amitié et affection. Je regrette d'avoir été si peu gentille, et j'aurais voulu les remercier chacun en particulier. Je crois bien que ma famille est maudite et moi aussi. Je ne fais que du mal à ceux-là même que j'aimais le plus au monde. J'ai perdu plus d'un litre de sang mais je suis encore bien. Que M. et Mme Bailly me pardonnent s'ils le peuvent, qu'ils aient pitié de maman. Pardon pour tout le mal que j'ai fait. Vous pouvez dire aussi que je regrette infiniment d'avoir tué Félix, mais que je ne veux pas me soumettre à une justice manquant à ce point de dignité. Je ne refuse pas d'être jugée, mais je refuse de me donner en spectacle à cette foule qui me rappelle très exactement les foules hurlantes de la Révolution. Il m'aurait fallu le huis clos. Je suis ravie de jouer ce tour à ceux qui s'occupent de mettre le décor en place.

Elle est prise de vertiges, elle n'a plus de forces, elle s'allonge sur son lit et attend encore. Un bon moment. Ça coule moins. Elle réussit à se relever, allume brièvement sa veilleuse, prend une aiguille à coudre (qu'elle a volée ou qu'elle a le droit d'avoir, je ne sais pas), éteint, se garrotte le bras gauche avec un bas, se recouche et se triture à l'endroit où elle sait que doit se trouver l'artère radiale, fouille et pique dans la plaie jusqu'à perdre connaissance.

Chapitre trente-six

Simulatrice !

À l'ouverture des cellules, à 6 h 15, le matin du 27 octobre 1953, jour du procès, sœur Saint-Gérard trouve Pauline étendue sur son lit, inconsciente et blanche. Quelques lignes sur un morceau de papier et deux lettres cachetées sont posées près d'elle. L'aiguille est encore plantée dans la plaie de son poignet. La sœur lui met la main sur le cœur, ne sent rien, donne l'alerte aussitôt. Le médecin-chef de la prison, le docteur Coliez, arrivé peu après, constate une profonde entaille dans la gouttière radiale, sans atteinte de l'artère (la veine radiale, elle, est sectionnée), et une hémorragie extrêmement importante. Il l'a fait transporter à l'infirmerie, où elle reçoit une injection de morphine et une de vitamine B12. Des détenues proposent de donner leur sang, le médecin refuse et demande qu'on en apporte de l'hôpital Saint-Antoine. Il conclut ce premier rapport par : *Le pronostic est réservé.*

Appelé à son tour, le légendaire docteur Paul examine Pauline. Il la trouve, à dix heures, *dans un état semi-comateux* et estime que *l'hémorragie dépasse un litre. Elle ne répond à aucune question, elle est complètement décolorée, avec refroidissement des téguments et pouls radial à peine comptable.*

Elle est transfusée à 10 h 45 – quatre cents grammes de sang – et reprend quelques couleurs. Le docteur Paul termine ainsi son rapport : *Mlle Dubuisson est dans un état tel qu'il est impossible pour elle de se présenter devant la Cour d'assises ce 27 octobre. Sous l'influence des transfusions sanguines, il est possible qu'elle puisse physiquement s'y rendre le 28 octobre, mais elle serait dans un état d'anémie tel qu'elle ne pourrait supporter un interrogatoire et, d'autre part, elle ne posséderait pas les moyens physiques et psychiques lui permettant de présenter sa défense.*

Le directeur de la prison, vers lequel vont inévitablement se tourner quelques regards, adresse lui aussi un rapport au procureur général. Il indique qu'il avait *décidé, à partir d'aujourd'hui* (zut), *de la faire coucher dans un dortoir avec deux de ses codétenues*, et que s'il ne l'a pas fait plus tôt, c'est qu'*elle a toujours eu à l'établissement une conduite exemplaire et que la sœur de qui elle dépendait ne tarissait pas d'éloges sur son comportement. Je m'empresse d'ajouter que personne à la Roquette n'aurait pu supposer un seul instant qu'elle allait tenter de se suicider* (sauf la sœur qui ne tarissait pas d'éloges). *Quoi qu'il en soit, elle restera à l'infirmerie jusqu'à nouvel ordre, où elle sera placée sous surveillance spéciale. Il semble, en effet, qu'elle ait voulu réellement attenter à sa vie. J'estime, en ce qui me concerne, que tout a été mis en œuvre pour mettre en échec son intention de suicide.* (Alors ça va.)

Sur l'île de la Cité, depuis le début de la matinée, il y a foule devant le Palais de Justice. Certains sont prêts à rester plantés quatre heures pour être sûrs d'avoir une place. (On vient au procès comme au cinéma ou au théâtre, pour se distraire, haleter, s'indigner ou s'attendrir, mais on vient aussi en thérapie expiatoire indirecte. Dans un article du *Monde* intitulé « Le crime impardonnable » (en référence à la tentative de suicide de Pauline, pas au meurtre), Robert Escarpit écrit avec justesse : *Nous sommes tous des assassins, disait l'autre. Il suffit de savoir choisir dans le tas* (des procès proposés) *pour trouver une petite mort à sa mesure, et expier par procuration les crimes qu'on porte en soi.*) D'autres sont des professionnels, oisifs ou clochards, ils arrivent le matin parmi les premiers et revendent leur position dans la queue quand les plus riches se pointent, peu avant l'ouverture des portes.

À treize heures, quand on annonce que la vipérine héroïne du jour a tenté de se suicider, la colère éclate dans la file d'attente. Le chroniqueur Pierre Scize est parmi la foule, il entend des « Petite garce ! » et des « Misérable putain ! », elle les prive du spectacle, cette insolente croit pouvoir faire justice elle-même (Robert Escarpit écrit encore : *Le public a les mains propres, la conscience nette, l'esprit clair, il a payé sa place, malheur à ceux qui prétendent conclure seuls et à huis clos le drame de leur vie manquée : c'est là le seul crime qui ne se pardonne pas*) ; certains n'y croient pas, pensent que c'est une ruse pour donner leur place à d'autres, des huppés, des privilégiés ; les plus furax sont les patienteurs professionnels, qui ont perdu une précieuse demi-journée de boulot à cause de cette lâche sans scrupules.

(Je dois reconnaître, un peu honteux, que j'ai aussi ce réflexe d'énervement ou d'indignation quand j'apprends qu'un assassin s'est suicidé, ou a essayé de le faire, juste avant son procès – cette sensation de manque de dignité, de bassesse du sale type qui n'a même pas le courage d'assumer : une saloperie de plus. Mais quand on se glisse la nuit dans la cellule, près de Pauline par exemple, on se secoue un peu la conscience et on se rend compte que ce n'est pas une fourberie, une petite stratégie de mauvais perdant ou une dernière blague, c'est la mort. La détresse ou la lâcheté, mais la mort. Et puis dans le cas de Pauline, comment peut-elle ne pas trouver trop lourde, impossible à supporter, cette disproportion entre son crime, inexcusable mais irréfléchi, et même réflexe si on la croit, instinctif bien plus que pervers ou revanchard, et l'immensité de la haine et de la rage qui la cernent maintenant de toute part ? Ce n'est pas son geste, qu'on exècre, c'est elle. Comment peut-elle espérer ne pas être piétinée en public, pour ne pas dire lapidée, mise en pièces sans possibilité de se défendre ?)

À l'intérieur du tribunal, la séance s'ouvre tout de même. La salle est comble, on veut savoir, tout le monde est là à l'exception de l'accusée et des jurés. Le président Jadin donne d'abord la parole à maître Baudet, qui explique sobrement que sa cliente a tenté de se suicider et ne peut donc pas comparaître : l'audience doit être renvoyée. Le docteur Paul vient à la barre pour confirmer l'impossibilité de juger aujourd'hui la demoiselle Dubuisson : « Elle est encore dans un état semi-comateux, le teint cireux, le pouls incomptable et les extrémités froides, sa tension est tombée à 6. Elle connaîtra pendant plusieurs jours un état d'anémie qui l'empêcherait d'assumer normalement sa défense. Je suis extrêmement net sur ce point. » Charles Paul est l'homme le plus fiable et respecté de tout le système judiciaire, mais ce n'est pas ça qui va freiner les champions du châtiment. On peut le balayer comme un autre.

L'avocat général Raymond Lindon se lève. Il sort de sa poche une feuille de papier tachée de sang. C'est la lettre que Pauline a écrite au président Jadin. Curieusement, celui-ci, au lieu de la lire lui-même comme il aurait semblé logique, l'a passée à son vieux copain – car ils se connaissent depuis la première dent de Mathusalem, eux aussi. Vas-y, toi, tu feras ça mieux que moi, c'est ton truc. Raymond Lindon lit. D'une voix sévère et agacée. Pas du tout celle d'une jeune femme qui pense être en train de mourir. Ça change un peu l'intention, c'est comme si on lisait du François Villon en costume de Télétubbie, ou du Verlaine en pétant. Quand elle évoque *les foules hurlantes de la Révolution*, il n'en peut plus, il s'interrompt pour secouer la tête et regarder à bout de patience le plafond richement ouvragé du Palais. (C'est vrai que ça surprend, comme comparaison (quel rapport ? elle se prend pour une reine ou quoi ?), mais je suis presque sûr – sans savoir – qu'elle a voulu écrire : *les foules hurlantes de la Libération*, en pensant aux excités en transe qui l'ont tondue sans la connaître, juste pour se faire plaisir et se venger de leur propre misère, mais qu'elle s'est dit que non, quand même, ce serait mal interprété, elle ne pouvait pas mettre ça, que cette curée sauvage est *aussi odieuse que la Libération*.) Raymond Lindon achève la lecture malgré son dégoût : … *ravie de jouer ce tour à ceux qui s'occupent de mettre le décor en place*, puis s'écrie de sa plus belle voix d'artiste en robe : « Simulatrice ! » Il le répète pour qu'on prenne bien la mesure de son courroux : « Simulatrice ! Elle est tout entière dans cette lettre : comédienne ! orgueilleuse ! » Il n'arrive pas à en dire plus pour l'instant, trop c'est trop.

Paul Baudet reprend la parole : « Que certaines remarques faites dans sa lettre par ma cliente soient déplacées, en ce qu'elles manquent de respect à la Justice, je vous l'accorde bien volontiers. Mais cela ne vous autorise pas à parler de simulation ! Que ce soit de l'orgueil ou de la sensibilité, il lui est apparu insupportable d'être livrée à la curiosité publique. Cela n'a rien d'étonnant quand on sait le déballage qui a été fait de tout ce qu'il pouvait y avoir de déplaisant dans ce dossier. Pardonnez-moi de le dire : du fond de cette mort que Pauline Dubuisson a voulue, cette lettre constitue pour nous tous une manière de soufflet ! »

Il a raison, il faut être vraiment bouché, stupide ou d'une mauvaise foi qui frise la baffe qui se perd pour ne pas percevoir dans les phrases de Pauline, quand on les lit posément, sans préjugé, une véritable envie de mourir, un épuisement nerveux définitif. On la dit de marbre, calculatrice et sans remords, et ce qu'elle exprime de plus sincère au moment où elle se vide de son sang, de moins indulgent envers elle-même, on le prend pour de la ruse et du cynisme ? On n'écrit pas qu'on est *maudite* pour jouer la comédie. Elle parle comme elle peut du néant qu'elle redoutait à juste titre depuis des années, de sa terreur obsessionnelle de l'échec, elle a fait du mal, elle a tout raté, elle parle de chute, de vide et de fatalité, elle n'a peut-être pas les mots pour dire son désespoir avec force et clarté, mais qui les a ? Antonin Artaud appelait cela *l'effondrement central de l'être*, mais tout le monde n'est pas Antonin Artaud. Et qui peut comprendre ?

Pas le père Lindon : « Faut-il tant de façons pour juger cette fille ? Agonisante, est-elle moins coupable ? Mes témoins sont là ! Ils viennent, pour certains d'entre eux, du Nord ! Cela fait bien des frais pour une coquine. Et qui se moque de nous avec son hémorragie ! » Le ton du futur procès vient d'être donné : une « fille », une coquine, qui se moque de nous.

Paul Baudet tente de faire contrepoids en restant dans son registre émotionnel, dont ses adversaires se contrefoutent : « N'oubliez pas que l'accusée m'a écrit aussi. Et sa lettre contient une phrase qui est garante de son désir sincère de mourir, au moment où elle l'a écrite. Parce que cette phrase, Pauline sera affreusement gênée de l'avoir écrite quand demain, je me rendrai auprès d'elle. Elle m'écrit, oui, elle m'écrit qu'elle aurait voulu tout me donner. » (Ce n'est toujours pas clair, je ne comprends pas ce qui la gênerait, je suis moins psychologue et sensible que Baudet.) Ça doit le bouleverser, Raymond Lindon, qu'elle soit affreusement gênée, mais il retient ses larmes. Bien que le docteur Paul soit de nouveau intervenu pour confirmer fermement sa première déclaration, l'avocat général insiste pour que le procès s'ouvre le lendemain malgré tout. René Floriot, qu'on n'a pas encore entendu, est moins lourdaud. Il accepte avec bonhomie que l'audience soit ajournée jusqu'à ce que Pauline soit complètement rétablie. Ce n'est pas par bonté ou compassion, il ferait sauter une ambulance à la grenade si cela pouvait lui assurer l'avantage sur ses adversaires, il sait simplement que si Pauline apparaît blessée, exsangue, sauvée in extremis de la mort qu'elle voulait à tout prix se donner tant elle regrettait son crime, elle risque d'émouvoir la salle et les jurés. Le premier jour du procès est reporté au 18 novembre.

Le 30 octobre, après que plusieurs articles relatant la tentative de suicide ont paru dans les journaux, dont un de *La Voix du Nord* supputant que Pauline avait pu trouver *indécent* le cirque médiatique et judiciaire qui s'organisait autour d'elle, le président Jadin reçoit au Palais de Justice une lettre, rédigée d'une écriture fruste par une certaine Aline David, de Rosendaël, dont je respecte la forme et l'orthographe :

Monsieur le Président,

peut on simaginer une Pauline Dubisson ayant un certain gout pour la "décence" alors que si jeune elle s exibait nue, allant et venant dans une villa occupée par les boches et offrant de l argent a la femme de ménage pour taire son bec

Recevez Monsieur le Président mes salutations

Chapitre trente-sept

Aveugle

Le mardi 17 novembre, Pauline ne dort pas seule en cellule, elle est avec Colette et une autre détenue, et particulièrement surveillée. De toute façon, elle est prête maintenant à prendre de face tout ce qu'on va lui balancer, elle a essayé deux fois de se tuer en vain, c'est sûrement le signe qu'il faut qu'elle accepte son sort et ce qu'on lui réserve. Le procès a lieu demain. Elle sait qu'elle ne baissera pas les yeux. Et Paul Baudet est venu lui apporter un peu d'espoir, en lui racontant un procès qui s'est déroulé un an plus tôt aux assises de la Marne, celui d'une dame Yvonne Chevallier : comme pour celui de Pauline demain, le président du tribunal était Raymond Jadin, et l'avocat général Raymond Lindon. Ils ne se sont pas montrés trop sévères avec elle.

Le 12 août 1951, Yvonne Chevallier, née Rousseau, trente-neuf ans, a tué son mari de cinq balles de pistolet parce qu'il voulait la quitter pour une autre. Il s'appelait Pierre Chevallier, il était médecin à Orléans, député et secrétaire d'État à l'Enseignement technique. Il est issu d'une riche famille de la région, bourgeoise et respectée, elle est fille de paysans, rudes et sans éducation. Ils se rencontrent au début de l'année 1938, à l'hôpital d'Orléans, où Yvonne est sage-femme – Pierre vient de soutenir sa thèse et de terminer ses études. Ils couchent ensemble quelques jours plus tard (on pourrait penser que c'est rapide pour l'époque, mais le président Jadin, au procès, apportera au sujet de cette promptitude à se mettre au lit un commentaire d'explication : « Vous êtes une femme amoureuse au sens absolu du mot » – dans le box, Yvonne baissera pudiquement la tête). Le problème, c'est que les parents de Pierre voient d'un mauvais œil cette liaison avec une plouc inculte (disent-ils) qu'ils pensent, en outre, arriviste. (Raymond Jadin compatira, d'une voix désolée, presque douloureuse : « Sa famille ne vous a jamais acceptée… » – ces parents qui se mêlent des amours de leur fils, quelle plaie). À la déclaration de guerre, Pierre enfile un uniforme de lieutenant. Juste avant de partir au front, face à la détresse de sa compagne, sachant qu'il peut ne jamais revenir et refusant l'éventualité qu'elle reste fille "sans nom", il l'épouse en vitesse. (La famille s'étouffe : elle a profité des événements, la bouseuse !) À son retour en juin 1940, Pierre est agrémenté de la Légion d'honneur : il a soigné ses camarades sous les obus, au mépris de sa propre vie. Il entre vite dans la Résistance (le temps de faire un enfant à Yvonne et il file dans la clandestinité), devient chef du maquis local, et à la Libération, héros de toute une région, il est élu maire d'Orléans, à trente-cinq ans. Yvonne exulte et met au monde un deuxième garçon neuf mois après son élection. Elle ne va pas tarder à désexulter. Son mari est élu cette fois député du Loiret, devient chef du groupe UDSR (Union démocratique et socialiste de la Résistance) au Parlement, et passe désormais trois jours par semaine à Paris, où il loue un studio au 28 rue Cambronne (s'il est sur cour, il voit l'immeuble de Félix depuis sa fenêtre). Et quand il rentre à Orléans, il virevolte dans la lumière et le cliquetis des coupes de champagne, de réception officielle en soirée mondaine : Yvonne n'arrive pas à suivre. Elle n'est pas faite pour ça, ces dîners la gonflent et elle n'est, de toute manière, ni assez élégante, ni assez distinguée, ni assez cultivée pour s'y sentir à l'aise et faire honneur à son époux. Mais elle ne veut pas rester à l'écart, elle a peur qu'il y rencontre des femmes, elle le suit partout. Pierre commence à lui faire de petits reproches, sur un ton affectueux d'abord : « Tu devrais apprendre à t'habiller » ou « Parle un peu, tout de même… ». Elle fait des efforts pour ne pas rester à la traîne, s'achète des vêtements de plus en plus chers (et de mauvais goût), elle voudrait lire – mais tout lui tombe des mains, essais, biographies et romans, c'est d'un ennui… Elle croit avoir trouvé la parade : elle s'abonne à des magazines littéraires et apprend par cœur des critiques de livres, qu'elle récite d'un air dégagé quoique pénétré devant les notables de la ville – et son mari rouge de honte.

Elle sent qu'elle le perd, elle commence à s'énerver, mais ça va encore, il dort quatre fois par semaine à la maison, dans leur appartement du 13 rue Jeanne-d'Arc, et l'honore les quatre soirs, c'est très important pour elle. C'est d'abord, selon elle, le signe qu'il n'a pas de maîtresse, et puis, dira un expert psychiatre lors du procès : « Comme toutes les âmes un peu simples, elle considérait les relations physiques comme intimement liées à la preuve d'amour. » Tant qu'il y a du cul, c'est bon. (C'est elle qui ne pense qu'à ça, jusqu'à devenir dingue et taper dans les portes s'il est un soir trop fatigué pour lui faire son affaire, et c'est Pauline la vicieuse qui a le diable au corps.) Un jour où il revient de Paris soucieux et n'a pas envie de remplir illico son devoir conjugal (et sa femme), elle pète les plombs : « Je n'en peux plus ! Je n'en peux plus ! » Il fait l'étonné : « Allons bon. Qu'est-ce qui te prend ? » Elle veut qu'il reste près d'elle, qu'il dorme près d'elle, tout le temps, comme avant, quand il n'était que médecin de province, c'était tellement mieux. C'est la première scène violente entre eux. Il lui demande si elle veut qu'il abandonne sa carrière politique, c'est ça ? Croit-elle qu'il a envie d'une petite vie étriquée et ronronnante, avec bridge chez le notaire une fois par semaine ? Il la traite de petite bourgeoise frileuse, elle éclate en sanglots. (Le président Jadin vit le drame avec elle : « Pour vous, ce fut une épreuve insupportable... » – dans le box, elle se tamponne les yeux sans cesse avec un mouchoir roulé en boule.) À partir de là, Pierre lui échappe, téléphone de moins en moins souvent quand il est à Paris, et à Orléans, il ne l'embrasse même plus et ils font désormais chambre à part. Alors là, elle aurait tout supporté, mais pas ça. Ne plus se faire couvrir par son mari, non ! (Dans la salle du tribunal, les messieurs apprécient : ça c'est de la femme bonne pour l'homme.)

Tout simplement, ce qui la met hors d'elle et indigne tout le monde, c'est qu'il ne l'aime plus. Yvonne sent la rage monter en elle, elle tourne en rond, fume beaucoup, prend des somnifères pour dormir et du Maxiton pour se réveiller, boit des litres de café, pique des colères de plus en plus fréquentes, parfois toute seule, hurle et donne des coups de pied dans les meubles. Un après-midi, elle vide l'armoire de Pierre et fouille rageusement dans toutes les poches. Et voilà, elle en était sûre : elle trouve une lettre enamourée d'une certaine Jeannette. Le salaud ! La salope ! Ses doutes se portent aussitôt sur Jeanne Perreau, la femme d'un commerçant du centre-ville, Léon Perreau : les Chevallier sont proches du couple, avec qui ils dînent de temps en temps. Fine tacticienne quand il s'agit de défendre son bifteck, elle fait porter à cette petite catin, par sa bonne, un mot dans lequel elle lui demande l'adresse d'une amie commune, réponse attendue – elle pourra comparer les écritures, ah ah. Se doutant peut-être de quelque chose, Jeanne dit à la bonne qu'elle ne sait plus où elle l'a notée, elle va chercher, elle téléphonera. Yvonne explose : c'est la preuve ! Elle envoie valdinguer une chaise, casse un vase, et, gonflée de fureur, fonce chez sa rivale pour lui faire avouer que c'est elle qui a écrit la lettre, qu'elle est la maîtresse de son mari, ne niez pas, espèce de putain ! (Le président Jadin, qui s'investit dans son combat pour l'amour honnête, lui fait remarquer qu'elle n'a pas été très diplomate. Yvonne baisse encore une fois les yeux : « Je ne l'ai jamais été. » Ah ! les femmes...) Jeanne réussit à la calmer et à lui faire croire qu'elle n'a rien à voir avec cette lettre, comment son amie a-t-elle pu penser une telle chose ?

Quand Pierre rentre le soir, c'est lui qu'elle cuisine, en lui mettant la lettre sous le nez :

— Salaud ! Salaud !

— Qu'est-ce qu'il y a encore ?

— Qui a écrit ça ?

— Quoi, ça ?

— Ça ! Cette lettre !

— Personne.

— Comment, personne ?

— Ça ne te regarde pas, tu m'emmerdes.

— Tu ne t'en tireras pas comme ça !

— Tu mériterais que je ne te le dise pas, tiens. Cette lettre n'est pas pour moi, elle a été adressée à l'un de mes amis du Parlement. Il a une femme jalouse, figure-toi. Il m'a demandé de la garder, pour qu'elle ne tombe pas dessus.

— Il s'appelle Pierre ??

— Eh oui, ça arrive.

— Et elle, Jeanne ?

— Apparemment.

Elle réussit à se convaincre qu'il lui dit la vérité, même si c'est un peu gros. Il faut qu'elle se calme. Pierre est en pleine bataille électorale, il est normal qu'il soit un peu tendu et absent, elle ne doit pas l'embêter avec ses craintes irraisonnées. Le 17 juin 1951, il est réélu député, facilement, triomphalement. Yvonne ravale ses doutes et sa mauvaise humeur, il sera beaucoup plus détendu désormais, il a eu ce qu'il voulait. À la mairie, où ses partisans ont organisé une fête en son honneur, il est très entouré, on le félicite, on lui prédit un avenir tout tracé de ministre. Yvonne se tient à quelques mètres, en attendant qu'il la remarque et vienne vers elle. Il ne la regarde pas. En revanche, quand Jeanne Perreau arrive, il la remarque tout de suite et va vers elle. Ils discutent longuement. Yvonne est plantée à côté de Léon Perreau : « Vous avez vu, mon mari flirte avec votre femme. » Il tourne vers elle un regard mou : oui, et alors ? Il s'en fout, cette lavette. Yvonne bout. Jeanne a huit ans de moins qu'elle, de flamboyants cheveux roux, elle est belle et coquette, toujours bien habillée et maquillée, elle n'a sûrement que ça à faire, et sensuelle, avec ça, elle fait tourner la tête de tous les hommes – tu parles, Yvonne aussi, si elle avait sa silhouette ! En plus, son frère est écrivain, pas vraiment célèbre mais connu dans le milieu littéraire, elle a accès à tous les salons de la ville, et elle ne se gêne pas, elle y brille, Madame a de la culture, Madame sait se mettre en valeur ! C'est trop facile ! Yvonne se sent inférieure – « Face à ma rivale triomphante et sereine, je devenais de jour en jour plus triste et plus laide. » Quand Jeanne lâche enfin Pierre, elle s'approche aussitôt de lui et le prend fièrement dans ses bras. Il la repousse d'un mouvement sec et méprisant : « S'il te plaît, garde l'intimité pour la maison. » Tout le monde a entendu. Yvonne quitte la mairie écarlate et furibonde.

Le président Jadin marche sur des œufs, mais il est bien obligé d'en passer par là, c'est son job, malheureusement : « Vous avez beaucoup souffert, madame. Mais je dois rappeler les étapes de votre désespoir. Je le ferai aussi doucement que possible. » (Du début à la fin du procès, il l'a toujours appelée « madame ».) Le soir, quand Pierre rentre, elle l'agonit de reproches et d'injures, il faut qu'il comprenne qu'elle ne peut plus continuer comme ça, c'est trop ! Il finit par lâcher : « Écoute, il faut que ce soit clair : j'en ai assez de toi. » Là, dira-t-elle, elle éprouve la sensation d'une chute dans le vide. C'est fini pour de bon. Elle tombe à genoux, hurle – ce qui n'apitoie pas son mari, au contraire : « Je n'ai plus envie de toi, Yvonne, je ne désire plus faire l'amour avec toi, je crois que je ne pourrai plus. » (Tu signes ton arrêt de mort, Pierrot.) « C'est net, je veux divorcer. » Elle se relève d'un bond : « Jamais ! » Raymond Jadin vit la scène, c'est presque lui que Pierre Chevallier est en train d'abandonner au milieu de sa cuisine : « C'est alors que votre mari vous lance une phrase révoltante : il vous suggère, puisque vous refusez de divorcer, de prendre un amant si vous voulez, mais de le laisser en paix. » À ces mots du président, Yvonne fond une nouvelle fois en larmes. Raymond comprend, c'est un souvenir atroce, il la laisse fondre en larmes quelques minutes mais il faut avancer, il reprend le récit de la scène : Yvonne rétorque à Pierre qu'elle ne pourra jamais aimer un autre homme que lui, il lui explique, plein de dédain, qu'il n'est pas exactement question d'amour dans sa proposition. Se demandant si elle a bien entendu, elle s'écrie, à la grecque antique : « Je ne suis pas une fille publique ! »

Incapable de supporter ces affronts plus longtemps, elle part en vacances dans leur propriété des Sables-d'Olonne avec leurs deux enfants. Au calme, elle prend de nouveau sur elle et rédige une longue lettre à son encore mari, dans laquelle elle lui promet qu'elle va changer, se cultiver, apprendre à s'habiller, à recevoir, il sera fier d'elle. *J'ai de la déférence pour ta supériorité*, écrit-elle. (Un bon point pour l'épouse, de l'avis de tous, mais Jadin est un moderne, il grommelle, il n'est pas satisfait de sa pouliche : « Ce n'était pas très habile !

Maladroit, même. Croyez-vous que c'est ainsi que l'on reconquiert un homme ? » (Si seulement il avait été là pour la coacher !) « Il fallait sortir, au contraire, vous habituer à votre nouvelle vie et lui donner à regretter ses paroles ! » (Quand Pauline s'habitue à sa nouvelle vie et sort, essaie de se changer les idées, ce n'est pas habile, c'est au mieux de l'indifférence, au pire un truc de cochonne qui ne peut pas se retenir.)) Yvonne attend deux jours, quatre jours, six, rien, pas de réponse à sa lettre. (Paf ! Qu'est-ce qu'il avait dit, Raymond ?) La coupe est pleine, ça y est, il n'y a plus qu'une solution. Le président la devance, pour lui éviter un aveu trop pénible : « C'est à ce moment-là que vous avez songé à vous suicider. » Yvonne a du mal à l'admettre, mais : « Oui, je voulais mourir. » Elle avait d'ailleurs emporté en Vendée, au cas où le désespoir gagnerait la partie, un tube d'Optalidon – un antalgique. Elle se couche et, sans hésiter, elle en prend cinq. (Au moins, on ne pourra pas l'accuser d'avoir tenté de se suicider de manière théâtrale.) Elle se réveille le lendemain complètement dans le gaz, c'est horrible. Mais le fait d'avoir été si proche de la mort a un avantage : ça l'a secouée, comme réveillée, paradoxalement, et elle retrouve toute sa juste rage.

Elle interrompt ses vacances, rentre à Orléans le 9 août, il n'est pas là, elle téléphone au Palais-Bourbon, elle veut lui parler tout de suite, on lui répond qu'il n'est pas là non plus. « Où est-il ? Où ??! » On ne sait pas, madame, probablement en rendez-vous à l'extérieur. À l'extérieur ? Ils croient qu'ils vont la rouler comme ça ? Dès le lendemain matin, elle laisse ses enfants à la bonne et saute dans un train pour Paris. À l'Assemblée nationale, elle réussit à entrer dans le bureau de la secrétaire de Pierre, la presse de questions, la supplie de lui dire la vérité. La fille la connaît, la vérité, mais réussit à l'entortiller, Yvonne, en l'emmenant boire un café et en lui décrivant les obligations et pressions de la vie de député, il est normal qu'il ne lui accorde pas toute l'attention à laquelle elle peut légitimement prétendre. Yvonne en a assez de se faire rouler dans la chapelure : « Vous savez, Monique, il y a des femmes qui tuent leur mari. Je les comprends. »

Elle la quitte et se rend directement rue Cambronne. Elle y est déjà venue deux ou trois fois, à l'époque où tout allait encore à peu près bien, elle a goûté avec Pierre aux plaisirs coquins – hum, miam – des petits coups clandestins en chambre de bonne. C'était le bon temps. La concierge lui dit que son mari n'est pas là et lui donne la clé. Elle monte, fouille partout, et finit par trouver des horaires de train notés sur un morceau de papier : Paris-Châtel-Guyon. Châtel-Guyon, d'accord. C'est là que cette pute de Jeanne Perreau passe ses vacances avec ses sales mômes. (Le président Jadin, un tantinet cabot (qui ne l'est pas ?), s'autorise ici une petite incursion culturelle et lyrique : « Telle Phèdre affolée par l'amour d'Hippolyte et d'Aricie, vous ne pouviez supporter les jours clairs et sereins qui se levaient pour votre mari et Jeanne Perreau ? » – il lui enlève les mots de la bouche ; mais il le dit tellement mieux qu'elle !) Yvonne prend sa décision et, cette fois, s'y tiendra : elle va le tuer et se suicider ensuite. (Elle ne le cache pas : ce qu'elle veut, c'est « détruire par n'importe quel moyen l'amour de Jeanne et de mon mari ». Au moins, elle l'avoue, elle, c'est honnête, pas comme Pauline, cette perfide.) Elle reprend le jour même le train pour Orléans. (Jadin l'interrompt dans son récit et commente : « Vous entrez dans l'action ! », comme s'il parlait d'un super-héros, genre Batman.) De retour chez elle, avant de commencer à mettre son plan à exécution, le lendemain, elle prend quand même le temps de prévenir Léon Perreau, au téléphone. Elle lui apprend que leurs mari et femme sont ensemble à Châtel-Guyon (« Avec vos enfants ! »), il n'est pas plus étonné que si elle lui annonçait que la Toussaint tombe en automne, elle brode un peu, pour le secouer, en lui disant qu'ils ont décidé de divorcer et de se remarier l'un avec l'autre, il lui répond quelque chose du genre : « Ne dites pas de bêtises, je connais ma femme. » Ah c'est comme ça ? Elle fonce au commissariat, obtient sans difficulté un permis de possession d'arme (elle a peur toute seule, si seule, dans son si grand appartement), et achète chez l'armurier le plus proche un pistolet et une boîte de vingt-cinq cartouches. Une demi-heure plus tard, le 11 août 1951, elle apprend à la radio que son mari vient d'être nommé par René Pleven, président du Conseil sous Vincent Auriol, secrétaire d'État à l'Enseignement technique, à la Jeunesse et aux Sports. Elle ne peut réprimer une petite bouffée de fierté de parvenue : son mari est secrétaire d'État ! Quasi ministre ! Il a réussi ! Sa colère retombe, elle ne peut tout de même pas tuer un tel homme. C'est bien beau, mais ça ne change rien à son affreuse situation de femme bafouée. Une seule solution : le suicide. Ça réglera tout. Elle charge l'arme comme on le lui a montré, mais avant de s'envoyer pour l'éternité au royaume de Dieu, qui n'aime pas trop qu'on décide soi-même de la date d'arrivée, elle se laisse une toute dernière chance : elle téléphone à l'une de ses amies, une religieuse, sœur Sainte-Françoise, lui explique qu'elle s'apprête à se donner la mort et lui demande de l'en dissuader : « Venez vite, ma sœur ! » (Je n'invente rien, c'est elle qui le dit au procès.) La sœur accourt et trouve les mots justes : « Vous n'avez pas le droit de faire ça. » Bon, d'accord, si on n'a pas le droit, on n'a pas le droit. Elle l'a convaincue. (Toutes ces impressionnantes tentatives de suicide (il en reste une) seront prises plus au sérieux que celles de Pauline, qui nous prend pour des jambons.)

Ne sachant plus trop quoi faire, du coup, Yvonne rappelle Léon, qui ne semble toujours pas se rendre compte de ce qui se passe. D'une voix autoritaire, c'est comme ça qu'il faut leur parler, elle exige qu'il oblige sa femme à rompre avec le secrétaire d'État. Comme il ne voit toujours pas pourquoi, elle menace : s'il ne fait rien, elle tue son mari ! (Elle oublie de dire qu'elle est farouchement déterminée à se tuer elle-même aussi, mais on ne peut pas penser à tout.) Là, enfin, il panique, raccroche et se précipite chez les Chevallier pour la raisonner. Elle a conscience de ce qu'elle va déclencher ? Le scandale national ? Et puis elle va aller en prison, il ne faut pas qu'elle l'oublie, ça. Non, lui répond-elle : crime passionnel. « Je serai acquittée. » (C'est Léon qui rend compte de cette discussion à la barre – il est si veule et falot qu'il est peu probable qu'il ait le courage de mentir.)

Le matin du dimanche 12 août, le chauffeur de Pierre Chevallier se gare devant chez eux. L'homme d'État monte au troisième étage, entre sans dire bonjour à sa femme et prend leur fils cadet dans ses bras. (À partir de là, Yvonne est le seul témoin, comme Pauline le 17 mars rue de la Croix-Nivert. On a donc le choix de la croire ou non.) Il n'a même pas un regard pour elle en sortant du salon. Dans sa chambre, il commence à se changer : en début d'après-midi, il doit inaugurer le nouveau pont suspendu de Châtillon-sur-Loire, sa première sortie officielle en tant que membre du gouvernement. Elle l'a suivi et lui réclame des explications sur son voyage à Châtel-Guyon, il lui répond qu'il n'a pas le temps, on parlera de ça plus tard. « Tu as bien du temps pour ta putain, il me semble ! » Pierre est d'un calme sarcastique et exaspérant : « Ne parle pas d'elle comme ça. Je vais l'épouser. Je vais divorcer et l'épouser, que tu le veuilles ou non. » Il s'admire dans le miroir de l'armoire, les pouces sous les aisselles (c'est Yvonne qui précise), et répète en bombant le torse : « Je suis ministre, je suis ministre ! » (Je ne veux pas imiter ceux qui ont mis en doute chaque mot de Pauline, mais tout de même, il ne me semble pas évident de caser cette scène ailleurs que dans un dessin animé.) Lorsqu'elle lui fait remarquer que les enfants vont souffrir du divorce, qu'il faut au moins qu'il pense à eux, il lance sans tourner la tête, toujours selon elle : « Les enfants, je m'en fous ! » (Tous ceux qui en ont un jour parlé avec lui, sans exception, du sous-préfet à un directeur de journal en passant par des amis du couple, viendront dire à la barre qu'il adorait ses enfants.) À bout d'arguments, elle s'agenouille devant lui et s'accroche aux pans de sa chemise.

— Fous le camp, tu pues !

— Pierre !

— Il fait alors, s'incruste le président Jadin, un geste outrageant, et vous dit une phrase impossible à répéter en public, mais que je peux traduire ainsi : « Pour toi, c'est fini, l'amour, je me réserve pour elle ! »

Pierre est en caleçon (ce qui rend un peu plus risible encore la scène des pouces sous les aisselles), il sort sa bite et la lui met devant les yeux en lui expliquant qu'elle peut l'oublier, tintin : « Ça, c'est pour Jeannette, maintenant. » C'est moche, on ne peut pas dire, mais plus moche que de la baiser toute la nuit et de la jeter au matin sur un quai de métro sans un mot d'explication, j'ai tiré ma crampe, ça fait pas de mal, dégage, ça t'apprendra ?

(À l'évocation de ce souvenir odieux (l'unique véritable preuve d'amour lui file littéralement sous le nez), Yvonne s'écroule encore dans son box. Le doux président est embêté : « Je dois continuer le récit de cette scène, madame. Je sais tout ce qu'il a de pénible pour vous. Si vous êtes fatiguée, dites-le, nous interromprons l'audience. »)

— Ne dis pas ça, Pierre, tu ne vas pas l'épouser, tu ne peux pas, je t'en supplie.

— Si, je vais l'épouser. Fin de la discussion.

— Si tu fais ça, Pierre, je me tue. Je te le jure, je me tue !

— Eh bien tue-toi donc !

Elle sort à grands pas vers sa chambre et revient avec le pistolet qu'elle avait caché dans l'armoire, sous une pile de draps :

— Tu vois, j'ai tout ce qu'il faut.

— Très bien, tue-toi. C'est ce que tu auras fait de plus intelligent dans ta vie. Mais attends au moins que je sois parti.

Elle vide le chargeur sur lui, six balles, sans réfléchir, en crise de nerfs, pour ne plus entendre ces horreurs. (« Avez-vous visé ou tiré au jugé ? » demande Jadin, pointilleux. « Comme ça, au jugé. » D'accord, très bien.)

C'est du moins ce qu'elle a déclaré lors des premiers interrogatoires, jusqu'à ce que le chauffeur de Pierre Chevallier vienne légèrement la contredire. Il attendait son patron au pied de l'immeuble, il a entendu une rafale, puis un dernier coup de feu « plusieurs minutes après ». La concierge confirme, Yvonne est donc obligée de modifier son histoire. En fait, après les cinq premières balles (une dans le mur, les autres dans l'aine, le thorax, le cou et le menton de son mari, au jugé), son plus jeune fils, effrayé par le bruit, s'est mis à hurler dans sa chambre. Elle va le voir, le prend dans ses bras et le descend chez la concierge pour le mettre à l'abri de la violence. Elle remonte les trois étages dans un seul but : se suicider. Elle s'agenouille près de son mari et s'apprête à le rejoindre dans la mort, mais finalement, non. Car en levant les yeux, elle aperçoit au mur les photos de ses deux fils (ah mais oui, c'est vrai) et comprend qu'elle ne peut malheureusement pas se tuer et les abandonner. Elle tire donc la dernière balle du chargeur dans le cœur de son mari, c'est mieux pour les enfants, et à lui, ça ne peut plus lui faire grand mal. Lors de l'instruction, après la mise au point du chauffeur, elle a déclaré qu'elle avait tiré cette dernière balle sur lui pour ne pas être tentée de retourner le pistolet contre elle (c'est plus sûr, on ne sait jamais, ces envies de suicide sont si tenaces…), mais ayant certainement perçu par la suite ce qu'il y avait de cynique dans ce geste de survie, elle a encore changé de version lors du procès : en réalité, c'était un accident. Cette fois, il faut la croire, elle ne ment plus, promis. Quand elle s'est relevée après avoir dû admettre qu'elle ne pouvait pas mourir, le coup est parti tout seul, pan, dans le cœur.

Raymond Jadin accepte sans trop renâcler ces revirements de scénario après tout peu déterminants, mais la gronde tout de même sur le fond : « Vous aviez pour votre mari une passion animale. Il fallait la dominer. Je comprends votre calvaire, mais il ne vous donnait pas le droit de tuer. » (C'est tout juste s'il n'ajoute pas : « Enfin quoi, flûte ! ») Yvonne ne peut plus s'arrêter de pleurer, elle accepte le jugement sans pitié du président, elle pleure, pleure. (À noter : pas d'orgueil, bien.)

La concierge, ayant réussi à trouver le courage de monter voir ce qui se passait après toutes ces détonations, la découvre hagarde, debout près du corps du député. Elle la convainc sans mal de téléphoner à la police : « Venez me chercher, 13 rue Jeanne-d'Arc, j'ai tué mon mari, Pierre Chevallier, le secrétaire d'État. » À son interlocuteur du standard, elle donne une première explication : « C'était lui ou moi. » Bon, ça a été lui, c'est la grande loterie de la vie.

Le procès débute le 5 novembre 1952, à Reims (il a été dépaysé car à Orléans et dans sa région, tout le monde appréciait Pierre Chevallier, cela pourrait nuire à l'impartialité des débats et du jugement – l'opinion publique, on sait les ravages que ça fait). On se rend vite compte qu'on ne peut pas vraiment en vouloir à Mme Chevallier. Si elle reconnaît elle-même ses torts, avouant qu'elle a « très mauvais caractère », qu'elle est irascible, qu'elle faisait des scènes à son mari sans arrêt et qu'elle lui a mené « la vie dure » (la mort, plus facile), l'expert psychiatre justifiera ce comportement en indiquant que « l'adultère était pour elle un péché d'un autre monde, une monstruosité ». Nous aurions mauvaise grâce à la contredire.

Ce qui va aider Yvonne, si besoin était, c'est le témoignage à la barre des époux Perreau. Léon d'abord, le mou du genou qui laisse sa femme se faire culbuter à tire-larigot par un député. Jadin ne l'aime pas du tout, celui-là. Quand Léon raconte qu'Yvonne Chevallier était « dans un état d'énervement indescriptible » lorsqu'il l'a vue la veille du meurtre, le président lui fait remarquer : « C'est certain, elle a un autre caractère que vous… » (Les femmes de caractère, le 6 novembre 1952, Raymond trouve que c'est super.) Quand Léon se souvient qu'il lui a même conseillé d'aller consulter un médecin ou un psychiatre, Jadin s'indigne : « Parce que vous pensez que la jalousie est une maladie ? » En conclusion, il désapprouve une fois pour toutes la passivité dont a fait preuve le témoin : « Vous avez manqué d'énergie. » (Il n'a même pas buté sa femme adultère, cette chiffe molle.)

Quant à Jeanne Perreau, heureusement qu'elle est solide. Elle s'avance vers la barre froide et sûre d'elle, impeccablement vêtue, coiffée et maquillée, on dirait un mannequin qui défile. Elle sait qu'elle va se faire cracher dessus, mais elle est prête. Elle tient le rôle, comme l'écrit Jean Laborde dans *France-Soir*, de *la perverse, la rouée, la briseuse de foyer* – ça nous rappelle quelqu'un. C'est à cause d'elle que Pierre Chevallier est mort – ce n'est pas un sous-entendu : Raymond Jadin le lui dit en la regardant dans les yeux.

L'avocat d'Yvonne, maître Acquaviva, lui emboîte le pas, en parlant sous le contrôle de Dieu : « Il y a là-haut un tribunal suprême, madame Perreau. Un jour, vous rendrez compte de vos actes. Mais je n'attendrai pas pour vous déclarer que vous devriez être dans ce box aux côtés de Mme Chevallier. C'est vous, la principale coupable : vous devriez avoir honte ! » Toute la salle applaudit longuement, c'est si juste ! Mais Jeanne ne se trouble pas, et ne montre pas le repentir qu'on est en droit, au minimum, d'exiger d'elle. Elle garde la tête haute : « C'est une affaire entre ma conscience et moi-même. Je ne veux pas d'autre juge. Je l'aimais et il m'aimait. Quant à mon mari, je ne voulais pas le quitter : c'est un bon compagnon, toujours loyal. » C'est du délire dans le public, on crie, on hue, on n'est pas loin du lynchage, et lorsqu'on lui dit qu'elle peut disposer, elle pousse le vice jusqu'à rejoindre Léon le loyal et à sortir du tribunal à son bras. Sur les bancs de la salle, plusieurs personnes vocifèrent : « À mort ! »

Malgré quelques couacs (plusieurs proches disent Yvonne « très énervée de nature » et « rongée par la jalousie, l'envie et l'aigreur » l'une de ses amies, et sa principale confidente, Mme Bertrand, rapporte une conversation qu'elles ont eue, dans laquelle l'amour pur ne paraît pas exactement au cœur des préoccupations de la malheureuse, qui lui dit : « La mère Perreau est mieux habillée que moi, elle a de l'argent plein les poches, et elle entraîne mon mari dans les milieux littéraires, il aime ça ! » ; le directeur du *Courrier du Centre* dit que son ami Pierre Chevallier s'inquiétait des colères de plus en plus fréquentes et dévastatrices de sa femme, et qu'il lui a demandé, la veille encore (il n'avait pas l'air euphorique d'être entré au gouvernement, plutôt sombre et soucieux – pas d'humeur à se mettre les pouces sous les aisselles), de devenir le tuteur de ses fils s'il lui arrivait quelque chose ; le sous-préfet de Montbéliard confirme qu'il lui affirmait souvent que « ses enfants étaient sa préoccupation majeure » (il songe à les mettre en pension, pour « les enlever à l'influence malsaine de leur mère »), qu'Yvonne était entièrement dévorée par la jalousie et ne pouvait plus se contenir, et avance enfin, presque gêné d'aller contre le beau mouvement du procès : « Je dois le dire, sur certains points, je ne suis pas sûr de la véracité des dires de Mme Chevallier… » – c'est pourtant elle seule qu'on croit, contre tous), la suite est une formalité. L'accusée, si on peut encore l'appeler ainsi, n'avait pas d'autre solution que de tuer, elle regrette toutefois réellement son acte, et il ne fait aucun doute qu'elle aurait sincèrement préféré mourir elle-même. Une preuve ? L'une de ses amies la fournit : « J'ai reçu d'elle deux lettres qui pouvaient laisser penser qu'elle allait se suicider. »

Bien sûr, tout ne peut pas être aussi simple, la Justice doit passer (sinon, dès qu'un mari trompe sa femme et lui montre une dernière fois sa bite, elle pourrait le buter impunément, t'avais qu'à être correct), et c'est à l'impitoyable avocat général, Raymond Lindon, cauchemar vivant des accusés, de brandir le glaive. Il commence fort : « Requérir, ce n'est pas forcément accabler. » (Il fait bien de le rappeler, on va avoir besoin de garder cette nuance en tête.) Puis il se lance dans un portrait sublime de celle qu'il est censé au moins blâmer, il rappelle que c'est une « grande amoureuse », qu'elle « idolâtre son mari », qu'elle est pour lui « à la fois une maîtresse et une servante » (la perfection, le rêve) mais qu'elle « souffre comme une bête », qu'elle est « comme une biche aux abois » – là, je pense qu'il prend sur lui pour ne pas tenter une poignante imitation de la longue plainte de la biche. « Ai-je besoin de dire qu'il faut plaindre Yvonne Chevallier ? » Eh non, car sa responsabilité n'est pas entière, loin de là : il évoque à demi-mot la scène du diable qui sort du caleçon, tentant ainsi de révolutionner le métier d'avocat général – et si on attaquait la victime, plutôt ? Enfin, ce dernier coup de feu, tiré plusieurs minutes après les autres, qu'on a essayé de monter en épingle, et dont elle affirme qu'il était involontaire… « Un accident ? Allons donc ! » (Ça y est, enfin, il retrouve ses esprits, ça va chauffer.) « Non, ce n'est pas un accident ! C'est un sacrilège. Yvonne Chevallier a tiré sur le cadavre de son mari. » (Ah, mince. Il était déjà mort, donc ça compte pas.) Pour finir, Raymond Lindon réclame presque à contrecœur « une peine de prison ferme, mais courte : deux ans, par exemple ». Attention, qu'on ne s'y trompe pas, il se rend bien compte que c'est pas bézef. Mais voici pourquoi : « Je suis convaincu qu'elle est capable de comprendre la vertu du rachat. (Paul Baudet fait des émules.) Elle a le sentiment de la faute irréparable qu'elle a commise. (C'est le principal.) Jamais elle n'a déposé de demande de mise en liberté provisoire : j'y vois l'indice de son remords. » (Ils ne pensent jamais à ça, les accusés, ces nuls, ils te déposent des demandes de mise en liberté provisoire à tout va, du coup on voit bien qu'ils n'ont pas de remords. Mais Pauline si, elle est maligne : elle n'a jamais déposé de demande de mise en liberté provisoire. Ça devrait marcher, on croise les doigts.)

Maître Acquaviva, l'avocat d'Yvonne, n'a plus qu'à se glisser humblement derrière lui, sans faire de vagues, genre : "Je suis d'accord avec mon confrère, c'est bon, ne faites pas attention à moi."

La délibération des jurés ne dure que quarante minutes. Une petite quinzaine aurait suffi mais, consciencieux, ils ont tenu à faire la lumière sur un point nébuleux, il est primordial d'avoir tous les éléments en main pour rendre un jugement parfaitement équitable : ils demandent au président Jadin, puisqu'ils sont maintenant à l'abri des oreilles indiscrètes, de leur décrire un peu plus clairement ce « geste outrageant » qu'a eu le secrétaire d'État devant sa femme à genoux. Jadin leur montre alors la déposition d'Yvonne Chevallier, tout en leur rappelant : « Nous n'avons que son récit. » (C'est à prendre en considération, car sur le seul point dudit récit qu'un tiers aurait pu confirmer, le chargeur vidé d'un coup, elle a menti – et à propos des enfants dont leur père se fout, on n'est pas sûrs-sûrs non plus.) Les sept jurés découvrent les mains moites ce qui s'est réellement passé devant l'armoire de la chambre. C'est immonde, il n'y a plus à hésiter. Acquittée.

Ils ont même répondu non à la question : « L'accusée est-elle coupable d'avoir donné des coups ayant entraîné la mort sans intention de la donner ? » Car comment pouvait-elle se douter, en le criblant de balles, qu'il allait trouver la mort ? (S'il y avait au programme : "La victime est-elle morte ?", les jurés auraient bondi tous les sept : "Non !") Yvonne Chevallier quitte le tribunal libre, dans une formidable explosion de joie, sous les vivats et les applaudissements de la salle soulagée. Les femmes sont ravies, elle a vengé toutes les bonnes épouses trompées et bafouées. Les hommes tapent aussi dans leurs mains : une femme si remarquable, qui a tant de déférence pour la supériorité de son mari, qui ne vit qu'à travers lui et ne demande qu'à être sexuellement satisfaite à peu près tous les soirs, on aurait voulu la condamner ? Tout le monde est content. La société a bien rempli sa mission : sauver la femme idéale. Les deux enfants du couple sont certes anéantis par la mort de leur père (et ne s'en remettront jamais vraiment), à quarante-deux ans, alors qu'ils en ont onze et six, mais en quoi une sanction sévère (une sanction tout court) infligée à leur mère aurait-elle changé quoi que ce soit à leur souffrance ?

Après le procès, Yvonne s'est exilée en Guyane française, à Saint-Laurent-du-Maroni, où elle a repris son métier de sage-femme et consacré son temps libre aux lépreux, en tant qu'infirmière bénévole. Elle est revenue en France onze ans plus tard, en 1963, elle est morte en 1984, à soixante-douze ans, à Lamotte-Beuvron. Aujourd'hui, une petite rue de Saint-Laurent-du-Maroni porte son nom.

Pauline se dit que sa vie n'est peut-être pas complètement foutue. Ces deux types, là, les deux Raymond, Jadin et Lindon, qu'elle ne connaît pas, ils ont l'air assez formidables. Mais maître Baudet, qui lui a pourtant raconté cette histoire pour la rassurer, lui conseille de ne pas trop céder à l'optimisme (ce n'est jamais bon). D'abord, c'était il y a un an, et comme toujours, que ce soit dans un sens ou l'autre, une fois satisfaite, l'opinion s'est réveillée avec la gueule de bois. Dès le lendemain du verdict, les journaux, aussitôt suivis par leurs lecteurs qui pourtant criaient au triomphe de la morale la veille dans les rues, on remis les pendules à l'heure : elle tue un homme d'État, docteur courage, héros de la Résistance, dont le seul tort est de l'avoir délaissée pour une autre et de le lui avoir fait savoir de manière un peu virile, et elle ressort du palais de justice les mains dans les poches, acclamée par la foule ? En retour de bâton, le président du tribunal Jadin et l'avocat général Lindon ont été tellement critiqués, conspués, depuis un an, qu'ils pourraient bien avoir envie de se faire pardonner, il en va de leur carrière. Sans compter qu'Yvonne et Pauline, c'est pas tout à fait la même chose. Yvonne est une femme plutôt laide et sèche, au long visage austère de fille élevée avec les bêtes, habillée comme un sac ; Pauline est belle et chic, les lèvres rouges, les traits fins, un regard de mangeuse d'hommes – plutôt du style Jeanne Perreau. Yvonne est peu cultivée, soumise et faible, à l'ancienne ; Pauline est en quatrième année de médecine, elle lit beaucoup, elle ne se laisse pas dominer par les hommes. Yvonne surtout était mariée, amoureuse dans le cadre de la loi, Pauline a refusé toutes les propositions de droit chemin qu'on lui a faites, et a tué un homme qu'elle n'avait pas religieusement ni légalement acquis.

Malgré la présence amicale de Colette, elle ne dort certainement pas beaucoup cette dernière nuit avant l'arène. Elle y entrera les yeux cernés, *le regard perdu et fixe comme celui d'une aveugle*, lira-t-on dans *Le Monde*. Le combat va débuter : toute la vieille génération, menée par des hommes autoritaires et puissants, va lancer l'assaut contre une jeune femme récalcitrante, assistée d'un rêveur chrétien.

Chapitre trente-huit

Même pas touchante

Le mercredi 18 novembre 1953, au Palais de Justice de l'île de la Cité, une foule considérable s'entasse avant treize heures dans la galerie de Harlay, devant la cour d'assises de la Seine. Comme trois semaines plus tôt, beaucoup sont là depuis le matin, certains ont même tenté de glisser un billet dans la main de l'huissier audiencier pour être sûrs de pouvoir entrer. Dès l'ouverture des portes, les gardes sont débordés, les spectateurs s'infiltrent partout : *assis au parterre, entassés sur les marches, debout dans les moindres recoins, installés jusqu'aux tables de journalistes*, écrit Jean-Marc Théolleyre dans *Le Monde*.

Le jury est composé de sept personnes, auxquelles se joindront pour délibérer le président du tribunal et ses deux assesseurs. (Avant 1941, douze jurés répondaient seuls aux questions qui leur étaient posées sur la culpabilité de l'accusé, et le juge décidait de la peine. Le gouvernement de Vichy a divisé leur nombre par deux (on en ajoutera un à la Libération) et leur a adjoint les trois magistrats. L'avocat François Saint-Pierre écrit que cette décision marque *la fin de l'indépendance du jury criminel*. En effet, il faut six voix sur dix pour atteindre la majorité, donc si les magistrats votent en ce sens, il suffit que trois jurés sur sept soient convaincus de la culpabilité de l'accusé pour qu'il soit condamné.) Six hommes et une femme jugeront Pauline. Les hommes ne sont pas jeunes, la femme s'appelle Raymonde Gourdeau, elle a trente-cinq ans, elle n'est pas mariée, elle est couturière, fille d'un inspecteur de police et passionnée par la justice, avec ou sans majuscule. L'année précédente, elle a vu *Nous sommes tous des assassins*, le film d'André Cayatte dont Jean Meckert a tiré, par novélisation, un beau roman contre la peine de mort.

Dans la vitrine des pièces à conviction, pas grand-chose. Le petit pistolet Unique et la chemise Rexy blanche de Félix, *l'œil d'une femme voit tout*, trouée dans le dos et tachée de sang.

Le box de l'accusée est encore vide. Devant, maître Paul Baudet attend, la tête dans les mains. On dirait un curé en prière.

Férocement désirée par tous, Pauline fait son entrée. Elle porte une robe bleu marine avec un petit col blanc, ses cheveux sont bien coiffés, en arrière, mais impressionnants, roux très sombre, elle a un peu de rouge sur les lèvres, elle est pâle et paraît fatiguée. Elle semble à la fois déterminée et fragile, elle est mince, elle a reperdu les sept kilos qui l'avaient *empâtée* peu de temps après son arrivée à la Petite-Roquette. Même physiquement, elle produit des impressions contradictoires sur ceux qui sont en face d'elle : le chroniqueur Pierre Scize, qui est dans la salle, la décrira comme *plutôt petite*, alors qu'elle mesure un mètre soixante-et-onze, ce qui frôle la géante au début des années cinquante. Dans les journaux, on lira que *ce n'est pas la vamp qu'on attendait*, ou bien qu'elle est *belle et mystérieuse* – Madeleine Jacob laissera s'amuser sa plume fielleuse : *Jolie ? Non, mais photogénique.* Pauline est à la fois inquiète, voire terrorisée au fond, et peut-être encore un peu confiante, ou impatiente : on l'attaque et on refait sa vie sans elle depuis plus de deux ans et demi, elle va enfin pouvoir parler.

Dès son apparition dans le box, des dizaines de photographes se précipitent vers elle et la mitraillent. Aveuglée par les nombreux flashes, elle a un léger mouvement de recul mais se reprend vite, comme elle sait le faire, et regarde devant elle sans baisser ni détourner la tête, blême mais droite. Elle attend, bombardée de lumière blanche, ça dure, c'est interminable – et le bon président Raymond Jadin, pour qu'elle comprenne dès le début où elle est, ne juge pas utile d'interrompre la petite fête d'accueil. Il faut qu'une femme dans la salle finisse par s'écrier : « Arrêtez ce cirque ! » et que d'autres reprennent : « Assez ! Assez ! » pour qu'il demande enfin aux photographes de se retirer. (Cette scène aura des échos à l'Assemblée nationale, et lorsqu'elle se reproduira un an plus tard presque jour pour jour, le 17 novembre 1954, au procès de Gaston Dominici, on votera une loi interdisant les photos dans les salles d'audience. Mais après le début du procès seulement. J'ai en tête, comme tout le monde, des images de Florence Rey ou de Valérie Subra dans le box.)

Le président Jadin demande à Pauline de se présenter, elle se lève et pose ses deux mains sur le rebord du box ; les journalistes les plus proches et attentifs remarquent qu'elles tremblent. « Pauline Dubuisson, étudiante, née le 11 mars 1927 à Malo-les-Bains. » Elle se rassied et écoute Raymond Jadin lire sèchement l'acte d'accusation inspiré du rapport de Barrière, avec ses erreurs, ses affirmations sans preuves et ses interprétations douteuses. Elle a le regard fixe mais comme absent, perdu ou aveugle, elle ne bouge pas d'un centimètre, elle laisse passer. Quand Jadin évoque le suicide de son père, elle penche légèrement vers l'arrière, on croit qu'elle va se trouver mal mais non, elle se ressaisit vite et redresse le buste – elle lutte, comme le lui a appris son père, justement : à partir de maintenant, elle va faire face, assumer son crime mais ne pas se laisser humilier et briser par les hommes : une femme, même coupable, peut les regarder sans baisser les yeux, leur opposer de la force. (Pauline est peut-être égoïste, si on veut, à ce moment de sa vie en tout cas, et n'a rien d'une meneuse ni d'une précurseuse volontaire (le correcteur d'orthographe n'aime pas ça, "précurseur" n'existe pas au féminin – ce ne serait pourtant pas tellement compliqué, comme pour "tueur" ou "emmerdeur"), mais elles deviendront de plus en plus nombreuses à refuser de se laisser dominer par les mâles rengorgés, les grandes femelles libres et fortes, même si, soixante ans plus tard, on entend encore dans les pubs que « pour une femme, rien n'est plus important que ses cheveux », on lit dans *Voici*, où je travaille, à propos de la naissance des jumeaux de Charlène de Monaco, que celle-ci a ainsi *accédé au plus beau rôle qu'une femme puisse connaître*, ou que Hayat Boumeddiene, compagne d'Amedy Coulibaly, le tueur de l'Hyper Casher, a déclaré qu'il lui semblait « tout à fait logique » de ne jamais se trouver seule dans la même pièce qu'un homme qui n'est pas son mari.)

Ce premier jour, la machine attaque fort, on ne trouvera pas une ombre de qualité à Pauline, uniquement des défauts, et à peu près tous. C'est la ruée vers l'abjecte. On a du mal à y croire quand on connaît vraiment sa vie, son caractère et ses actes (même si elle est loin d'être une sainte, un ange ou une nonne), mais ce jour-là, il faut être bien clairvoyant et prendre bien du recul, dans ce gros concert d'animosité, de coups bas et d'anathèmes irrévocables, pour réussir à penser que cela ne peut pas être aussi simple, qu'il existe une possibilité pour qu'elle ne soit pas, de manière si primaire, l'incarnation terrestre du Mal. Dans le papier qu'il écrira le soir, Jean-Marc Théolleyre rappellera la célèbre phrase de Malraux (célèbre mais souvent interprétée de travers) : *Juger, c'est de toute évidence ne pas comprendre.* (Étrangement, on lui fait parfois dire au contraire que juger, c'est comprendre.) *Puisque si on comprenait, on ne pourrait plus juger.* Sans se laisser entraîner dans le simplisme ambiant et l'offensive collective qui débute, il écrit : *Il est bien difficile de comprendre Pauline Dubuisson.* On peut donc la juger facilement.

Raymond Jadin revient d'abord longuement sur son passé sous l'Occupation, qui servira de fondation. (Il ne dit pas un mot de l'éducation particulière qu'elle a reçue de son père, ça risquerait d'ajouter de la complexité, de la nuance peut-être, tous ces trucs parasites.) Il se montre un peu plus sec et condescendant qu'avec Mme Yvonne Chevallier.

— Pendant toute la guerre, vous avez fréquenté des Allemands.

— Oui, je traduisais tous les papiers pour mon père, je lui servais d'interprète.

Bon, passons, c'est administratif, c'est ennuyeux, ça commence mal, et qu'est-ce que le père vient faire là-dedans ? Il y a bien plus savoureux, comme cet épisode dans un bas-fond de square, avec posture scabreuse en bonus.

— Comment s'appelait cet Allemand ? Klein, je crois ? (Non, ni Müller ni Schultz.)

— Je ne m'en souviens plus. C'était il y a douze ans.

(Seulement douze ans.) Elle s'en souvient très bien, il lui a écrit plusieurs fois, mais elle ne veut pas leur donner ce qu'ils attendent, des détails, de la chair, leur livrer son intimité. Elle est chiante, comme accusée. (En revanche, maître Baudet pourrait aisément contredire ces histoires de copulation en jardin public, mais non, ce n'est pas le fond du problème, rien à voir avec l'élévation de l'âme.) Essayons autre chose :

— On vous a vue faire de l'équitation avec des officiers ennemis.

— J'en avais toujours eu très envie.

(Elle devrait faire attention. Cette phrase illustre bien son tempérament, mais il vaut mieux éviter de dire ce genre de chose dans un tribunal. D'abord, l'envie, c'est un luxe, et on sait où ça mène (et puis envie de quoi ? de « faire de l'équitation avec des officiers ennemis » ?) ; ensuite, cette façon de vouloir clouer le bec au président, c'est insolent, pour qui se prend-elle ? On va faire ravaler son arrogance à cette fille, ça va pas traîner. L'humilité, la douceur et la faiblesse, c'est pour les chiens ?)

— Vous montiez des chevaux allemands en amazone. Cette photographie en témoigne.

— En amazone, moi ? C'est une photo de ma mère qui date d'avant 1914 ! (Eh, oh, tu réponds pas comme ça.)

— Bref, admettez tout de même que votre conduite était pour le moins choquante !

— Peut-être. J'aurais aimé trouver des conseils auprès de mes parents, mais mon père était glacial, et ma mère très réservée. Je pensais qu'ils ne m'aideraient pas, donc je gardais tout pour moi. J'ai peut-être fait des erreurs.

Sans s'attarder sur ses peines de petite fille, Jadin aborde un passage plus révélateur de sa jeunesse, les mois passés à l'hôpital de Rosendaël.

— Je précise qu'il s'agissait d'un hôpital allemand, bien entendu.

— Allemand ou pas, je pensais que je pouvais y faire du bien. (Sa voix devient sèche. Elle a entendu des grognements dans la salle lors de ses réponses précédentes, et au lieu de s'amender, elle se renforce. Elle parle maintenant sur un ton calme et assuré, mais sans impertinence ni ironie. Elle est déterminée à ne pas craquer, on peut la trouver froide. Parmi le public, un jeune homme de vingt-huit ans l'observe avec étonnement. Il écrira plus tard qu'elle avait *une voix de banquise* et *un regard de statue.* Il a effectué une première année de droit onze ans plus tôt, à La Réunion, avant de partir en Angleterre pour s'engager dans les Forces françaises libres. À cause de la guerre, il a laissé de côté ses études et ce qu'il pensait être sa vocation. C'est le premier procès auquel il assiste. Il est interloqué. Pauline restera figée dans son esprit, statue, banquise, comme l'image de l'injustice.)

Le président Jadin, cet homme qui s'inquiétait de savoir si Yvonne Chevallier allait pouvoir supporter la lecture de l'acte d'accusation et la comparait à Phèdre, tente une petite blague moins classique en lui faisant remarquer qu'elle a surtout fait du bien au colonel Domnick. Mais restons sérieux :

— Avouez qu'il y a dans cette disproportion (d'âge) quelque chose de choquant. (C'est son truc, le choquant.)

Il attend une réponse de Pauline, mais elle lui renvoie son regard avec aplomb, solide, sans ouvrir la bouche, l'air de dire : "Tous les vieux ne sont pas comme vous."

— Vous a-t-il prise de force ? Vous a-t-il séduite ?

— Non. (On ne peut pas lui reprocher de ne pas être honnête, il serait plus facile de faire croire qu'un vieil occupant n'avait qu'à claquer des doigts pour soumettre une jeune vaincue sans défense : « Au blumard, bétite Französin », ça marche toujours, le public aime.)

— Alors ? (Comment a-t-il réussi son coup, ce diable d'homme ?)

— C'est venu petit à petit. Il me plaisait.

Silence de mort dans la salle. On aura tout entendu. Un vieux, maintenant. Qui lui plaît. Et Allemand, encore. (André Dubuisson ayant été complètement écarté du passé de sa fille, et le contexte étant laissé dans une sorte de flou (car ça ne nous rappelle pas que des événements glorieux et des conduites élevées), on a le sentiment, en écoutant le bon papi Jadin, qu'elle a d'elle-même cherché à se taper le plus de Boches possible, dans sa tenue d'amazone, des jeunes, des vieux, du moment qu'il y a du gourdin triomphal entre les jambes, c'est bon.) Poursuivant sa lecture, le président mentionne ses aventures supposées avec tout ce qui pouvait encore bander à l'hôpital (il ne lui accorde pas le temps de démentir, elle peut seulement secouer la tête) et sa rencontre dans un train, à quinze ans, avec un fossile priapique, un agent de change lyonnais. Il veut en venir vite à Félix. Après avoir survolé l'année que Pauline a passée à Lyon, dont on ne sait pas grand-chose, et son arrivée à Lille, où elle se fait d'emblée remarquer par tous les garçons de la faculté de médecine, il apprend à la salle qu'elle est devenue la maîtresse de ce fils de médecin de Saint-Omer au cours de l'année 1947, et qu'il était très épris d'elle, au point de lui proposer presque aussitôt de l'épouser.

— Vous ne l'aimiez pas, pourquoi l'avoir conservé sous votre coupe ?

— C'est vrai, mes sentiments ne correspondaient pas aux siens. Je ne pensais pas, à ce moment, que nous pourrions être heureux ensemble. Tout au moins, je ne m'en rendais pas compte.

Maître René Floriot, plutôt discret jusque-là, entre en piste, de cette voix de faubourg qui est l'une de ses armes, un peu nasillarde et vulgaire, une voix de chansonnier sur scène (par exemple, il dit « m'nottes » au lieu de « menottes », « j'pense », « des r'mords ») :

— Que vous n'vous en rendiez pas compte, nous voulons bien vous croire ! Vous reconnaissez avoir été la maîtresse du docteur Blandin ?

— Oui.

— À l'instruction, pourtant, vous l'avez d'abord nié.

— Je n'aimais pas parler de ces choses.

— Ah… Et maintenant si ?

— J'ai changé.

Floriot fait une mimique éloquente, puis se lance avec tout son talent dans le récit croustillant de la nuit où Félix est venu trouver Blandin chez lui pendant que Pauline attendait nue dans la chambre voisine. Il insiste sur l'éclat de rire moqueur de la jeune infidèle après son départ. Pour la première fois de la journée, Pauline paraît gênée, ce n'est pas facile à assumer.

— Je ne me suis pas rendu compte de ce que je faisais.

— C'est dommage. Vous n'vous rendez pas compte de grand-chose…

Le président Jadin reprend la parole après cette belle intervention de l'avocat de la partie civile, rappelle qu'elle a refusé plusieurs demandes en mariage de celui qui l'aimait à sens unique, et en vient à la rupture et à la surprenante volte-face sentimentale de l'accusée. Elle essaie d'expliquer (je me vois devant de vieux types à l'air rigide et toute une salle curieuse, essayant d'expliquer pourquoi j'ai eu tant de fois envie de fuir ma femme, ou pourquoi je suis amoureux d'elle – sois plus clair, nom d'un chien, on comprend rien !) :

— J'étais en vacances dans ma famille, je réfléchissais. Je réalisais que mon attachement était réel. J'en étais sûre maintenant, je voulais l'épouser, mais après le rattrapage des examens. Je lui ai écrit une longue lettre. Je ne savais pas qu'il avait changé à ce point. Lorsque j'ai reçu sa réponse où il m'expliquait que tout était fini, j'ai eu beaucoup de chagrin.

— Attendez, je m'étonne de ce que vous dites. Lors de l'instruction, vous avez déclaré qu'il avait rompu au mois de juillet, de vive voix. (Au mois de juin, elle a dit ; et Jadin joue sur les mots : dans tous les procès-verbaux, elle indique qu'il lui a « fait comprendre » qu'il « voulait rompre » à la fin de l'année scolaire, après qu'elle a refusé de répondre tout de suite à sa dernière demande en mariage, mais que c'est bien par lettre, pendant les vacances, qu'il a explicitement mis un terme à leur liaison. D'ailleurs, l'amie de Félix, Mme Moréteau, qu'on oublie, l'a confirmé sans ambiguïté : c'est elle, au mois d'août, qui a presque forcé Félix à écrire clairement à Pauline que tout était fini entre eux.) Je lis ce que vous avez déclaré : « Félix m'a signifié la rupture verbalement. »

— Il m'a signifié la rupture par écrit.

Elle ne sait plus quoi répondre d'autre (et elle a jeté toutes les lettres de Félix, elle ne peut rien prouver), elle se demande probablement pourquoi le magistrat insiste à ce point sur ce qui lui paraît n'être qu'un détail : quelle importance, qu'il ait été plus ou moins catégorique en juin ou en août ? En quoi cela influe sur la tristesse qu'elle dit avoir ressentie ? Mais l'instinct de René Floriot gigote, il sent qu'il y a quelque chose à tirer de cette broutille, il prend le marteau que lui tend Jadin et enfonce le clou :

— Nous ne demandons qu'à vous croire (c'est l'un de ses défauts, de toujours vouloir croire l'accusé, il n'y peut rien). Expliquez-nous simplement pourquoi vous avez déclaré le contraire au juge d'instruction ?

Cette fois, Pauline ne répond même pas, elle sait que c'est inutile et a sans doute compris que Jadin et Floriot ne cherchent qu'une chose : montrer aux jurés qu'elle est une menteuse. S'ils avaient pu insister sur le fait qu'elle avait affirmé adorer le Banania, et un an plus tard ne pas aimer ça, ils y auraient aussi passé un quart d'heure ; là, ils ont cette histoire de rupture verbale ou écrite, ça n'a aucun intérêt en soi mais leur assurance et son silence final tiennent lieu de démonstration : elle ment, même sur un point sans réelle importance (ils veulent bien le reconnaître), elle ment car c'est dans sa nature. Personne ne se dit que ce mensonge ne lui sert à rien (si Félix l'avait effectivement jetée en juin, ne pouvait-elle pas lui écrire quand même en juillet pour le supplier de revenir et lui dire qu'elle acceptait de l'épouser ?), personne ne se dit qu'une séparation amoureuse n'est pas toujours nette et tranchante (surtout juste après une demande en mariage), qu'on ne peut pas toujours la dater au jour et à l'heure près, et personne ne se dit, ne songe même à commencer à envisager de pouvoir se dire, que c'est peut-être le grand René Floriot qui ment. Pourtant, si. Tant pis pour les longueurs, ça vaut un peu le coup, voici précisément ce que Pauline a déclaré au juge d'instruction quand il l'a entendue, le 26 juin 1951, ce passage où Floriot a trouvé « le contraire » de ce qu'elle dit maintenant : « Nos relations intimes, qui avaient repris après ma rupture avec le professeur Blandin, se sont poursuivies jusqu'en juin 1949. À l'occasion des vacances, Félix est parti dans sa famille à Saint-Omer, et moi dans la mienne à Dunkerque. Un peu avant cette séparation, il m'avait renouvelé son offre de mariage. Je n'avais pas donné de réponse verbale immédiatement, mais comme mes sentiments à son égard s'étaient sensiblement modifiés et que j'éprouvais pour lui alors plus que de l'affection, j'étais décidée à lui faire connaître par lettre, dès mon arrivée à Dunkerque, que j'acceptais sa proposition. Et effectivement, j'ai écrit à Félix et je lui ai dit que je consentais à devenir sa femme. Il m'a répondu en des termes qui ne répondaient pas à mon attente : il me disait qu'il allait poursuivre ses études à Paris, qu'il était préférable que nous ne nous revoyions pas, et qu'il espérait que tout allait bien marcher pour moi. Je lui ai écrit d'autres lettres pour lui demander de préciser ses intentions et pour lui dire que j'étais décidée à me comporter comme la femme qu'il souhaitait, il ne m'a pas répondu. J'ai éprouvé une vive déception et un très vif chagrin, et j'ai considéré que l'attitude de mon ami pouvait être interprétée comme une rupture. » On peut chercher au microscope électronique, on ne trouvera pas de rupture verbale en juin.

Floriot fait son boulot, il joue avec ses cartes, peu importe qu'elles soient truquées. Le meilleur moyen de faire croire que quelqu'un ment, c'est de mentir soi-même. Cette fois-là au moins, la manœuvre a très bien fonctionné. L'accusée ment tout le temps.

Maintenant qu'on la tient, qu'on commence à se faire une idée plus précise de sa personnalité, il ne reste plus qu'à appuyer sur la tête. Jadin fait remarquer à Pauline que tous ses proches sont d'accord pour dire que cette rupture ne l'a pas beaucoup affectée, et qu'elle était en réalité plus vexée que peinée.

— Pas du tout, c'est faux. Mais chez moi, j'ai toujours vécu avec mon père et ma mère en essayant de ne pas afficher mes émotions. À la faculté, il m'était difficile de parler de mes chagrins intimes à des gens qui ne s'en souciaient pas.

— Mais votre mère aurait tout de même dû remarquer quelque chose, non ?

Il fait semblant de ne pas avoir lu la déposition d'Hélène, dans laquelle elle dit qu'elle a vu pleurer sa fille à la lecture de la lettre de Félix. Or pleurer, pour Pauline barricadée, ce n'est pas rien ; et s'apercevoir de quelque chose, pour Hélène, ce n'est pas rien non plus. Mais sa mère ne lui ayant pas posé de question à propos de ces larmes, Pauline ne reprend pas Jadin :

— Il arrive, monsieur le président, que ce soient les proches qui vous connaissent le moins. À la maison, nous avions toujours vécu en quelque sorte séparés les uns des autres. Vous ne pouvez pas savoir la froideur de mon père. Étant jeune, je croyais qu'il ne m'aimait pas. Alors j'avais pris l'habitude de conserver pour moi mes chagrins et mes joies.

Jadin prend note d'un air un peu dubitatif, mais Paul Baudet intervient enfin :

— Sa mère dit cependant qu'elle l'a vue pleurer.

— Je n'avais plus envie de rien, je me demandais même s'il fallait continuer mes études.

— Naturellement, intervient Raymond Lindon qui sort de sa boîte, vous aviez échoué à votre examen. C'est surtout cet échec qui affectait votre orgueil !

— Pas du tout.

Pour reprendre la main et continuer à faire apparaître aux yeux des spectateurs toute l'hypocrisie de Pauline, Raymond Jadin enchaîne sur sa comédie de menace de suicide au cyanure, quand elle a revu Félix à Lille en octobre 1949 :

— En réalité, le poison était complètement éventé.

— Je ne sais pas.

— Vous l'avez dit vous-même.

— Jamais.

— Vous voulez que je vous lise vos déclarations ?

Beau coup de poker du président, qui admire son ami Floriot et prend de la graine. Coup de poker gagnant, puisque Pauline ne répond pas (elle en a marre, on le voit sur son visage, elle se ferme). Elle devrait, car il pourrait toujours lire tout ce qu'il veut, elle n'a effectivement jamais déclaré que le cyanure était éventé : elle a dit qu'elle avait posé la question au professeur Gaston Bizard, que celui-ci lui avait répondu qu'il était possible qu'il se soit dégradé en cyanate et que le seul moyen de le savoir était de le tester, ce qu'elle n'avait pas fait. (Ce qui n'empêchera pas Madeleine Jacob d'écrire sans gêne : *Elle avouera d'ailleurs que ce cyanure était éventé.*)

L'amour factice que s'invente aujourd'hui Pauline pour Félix, c'est le bon filon. On a tout ce qu'il faut pour le démonter, il suffit de piocher au hasard, c'est presque trop facile pour Jadin, Floriot et Lindon, le trio de brutes. Par exemple, si elle l'aimait tant que ça, pourquoi n'a-t-elle pas cherché à le joindre après qu'il l'a quittée ? (Elle lui a écrit plusieurs fois sans qu'il réponde, elle a téléphoné chez ses parents, elle est allée le voir à Lille et lui a fait du chantage au suicide : qu'est-ce qu'ils auraient aimé, les maîtres de l'amour, qu'elle se traîne à ses pieds pendant cinq ou six mois ?) Et encore, ça, on passe, mais elle prétend souffrir et elle tombe dans les bras, pour être poli, de cet ingénieur croisé en Autriche, Bernard Legens ? (Jadin, révélant cette légèreté immorale au public, ne s'attarde pas sur l'année entière qui s'est écoulée entre l'évaporation de Félix et la rencontre avec Legens.) Ingénieur qu'elle s'empresse d'ailleurs d'aller tromper avec son vieil Allemand, à Ulm !

— On se demande de qui vous êtes amoureuse !?

Presque toute la salle éclate de rire, plusieurs jurés aussi. Mais pas Raymonde Gourdeau, la couturière fille de flic, qui paraît consternée par la bassesse du procédé et dont le beau regard, les yeux aux paupières lourdes, genre Bette Davis, deviennent durs. Le jeune homme de vingt-huit ans qui vient de La Réunion ne rit pas non plus. Il est écœuré. Il écrira quelques années plus tard : *L'interrogatoire n'avait qu'une fonction : humilier pour humilier. On attendait d'elle qu'elle se mortifie, se confonde en excuses, se répande en larmes et se couvre de honte. Elle ne voulut pas y consentir.* Ce jour-là, il décide de reprendre ses études de droit, abandonnées en 1942. *J'ai parcouru toutes les stations de ce procès comme les degrés d'une initiation. Il fut pour moi, et pour la première fois, l'exemple même de l'incommunicabilité dans une enceinte judiciaire. Toute vie, pour être approchée, exige le recueillement. Ce procès ne fut que tumulte et ricanements.* Il s'appelle Jacques Vergès, il deviendra avocat deux ans plus tard.

Pauline tente encore de garder son calme et de rester digne, de répondre honnêtement :

— Si je ne pouvais plus espérer Félix, il fallait bien m'attacher à quelqu'un d'autre. Je m'étais déjà trompée, j'avais beaucoup souffert. Je ne voulais pas me tromper une seconde fois. Mais je ne savais pas si j'aimais Bernard Legens.

Pour lui raviver la mémoire, le président Jadin n'hésite pas à lire à la foule salivante des extraits des lettres qu'elle a écrites à Bernard, pleines de petites minauderies et cajoleries de chatte. Pauline baisse les yeux, pour une fois, visiblement gênée (elle ne soutient les regards que lorsqu'on l'attaque). C'est le moment de faiblesse que choisit Raymond Lindon, l'homme qui décrivait Yvonne Chevallier comme une biche aux abois, souffrant comme une bête, pour charger :

— C'est très touchant. Mais ne disiez-vous pas que face à votre patience et à votre fidélité, Félix Bailly comprendrait et vous reviendrait ? On se demande ce qu'est la fidélité pour vous… (Nouveaux gloussements dans la salle.)

— C'est difficile à vous expliquer.

Elle ne dit pas « à expliquer » mais « à vous expliquer ». Lindon ne relève pas la petite pique et poursuit :

— Je comprends bien, mais faites un effort, parlez-nous tout de même un peu de la fidélité, c'est intéressant. Qu'est-ce que c'est, pour vous ?

La salle rit encore plus fort, à la grande fierté de l'avocat général, qui dresse la tête comme un coq et se pavane en tournant un peu sur lui-même, ravi de son effet. Il sait parler, c'est le métier ! Pauline lui répond les yeux dans les yeux, d'une voix posée, presque neutre, quand bien des accusé(e)s s'effondrent à l'évocation de leurs souvenirs et pleurent sur leur sort :

— Je n'étais pas infidèle à Félix. Je me disais que les chagrins ne sont pas éternels. J'aurais voulu retrouver quelqu'un, de l'amour, je voulais me forcer à aimer, me persuader que j'étais capable d'avoir pour Bernard un sentiment durable. Je vous l'ai déjà dit, j'avais cru ne pas aimer Félix, je ne voulais pas me tromper une deuxième fois.

— Donc pour vous, à cette époque, Félix Bailly n'était plus qu'un souvenir. (Pour Raymond Lindon, il faut que tout soit logique, ferme, l'amour n'est pas une plaisanterie, une abstraction.)

— Non, je gardais toujours espoir de le revoir et de lui prouver la sincérité de mes sentiments.

— Je ne comprends pas. Je suis désolé, mademoiselle Dubuisson, je ne comprends pas.

Ses deux alliés opinent du chef : tout pareil, eux non plus, ils ne comprennent pas, rien, que dalle, désolés. Peut-être qu'ils ne font que jouer leur rôle d'enfonceurs, je ne sais pas, ou bien ils ne comprennent sincèrement pas ; qu'on puisse être agacé d'être aimé de façon trop collante, d'être submergé de miel ; qu'on puisse se rendre compte qu'on aime quand l'autre n'aime plus, qu'on puisse même commencer à aimer quand l'autre n'aime plus (tout cela est pourtant assez courant, il me semble) ; qu'on puisse ensuite rester dix-huit mois en aimant mais sans agir ; qu'on puisse écrire des mots d'amour sans être sûr d'aimer, qu'on puisse baiser sans aimer. Jacques Vergès, à propos de l'attitude des barbons devant la jeune femme, écrira que c'était *Bouvard et Pécuchet interrogeant Juliette*, et que *leur vulgarité révélait surtout leur trouble*.

Comme ils ne comprennent rien aux hésitations, aux changements de sentiments (on aime ou on n'aime pas, c'est quand même pas sorcier) et aux agissements de Pauline, ils n'envisagent pour les expliquer que les seuls motifs qui leur viennent à l'esprit : l'orgueil démesuré ou le fric. Car ils sont eux-mêmes obsédés par le pouvoir et l'argent.

Le président pousse son avantage et continue à élargir la faille, rapidement secondé, comme dans une mêlée de rugby, par ses deux piliers :

— Vous avez confié à une amie, attaque Jadin, que vous aviez « fait une bêtise » et que Félix était perdu pour vous. C'est donc bien que vous considériez qu'il n'y avait plus rien à faire ?

— J'espérais tout de même.

— Si vous espériez, enchaîne Floriot, pourquoi n'êtes-vous jamais allée le trouver à Paris ? Lille et Paris sont à deux heures de train. Vous n'avez jamais songé que peu de choses vous séparaient ?

— Non.

— Votre passion n'était pas à proprement parler dévorante…, constate Lindon d'un ton sarcastique.

— Je ne connaissais pas l'adresse de Félix.

René Floriot se fige, laisse passer quelques secondes, frémissant, puis s'approche d'elle comme le matador du taureau et plante ses yeux de mâle dominant dans les siens :

— Lorsque vous avez décidé de le tuer, vous l'avez obtenue très facilement.

Il fait demi-tour et repart lentement s'asseoir (contrairement au taureau, Pauline ne risque pas de lui foncer dans le dos), sûr de décrocher bientôt les oreilles et la queue. C'est beau et pur : la salle, cette fois, instant magique, reste entièrement muette. D'admiration, bien sûr, mais aussi d'excitation intérieure et de plaisir anticipé : l'accusée est foutue, ça va être un carnage, le sang commence à couler : on la devine déjà, la beauté du châtiment ! Pauline pourrait lui répondre que ce n'est pas lorsqu'elle a décidé de le tuer, qu'elle a obtenu facilement son adresse, mais lorsqu'elle a cru qu'il l'aimait encore. Elle ne dit rien, ce n'est pas la peine, elle reste stoïque, courageuse, elle attend le coup suivant. Jadin, selon le principe du gentil et du méchant flic, se fait plus doucereux pour lui demander ce qu'elle a ressenti lorsque Jeannine Lehousse et Michel Gravez lui ont rapporté les propos de Michel Boullet après sa rencontre avec Félix.

— J'ai trouvé cela trop beau, je ne pouvais pas y croire, mais ils m'ont donné confiance et cela m'a procuré une immense joie. (Pour une fille qui dissimule ses émotions depuis plus de vingt ans, « beaucoup de chagrin » tout à l'heure, « immense joie » maintenant, elle change, elle ne cache plus grand-chose.)

— C'est compréhensible, roucoule Floriot en se relevant, mais dans ce cas, pourquoi ne pas vous être précipitée vers lui ? (Il ne rigole pas avec la passion, René, quand il sent qu'on l'aime, il se précipite comme un lévrier.)

— Je vous l'ai dit, je n'osais pas y croire, j'avais peur de trouver un Félix indifférent. C'est pourquoi j'ai tardé si longtemps. J'avais peur que mes camarades se soient trompés. J'hésitais à courir au-devant d'une telle désillusion, je ne l'aurais pas supportée.

— Vous n'expliquez rien. (Ben si.) Pourquoi n'avoir pas écrit d'abord, par exemple, pourquoi n'avoir rien tenté pour prévenir Bailly que vos sentiments correspondaient aux siens ? Je vous assure que j'aimerais comprendre.

Ici, on peut le croire. C'est au moins autant l'homme que l'avocat de la partie civile qui parle. Ces questions se posent. (Mais tout ne s'explique pas d'une phrase.) Pauline semble le penser aussi, elle réfléchit sérieusement, les yeux dans le vague, elle aimerait elle-même trouver une réponse nette, mais elle n'en a sans doute pas. Profitant de ce court silence, Jadin s'interpose et redevient simpliste, c'est plus efficace :

— De toute manière, vous saviez qu'il était fiancé, donc qu'il ne vous aimait plus ! (Comme deux et deux font quatre.)

— Je pensais qu'il s'agissait de fiançailles de raison, d'un mariage de raison.

(En sortant du tribunal, Jean Laborde s'élèvera vivement dans *France-Soir* contre cette hypothèse scandaleuse : *Félix Bailly aurait donné toutes les Pauline du monde* (c'est-à-dire toutes les salopes du monde) *pour la jeune fille dont il avait fait sa fiancée. Son union ressemblait à un mariage de raison comme Pauline Dubuisson à une statue de la fidélité. Monique Mercier était, sur tous les points, la femme dont il rêvait : saine, propre et droite. Elle semblait avoir été créée pour offrir à Félix une antithèse vivante de Pauline.* Les femmes, c'est bien connu, étant créées pour être offertes aux hommes.)

Raymond Jadin en arrive au début du mois de mars, quand Pauline se décide enfin à aller voir Félix à Paris. Il annonce clairement qu'ils se rencontrent pour la première fois le 7 mars à dix-neuf heures devant le métro Odéon, alors qu'ils se sont vus la veille en début de matinée et se sont donné rendez-vous (Pauline ne dit rien, maître Baudet non plus – détail, détail...) ; il dit juste qu'ils se trouvent là, pouf, en omettant de préciser s'ils se croisent par hasard ou non : si oui, ce serait un peu gros, Paris est petit mais quand même, sinon, cela voudrait dire que Félix était d'accord.

— Il n'a pas été plus satisfait que cela de vous revoir... (Pauline ne commente pas – il n'a pas levé les bras au ciel en poussant des cris de joie, non.) Bref, vous dînez chez lui. De quoi avez-vous parlé ?

— De choses insignifiantes.

— Pardon, vous ne l'avez pas vu depuis dix-huit mois, vous venez à Paris pour avoir une conversation sérieuse, et vous parlez de choses insignifiantes ?

— Je n'osais pas, j'avais peur, je voulais d'abord essayer de deviner ce qu'il pensait.

— Et vous avez constaté que vous n'exerciez plus aucun attrait sur lui.

— J'attendais qu'il parle le premier. Il n'a rien dit de particulier, mais nous avons tout de même passé la nuit ensemble.

— Allons donc ! Comment serait-ce possible, alors que de votre propre aveu, la soirée avait débuté si platement ? (Jadin connaît le coup, il n'est pas né de la dernière pluie de puceaux : quand on va s'accoupler, on prépare la chose, on glisse des sous-entendus, des mots coquins, c'est la technique, on se met en condition pas mal de temps à l'avance.)

Lindon n'en peut plus, assez chipoté, il bondit :

— C'était un garçon trop propre et trop droit pour qu'il ait pu commettre une telle muflerie !

— Je dis la vérité.

Jadin modère, patelin :

— Je vous dirai que je m'en étonne, pour plusieurs raisons. En premier lieu, en effet, à cause du caractère unanimement reconnu de votre victime. (Anne-Catherine aussi, a un caractère unanimement reconnu, pourtant, je l'ai dit, alors que nous étions ensemble depuis six mois, elle s'est envoyé son ex et elle est revenue avec du sperme sur les seins – douloureux souvenir, j'enrage encore.)

— Je vous assure que j'ai passé la nuit avec lui.

Floriot fronce les sourcils :

— Alors pourquoi n'avoir rien dit à la police quand elle vous l'a demandé ?

— Je ne voulais pas parler de ces choses à qui que ce soit. J'ai simplement dit qu'il m'avait embrassée comme autrefois.

Floriot est debout, les mains sur sa table, penché sur ses dossiers. Comme plus tôt, il laisse s'écouler quelques secondes. Puis il relève très lentement la tête, préparant un instant crucial, et cloue à nouveau sur elle ses yeux de matador en robe, de loin cette fois :

— Vous mentez.

— Non.

Pauline soutient résolument son regard. Elle appelle tous les enseignements de son père à son secours, et peut-être tout son orgueil, elle ne flanche pas. Un long silence suit, ils se fixent, personne ne dit rien dans la salle. Floriot ne peut pas rétorquer : « Si ! », ça deviendrait ridicule. Il se rassied.

Trois vieux types armés jusqu'aux dents jaunes se jettent sur une fillette : elle leur résiste. Ce qui la met en position délicate et difficile, ce ne sont pas ses adversaires, c'est que les parents Bailly et Monique sont dans la salle, au premier rang, et qu'ils sont inévitablement outrés par ses paroles. Elle est coincée : si elle veut dire la vérité, la sienne, elle leur fait du mal, elle les offense et les mortifie, et indigne tout le monde autour. Alors elle reste pudique et sobre, n'en dévoile pas plus, n'explique pas pourquoi ni comment ils se sont retrouvés sur le lit et ne révèle rien de ce qu'ils se sont éventuellement dit. Elle se contente de répéter posément ce qu'elle veut qu'on sache.

Après ces cinq secondes de duel silencieux entre Pauline et Floriot, le président Jadin rappelle le témoignage d'Anne-Marie, brièvement pour aujourd'hui puisqu'elle n'est pas là, présente comme une réalité incontestable le fait qu'elle ait « d'abord menti », sur les conseils de l'un des premiers avocats de Pauline, avant de « revenir sur sa déclaration sous serment, car elle est très croyante ». Il dévisage l'accusée comme un curé plein de bonne volonté une femme perdue dans le péché, et lui dit, sur ce ton paroissial à la fois protecteur et sévère :

— Soyez franche. Comme elle. (Pauline voit rouge à l'intérieur, je suppose, mais ne montre rien.)

— Je n'ai quitté Félix qu'au matin.

— Si vous y tenez… Et que se serait-il passé ensuite ?

— Nous sommes allés jusqu'au métro, et avant de le quitter, je lui ai demandé s'il était vraiment fiancé. Il m'a répondu affirmativement, cela m'a fait beaucoup de peine, j'ai compris que c'était fini.

— Qui peut vous croire ?! Quand on est la maîtresse de quelqu'un, c'est sur l'oreiller qu'on a ce genre d'entretien, pas sur un quai de métro !

— La nuit, je n'ai pas osé en parler. Je retardais toujours le moment.

Raymond Lindon revient à la charge sur la pointe des pieds, par la bande :

— Vous ne nous avez pas dit, y avait-il une photo de sa fiancée près du lit ?

— Oui. Deux.

— En somme, il se serait d'abord conduit comme un mufle vis-à-vis d'elle, ensuite vis-à-vis de vous.

— On se laisse parfois aller, monsieur l'avocat général, à des faiblesses que l'on regrette.

— C'est possible, mais je pense qu'un garçon comme Félix Bailly y aurait mis les formes. (Qu'entend-il par là, l'élégant Raymond ? Tourner les photos de Monique vers le mur ? Rester correct et ne baiser Pauline qu'en missionnaire ?)

Elle ouvre la bouche pour parler, mais la referme. Floriot, lui, n'en a pas assez :

— Personne ici ne peut vous croire ! Allez, la vérité, vous l'avez dite les premiers jours. Vous prétendez avoir menti pour ne pas le compromettre, quelle délicatesse de votre part ! Non, vous n'avez pas menti, cette fois, car vous ne saviez pas que Bailly était mort et vous croyiez qu'il pourrait vous contredire. (S'il ne parlait pas si vite, de cette voix gouailleuse qui emporte, les jurés auraient le temps de s'arrêter deux secondes et de réfléchir. Selon lui, Félix n'étant pas mort, Pauline ne peut pas mentir. Mais imaginons que Félix ne soit pas mort et que Pauline mente quand même, tente le coup, dise qu'ils ont couché ensemble. Félix sort de l'hôpital, il s'écrie : « Ah non, c'est faux, je ne l'ai pas touchée ! » Qu'est-ce que cela change pour elle ? Bien sûr, qu'il la contredit, quel avocat de la défense, même débutant et peu finaud, ne s'en sortirait pas d'un revers de manche gauche ? S'ils avaient effectivement commis l'impardonnable faute de chair et qu'on interroge Félix, qui peut penser qu'il répondrait : « Oh non, mince, elle a tout balancé. Je suis fait. Que vous dire ? C'est vrai, je n'ai pas pu résister (faut voir le morceau, aussi), je te l'ai besognée dans tous les sens, et au matin, zou, fous-moi le camp de là. Je suis pas fier, faut reconnaître. Et Monique va me passer un de ces savons, mon vieux » ? Il l'aurait contredite de toute façon, que ce soit vrai ou faux. Qu'elle le croie vivant ne la force en rien à dire la vérité.) Ce n'est que plus tard, quand vous avez appris que vous l'aviez bien tué, que vous avez voulu fabriquer quelque chose qui ressemble vaguement à un crime passionnel. Mais je suis persuadé qu'il vous a renvoyée le soir même ("renvoyée", on voit toute la classe et la beauté intérieure de Floriot et de ses semblables). On ne juge pas les autres selon soi-même, mademoiselle. Félix Bailly était incapable de la vilenie que vous lui prêtez.

— Nous ne nous sommes quittés que le matin, j'ai dit la vérité.

On sent qu'il se passe quelque chose. Pauline semble vouloir parler, mais ça ne sort pas. Elle se tient des deux mains au rebord du box, debout et penchée en arrière. Elle paraît encore plus pâle. Plusieurs journalistes proches écriront qu'elle tremble. Faiblement, à peine audible, elle dit qu'elle était anéantie, sur le quai du métro, que la vie n'avait plus de sens pour elle. Puis elle s'interrompt et pose un long regard sur Paul Baudet, qui s'est retourné vers elle, plusieurs secondes, un regard presque implorant. Il hoche doucement la tête. Elle parle alors lentement, elle articule plus qu'elle ne parle, en détachant presque chaque syllabe – certains chroniqueurs décriront une voix *lointaine* ou *neutre* ; pour Jean-Marc Théolleyre, *calme et réfléchie, un peu métallique* ; pour Pierre Scize, à l'inverse, c'est plutôt celle *d'une petite fille* ; pas sa voix naturelle, en tout cas :

— C'est à ce moment que j'ai décidé de nous entraîner tous les deux dans la mort.

Elle s'assied, serre les mâchoires et crispe les mains sur le bois du box, mais ses yeux ne tiennent pas, elle commence à pleurer, alors elle bascule vers l'avant et pose le front sur ses mains, un grand vacarme monte de la salle. Elle se redresse brusquement, elle vacille, chacun des deux gendarmes qui se trouvent derrière elle lui pose une main sur une épaule, le président suspend l'audience. Les gendarmes la font sortir.

Ce sera évidemment le moment clé de ce premier jour d'audience, tous les journaux en feront leur gros titre le lendemain : pauline dubuisson a avoué. Certains en rendront compte objectivement, d'autres moins – quand elle reconstituera la scène *selon les dires de l'accusée* (à moitié seulement, puisque dans son article, cela se passe le soir après qu'elle a été chassée par Félix, et non le matin sur un quai de métro), Madeleine Jacob, toujours elle, tenace et mauvaise, écrira que Pauline a pensé, entre guillemets : *« Puisque c'est ainsi, je le punirai ! »*

L'audience reprend un quart d'heure plus tard, devant un public surexcité. Pauline ne pleure plus et ne pleurera plus, mais elle a perdu de sa détermination, elle semble éteinte, découragée, battue. Elle sait que ce n'est pas elle qu'on juge, mais une Pauline qu'on a fabriquée et qui se substitue à elle sous ses yeux, sans qu'elle puisse intervenir : pour tout le monde, c'est la vraie Pauline. Paul Baudet, lui, va pouvoir déployer tout son talent et développer sa stratégie d'amour et de rédemption, il a eu ce qu'il voulait. Le problème, c'est que Jadin, Floriot et Lindon, eux aussi, ont eu ce qu'ils voulaient. Ils ont réussi à lui arracher la préméditation. Ils vont pouvoir se lâcher sans plus de retenue, laisser pleinement libre cours à leur puissance et leur férocité professionnelles, ils sont désormais homologués et portés par la Vérité et la Loi. Il faudra encore prouver que la coupable a exécuté sa victime de sang-froid, comme elle l'avait prévu, mais ça ne s'annonce pas bien compliqué, et le reste ne sera que décor et formalités. Au revoir, Pauline.

Parmi ces éléments d'incertitude accessoires, par exemple, il y a ce rendez-vous donné place Cambronne, dont elle prétend qu'il devait avoir lieu chez Félix. Maître Floriot l'expédie en deux phrases :

— Pourquoi voudriez-vous que Godel mente sur ce point ? Même s'il n'a pas vraiment entendu ce que vous disiez, il est certain qu'après votre départ Bailly l'a mis au courant et lui a rapporté votre conversation.

Il est certain surtout que Godel n'a pas dit ça, il a même dit exactement le contraire dans chacune de ses dépositions : Bailly ne l'a mis au courant de rien du tout (dans la première : « Après le départ de la fille, Félix ne m'a pas parlé d'elle », et dans la seconde : « Il ne m'a pas dit s'il devait revoir cette jeune femme »), et Floriot ne peut pas l'ignorer. Pauline, qui n'a pas lu l'intégralité des procès-verbaux, si. C'est pourquoi elle ne peut encore une fois que répéter sa version sans rien prouver. L'avocat qui ment et le témoin qui ne parle pas disent la vérité, l'accusée ment.

C'est réglé, il faut avancer, le drame nous attend. D'abord, simplement, pourquoi a-t-elle monté les sept étages à pied, comme un prédateur dans l'ombre ?

— Je voulais avoir le temps de chercher ce que je devais lui dire, de trouver les mots qu'il fallait employer. J'espérais qu'en sachant lui parler, je pourrais le toucher et l'attendrir.

— Et si vous ne parveniez pas à l'attendrir, vous l'exécuteriez puis vous vous suicideriez ?

— Je vous l'ai déjà dit. (Ils aimeraient qu'elle la répète combien de fois, sa confession accablante ? Elle a fait ce qu'on attendait d'elle, maintenant, qu'ils se brossent.)

D'accord, ensuite, ensuite, sortons le flingue. Le président est aux manettes :

— Vous avez donc essayé de le toucher et de l'attendrir ?

— Devant lui, je n'ai rien pu dire de tout ce que j'aurais voulu. J'étais très émue et je l'ai senti si lointain, presque étranger.

— Alors vous avez tiré.

— Non, je… Il a fait un mouvement vers moi, ça s'est passé très vite, je ne me suis pas rendu compte, j'étais tellement tendue. Je ne sais plus ce qui s'est passé.

— Je vais vous le dire, moi, propose gentiment Floriot. Trois balles ont frappé Félix Bailly. Elles étaient toutes mortelles. Une première dans le front, une seconde dans le dos, une troisième derrière la tête. Le coup de grâce.

— Je ne sais plus.

— Vous tirez une première fois, relaie Lindon, il s'écroule. Mais alors, le prenez-vous par les épaules pour crier : « Félix ! Réponds-moi ! Qu'ai-je fait ?! » (Il va trop au cinéma, le père Lindon.) Non. Vous tirez une deuxième fois, dans le dos. Allez-vous avoir une crise de nerfs, crier au secours ? Non. Vous tirez une dernière fois dans l'oreille, à bout touchant. Voilà, Pauline Dubuisson, et j'ai l'épouvante de le dire à une si jeune femme comme vous, voilà ce que vous avez fait et ce que vous n'avez pas fait ! (Ben non, voilà pas.)

Pauline s'efforce de ne pas se remettre à pleurer. Armand Gatti est à trois mètres d'elle, il la voit serrer les dents, ses yeux sont humides, deux autres journalistes le confirmeront dans leurs papiers (les autres écriront que l'évocation de la mort de Félix la touche à peine, qu'elle répond presque distraitement, indifférente). Elle n'est manifestement plus en état d'affronter les trois hommes, Floriot en profite et la prend à la gorge :

— En somme, vous ne l'avez même pas laissé parler pour se défendre ?

— Il paraissait lointain, il ne disait rien.

— Il n'a pas eu le temps. Il vous a paru lointain et cela vous a suffi : vous avez tiré. Vous êtes rapide !

— Je ne sais plus comment cela s'est passé.

— Rapide et adroite ! Vous ouvrez le feu et il tombe. Comment ? Comment était-il ? Tête baissée ? Comme ça ? Ou plutôt comme ça ? Il tombe à la première balle ? À la deuxième balle ? La première balle, au fait, c'est bien celle du front ? Sûre ? (Pauline ne répond pas, elle s'était promis de résister mais elle pleure de nouveau, tout en restant droite. À quelques mètres d'elle, Louise Bailly, que son avocat fait souffrir autant que celle qu'il attaque (mais c'est pour la bonne cause), s'effondre sur sa table. L'assistante de Floriot, Mme Marescot, lui passe un bras autour des épaules.) Allons, Pauline Dubuisson, quand on tire à bout portant, on voit où l'on frappe !

— Mais je ne sais pas, maître, si je m'en souvenais, je vous le dirais !

— Hum... Bien, et cette troisième balle ? Il semble que vous ayez pris tout votre temps, pour la tirer. Car ce n'était pas : « Pan ! Pan ! Pan ! » (Il mime le geste, comme s'il tenait le pistolet et tirait sur un Félix invisible.) Non ! C'était : « Pan ! Pan ! et enfin... pan ! » (Derrière lui, assis à sa table, Raymond Lindon – on ne peut que penser que c'est trop grotesque pour être vrai mais plusieurs chroniqueurs, dont le sérieux Pierre Scize, le rapporteront – brandit lui aussi un 6,35 imaginaire et répète après son confrère : « Pan ! Pan ! et... pan ! » Aux fous. La rage et l'ivresse du châtiment imminent les ramènent à l'âge où on joue aux cowboys, ils ont huit ans.) Alors, dites-nous ?

— Je ne sais pas.

— Belle indifférence ! Vous posez un revolver sur l'oreille d'un homme que vous aimez, vous avez un vrai geste de tueur et rien ne vous reste en mémoire ?!

Cette fois, Pauline réussit à réagir, il va trop loin, elle tremble mais elle redresse le buste et le fusille du regard à travers ses larmes, sans rien dire. Longtemps, muette. Rien au monde, à ce moment, ne lui ferait baisser les yeux. (De nombreux commentateurs seront scandalisés par la froide arrogance de cette meurtrière, qui défie la société et offense la Justice.) Même l'invincible Floriot est déstabilisé. Il n'a plus à opposer à cette femme figée qui l'accuse, lui, que des arguments de cour de récré :

— Vous êtes en tout et toujours une menteuse, Pauline Dubuisson !

— Non.

Il va se rasseoir. Maître Baudet se lève, comme encouragé par la dignité révoltée de sa cliente, il est furieux :

— Cette comptabilité de stand de tir est à la fois oiseuse et misérable ! Que nous importe le trajet de telle ou telle balle ? (Si, quand même, Paul, ça joue, réfléchis.) L'accusée ne nie pas avoir tiré. Nous sommes ici pour chercher ensemble pourquoi cette femme a tué, et quel cheminement, non d'un projectile, mais de ses pensées l'y a poussée. Afin de pouvoir ou non l'absoudre. (Intérieurement, Floriot doit le remercier. Avec lui, c'est beaucoup plus facile.) Et je défie qu'on puisse parler de temps de réflexion entre les trois coups de feu. Ce ne sont que des mots, durs, cruels et faciles ! Il y a assassinat, c'est vrai. (Vas-y, insiste.) Elle voulait tuer, elle a tué. (Voilà. Une dernière petite couche, pour être sûr ? Elle voulait depuis longtemps lui faire sauter la cervelle, elle lui a fait sauter la cervelle ?) Cela ne vous suffit donc pas ? Il vous faut encore romancer, trahir le dossier avec vos propos de chasseurs ?

Personne ne l'écoute vraiment, il ne fait que dire « Même pas vrai ! » et « Méchants ! », alors qu'au contraire de Pauline il lui serait assez simple de démontrer, avec des arguments concrets et précis, que la scène ne s'est pas passée comme le prétend l'accusation, ou au minimum d'installer un doute sérieux dans l'esprit des jurés. Même René Floriot est un peu déçu de ne pas trouver face à lui d'adversaire plus solide, plus retors. Il regrette presque de ne pas avoir été choisi pour défendre Pauline, c'était plus excitant, et il sait qu'elle n'aurait pas connu le même sort. Si son confrère ne veut pas s'abaisser à discuter technique, il est vrai que ce n'est pas son style, il pourrait au moins le contrer d'une autre manière. En sortant du Palais ce soir-là, Floriot confiera à Pierre Scize (les deux hommes s'apprécient, même si le journaliste égratigne souvent l'avocat dans *Le Figaro*) : « Si j'avais été à la place de Baudet, j'aurais rappelé à Jadin et Lindon la dernière balle de la mère Chevallier. Vous vous souvenez ? Elle avait tiré cinq coups, dont quatre au but. Puis elle est descendue confier son petit garçon à la concierge. Elle est remontée. Et elle a tiré la dernière balle ! Ah ! comme je leur aurais glissé ça ! "Comment ?! Vous avez acquitté cette femme-là et vous me chicanez pour quelques secondes ? Pan, pan et... pan ?" Comme je le leur aurais fait descendre, aux jurés, cet escalier d'Orléans ! Et comme je le leur aurais fait remonter, trois étages, marche après marche, et je vous jure qu'on aurait soufflé aux paliers ! Et on aurait ramassé l'arme pour la tirer, toute réflexion faite, cinq minutes après les autres, cette dernière balle ! » Mais il n'est pas l'avocat de Pauline. Et l'intervention noble mais faiblarde de Baudet lui a redonné du mordant après l'échange visuel avec Pauline.

— Votre suicide, parlons-en ! Vous êtes certaine de n'avoir pas attendu un petit peu, avant de vous suicider ?

— Oui. Non, je n'ai pas attendu.

— C'est sûr ? On y reviendra. Et donc, vous êtes allée dans la cuisine pour ouvrir le gaz ? (Pauline hoche la tête. Floriot écarte les bras et prend sa plus belle voix de gars du peuple pour la suite.) Eh oui ! (Jean-Marc Théolleyre, dans *Le Monde*, lui fait même dire : « Eh ouais ! ») Le gaz ! Le revolver, c'est trop brutal ! (C'était un pistolet et il était enrayé, patate.) Vous préférez le gaz. Et puis ça vous connaît, non ? Il paraît que vous aviez déjà essayé. Sans succès... D'ailleurs, vous avez appris en médecine qu'il y a moins de risques en s'étendant par terre, et vous ne l'avez pas oublié. (Elle ne s'est pas étendue, elle est tombée, en renversant une chaise et en perdant sa chaussure. Il en a trouvé beaucoup, des asphyxiés debout ?) Vous n'avez pas attendu le bruit fait par les pompiers, pour vous étendre ? Ou par M. Mougeot ? Vous saviez qu'il devait venir.

— Non.

— Alors vous n'avez vraiment pas de chance. C'est tout de même la troisième ou quatrième fois que vous ratiez votre suicide. (Dixième, non ? Deuxième, ça va, on va pas chipoter.)

La salle se tait, on trouve que Floriot commence à exagérer. Mais il ne va pas s'arrêter là, il est lancé. Penché en avant, les deux mains appuyées sur sa table, il a la bouche déformée par l'envie de faire mal et, derrière ses grosses lunettes à monture d'écaille, le regard d'un rapace qui a repéré un rongeur. Il sent que Pauline est sur le point de pleurer encore. Il va prononcer une phrase qui restera célèbre :

— Il est fabriqué, votre drame passionnel, Pauline Dubuisson. Il est raté. Raté ! Comme sont ratés vos suicides. Vous ne réussissez que vos assassinats !

On entend, pour la première fois, des murmures désapprobateurs dans le public. C'est un peu trop. (Et puis « vos assassinats » ? Combien ?) Pourtant, même s'il a dépassé la limite, même s'il est un auxiliaire de justice, soumis à un code de déontologie, et non un mafieux ou un bagarreur de rues prêt à tout pour saigner l'adversaire dans le caniveau, ses paroles resteront, marqueront, elles seront reprises dans presque tous les journaux (et dans le film qui sera (très) librement adapté de la vie et du procès de Pauline). Jean-Marc Théolleyre ne les relaiera pas. Pierre Scize les commentera intelligemment dans *Le Figaro* : *C'est l'opinion de la majorité. On ne croit pas facilement les gens qui se ratent. Comme s'il était si facile de mourir !* Mais Jean Laborde, comme la plupart de ses confrères et consœurs, applaudira le bon mot du maître et ajoutera sa petite touche : *L'attirance de Pauline Dubuisson pour le suicide est purement cérébrale : éventée, comme le cyanure.*

Pour achever l'audience, l'inspecteur-chef Jean Barrière vient à la barre. C'est la note finale, pour laisser l'auditoire sur une bonne impression. Il répète ce qu'il a écrit dans son rapport, que tout le monde sait déjà, et donne ses conclusions, qu'on connaît. C'est superflu, comme le dernier coup de feu d'Yvonne Chevallièr dans le cœur de son mari mort. Pauline termine ce premier jour en larmes, laminée, les yeux gonflés, boursouflés. Elle sort tête basse entre les deux gendarmes. Je ne sais pas dans quel état elle retrouve la Petite-Roquette le soir, ni la nuit qu'elle y passe, mais elle a compris que c'était perdu pour elle. N'importe qui peut le voir : elle est entrée vaillante et déterminée, sinon conquérante, elle repart courbée, écrabouillée. Mais les journalistes n'en parlent pas, c'est trop tôt, il faut que le lynchage dure deux jours encore. Malgré le visage marqué, rougi par les pleurs, qu'elle a en quittant le tribunal, les lecteurs des différents quotidiens apprendront qu'elle s'est montrée, tout au long de la journée, *froide et impassible*, ou bien *méprisante et lointaine*. Madeleine Jacob, dans *Libération*, la dira *glacée*, *hautaine*, parlera de son *esprit malade*, et conclura : *On l'a vue vaciller un peu, chercher des larmes, qui ne venaient pas. Pauline Dubuisson n'est même pas touchante.* (Même pas touchante, la minable, elle gâche le plaisir, tout le bel équilibre du spectacle.) Seul Jean-Marc Théolleyre, qui a commencé à se faire une idée de ce qui est en train de se passer, n'ira pas dans le sens du mensonge général, notera qu'elle *pleure doucement* mais qu'elle a *tenu tête, car elle est intelligente*, que *pour un accusé, ce n'est pas une qualité*, que ce qu'elle dégage n'est qu'une *impression de sécheresse*, et insistera sur les respectables mais vains efforts de Baudet et sur l'agressivité des *trois hommes redoutables* que sont Jadin, Floriot et Lindon, *au feu croisé desquels elle a dû faire front pendant quatre heures. Rarement on a senti autant de passion contenue que derrière les assauts de ces trois inquisiteurs.* De colère contenue, non ?

Chapitre trente-neuf

Hyène

Le deuxième jour est consacré à l'audition des témoins. Le portrait de Pauline en monstre insensible et cruel sera sensiblement retouché, ceux qui l'ont côtoyée ailleurs que dans un commissariat ou un tribunal y apporteront des nuances et des corrections troublantes pour le public, laisseront deviner qu'elle n'a peut-être pas tant menti la veille, comme l'ont martelé Jadin, Floriot et Lindon, mais ces derniers vont redoubler de ruse et de brutalité pour maintenir leur avantage et imposer leur vision manichéenne de l'affaire : le vice qui a traqué et piétiné la vertu, la pourriture qui a détruit la pureté. Ils sont trop acharnés et butés pour que cela ne soulève pas de plus en plus de questions dans la salle. Théolleyre écrira le soir : *On s'interroge, on se demande pourquoi l'avocat général Lindon apporte à la perte de cette accusée autant d'ardeur qu'il en avait apportée naguère à Reims au salut de Mme Chevallier.* (Oui, pourquoi ?) *Notre surprise n'est d'ailleurs pas un sentiment unique. Beaucoup de ceux qui suivent ces débats éprouvent le même malaise.*

Trente-sept témoins défileront à la barre dans la journée. La grande majorité sont cités par l'accusation, Paul Baudet ne faisant comparaître que quelques amis de Pauline, Jeannine Lehousse et Michel Gravez, Geneviève Dewulf, ou le principal du collège Jean-

Bart de Dunkerque, Paul Bize, mais personne de sa famille – pas même sa mère (pour la ménager, sans doute). Le ministère public a soigneusement sélectionné son équipe. Une première liste a été établie par le procureur général, de laquelle ses alliés mieux documentés ont peu à peu retiré les éléments qui pouvaient apporter de la confusion : Georgette B., par exemple, l'habitante de Rosendaël qui avait vu Pauline faire du cheval « en amazone » avec le commandant Hubert, était prévue mais a été "supprimée" juste avant le procès (son mari travaillait pour les Allemands, on y perdrait en netteté) ; supprimés aussi, le docteur Félix Vautrin, qui a tant noirci l'image de Pauline pendant l'instruction mais dont on s'est aperçu qu'il ne la connaissait quasiment pas ; Pierre Combemale, le doyen de la fac de Lille, ce traître qui serait à deux doigts de la défendre ; le docteur Jules Morel, l'un de ses professeurs, qui l'estime lui aussi « émotive » (n'importe quoi, pas de ça ici) ; René-Pierre Buffin, son camarade de cours, qui, lui, n'hésite carrément pas à prétendre que c'était une fille normale et gentille (Baudet aurait pu le récupérer, mais non) ; Gilbert et Hélène Dubuisson, qui laisseraient penser que l'accusée a pu avoir une enfance un peu particulière ; tous rayés de la liste, avec un petit *supp* écrit à côté. Marcel Dumoulin a tenu jusqu'au tout dernier moment, mais Lindon et Floriot l'ont dégagé aux portes du Palais : c'est lui qui avait conseillé à Félix de filer une bonne paire de gifles à la chieuse (ce n'est pas l'image que Raymond et René veulent donner des hommes, Raymond et René sont modernes, ils portent le drapeau de l'époque), lui aussi qui avait assisté de loin à l'explication entre son ami et Pauline en juin 1949, censée marquer la rupture définitive mais dont le jeune homme était revenu « très pâle et ému ». Eva Gérard, pressentant le rôle qu'on allait lui faire tenir, a d'abord refusé de venir témoigner à l'audience. Un huissier de justice s'est rendu chez elle, place du Temple à Lille, pour la convaincre, *lui déclarant qu'en cas d'absence elle sera condamnée aux peines portées par la loi contre les témoins défaillants.*

On va surtout parler aujourd'hui de psychologie, de sentiments, Paul Baudet sera plus à son aise, et meilleur. *Il a de son rôle*, écrira Jean-Marc Théolleyre, *et cela se sent à ses moindres propos, une conscience grave, un peu solennelle mais émouvante. Mais il est seul.*

Les premiers à passer sont les témoins "techniques". D'abord le docteur Paul, qui hésite sur l'ordre des balles. Lindon lui demande s'il n'est pas « plus que possible » que la dernière soit celle qui a été tirée derrière l'oreille. L'autopsie ne permet pas de le prouver, et il n'est pas expert en balistique, mais bien sûr que c'est possible, scénaristiquement ce serait même tout à fait logique. (On mise sur son bagou, sa truculence : allez, imaginez-nous ça, Doc !) Et donc, dans ce cas ? Eh bien dans ce cas, « cette balle me ferait penser au geste du sous-officier qui vient achever les fusillés ». On ne le lui fait pas dire.

Les pompiers arrivent ensuite, presque tous, le lieutenant Gérard, les sergents Jolidon, Jan et Malpois, le caporal Oudot, ils sont unanimes et catégoriques, du chef aux troufions : dans la cuisine où ils l'ont trouvée, l'accusée a réellement tenté de se suicider, il ne peut en aucun cas s'agir d'une mise en scène – ou alors, étant donné l'état dans lequel il l'ont découverte, une mise en scène, comment dire, suicidaire. Mais Lindon, Floriot et même le président Jadin n'hésitent pas à mettre publiquement leur expertise en doute, comme s'ils s'adressaient à des enfants. Ils sont sympas, les pompiers, ils constatent, ils constatent, ils n'ont peut-être pas leur pareil pour ranimer quelqu'un, mais dans le domaine criminel et policier, sans vouloir les offenser, ils devraient laisser faire les pros. « N'oubliez pas qu'elle est étudiante en médecine », leur dit un Lindon pédagogue mais visiblement affligé par leur naïveté. « Elle est très avertie de tous les symptômes ! » Mais les pompiers ne se laissent pas faire la leçon, ils ont vu plus d'asphyxiés dans leur vie que Lindon de ris de veau aux morilles : elle présentait toutes les caractéristiques d'une intoxication complète, elle a voulu se tuer, point. (Foutues têtes de mules.)

Le docteur Boutet, porte-parole de ses confrères psychiatres de la team ABC, vient décrire une Pauline impulsive et coléreuse, « totalement démunie de sens affectif et incapable de la moindre émotivité », ce qui plaît beaucoup aux trois pitbulls du Palais. Ils l'encouragent délicatement dans ce sens, notamment Lindon :

— L'accusée nous a dit, docteur, qu'elle avait agi de sang-froid. (Elle a dit ça ? Bon, glissons, dans le grand n'importe quoi d'accusations qui lui sont tombées dessus la veille, ça passe : « J'ai décidé de nous entraîner tous les deux dans la mort » ou « Je l'ai tué de sang-froid », c'est kif-kif bourricot.) Or vous nous parlez de « colère ». Pouvez-vous nous expliquer cela ?

— Oui, j'ai dit qu'elle avait tué dans un état coléreux. Elle est coléreuse en soi, mais elle peut conserver dans son geste un certain sang-froid. (Et youplaboum, turlututu chapeau pointu, on peut foncer lentement et descendre en haut, pas de problème.)

Mais ensuite, l'expert leur fait moins plaisir. Sur le suicide, d'abord. Il confirme que selon lui, Pauline a effectivement un tempérament suicidaire, qu'elle a d'ailleurs été élevée dans l'idée que c'était non seulement un acte acceptable, mais même un droit naturel pour l'être humain. Lindon l'arrête tout de suite :

— Je vous rappelle pourtant que vous avez indiqué dans votre rapport qu'il s'agissait d'un suicide – je vous cite – *théâtral*.

— C'est exact, maître, et nous avons bien pesé ce terme. En écrivant *théâtral*, nous n'avons justement pas écrit *simulé*.

Si les experts se mettent à jouer sur les mots, on n'est pas sortis. Mais Boutet devient plus énervant encore quand il laisse entrevoir le spectre ulcérant d'éventuelles circonstances atténuantes. Il affirme que l'accusée est une déséquilibrée, et l'explique en partie par le fait qu'elle a « des antécédents fortement tarés dans la branche maternelle » (en réalité, c'est dans la branche paternelle, mais on ne peut pas lui demander non plus de connaître tout le dossier sur le bout des doigts – et puis après tout, c'est plus compréhensible si ça vient de la mère, une femme, elles sont toutes plus ou moins hystéros dans le fond). C'est à Floriot de contrer :

— Ces renseignements proviennent d'un rapport produit unilatéralement par la défense, je conteste formellement leur authenticité ! On ne sait même pas d'où sort cette note parfaitement anonyme !

Cette note « parfaitement anonyme » est celle que j'ai reproduite au début du livre : elle sort, de manière peu stupéfiante, du dossier d'instruction (pièce n° 26), et a été rédigée au début de l'enquête par un inspecteur de police sur les dires du sieur Émile Dubuisson, ingénieur diplômé de l'École centrale, président de la chambre de commerce de Dunkerque et descendant direct de la branche paternelle en question. Mais le docteur Boutet ne le sait pas, et le président Jadin demande aux jurés de ne pas tenir compte de cette douteuse histoire d'ascendance.

Depuis le début des témoignages des différents experts et fonctionnaires, Pauline semble s'être désintéressée des débats, elle regarde dans le vide, ou bien ses genoux, ou ses ongles. Mais elle redevient attentive quand viennent à la barre ses anciens amis ou connaissances. Ce doit être une sensation très particulière, à la fois réconfortante et douloureuse, de voir défiler tous ces personnages de son ancienne vie, d'un autre monde désormais. Comme une vieille photo de classe qui s'anime, ou les protagonistes d'un film ou d'un rêve qui apparaissent en chair et en os. Elle les regarde avec une sorte d'étonnement, presque d'incrédulité, et les écoute parler d'elle, de celle qui a quitté leur univers.

Comme c'était prévisible, le portrait que composent tous leurs témoignages assemblés est incohérent, incompréhensible. Elle est gaie et torturée, généreuse et égoïste, douce et peste, sociable et solitaire, et ravagée par sa rupture avec Félix, qui l'indiffère. Son amie Josette Devos (qui s'est mariée entretemps, a donc abandonné ses études, mis au monde un enfant puis divorcé, et travaille aujourd'hui, mère célibataire, comme mannequin dans une maison de couture lilloise de seconde zone – peut-être ce qui attendait Pauline) vient déclarer : « Elle se livrait très peu mais j'aimais sa compagnie, c'est une fille intelligente, agréable. Elle avait du caractère. » Et juste après elle, Paul Frucquet : « Elle était très orgueilleuse, autoritaire et méchante, elle trompait Félix avec tout le monde et ne pensait qu'à elle. Ce n'est vraiment pas une fille dont on peut faire sa femme. »

En deux ou trois jours, quand on est juré, spectateur ou lecteur de quotidien le matin avec son café, on n'a pas vraiment le temps d'approfondir, il faut trancher. Pauline apparaît extrêmement complexe, compliquée pour ainsi dire, difficilement cernable, donc peu fiable ; Félix, dont tous les amis se succèdent à la barre pour dire qu'il était la droiture et la loyauté mêmes, incarne la simplicité, l'évidence : on n'hésite pas longtemps entre les deux, il est la garantie de ne pas se tromper s'il faut choisir son camp. Paul Baudet sait qu'il pourrait mettre en lumière quelques mensonges de la victime, quelques faiblesses et défauts, mais il ne peut se résoudre à salir la mémoire d'un disparu. Humainement, il a raison, c'est louable, mais il est avocat, il a une autre vie entre les mains. Pauline aurait bien besoin qu'on l'aide, humainement.

Plusieurs témoins sont surpris par ce qu'ils entendent de leurs déclarations dans la bouche du président Jadin. Les inspecteurs qui en ont pris note ont à peine modifié leurs propos dans le sens qui les arrangeait, ils ont signé en se disant que c'était à peu près ça (allez prendre la tête à un policier dans un commissariat pour un synonyme ou une virgule), mais devant la cour et les jurés, la salle comble, ces approximations prennent du poids – le professeur Blandin, par exemple, apprend qu'il a déclaré que Pauline couchait avec lui par intérêt, ou qu'il est persuadé qu'elle n'a jamais vraiment voulu se suicider ; Eva Gérard découvre que sa locataire lui a dit qu'elle n'aimait pas assez Félix pour accepter de le laisser à une autre. Et lorsqu'ils protestent – « Je n'ai jamais dit ça ! » – Raymond Jadin a toujours la même réponse : « Vous voulez que je vous relise votre déposition ? »

Quand Jeannine Lehousse prétend qu'elle n'a fait que répéter à Pauline ce que lui avait dit Michel Boullet après sa rencontre avec Félix (« Il pense toujours à toi » et tout ce qui s'ensuit), l'avocat général Lindon, qui considère Boullet, en tant qu'ami de la victime, comme un rouage essentiel de sa machine de guerre, et ne peut donc permettre qu'on l'affaiblisse ou le souille, prend sa voix d'autorité compétente pour lui balancer :

— Je pense, mademoiselle Lehousse, d'après l'examen du dossier, que c'est vous qui avez déformé ses paroles. (L'examen du dossier ? Quel passage, où, quoi ? Une partie du public et des jurés le suit en confiance – s'il a examiné le dossier, c'est bon, on peut le croire, il a fait le boulot pour nous –, l'autre commence à trouver que ça ne sent pas très bon, ces claquages de beignet automatiques des témoins favorables à l'accusée, et s'autorise de plus en plus à manifester sa désapprobation par des murmures.)

— Non, je maintiens ce que j'ai dit. Michel Boullet m'a bien parlé de « regrets ».

Raymond Lindon n'ayant plus grand-chose à répondre à ça (un peu plus tôt, son rouage essentiel a fait montre d'une certaine fragilité regrettable en déclarant, à la manière des losers : « Ce qui m'ennuie, c'est que Jeannine Lehousse et Michel Gravez affirment que j'ai dit cela, or je ne m'en souviens plus, je suis à peu près sûr d'avoir répété les paroles de Félix » – à peu près ? d'où sort ce demi-sel ?), son collègue Jadin prend le relais avec une autre méthode, éprouvée sur Jeanne Perreau lors du procès Chevallier (méthode qu'on pourrait baptiser, si ce n'était pas un peu long : "Fais pas la maligne ou je te fous dans le box et estime-toi heureuse d'avoir échappé aux foudres de la Loi qui est bien bonne") : « Il faut en tout cas dire publiquement, mademoiselle Lehousse, que ce sont vos confidences malheureuses qui ont provoqué le drame. »

Pas folle quand même, Jeannine ne moufte plus. Son amoureux Michel Gravez, qui passe après elle, est un peu plus combatif. Face aux nouvelles attaques insidieuses du trio obstiné et à tout le cirque qui claironne et rugit autour de Pauline, il dit en faisant un geste du bras qui englobe la cour, les magistrats, les avocats et les spectateurs : « Je suis persuadé que même Félix n'aimerait pas ça. »

Eva Gérard s'avance ensuite. Le ministère public n'aurait peut-être pas dû la forcer à venir (qui a eu cette idée ?), car elle ne se laisse pas manipuler facilement. C'est tout juste si on arrive à lui faire dire que Pauline est une fille qui ne manque pas d'orgueil, et qui pouvait s'avérer comédienne.

— À votre avis, peut-on parler d'un crime de sang-froid ? demande Lindon, qui sait poser les bonnes questions aux bonnes personnes.

— Non, je dirais non. Ce qu'il y a, je crois, c'est qu'elle ne peut pas s'arrêter en chemin lorsqu'elle a décidé quelque chose, ou qu'une idée s'est emparée d'elle. À mon avis, c'est une déséquilibrée, une fille qui joue la comédie peut-être, mais qui la joue jusqu'au bout, entraînée par son propre personnage.

— Elle est entraînée, elle ne s'arrête pas en chemin : l'idée qui s'était emparée d'elle, comme vous dites, c'était de tuer Félix Bailly ?

— Non. Lorsqu'elle est revenue de Paris la première fois, au début du mois de mars, elle m'a dit que si elle ne recevait pas un mot de lui dans les jours qui venaient (Félix aurait nettement fait comprendre à Pauline qu'il était hors de question qu'il se passe quoi que ce soit entre eux, en la mettant à la porte le soir après la choucroute, et elle espère une lettre de lui ?), elle irait à Paris et se tuerait chez lui. Elle a ajouté que son amour était grand, mais pas assez élevé pour supporter de le savoir avec une autre.

— Pas assez élevé… (L'amour doit être élevé, c'est dans le règlement, absolument pur et angélique.) Je n'ai plus de questions.

Floriot, si :

— Il semble que Mlle Dubuisson vous faisait volontiers des confidences. Après cette première visite à Paris, vous a-t-elle dit si elle avait eu des relations sexuelles avec son ancien ami ?

— Non. Elle m'a dit qu'elle avait dîné avec lui, mais qu'il y avait un tiers.

— Un tiers, c'est nouveau ! Les souvenirs de cette jeune femme sont décidément très variables. En revanche, vous pouvez confirmer qu'elle vous a bien déclaré, quand elle a compris qu'il ne voulait plus d'elle, je cite, qu'elle en arriverait à des solutions extrêmes et qu'elle se MOUILLERAIT ?

— Oui.

— Et comment l'avez-vous interprété ?

— J'ai compris qu'elle avait l'intention de se suicider.

— Eh bien ce n'est pas ce que cela signifie.

Anne-Marie Hutter prend la place d'Eva. Elle est manifestement mal à l'aise, presque apeurée. Elle s'est mariée avec son pasteur, ils viennent de quitter l'appartement de la rue Ledru-Rollin pour s'installer à Bagnolet, brève étape avant la Picardie et Doullens. Si le laborieux inspecteur-chef Barrière a réussi à se servir de son témoignage pour construire un raisonnement mémorable qui prouve que Pauline n'a pas découché le 7 mars, c'est une partie de plaisir pour le roué Floriot, même trop facile pour être amusant. Au grand soulagement d'Anne-Marie, elle ne restera pas longtemps à la barre : l'avocat règle l'affaire en deux questions et demie, qu'on peut illustrer ainsi, après le vibromasseur de ma mère et les vaches parisiennes, cette démonstration sophistique à la Zavatta se prêtant à un nombre infini d'illustrations pour les jeunes :

— Dans un premier temps, madame Roy, vous avez déclaré avoir déjà vu des ours polaires.

— C'est exact.

— Mais on vous a rappelé que les gens qui mentent vont en enfer, vous vous êtes donc reprise et avez accepté de dire la vérité.

— Bien obligée, oui.

— Pouvez-vous être plus précise ?

— J'ai avoué que je n'étais jamais allée sur la banquise.

— Et que par conséquent, il était impossible que vous ayez vu des ours polaires ?

— C'est ça.

— Vous n'avez jamais vu d'ours polaires !

— Non.

— Votre père ou sa bonne en ont-ils déjà vu ?

— Non.

— Merci. Et on voudrait nous faire croire, Mesdames et Messieurs, que les ours polaires existent ?!

Sa petite sœur Mireille, qui a entendu deux fois Pauline lorsqu'elle rentrait tard mais pas la nuit en question, n'a pas été convoquée à la barre – pas non plus par maître Baudet, à qui peu importent les ours.

On appelle ensuite les amis parisiens de la victime, les derniers à l'avoir vu en vie. Bernard Mougeot, que l'accusation paraît considérer comme une sorte d'émissaire de Félix depuis l'au-delà, est celui qui peut éclairer les jurés sur la soirée du 7 mars :

— Vous a-t-il dit s'il avait passé la nuit avec elle ?

— Non, il m'a bien précisé qu'elle était partie vers une heure du matin. (Il t'a bien précisé aussi qu'elle était arrivée vers vingt-trois heures.)

— Avaient-ils eu des relations ?

— Pas du tout. Ils avaient parlé et c'est tout. Jamais Félix ne se serait laissé aller à ce qui aurait été pour lui une trahison. Il adorait sa fiancée et c'était un garçon droit, loyal, pur. Il ne m'a certainement pas menti en me parlant de cette rencontre. Nous étions très libres entre nous.

Quand Jadin aborde le dernier jour, la voix de Mougeot tremble un peu :

— J'ai une sorte de remords. Je n'ai pas pris l'affaire au sérieux. Si nous avions été un peu plus effrayés, le crime ne serait peut-être pas arrivé. (Nous ? Pourtant, tout au long de l'instruction, et la veille lors de la première audience, on s'est escrimé à prouver que Félix était extrêmement effrayé à l'idée de revoir Pauline, car il savait que ses jours étaient comptés.) La veille de sa mort, Félix m'a donné les deux télégrammes qu'il avait reçus (et qu'on retrouvés chez lui, donc, revenus à la maison comme des chats abandonnés) en me disant : « Tiens, prends-les, s'il m'arrive quelque chose, tu pourras établir la préméditation. »

— Un témoin, intervient Raymond Lindon (qui n'a pas apprécié la remarque de Michel Gravez et cherchait un moyen de lui rabattre le caquet à retardement), nous disait que Félix Bailly n'aurait pas aimé « ça », selon lui. Ce qu'on découvre en tout cas, c'est qu'il l'avait prévu, « ça ».

Quand Bernard Mougeot exprime ses regrets d'être arrivé trop tard rue de la Croix-Nivert, le matin du crime, le père de Félix, Richard, ne peut retenir ses larmes. On entend ensuite Jacques Godel, qui répète sa certitude quant au rendez-vous place Cambronne (« J'ai parfaitement entendu »), et révèle aux jurés et au public saisis d'émotion que Félix appelait son ancienne maîtresse « ma ravageuse » (le mot sera évidemment repris par Lindon et Floriot jusqu'à en farcir la tête de tout le monde, alors que Félix l'utilisait avec humour, ça ne fait pas de doute, il ne sous-entendait pas qu'elle l'avait réellement ravagé, zigouillé, tué (ou bien c'est un zombie en haillons qui est tombé ensuite dans les bras de Monique, ouverte d'esprit et peu exigeante en amour), mais Florion et Lindot veulent le graver dans les esprits comme une sorte de prémonition, de mot de magie noire – c'est du pur kitsch) ; Claude Toubeau, qui assure comme ses camarades que Félix n'avait pas aimé revoir Pauline le 7 mars, qu'elle était venue le soir à l'improviste et qu'il était très inquiet lorsqu'elle était réapparue la semaine suivante ; Paul Frucquet, qui se présente comme « le meilleur ami de la victime », dit que Paulette (il est le seul à l'appeler encore ainsi, inconsciemment, rémanence amoureuse de Félix dans le prétoire) n'était pas digne de lui (« Il le pensait, d'ailleurs, et moi aussi »), qu'elle le bafouait sans cesse, et qu'il lui avait conseillé de ne surtout jamais lui donner son adresse parisienne : « On s'en méfiait (ils font équipe contre le Mal féminin), on la savait romanesque, intelligente, orgueilleuse. » Mais dans un premier temps, il a pensé s'être alarmé pour rien, car « après leur rupture, elle n'a plus jamais pris de ses nouvelles ». Pour la première fois depuis le début des auditions de témoins, Pauline se lève :

— Vous me reprochez de n'avoir jamais demandé de ses nouvelles, mais m'en auriez-vous donné ?

— Si vous aviez été capable d'un seul amour, on vous aurait répondu.

Ainsi parle l'associé de Félix, grand arbitre de l'amour et de la sincérité des sentiments. Françoise Camusat, née Cauchois, ensuite, citée en tant que proche de Félix mais aussi de Pauline, se souvient du comportement odieux de son « amie » envers le brave garçon que celle-ci trouvait « décoratif mais collant », des brimades et humiliations incessantes, en particulier lors du bal de la Croix-Rouge, qu'elle raconte d'une voix sévère : « Elle a dansé avec tous les hommes sauf lui, puis elle s'est éclipsée pour aller coucher avec un autre amant. »

Tous ces gens de vingt ou trente ans qui se rangent aux côtés des vieux magistrats pour défendre, de bonne foi et à raison, leur ancien copain, mais aussi la morale, la famille, la fidélité obligatoire et la place traditionnelle des femmes, sont la jeunesse et prétendument la force de l'époque, mais les parents de ceux qui manifesteront contre eux en 68. Pauline a une génération d'avance sur eux.

La journée se poursuit avec le professeur Blandin, qui arrive nerveux et furieux à la barre. Il en veut à la presse qui l'a présenté comme un sale bonhomme et l'a souvent confondu avec Grichon (car c'est ce qu'a fait volontairement Barrière dans son rapport), le sale Grichon que l'accusation s'est bien gardée de faire comparaître. « Mon aventure avec Mlle Dubuisson a duré trois semaines, peut-être un mois, bien avant le drame, je me demande ce que je fais ici. » (Oui, tiens, d'ailleurs, c'est vrai.) Il ne reconnaît pas les propos que lui prête le président Jadin : « Sous le coup de la nouvelle, j'ai pu mal me faire comprendre, ou dire certaines choses maladroitement, mais elles sont sans rapport avec la vérité. Pauline fut pour moi une bonne camarade, aux réflexes peut-être un peu vifs. On a dit qu'elle était venue à moi par intérêt, pour obtenir ma bienveillance aux examens, c'est faux, je suis chargé de cours et n'ai jamais siégé dans un jury. » Sous les questions de Paul Baudet, il contrarie l'équipe d'attaque, qui trépigne. « Mon sentiment ? C'est une fille qui n'a pas eu de chance. Elle a couru après un amour qu'elle n'a jamais pu trouver. Elle cherchait l'affection désintéressée de quelqu'un qui voudrait d'elle. Si elle l'avait trouvée, elle aurait été sauvée. C'est sans doute ce que Félix Bailly lui proposait, mais elle était peut-être trop méfiante, et il est incontestable qu'elle fut désorientée par certains, qui lui couraient après et se livrèrent à des chantages pour qu'elle leur cède. On la disait facile et on lui courait après. » Floriot ne tient plus en place, il cherche un moyen de décrédibiliser ce gêneur. Il va le trouver.

— A-t-il été question de mariage entre vous ? demande Baudet.

— Non, jamais. Je n'ai pas l'habitude de faire de telles promesses.

— L'habitude ? glousse Floriot, le regard soudain allumé. Vous aviez l'habitude de coucher avec vos étudiantes ?

C'est plus une boutade qu'autre chose, une pirouette pour ne pas se laisser déborder et bien conclure le témoignage. Car René Floriot le sait bien : qui pourrait en vouloir à un homme d'avoir eu plusieurs maîtresses, même étudiantes ?

Bernard Legens n'arrange pas les affaires de l'accusation : « J'ai bien vu qu'elle n'était pas heureuse, quand nous nous fréquentions. Il y avait en elle quelque chose de brisé, elle parlait souvent de mourir. » Mauvais, ça, dangereux, oublions Félix Bailly, Lindon réoriente l'interrogatoire :

— Elle parlait peut-être de mourir, mais il semble qu'elle était très préoccupée par votre situation financière, je me trompe ?

— Oui. Ce n'est pas vrai. C'est moi qui en ai parlé, lorsqu'il a été vaguement question de mariage entre nous. Je lui ai fait remarquer qu'elle était d'un milieu beaucoup plus aisé que le mien, et que je ne faisais que débuter ma carrière.

On ne traîne pas avec Paul Bize, le principal de Jean-Bart, qui affirme qu'à sa connaissance, contrairement à ce qu'on lui a fait dire, Pauline n'a jamais été officiellement exclue du collège. Baudet le lui fait répéter, il est venu de loin, puis Floriot lui demande pour la forme s'il était quand même au courant de la mauvaise réputation de son élève. Ce n'était pas vraiment son élève, il ne l'a pas connue. D'accord, mais était-il au courant ? Oui, peut-être, il lui semble. Voilà, c'est le principal – si on peut se permettre, hu hu.

Pour finir la journée sur une note aussi marquante et positive que la veille, René Floriot appelle Monique Mercier. (Je n'ai pas envie d'être cynique, ce doit être une épreuve très pénible pour elle, elle a perdu le grand amour de sa vie de manière injuste et brutale, à sa place je voudrais arracher les yeux de Pauline et lui casser les dents au marteau – mais il est évident que Floriot et Lindon se sont dit : « On garde la petite pour la fin, c'est de l'or. » Paul Baudet avait prévu de faire comparaître encore Geneviève Dewulf, favorable à sa cliente, mais le président lui a expliqué qu'on n'avait pas le temps, l'audience a été longue et éprouvante, ce sera pour demain.) Monique porte au doigt sa bague de fiançailles. Dans *France-Soir*, Jean Laborde décrira ainsi cette apparition de dernière heure : *Une vaporeuse blondeur entourant un visage fin, délicat, de grands yeux, image de la droiture et de la pureté que Félix Bailly avait élue comme son idéal.* (Ses parents, surtout, non ? Car si cette blonde et vaporeuse image de la pureté était vraiment l'idéal de Félix, que serait-il allé courir comme un damné pendant trois ans derrière une brune, rousse, satanique et corrosive comme Pauline ?) Elle s'exprime d'une voix monocorde et abattue – *sans haine*, lira-t-on dans les journaux (quand c'est l'accusée qui s'exprime d'une voix monocorde et fataliste, on lit *avec froideur et arrogance*). Elle dit que Félix lui a maintes fois assuré que tout était fini entre Pauline et lui, qu'il voyait cette fille comme un démon, qu'elle avait menacé de le tuer, et qu'elle a la certitude qu'il ne l'a jamais revue de son plein gré. Son témoignage n'a pas de réelle utilité, elle n'a jamais croisé Pauline et ne sait d'elle que ce que son futur mari a bien voulu lui dire de son ex, il ne sert qu'à émouvoir les jurés, à leur envoyer en plein cœur les conséquences déchirantes du geste criminel de celle qu'ils doivent juger.

Durant tout le temps que Monique passe à la barre, Pauline garde la tête baissée dans son box. Pas une fois elle ne cherche son regard – la fiancée veuve garde les yeux droit devant elle, d'ailleurs. Pauline a honte, sans doute, et la comprend. De toutes les personnes qui sont venues témoigner contre elle, ou ont tenté de l'ébranler comme Floriot et son gang, Monique, même si ce qu'elle dit n'est pas vrai, est la seule qu'elle n'ait pas tenu à affronter, à défier.

Ce deuxième jour laissera un sentiment mitigé. Le ministère public et la partie civile ont marqué beaucoup de points, parfois au-dessous de la ceinture, avec des coups de voyous, mais l'entêtement exagéré, anormal, et l'indécence souvent grossière des *trois inquisiteurs* ont choqué l'opinion publique, qui commence à se retourner. À la sortie du Palais de Justice, les spectateurs sont moins remontés que la veille : « Ils y vont fort, tout de même… » Dans *Le Monde*, Théolleyre parlera d'*acharnement* et de *coups de pouce* que l'accusation veut sans cesse donner à l'instruction – qui n'en a pourtant pas besoin. Pierre Scize, encore bien anti-Pauline après la première journée, écrira ce soir-là : *Cette curée chaude qu'on fait d'elle n'est pas un spectacle ragoûtant.*

Mais Floriot et Lindon ne sont pas inquiets. Demain, ils auront toute l'audience pour eux, ce sera le temps des plaidoiries, ça va faire mal. Leur seul adversaire sera Paul Baudet, ce n'est pas lui qui leur fera de l'ombre – ils seront tout à fait d'accord pour que l'accusée fasse la paix avec Dieu et sa conscience, pas de souci. Et leur ami Jadin sera aux côtés des jurés dans la salle de délibération.

Le 20 novembre 1953, la journée au Palais débute par le témoignage de Geneviève Dewulf, qu'on n'a pas eu le temps d'entendre hier. Elle essaie de donner une autre image de Pauline que celle de l'exterminatrice en jupons qu'on brandit devant tout le monde depuis deux jours. « La mère était une femme brisée, et le père un homme rude, presque sauvage. Il a entraîné la volonté de sa fille au détriment de son cœur, on sentait qu'elle était élevée à des fins utilitaires. Elle a été dressée dans la dureté, comme un poulain. Elle en est devenue volontaire, ambitieuse, peut-être orgueilleuse, oui, impatiente de faire sa vie à elle. Mais elle était nette dans ses pensées comme sur elle, on lui voyait une vraie fraîcheur d'esprit. Les enfants l'aimaient beaucoup. » On l'écoute à peine, on a assez entendu de témoins : ce qu'on attend, ce qu'on est venu écouter aujourd'hui, ce sont les plaidoiries des différents adversaires. (À propos de ces mots de Mme Dewulf (la seule à avoir eu la possibilité d'évoquer l'enfance de Pauline pendant tout le procès), qui n'ont semblé toucher que la jurée Raymonde Gourdeau,

Pierre Scize écrira : *Hélas, tout cela a passé sur maître Floriot comme la rosée du matin sur un canard.*)

Le premier avocat de la partie civile, maître Legrand-Guyot, l'ami de la famille Bailly, lance l'assaut final. C'est le plus faible, on le met devant. « Je représente ici un jeune mort, un athlète superbe et sain, sans ombre et sans reproche. » Il énumère toutes les qualités de Félix, qu'il connaissait, parle longuement de l'innommable gâchis qu'ont causé la malveillance et l'égoïsme inhumain de Pauline, puis s'approche d'elle, tout près pour conclure : « Pendant des heures, des mois, nous avons attendu, guetté sur vos lèvres des paroles de regrets et d'excuses, espéré dans vos yeux une lueur de repentir, mais votre bouche est restée fermée, et dans votre œil, nous n'avons trouvé que de la dureté. Alors, Pauline Dubuisson, n'attendez de nous ni faiblesse ni pardon ! » Elle se tient droite dans son box, à quelques centimètres de lui, et encaisse sans le quitter du regard.

Floriot se lève. Depuis la veille, il sent que l'auditoire se ramollit, la belle unanimité punitive contre l'accusée s'est délitée au fil de la deuxième journée. Pour récupérer l'avantage, il va devoir augmenter sa puissance, se transformer en fauve, en machine à détruire. Mais ça ne lui fait pas peur, au contraire, ça lui plaît. C'est pour ça qu'il est là, aujourd'hui, dans ce camp. Un an et demi plus tôt, dans l'autre, il défendait une petite quinquagénaire grisonnante et très émotive (marquée par une enfance triste et pénible), Amélie Rabilloud : elle avait tué son mari, Georges, « parce qu'il la rendait malheureuse ». Elle l'avait découpé en soixante-sept morceaux, avait caché sa tête dans un buisson du parc municipal de Savigny-sur-Orge et éparpillé le reste depuis le pont qui enjambait la voie ferrée : chaque jour, elle emportait quelques bouts du corps dans son sac à provisions et les jetait dans les trains de marchandises qui passaient sous elle dans un sens ou dans l'autre (Georges travaillait à la

SNCF, il aurait sans doute apprécié d'être disséminé ainsi). René Floriot n'avait pas pu tenir jusqu'à la fin de sa plaidoirie. Il avait dû s'excuser auprès des jurés de devoir l'interrompre, mais l'émotion était trop forte pour lui, il ne tenait plus debout, il est avocat mais homme avant tout, comment ne pas flancher face au douloureux destin de cette pauvre femme qu'on avait brimée depuis sa naissance ? Elle avait été condamnée à cinq ans de prison pour soixante-sept morceaux, soixante-huit avec la tête. Cette fois, Floriot est de l'autre côté, un boulet dans le ventre le ferait à peine vaciller. Ça va chier des bulles.

Il entame sa charge finale avec la technique qui l'a aidé à sauver Amélie Rabilloud, mais inversée : « Je commencerai par solliciter un pardon : je ne suis pas certain de plaider sans passion. Plusieurs fois, au cours des débats, j'ai été amené à me montrer cruel. On me l'a reproché. C'est parce que j'avais auprès de moi une maman qui pleurait... » Il explique ensuite qu'il ne réclamera aucune peine particulière, que ce n'est pas sa mission, qu'il doit simplement s'assurer qu'il n'y ait plus aucun doute pour les jurés quant à la véracité des faits, matériels ou psychologiques, et à leur enchaînement. Car ce qu'il regrette, d'une voix peinée, c'est qu'on ait complètement oublié Félix Bailly, que « le souvenir du mort s'est estompé », et qu'on en arrive presque à plaindre celle qui l'a tué, lui semble-t-il. « Voilà où peuvent mener les aberrations d'un faux sentimentalisme ! (Il a dû entendre quelques personnes murmurer dans la salle quand il reprochait à Pauline de ne jamais réussir ses suicides, ou lire un article de Jean-Marc Théolleyre qui sous-entendait non sans culot qu'elle n'était peut-être pas une envoyée de Satan qui ne pensait qu'à baiser et à tuer.) Mais il paraît qu'il ne faut surtout pas songer à l'accabler... Je vais tout de même vous montrer qu'elle a tué ce garçon formidable pour tous les motifs qu'on voudra, mais en tout cas, pas par passion. (C'est pour lui, la passion.) Je passerai rapidement sur le début de sa vie. (On se dit qu'il va évoquer en deux ou trois mots l'enfermement jusqu'à huit ans et le lavage de cerveau neuf, mais non, il ne parle pas de ce début-là, mais d'un début postérieur de quatorze ans au début.) Il fut agité. Au départ, une adolescente perverse qui, à quatorze ans, s'affiche en compagnie du premier amant qui veut bien d'elle: du simple matelot au médecin-colonel… elle n'a pas de préjugés sociaux ! Pas de préjugés nationaux non plus: elle accordera ses faveurs aussi bien aux Allemands qu'aux Français, à commencer par ses condisciples de la faculté de médecine. Je n'en tirerai qu'une indication psychologique: sa puissance de dissimulation est infinie. Elle n'a reconnu ses amants successifs que mise au pied du mur et confondue par les témoins et les documents saisis. D'abord, c'était tout juste si Félix n'avait pas été le seul, l'unique, l'irremplaçable. Le meurtre passionnel était admissible. Puis il lui a fallu reconnaître Legens, Blandin, Domnick, et le vieil "ami" lyonnais – bien que pour celui-ci, elle nie encore l'évidence ! » (La liste de ses amants est effarante (cinq !), sa libido ne connaît pas de limites.) » La suite de la plaidoirie est du même calibre, il décrit ce qu'elle a fait subir à Félix (« Il a été son pantin, il a souffert le martyre »), qui a fini par suivre les conseils de ses camarades et trouver le courage nécessaire pour la quitter. « Pauline Dubuisson est vexée, et le mot est trop faible. Elle souffre cruellement dans son amour-propre. Hier encore, elle traînait derrière elle ce magnifique garçon, athlétique, intelligent, fils d'une bonne famille, bref, le parti dont rêvent toutes les jeunes filles, dont je sais que toutes les camarades étaient envieuses. Puis, brusquement, alors qu'elle jouait avec lui en se disant qu'il reviendrait toujours comme un chien, il se libère, il s'évade. Déçue ? Non, mortifiée ! Elle est désemparée, désappointée, furieuse, je veux bien. Amoureuse ? On va voir si son attitude est celle d'une désespérée d'l'amour. » Il raconte ensuite évidemment les dix-huit mois passés sans jamais chercher à renouer (« Pas une seule fois cette grande, cette merveilleuse amante ne s'intéresse à l'objet de sa flamme », avant de concéder, en homme de bonne volonté : « Oh, bien sûr, elle a eu un petit pincement au cœur quand elle a rencontré Félix au bras de la jeune Monique Mercier (et c'est quand, ça, René, au fait ?), qui est une vraie jeune fille, elle… »), il insiste sur son aventure principalement sensuelle avec le premier venu, Bernard Legens, qu'elle quitte dès qu'elle s'aperçoit « que ce n'est qu'un petit ingénieur sans avenir » (si Bernard est dans la salle, ça doit lui faire plaisir). Il dit bien entendu qu'elle a « inventé de toutes pièces » la nuit chez Félix à Paris et sa visite à l'armurier le lendemain (il ment en décrivant l'entrée du magasin : après la porte, un long couloir puis une porte à gauche qui donne sur la boutique proprement dite, ce qu'elle aurait inévitablement remarqué si elle était entrée, alors que c'est plutôt une sorte de hall puis une grande arcade à gauche). Avant d'aborder le meurtre en détail, il lit la lettre que Félix a envoyée à ses parents pour leur annoncer qu'il avait enfin trouvé l'amour, et les deux dernières qu'il a écrites, peu avant sa mort, à sa véritable fiancée, pleines de *petit bébé* et de *toute petite fille chérie*. Monique pousse un gémissement dans la salle, Pauline commence à se balancer d'avant en arrière en clignant des yeux, manifestement sur le point de se détraquer ; derrière elle, un gendarme pose avec bienveillance sa grosse main sur son épaule, elle parvient à reprendre le contrôle d'elle-même. Pas pour longtemps, car Floriot a vu le sang. Aussitôt après les lettres, il enchaîne sur l'assassinat. « Elle rentre calmement à Lille, achète calmement un pistolet, revient calmement à Paris et guette désormais sa victime. Elle la guette comme un tueur froid, cachée dans un couloir. Puis dans le café situé devant chez lui. Elle sait que tôt ou tard, il viendra s'offrir à ses coups. (Il tourne la tête trois secondes vers Pauline.) C'est ça, votre drame passionnel ? Un tueur n'agit pas autrement. C'est pourquoi je suis amené à faire une hypothèse. Elle est terrible, je le sais. Mais il est de mon devoir de la faire. Elle concerne l'ordre des balles. Personne, même le docteur Paul, n'a osé le fixer avec certitude. Or je me demande s'il ne faut pas dire que Pauline Dubuisson a d'abord tiré dans le dos de Félix Bailly. Vous allez voir comme cette version est logique. Félix a peur, vous le savez. Mais il s'en cache, il ne veut pas le montrer. À ses amis d'abord, à Pauline Dubuisson encore plus. Elle entre dans l'appartement et son attitude paisible le trompe. Elle s'assied et lui, debout, ne se méfie plus – il a encore sa pipe à la bouche ! Au moment où, pour une raison ou une autre, il tourne le dos, elle tire. Félix en tombant pivote, et la deuxième balle l'atteint en plein front, alors qu'il s'abat. » (Félix est donc venu se glisser dans l'espace réduit entre la table et le fauteuil (où il s'abattra bientôt), juste devant elle, à dix centimètres, puis il lui tourne le dos, ne se méfiant plus, reste là, les fesses sous le nez de Pauline, à regarder de l'autre côté de la pièce, naturel, boudeur – mais Floriot parle avec ferveur et vite, les jurés n'ont pas le temps de se représenter cette scène absurde (il vient de leur dire qu'ils allaient voir comme cette version est logique, c'est une sorte de label, ça épargne la prise de tête). Claude Paillat, dans *Paris-Match*, notera que seule Raymonde Gourdeau semble dubitative. Elle lui avouera après le procès qu'elle pensait qu'il n'était pas très compliqué d'être jurée : « Je me trompais. ») « Enfin, c'est la troisième balle, celle du coup de grâce, le geste affreux de cette fille qui pose son pistolet sur la tempe de celui qu'elle dit aimer. Mais ce n'est qu'une hypothèse, je le répète. » Avant sa conclusion, il revient brièvement sur cette pauvre tentative de suicide dont l'accusée se figure qu'elle permettra de prouver qu'elle a agi par amour et désespoir. « Le pistolet s'est enrayé après la troisième balle. Je veux bien. Mais qui nous dit que la quatrième n'était pas aussi destinée à Félix ? On ne sait pas. Mais passons. Vous avez réellement souhaité mettre fin à vos jours, Pauline Dubuisson ? Si vous le dites. Mais pourquoi avoir choisi le gaz ? Vous étiez au septième étage, après tout… » Pauline cligne nerveusement des yeux, Raymonde secoue la tête, un grognement de désapprobation se fait entendre dans le public, cet avocat exagère. Floriot le sait mais s'en cogne. L'important, c'est de laisser une trace dans l'esprit des jurés – « Finalement, il est dur mais on ne peut pas dire qu'il ait tort : quand on veut vraiment mourir… » (Dans *Détective*, Simone France y va elle aussi de sa petite suggestion amicale : *Nous* (élégant pluriel de majesté) *ne sommes pas pourvoyeur de bourreaux, mais nous trouvons que la pilule de cyanure était plus assurée de jouer son rôle mortel qu'un tuyau de gaz hâtivement coupé.* Les gens sont pleins de sollicitude, tous essaient d'aider Pauline à nous débarrasser le plancher.) René le fauve a bien travaillé. Il soigne sa chute, derniers coups de griffes et de crocs avant le festin : « En conséquence, mademoiselle et messieurs les jurés, vous direz que Pauline Dubuisson n'a pas commis un crime d'amour, mais un meurtre que lui commandaient sa méchanceté, son orgueil et le dépit. J'en ai fini. Rendez votre verdict en conscience. Mais n'oubliez pas ce garçon massacré. N'oubliez pas ces pauvres gens (il montre les époux Bailly, la sœur Marguerite et la fiancée Monique) qui n'attendent que la justice. »

Comme si ça ne suffisait pas, il reste Raymond Lindon – on n'est jamais trop nombreux pour éliminer une indésirable. (Pierre Scize écrira : *Après maître Floriot, maître Lindon pouvait faire son métier. Il allait s'acharner sur une morte.*) Raymond Lindon, cet homme bon et compréhensif qui rappelait qu'Yvonne Chevallier n'avait, après tout, tiré sa dernière balle que sur le cadavre de son mari, et laissait parler son cœur : « Requérir, ce n'est pas forcément accabler. » Cet homme à qui son incoercible mansuétude joue des tours, au détriment de sa carrière. Cet homme qui a déclaré un jour lors d'une interview : « La magistrature, c'est une carrière de poète. Je n'ai aucun mérite à l'avoir choisie, j'ai de la fortune. » On va le voir à l'œuvre, le poète fortuné. Il n'a plus besoin d'insister beaucoup, il ne lui reste qu'à donner lourdement les derniers coups (ce Floriot est habile mais le juré, pour bien comprendre, a besoin de plus bas et plus gras encore), sa plaidoirie ne durera qu'une heure, elle sera plus balourde, moins finement cruelle que celle de son confrère intello – je ne vais donc que reproduire le bruit de la massue – mais au moins aussi efficace sur les esprits limités. Il commence par démolir ce qui peut le gêner dans son forcing vers le châtiment : les soi-disant spécialistes, experts et tout ce qu'on veut, ces ingénus. Les pompiers, qui se sont fait berner par une étudiante, et même les trois psychiatres : « Je vous dis, moi, que le mobile a échappé à ces médecins. En réalité, Pauline Dubuisson a tué par orgueil, par dépit, par volonté de détruire le bonheur. Car Pauline Dubuisson est un monstre ! » (Pas mal, ça, « monstre », ça marque.) À propos des aventures de l'accusée adolescente avec les Allemands, il a l'explication évidente, ce n'est même pas une question de sexe : « Entre eux et elle, il y avait la plus profonde affinité. » C'est elle, pour ainsi dire, qui a envahi et martyrisé la France pendant près de cinq ans. Ça se creuse, d'ailleurs, ce truc d'affinité avec le Mal : il apprend aux jurés qu'au moment de sa énième tentative de suicide grossièrement ratée, à la

Petite-Roquette, elle a laissé un mot pour léguer tout son argent à Colette Bigot. « Et je vais vous dire qui est cette femme, condamnée à perpétuité. Elle a tué un premier enfant de dix-huit mois, puis un second cinq ans plus tard, et pour l'un et l'autre, elle a fait croire à des accidents. » (Je n'ai jamais frappé personne de toute ma vie, mais ça ne donne pas envie de lui casser le nez ? Il n'y a pas une petite loi qui interdit le mensonge flagrant et nauséabond d'un avocat assermenté devant une cour d'assises ?) « Eh bien là encore, Pauline Dubuisson a trouvé avec cette femme horrible une affinité profonde. » Il se dit ensuite que « monstre » est peut-être un peu banal, galvaudé, et se met à la traiter, à deux reprises, de « hyène » (plusieurs personnes dans la salle sourient, ces accès de rage convulsive contre une jeune femme désarmée, même peu convenable et condamnable, deviennent loufoques). Ce n'est pas un meurtre, qu'a commis la hyène, c'est un « carnage du bonheur ». Il répète : « Un carnage du bonheur ! » Il améliore le « coup de grâce » de Floriot (« grâce » est un mot trop poétique et léger, qui laisse de petites plumes blanches dans les esprits), il préfère parler de « coup du bourreau » (qui a l'avantage, en outre, de préparer finement le terrain). « Pauline Dubuisson est un être malfaisant qu'il faut supprimer. Le malheureux Félix Bailly l'avait bien jugée : une ravageuse. Alors cette mort qu'elle lui a donnée, je la réclame contre elle ! Même dans la plus faible mesure, je ne peux pas lui pardonner. Contre ce monstre, et pour le pauvre bonheur humain, pour sa défense, je demande le châtiment suprême. »

Bien. La respectable Yvonne Chevallier a exécuté l'homme qu'elle aimait parce qu'il allait lui échapper, elle a été acquittée. La pauvre Amélie Rabilloud a exécuté et morcelé l'homme qui la rendait malheureuse, elle a été condamnée à cinq ans de prison. Pauline Dubuisson, la jeune insoumise, la petite femelle, a tiré sur l'homme qui ne voulait plus d'elle et allait l'empêcher de se tuer : il faut lui couper la tête.

Il ne reste que Paul Baudet, l'ambassadeur civil de Dieu, pour l'aider. « Je me lève seul au milieu de l'excès », commence-t-il. Dans la langue magnifique qui a fait sa réputation, il va suivre obstinément sa méthode : ne pas chercher à contester, mais expliquer et quémander le pardon. « On lui a appris que sur son visage, rien ne doit trahir ses sentiments. On lui a enseigné à se méfier de tous, à triompher d'abord, à juguler, puis à savourer son triomphe. » (Beau portrait, maître – mais « juguler », « savourer », sûr ?) « Oui, voilà l'éducation infernale, monstrueuse, vous avez dit le mot, monsieur l'avocat général, de cette fille que l'on a poussée à l'orgueil et à la domination. » Au moins, même d'une manière qui ne doit pas beaucoup déplaire à l'accusation, il est le seul à revenir sur son enfance. Il se tourne vers les jurés : « Essayez vous aussi de comprendre, par référence à vous-mêmes, à vos propres chagrins et à vos propres faiblesses. Et si d'aventure vous n'en avez pas eus, par référence alors à la faiblesse et au chagrin des autres. » C'est beau, c'est juste, mais si cela suffisait dans un tribunal, tous les accusés seraient acquittés. Il est plus direct et offensif ensuite : « M. Dubuisson a délibérément poussé sa fille, qui n'était qu'une enfant de quatorze ans, vers des aventures sordides avec des soldats et des officiers allemands. Quatorze ans ! Dépêchée seule chez ses messieurs comme démarcheuse et interprète. On va peut-être reprocher à cette enfant de les avoir débauchés, d'avoir attenté à leur vertu ? J'en profite pour faire une mise au point. On n'a cessé d'évoquer les "innombrables" amants de Pauline Dubuisson. J'ai eu la curiosité de les dénombrer, j'en ai trouvé six, Félix Bailly compris, du jeune matelot de Malo-les-Bains à Bernard Legens. Je ne dis pas que c'est peu, je trouve même que c'est beaucoup. Accordez-moi tout de même qu'il n'y a pas de quoi faire de ma cliente un monstre !

Serait-elle la seule femme en France à avoir eu des amants ? Pardonnez-moi, mais je crains qu'il n'y en ait d'autres, beaucoup d'autres. Oseriez-vous, monsieur l'avocat général, parcourir cette salle et les compter ? » (Une rumeur outrée monte du public. Mais si les hommes se disent que, bon, d'accord, on doit pouvoir atteindre une petite quinzaine, en ce qui les concerne (vingt ? comment s'appelait cette petite modiste rousse ?), ils ajoutent : "Mais je suis un homme, on ne peut pas comparer." Et si plusieurs femmes se disent que bon, après tout, ce n'est pas véritablement répréhensible, six, quand même, si je compte le fils Maubert, qui n'a toutefois mis que les doigts, elles ajoutent inévitablement : "Mais moi, je n'ai tué personne.") Concernant la nuit du 7 mars, il est plus combatif aussi, plus perspicace et habile, peut-être parce qu'il sait mieux que les autres ce qu'est le sexe – le plaisir du sexe, sa perspective irrésistible, pas le petit besoin de domination qui autorise à trousser la bonne vite fait dans la cuisine pour se soulager de bon droit : « Je suis sincèrement persuadé que ma cliente dit la vérité au sujet de ce qui s'est passé cette nuit-là. C'est justement parce que Félix avait une fiancée, une fiancée qu'il respectait… que ses sens ont parlé plus fort ce soir-là. Je ne trouve rien là d'invraisemblable, et rien qui offense la mémoire de ce garçon. » Il conteste ensuite la mise en doute par Lindon de l'avis des psychiatres quant à l'éventualité de circonstances atténuantes : « Je vous rappelle que ce sont vos experts : vous leur faites confiance à l'ordinaire, n'est-il pas vrai ? » Puis la préméditation de longue date, sans beaucoup plus de virulence ni d'efficacité : « Si elle avait tout prémédité depuis aussi longtemps que vous le dites, aurait-elle laissé chez elle toutes ces lettres et ces photographies d'anciens amis que vous retournez aujourd'hui contre elle ? » Il ne peut s'empêcher, malgré tout, en bon chrétien repentant par procuration, de reconnaître la ferme volonté de tuer et d'insister encore dessus, pour bien montrer qu'il ne demande rien d'autre que l'indulgence et une absolution au moins partielle : « Elle a préparé son crime tout en détestant ce crime, espérant que quelque chose ou quelqu'un interviendrait, arrêterait son bras, mais allant inexorablement, mue par je ne sais quelle force mauvaise, inconnue d'elle (le diable, non ?), jusqu'au bout de son action. » Il s'attaque enfin au coup du bourreau, anciennement coup de grâce : « Le corps en s'abattant a dû tomber sur elle, il a dû toucher le canon et cela devient votre coup de grâce ! » Il décrit très exactement ce qui a dû se passer, mais c'est trop vaporeux, hypothétique, il semble y croire à peine (il ajoute même, bien maladroitement dans la forme : « Qui vous dit que le pistolet ne s'est pas trouvé par hasard en contact avec la tête ? »), alors qu'il avait à portée de raisonnement des éléments de preuve bien plus concrets. Pour un avocat, il manque de malice et de minutie, comme un boxeur qui manquerait de poings et de jambes ; mais il ne manque ni d'humanité ni de lyrisme (comme un boxeur qui ne manquerait ni d'humour ni de talents culinaires) : le mouvement final de sa plaidoirie sera reproduit le lendemain dans tous les journaux, restera célèbre et fera de lui, d'un jour à l'autre et certainement sans calcul préalable ni satisfaction vaniteuse de sa part, une vedette du barreau. « Puisqu'il n'est pas un seul être humain qui, sur cette terre, ne soit capable de rédemption, pourquoi ne pas admettre que j'y ai quelque peu réussi avec cette jeune femme égarée ? Si, après sa tentative de suicide du mois dernier, elle a pu écrire : *Je crois que ma famille est maudite et moi aussi*, si elle a enfin compris que le temps était venu de passer aux aveux, et si elle a pu dire : *Que M. et Mme Bailly me pardonnent, qu'ils aient pitié de maman*, n'est-ce pas qu'elle a compris aussi que le temps était venu du rachat ? Alors pour elle, par elle, je demande pardon au nom de celle qui fut une orgueilleuse, qui naguère, désespérée, dans la nuit froide de sa cellule, n'a pas voulu de votre justice et a cru qu'elle devait plutôt choisir la mort. Je demande pardon pour tous ces parents qui croient éduquer et qui font de leurs enfants des êtres à leur mesure, passant à leurs côtés sans les voir. Je demande pardon pour la manière dont elle fit ses aveux, leur maladresse. (Oui mais il ne faut pas lui en vouloir, ils étaient un peu dictés, c'est moins facile.) Je demande pardon aussi pour ce qu'elle a cru choisir pour défenseur un avocat, inutile auxiliaire de la justice (il est lucide), qui, s'il vous refuse l'émotion de ses larmes, vous donne le spectacle, au moment où il mendie, de la dignité. » Pardon, pardon, je mendie, pardon, pardon. Magnifique. Ça ne sert à rien mais c'est beau. D'un point de vue stylistique. Pour ce qui est du fond, c'est dégoulinant de soumission et d'humilité contrite (et fausse, je dirais – il donne quand même au public le merveilleux spectacle de la dignité, ce n'est pas à la portée de n'importe qui), carpette devant la cour et le jury mais paternaliste à l'égard de Pauline, la pauvre brebis à qui il a su faire comprendre que c'était fini, les caprices, maintenant.

Lorsqu'il se rassied, Pauline pleure, sans bouger, droite. On pense que c'est à cause de l'émotion, elle a été touchée au plus profond par les paroles de Paul Baudet, perçoit enfin l'horreur de son crime, de son comportement général, et se vide de toute l'immoralité et la suffisance qui croupissaient en elle depuis si longtemps ; c'est peut-être aussi parce que la boucle de son avocat est bouclée et que Pauline comprend qu'elle n'a pas une chance sur dix mille de s'en sortir, d'échapper à un châtiment irréversible, de continuer à vivre.

— Avez-vous quelque chose à ajouter pour votre défense ? lui demande le président Jadin.

Elle se lève, ne dit rien, hésite longtemps en triturant son mouchoir blanc contre sa hanche, puis parle mais d'une voix faible, une voix de perdante :

— Non, je n'ai rien à ajouter. Je ne peux que répéter ce que j'ai écrit la nuit où je croyais mourir. Je demande pardon à tous ceux à qui j'ai fait du mal sans en mesurer les conséquences.

Elle sort du box entre les deux gendarmes qui se tenaient derrière elle tout au long du procès, tandis que les sept jurés partent délibérer avec Jadin et ses deux assesseurs.

La salle remue et monte en température, les pronostics sont lancés. Personne ne mise un kopeck sur la peine capitale réclamée par l'avocat général. Depuis 1893, on ne condamnait plus les femmes à mort en France, Pétain le moderne a rétabli l'égalité des sexes devant le couperet, cinq femmes ont été décapitées sous le gouvernement de Vichy et trois autres ensuite dans l'élan, mais la dernière est montée sur l'échafaud il y a plus de quatre ans, le 21 avril 1949, à Angers : une marchande de charbon, Germaine Leloy, née Godefroy, a débité son mari Albert à la hache de boucher, pendant son sommeil, avec la complicité de son amant de dix-huit ans, le petit Raymond, que le couple employait dans son commerce. Ils avaient prévu de faire croire à un cambriolage qui a viré au drame (au bon gros drame charcutier), d'empocher les économies de ce boulet d'Albert (82 590 francs) et de reprendre la boutique tous les deux, peinards, viens faire un bisou à maman. Pauline, même si on ne l'aime pas, c'est autre chose. Les habitués des prétoires parient sur une condamnation de dix à vingt ans, puisque même la défense a reconnu la préméditation, mais estiment que ce serait déjà beaucoup : on ne peut tout de même pas nier que c'est un genre de crime passionnel, et à cette époque-là, on est peu sévère dans ce domaine, surtout avec les femmes (il faut prendre en compte que c'est dans leur nature, elles pètent les plombs dès qu'il s'agit d'amour, elles n'arrivent pas à prendre du recul, ce n'est pas de leur faute). Dix ou quinze piges, allez.

La délibération du jury ne durera qu'une demi-heure, cette fin d'après-midi du vendredi 20 novembre 1953.

Et ces mille huit cents secondes ne seront pas utilisées pour revenir sur les points de l'enquête qui présentent des doutes (l'état de Pauline au moment de la rupture à Lille, la nuit chez Félix, l'ordre des balles, la volonté sincère ou non de se suicider, tous ces trucs complexes et encombrants), encore moins sur la personnalité ou les sentiments de Pauline, on connaît l'oiseau. Le tiers de ces trente minutes sera consacré à la lecture des lettres de Félix à ses parents et à sa fiancée, que plusieurs jurés ont demandé au président Jadin de leur permettre de consulter à tête reposée. Au procès d'Yvonne Chevallier, le plus important était de connaître le geste obscène du mari, ici c'est de s'émouvoir encore un coup, bien à fond, avec les derniers mots d'amour pur et sincère du jeune mort. Si c'était réellement un garçon si doux et tendre (oui, regardez ce qu'il écrit, là), il ne faut pas la louper – s'il s'avère qu'il a sorti sa bite de son caleçon, on va réfléchir, mais là non, au contraire, voyez, *mon tout petit bébé blond*, on a la preuve irréfutable qu'il n'a pas pu coucher avec son ancienne maîtresse, cette menteuse.

Au bout d'un quart d'heure, les six hommes jurés ont arrêté leur décision. OUI au meurtre, OUI à la préméditation, NON aux circonstances atténuantes : peine de mort. On l'a eue ! (Peut-être pas comme on aurait voulu, on n'a pas eu la chance de faire partie de ceux qui l'ont clouée au matelas, mais on l'a eue comme on a pu.) Heureusement, la couturière, Raymonde Gourdeau, est parmi eux. Elle n'a encore rien dit mais ne compte pas se contenter d'un rôle de potiche décorative. Elle proteste, prend la parole face à ses supérieurs, se lève de sa chaise : il lui paraît fou, barbare, qu'on songe sérieusement, d'un commun accord, à trancher le cou de cette jeune femme, que la société – un groupe d'hommes satisfaits, enchâssés dans le confort de leurs convictions et de leur pouvoir – décide en bonne conscience de s'unir pour la mettre tranquillement à mort, couic, adieu. Raymonde, courageuse, refuse même d'accréditer la préméditation, mais il ne faut pas exagérer : le carnage du pauvre bonheur humain de Lindon, et la remarque pertinente de Floriot quant à cette fille, cette « fille », qui réussit ses assassinats et ne rate que ses suicides, résonnent encore sourdement au-dessus de la table, comme des sons de grosses cloches. Raymonde n'obtient de ses voisins mâles que les circonstances atténuantes, on peut lui laisser ça. Et par conséquent, la survie de la condamnée. De Paulette. De Jacqueline. De Pauline Dubuisson.

Quand le jury et la cour font leur retour dans la salle d'audience, à peine un quarante-huitième de journée après en être sortis, le public frémit, surexcité, comme au moment crucial du palmarès du festival de Cannes, ou du résultat des élections présidentielles. On va savoir. Le président Raymond Jadin pose les questions dont il connaît les réponses : Oui. Oui. Oui. Meurtre, préméditation, circonstances atténuantes. Il n'est donc pas possible d'éliminer l'ennemie de manière radicale, par suppression de la tête. Pauline Dubuisson est seulement condamnée aux travaux forcés à perpétuité.

Les jurés sont désagréablement surpris d'entendre un ample « Oh ! » d'indignation monter des bancs de l'assistance (Pauline est la seule à ne pas sursauter, à ne pas porter les mains à ses tempes comme le fait Baudet : elle le pressentait depuis le début, et n'avait plus aucune illusion à la fin de la plaidoirie de celui qui avait pour mission de la représenter, et donc de la défendre). Coincés dans leur rôle, leur fonction de bras armé, les pairs de Raymonde Gourdeau ont oublié que les spectateurs étaient là, avant tout, pour se distraire, compatir à peu de frais et vibrer. Ils ont vibré, c'est bon, ils n'en demandent pas beaucoup plus : la sanction prononcée leur paraît disproportionnée. Cette jeune femme a tué l'homme qu'elle aimait (peut-être sans le vouloir consciemment, se dit-on à présent, on ne sait pas – qui peut savoir ?) parce qu'elle ne supportait pas de vivre sans lui, et on va l'évincer définitivement de notre monde, l'enfouir au fond d'un cachot jusqu'à la fin de ses jours ? C'est un peu excessif.

Dans *Le Monde* du lendemain, Jean-Marc Théolleyre écrira : *En trente minutes, magistrats et jurés ont pensé qu'ils avaient tout compris, tout deviné de cette fille qu'ils ont vue en tout et pour tout trois après-midi entre deux gendarmes. Justice est faite. Les formes ont été respectées. Il y a eu une plaidoirie de la partie civile, un réquisitoire, une plaidoirie de la défense. Les arguments se sont opposés comme s'affrontent deux équipes dans un match. Maintenant, c'est fini. Pauline Dubuisson s'en est allée vers l'expiation, la salle s'est vidée, les commentaires sont allés leur train, on a éteint les lumières. Demain, personne n'y songera plus.*

Personne ne songe plus depuis un an au destin d'Yvonne Chevallier, qui soigne des lépreux en Guyane française. On a cru ce qu'elle affirmait, on n'a pas cru ce qu'affirmait Pauline – pas même son avocat. On parle de soi, on explique, on dit ce qu'on est, ce qu'on pense, ce qu'on a vécu. Être cru ou pas change tout. Pauline est une menteuse : au diable.

Choqué, effondré, maître Baudet prend les mains de Pauline dans les siennes et l'incite à se pourvoir en cassation. Elle les retire doucement, ses mains, et d'un petit geste fataliste, refuse. Elle ne peut pas revivre ça, se remettre à genoux, accepter de dire qu'elle voulait résolument tuer Félix, se laisser injurier et piétiner deux ou trois jours encore. Elle est plus émotive et vulnérable qu'on le pense, qu'on l'a dit partout. De toute façon, que peut-elle attendre, espérer ?

(La famille Bailly, elle, n'en a pas terminé. Au civil, elle réclamera à Pauline trois millions de francs de dommages et intérêts. Son malheur est indéniable, mais c'est paradoxal, dérangeant même, pour un couple brisé qui a toujours soutenu que cette vampire femelle n'en voulait qu'à la situation et à l'argent de leur fils, c'est-à-dire au leur. Malgré tout le talent de René Floriot, Louise et Richard Bailly n'obtiendront que deux millions, qui seront prélevés sur l'héritage laissé par André Dubuisson.)

Avant de partir pour toujours, de sortir du Palais, de se laisser conduire à l'écart de la civilisation, Pauline a une attention vers Paul Baudet en détresse, comme pour le réconforter : elle le regarde et lui sourit. Faiblement, mais

elle sourit, pour la première fois depuis le début du procès. Elle a remis son masque, son père serait fier d'elle. C'est la dernière image qu'on gardera de l'héroïne noire de ce fait divers. Elle sourit tristement et quitte le tribunal. Sa vie est terminée.

Chapitre quarante

Amendable

Tandis que Paul Baudet reprend le bus 21 vers chez lui, profondément peiné, le pauvre sourire de sa cliente en tête, Pauline retrouve la Petite-Roquette et ses compagnes de cellule – Colette Bigot, la femme horrible, n'est plus là, elle a été transférée la veille à la centrale de Haguenau. À l'extérieur, contrairement à ce qu'avait prévu Jean-Marc Théolleyre, on parle encore beaucoup d'elle (mais ça ne durera pas, c'est vrai). La sévérité du verdict a choqué et dégrisé tout le monde (comme dans l'affaire du pauvre François-Joseph Monbailly de Saint-Omer, longuement torturé puis brûlé vif une main en moins, que la population aurait aimé démembrer elle-même, avant de le pleurer, d'en faire un martyr (d'elle-même, mais oublions) et de récupérer ses cendres pour se porter bonheur), la plupart des journaux se retournent et critiquent soudain l'acharnement dont la coupable a été victime. Plusieurs voix intellectuelles s'élèvent pour la défendre, malheureusement trop tard. L'avocat Stephen Hecquet déplore, à propos de cette tendance – qui se répand notamment du côté de l'accusation – à taper de plus en plus bas dans les cours de justice : *Je l'écris posément : s'il est vrai que ce bouleversement des méthodes ne doit aboutir qu'à mener Pauline Dubuisson en prison pour la vie et le petit Jacques Fesch à l'échafaud, alors écrivons aussi qu'il convient de désespérer de notre Justice, ou – ce qui est plus grave – qu'à l'audience comme à la ville, la palme revient aux plus ignobles.* Dans le numéro 2 de *Medium*, revue de *communication surréaliste*, Georges Goldfayn et Jean Schuster publient un texte intitulé « Face à la meute », dans lequel ils décrivent *un procès immonde, qui restera un modèle dans le genre scandaleux*, et concluent : *Il semblait véritablement que de la rigueur du verdict dépendait le sort de cette société. Et sans doute n'était-ce pas une apparence, dans un monde où toute catégorie correspond à une oppression, celle d'une classe par une autre ne dissimulant guère la séculaire exploitation de la jeunesse par les vieillards, non plus que l'état de sujétion dans lequel l'homme persiste outrageusement à tenir la femme.* Au moins, les consciences commencent à bouger un peu : même loin de ces cercles parisiens, beaucoup sont d'accord, et étonnés d'être d'accord. Pauline prend la densité d'un symbole (discret, encore enfoui, ne rêvons pas, on a le temps). Le déchaînement contre elle et son écrasement auront servi à ça.

De manière plus anecdotique, elle devient une référence, une starlette des tribunaux et des chroniques judiciaires. Un mois après son procès, on lira en une de *France-Dimanche* : *Le roman navrant de la Pauline Dubuisson du Maine-et-Loire.* C'est une jeune femme de vingt-trois ans, Léone Bouvier (que Pauline retrouvera bientôt à la maison centrale de Haguenau), une bonne pataude, assez laide et plus que simplette, fille d'une démente incapable d'articuler une phrase et d'un poivrot dont des gouttes de gnôle giclent des pores à chaque pas. Elle a tué d'un coup de pistolet, le soir du carnaval de Cholet, celui qu'elle considérait naïvement comme son fiancé : Émile Clénet, un petit cabot de baloche de vingt-deux ans, vulgaire et grassouillet, qui l'avait saillie deux ou trois fois à la va-vite les soirs où il ne trouvait vraiment rien d'autre pour tremper son biscuit. Dans l'espoir de consolider leur amour, Léone lui avait fait croire qu'elle était enceinte, il avait répondu : « C'est pas grave, t'as qu'à le balancer. » Après le carnaval, dont il était rentré bredouille, avec elle sur le porte-bagages de sa moto, elle lui avait demandé quand il allait enfin se décider à l'épouser. Son casque encore sur la tête, il avait prononcé ses derniers mots avant de recevoir une balle dans le nez : « Alors là, jamais. » L'histoire de Léone Bouvier n'a rien à voir avec celle de Pauline, mais l'affaire Dubuisson est à la mode, on en cherche des variantes partout – bientôt *La Pauline Dubuisson des îles* ou *La Pauline Dubuisson unijambiste* ? Le problème, c'est que la Justice, comme tout, fonctionne par vagues. Après le procès d'Yvonne Chevallier, plusieurs femmes ont pu bénéficier de la clémence des jurés, leurs avocats utilisant des arguments du style : « Mme Chevallier a tué son mari, elle était femme de ministre, vous l'acquittez, ma cliente a tué son mari, elle est crémière, vous comptez l'envoyer pour vingt ans sous les verrous ? » ; après le procès de Pauline Dubuisson, on ne peut pas reconnaître tout de suite qu'on a eu la main trop lourde : Léone Bouvier, une pauvre fille à la frontière de la débilité mentale, qui a tiré sur un porcelet qui se moquait d'elle parce qu'elle avait toujours cru que le premier accouplement entraînait systématiquement le mariage, a été condamnée, le 10 décembre 1953, aux travaux forcés à perpétuité.

Le 28 novembre, huit jours après le verdict qui l'a rayée de la société, Pauline est conduite, provisoirement, à la prison de Châlons-sur-Marne, qui n'a pas encore l'honneur de s'appeler Châlons-en-Champagne. Sur le rapport d'admission, il est indiqué qu'elle pèse cinquante-sept kilos et qu'elle n'a pas de problème de santé particulier. La Petite-Roquette a en outre transmis à ses nouveaux geôliers quelques informations générales sur son comportement durant les trente-deux mois qu'elle a passés derrière les barreaux parisiens : *S'est montrée calme et tranquille, polie et déférente avec le personnel. Intelligente et intellectuelle. S'est appliquée au travail. Esprit orgueilleux. Tentative de suicide. Instable.* Ça la cerne bien, si on a l'esprit souple : calme, polie, intelligente, appliquée, orgueilleuse, suicidaire, instable. Le 11 décembre, sa mère, Hélène, vient lui rendre visite. Le 20, c'est Mme Prieuret, la visiteuse de la Petite-Roquette, qui fait le trajet jusqu'à Châlons, elle ne va pas l'abandonner pour cent cinquante kilomètres. Elle la trouve éteinte, résignée, la reconnaît à peine, mais elle obtient de passer plus de deux heures avec elle et en profite : on sait qu'elle sera bientôt transférée à Haguenau. La centrale alsacienne (dont les bâtiments sont aujourd'hui partagés entre une médiathèque et un IUT) a une réputation de bunker totalitaire où les femmes sont rééduquées comme des poules de batterie, courrier et visites sont interdits les premiers mois.

Le 15 mars 1954, les éditions Julliard publient *Bonjour tristesse*.

Le 4 avril, Pauline est extraite de sa cellule de Châlons, menottée, enchaînée à une codétenue et fourrée dans un wagon à destination de Strasbourg puis Haguenau, avec quatre autres couples de prisonnières en partance pour ce qui servira de décor à leurs quinze ou vingt ans à venir, si elles sont sages et ont de la chance.

À son entrée à la maison centrale du Bas-Rhin, elle est rangée sous le matricule 282 TF – TF pour travaux forcés, comme trois cent huit femmes sur les près de cinq cent soixante incarcérées (elles sont moins nombreuses d'habitude, mais c'est à cette période la seule centrale féminine en France, celle de Rennes étant en travaux, toutes les condamnées à de longues peines sont donc envoyées ici) : cent trente-deux meurtrières (de leur amant ou mari, principalement), quatre-vingt-deux avorteuses et vingt-quatre infanticides.

Elle est consciente qu'elle va passer de nombreuses années, peut-être toutes celles qu'il lui reste à vivre, avec la plupart d'entre elles. Trouver sa place, ou plutôt s'en faire une, ne doit pas être plus facile que dans une prison d'hommes. Il lui faudra se montrer à la fois discrète, docile avec les surveillantes (à Haguenau, les détenues sont punies ou récompensées en fonction, presque uniquement, de leur capacité d'obéissance), et, je suppose, costaude, sûre d'elle sinon dominatrice, pour ne pas se laisser bouffer par les autres. (Un après-midi de l'an dernier, à New York, pendant que notre fils et moi l'attendions sur le trottoir, Anne-Catherine est entrée dans un restaurant, le Brooklyn Diner, afin d'y réserver une table pour le soir. Quand la femme de la caisse lui a demandé quel était son « first name », elle a cru qu'elle parlait de son nom de famille et a répondu : « Fath. » L'employée a levé vers elle un regard étonné : « Fat ? » (Elle pèse cinquante-trois kilos pour un mètre soixante et onze.) Yes, Fath. Bon. Et « last name » ? Anne-Catherine. (Elle comprenait qu'elle s'était trompée d'ordre, mais peu importe, on ne va pas tout recommencer, ça ira bien comme ça.) « Catherine ? » Si elle préfère, oui, allez. La femme l'a considérée un court instant, interrompue dans la routine de son existence, l'air à la fois sciée, un peu ennuyée pour elle et malgré tout admirative. « Your name is Fat Catherine ? » Trop tard, tant pis. « Well, yes. » Le soir, quand nous sommes arrivés devant son pupitre, à l'entrée, elle l'a reconnue avant qu'on ouvre la bouche : « You're Fat Catherine, right ? » Je ne m'appelle pas Philippe Jaenada s'il n'y avait pas dans sa voix, certes – irrépressiblement mais discrètement – amusée, une indéniable nuance de respect. Nous l'avons suivie jusqu'à notre table en gloussant, avec la sensation que tous les clients déjà présents, tendus, étaient au courant que Fat Catherine pénétrait dans la salle. À table avec Ernest, nous nous sommes dit que ce serait un bon nom pour faire la loi en taule.)

On fait passer à Pauline un examen de santé satisfaisant, on note son poids, soixante-six kilos (elle en a pris neuf depuis le procès, moins de cinq mois plus tôt – elle grossit à chaque choc violent), quelques indications lapidaires sur son ascendance (*Père : Décédé (suicide) – Mère : Neurasthénique*), un bref résumé de son affaire, transmis par la police (dans lequel on peut lire, par exemple, des évidences comme : *Il est certain qu'elle avait le temps de se tirer plusieurs balles avant que sa victime n'ait la possibilité de la désarmer*), et seulement trois mots pour la décrire, issus d'un rapide examen psychologique appuyé par la synthèse des experts de la team ABC : *Intelligente, orgueilleuse, déséquilibrée mentale*. Elle arrive avec 3 197 francs, qui sont placés sur un compte qu'elle alimentera peu à peu en travaillant, ainsi qu'avec les mandats qu'elle recevra (pour donner une idée de ce que cela représente : une coupe de cheveux dans l'établissement coûte 290 francs, et un petit dictionnaire Larousse, 1 540 francs).

Cette prison, considérée comme moderne et modèle, fonctionne sur le principe de ce que les autorités pénitentiaires nomment le « régime progressif ». En gros, on prend les femmes comme si elles venaient de naître, comme de la matière première, et on les forme, on les fait évoluer, progresser au mérite : les plus sérieuses, disciplinées ou dociles, bénéficient au fil des mois et des années d'avantages et de privilèges qui rendent l'incarcération moins pénible en théorie ; les plus sauvages et rétives sont traitées à la dure, comme au Moyen Âge. Chacune est placée sous la responsabilité et l'autorité d'une éducatrice qui la jauge, l'encourage et évalue le niveau de confiance qui peut lui être accordé. Après un trimestre d'observation, elles seront réparties en cinq catégories selon leur degré de soumission – leur « valeur morale », explique le directeur (tout le personnel est féminin, mais jamais une femme n'a été nommée directrice) – et leurs « progrès » : le groupe Rouge est réservé aux fortes têtes, aux rebelles incurables ou à celles qu'on estime trop bêtes pour comprendre quoi que ce soit (l'ensemble réunit 44 % des incarcérées) ; le Jaune, divisé en deux (Jaune II puis Jaune I), à celles qui sont en voie d'amendement, qui s'améliorent de façon régulière et satisfaisante ; le Vert à la trentaine de grands espoirs qui touchent presque au but ; et enfin, la section de Confiance, sans couleur, est le paradis d'une poignée de bonnes filles qui peuvent jouir d'une sorte de liberté emmurée, et font presque partie de la famille. Les nouvelles venues sont mises au travail dans les ateliers dès le premier jour, et placées le reste du temps, pendant trois mois, dans des cages grillagées de moins de quatre mètres carrés, semblables à certaines cellules de garde à vue (il y en a soixante-douze, qui servent aussi de clapiers de punition pour les détenues plus anciennes quand elles commettent une faute grave), afin d'y être attentivement examinées : c'est ce qu'on appelle la période d'encellulement. Elles sont enchaînées aux mains et aux pieds, non pas par crainte qu'elles se mettent à tout casser ou tentent de s'enfuir mais pour bien leur montrer, si elles n'avaient pas compris, qu'elles ne sont pas à l'hôtel et qu'on va les dompter. Elles n'ont pas le droit de porter de chaussures, seulement des sabots de bois.

Au début de ce premier stade, l'éducatrice de Pauline note : *On sent qu'elle vous observe autant qu'on l'observe. Mais c'est moins de l'orgueil que peut-être un désir d'échapper à la curiosité.* Elle discute souvent et longtemps avec elle et comprend vite qu'elle erre et vacille dans une grande solitude, désemparée mais opiniâtre, qu'elle a manqué d'affection mais surtout de repères pour se développer, que son père l'a façonnée brutalement sans chercher à la comprendre et que sa mère ne lui a apporté, de loin, et encore aujourd'hui, que ce qu'elle peut d'affection souffreteuse. *Il semble qu'elle se soit échafaudé un système philosophique personnel, pour autant qu'une jeune fille puisse échafauder un système philosophique.*

Les premiers temps sont pénibles et blessants, pour elle comme pour les autres, elles sont traitées comme des animaux à soumettre et toutes résistent d'une manière ou d'une autre à l'emprise absolue qu'on veut exercer sur elles. Elles se durcissent et s'aigrissent, la tension est forte, avec les surveillantes ou entre prisonnières elles-mêmes, la rébellion sous-jacente mais omniprésente, les bagarres nombreuses et les punitions fréquentes (par ordre croissant de gravité de la faute : régime eau et pain sec, isolement en cachot, cellule disciplinaire grillagée). Un mois après l'arrivée de Pauline, une détenue de vingt ans qu'on s'apprêtait à punir pour un vol qu'elle n'avait pas commis réussit à se jeter par la fenêtre d'un atelier de fabrication de jouets. Fracassée sur le béton de la cour, elle meurt quelques heures plus tard, bien que plusieurs filles aient donné leur sang pour elle (c'est interdit à la Petite-Roquette, autorisé ici). Quand la véritable coupable sera retrouvée, elle sera sévèrement punie mais surtout mise à l'écart, définitivement, par toutes les autres.

Après avoir eu du mal à accepter la discipline drastique, la domination sans nuances et les regards permanents sur elle, Pauline s'assouplit, se laisse guider. Car pour la première fois depuis son entrée à l'école, à huit ans, on ne la juge pas. On l'analyse, on la recadre, on la commande, on la bride et on la modèle si on peut, mais on ne porte pas de jugement moral sur sa conduite des années précédentes, ce qu'elle a fait, ce qu'elle a pensé : c'est ici, paradoxalement, dans le temple du châtiment jusqu'où on a réussi à la pousser, qu'elle parvient enfin à fuir ce qui la poursuivait avec entêtement depuis le début de son adolescence, à s'en détacher ; son passé ne peut plus venir la chercher derrière ces murs épais.

Elle pourrait, si justement elle n'était pas bouclée, écartée, avoir une deuxième chance. Son éducatrice lui laisse entendre que c'est possible, elle ne doit pas se décourager, la perpétuité n'existe pas.

Les femmes sont réveillées à sept heures, avec du café et du pain, par les surveillantes en blouse de toile bleue (avec des étoiles sur le col en fonction de leur grade), conduites aux salles d'eau où elles font leur toilette, puis elles remettent la robe-chemise de toile grossière, pied-de-poule, qui leur tient lieu de tenue unique, enfilent un tablier par-dessus et sont dirigées vers les ateliers. Le premier mois, Pauline fabrique des filets à provisions pour la maison Basch (elle est payée cent francs la dizaine, soit ce que coûtent ici deux numéros de *Marie-Claire*), puis des brassières pour la société Wurmser (à deux cent cinquante francs l'une) et colle des images sur des jeux de cubes en bois, pour Fischer (vingt-deux francs la boîte). Elle travaille dur, et vite, dans l'espoir d'améliorer un peu ses conditions de vie – car elle adore le pognon, on le sait. À la pause de midi, les détenues mangent dans le silence (elles n'ont officiellement le droit de parler entre elles que le premier et le dernier quart d'heure de la journée) des repas principalement à base de légumes – elles ont de la viande une fois tous les trois jours, et un quart de lait par semaine. Après une demi-heure de promenade (seules dans une petite cour pour celles qui sont en période d'encellulement), elles retournent travailler jusqu'à dix-sept heures. Celles qui ont passé les trois mois d'observation peuvent ensuite exercer une activité sportive, gymnastique ou basket, ou suivre les cours de perfectionnement scolaire ou professionnel que propose l'établissement. Les autres rentrent dans leurs cages grillagées jusqu'à la soupe et le pain du soir.

De ses trois ans d'emprisonnement ailleurs, Pauline n'a emporté et gardé que peu de choses : les deux photos de ses parents, que maître Baudet lui a rendues sans qu'elle ait su à quoi elles lui avaient servi, deux autres que lui a envoyées l'une de ses copines de la Petite-Roquette, Georgette, peu de temps après sa libération (c'est une blonde dodue, à l'air populo mais maquillée et coiffée comme une grande dame, un peu pupute, qui pose en manteau de fourrure dans la neige, joufflue et souriante, devant une vieille auberge, genre "de charme"), toutes les lettres de sa mère, et une coupure de journal : un article de Jean Laborde dans *France-Soir*, daté du 21 novembre 1953, lendemain du procès. Je ne sais pas pourquoi elle l'a soigneusement découpé, plié et conservé. Le titre, en gros caractères : PAULINE, ÉTUDIANTE PERVERSE. (Ça aurait fait un malheur vingt ans plus tard dans les salles de films de cul des années soixante-dix.) Sous une photo prise à son entrée dans la salle d'audience, où l'on voit encore la dureté sur son visage et le défi dans ses yeux, le menton haut, une courte légende : *La vamp Pauline Dubuisson.* L'article, que Laborde a regretté par la suite, n'est qu'une accumulation suintante de clichés de mauvais feuilleton, de mensonges ou, au mieux, d'interprétations simplistes. J'ai gardé un long moment dans les mains ce morceau de papier jauni, presque déchiré aux pliures, dans la salle des archives de l'administration pénitentiaire, à Rennes, en me disant qu'elle l'avait tenu aussi soixante ans plus tôt et en me demandant ce qu'elle pouvait ressentir, dans sa cage de Haguenau et les années suivantes, en le relisant. *Pour comprendre le sens qu'elle donnait à l'amour, il suffit de se pencher sur son passé : treize ans en 1940, maîtresse d'un soldat allemand qui inscrivait son nom en tête d'une longue liste. Cette précocité et cette ardeur permettaient de diagnostiquer un déséquilibre certain.* Et : *Pour elle, aimer n'est qu'un échange de plaisirs dont on peut parfois tirer profit.* Et : *Félix Bailly est fait pour s'entendre avec elle comme le lièvre avec le chasseur. Il subit le sort des garçons trop bons tombés sur des filles trop perverses. Et s'il devient son amant, c'est que lorsqu'on a le malheur d'aimer une Pauline, il n'est guère question de l'entretenir d'une cour platonique.* (C'est terrible, elle l'a forcé à se salir entre ses jambes, le malheureux, il n'a rien pu faire.) Et : *Ses amants, elle les choisit maintenant en fonction des services qu'ils peuvent lui rendre. Mais Félix est prêt encore à lui offrir le mariage, si cela peut faire d'elle une jeune femme sérieuse, prête pour la vie familiale qui sera celle de l'épouse du docteur Bailly.* Mais : *Elle veut de l'argent, beaucoup d'argent !* À propos du *chantage au suicide* au cyanure, en octobre 1949, le journaliste s'offre un bon mot, en se dandinant peut-être un peu sur la chaise de son bureau à *France-Soir* : *Quand on crie sur les toits qu'on va se suicider, on redescend en général par l'escalier.* Hu hu. Félix ne se laisse pas avoir par ce grossier stratagème, donc elle décide de se venger. *En attendant, pour ne pas perdre l'habitude, elle le trompe aussitôt avec un jeune ingénieur. Dans leur correspondance, elle s'inquiète : a-t-il un bel appartement ? quel est son avenir ?* Tout est faux, c'est comme si quelqu'un affirmait dans un journal à très grand tirage que Jean Laborde reluque les petites filles dans la rue ; mais lui écrit ces saloperies en toute insouciance et bonne conscience, satisfait, sûr de son droit de journaliste ; et continue, en gonflant la gorge, avec un beau passé simple : *À l'instruction, elle mentit. Elle prétendit par exemple que la première fois qu'elle était venue à Paris, elle avait passé la nuit avec Félix. Mais elle n'avait pas découché, ce fut prouvé. Elle reconnut d'ailleurs qu'elle avait menti.* En lisant ces mots seule dans sa cellule, enfermée pour un temps indéfini, comment Pauline peut-elle ne pas s'imaginer broyant à deux mains les couilles de ce menteur ordurier ? L'oubli du passé, finalement, c'est pas gagné. D'ailleurs, la conclusion de l'article lui règle son compte au présent, et pour le restant de ses jours. La dernière phrase : *Pauline Dubuisson est une perverse, incapable de connaître le véritable amour.* Bon appétit et à demain !

Elle reçoit plusieurs lettres de jeunes hommes qui ont lu son histoire et vu des photos d'elle, dont celle d'un certain Yves Marguet qui lui déclare fougueusement son amour et lui promet qu'il l'attendra le temps qu'il faudra, mais elles sont toutes renvoyées à leur expéditeur, la plupart sans être ouvertes, car à Haguenau, on n'est autorisée à recevoir que le courrier émanant de la famille, ou des personnes dûment accréditées par l'administration – il faut envoyer au préalable un petit dossier, et une lettre de motivation : Paule Denoix, l'une de ses rares amies d'enfance, qui dit l'avoir rencontrée au collège Lamartine de Malo et revue plusieurs fois ensuite à Lille, écrit au directeur : *En dépit de ce qui lui est arrivé, j'ai toujours pour elle une profonde amitié.* Pauline entretient des correspondances avec sa mère, Mme Prieuret, sa tante Suzanne et Solange, la femme de Gilbert. La sœur de cette dernière, Colette, qu'elle était allée voir rue Cassette avant son rendez-vous du 7 mars avec Félix, lui écrit le 22 avril : *Les humains n'ont guère été indulgents avec vous*, et joint à sa lettre une analyse effectuée par un graphologue de ses relations, à qui elle a montré quelques phrases de Pauline sans lui indiquer qui les avait rédigées. *Aucun contact avec la société. Hyperémotivité camouflée. Carence affective dès l'enfance et actuellement. Intelligente, plutôt virile. Sincère dans son comportement, vis-à-vis d'elle-même et des autres.* Le 31 mai, elle reçoit un mandat symbolique de deux amies de la Petite-Roquette, sorties depuis un an (elles l'ont d'abord adressé, juste après le procès, à la prison parisienne, il a été transmis à Châlons, trop tard, puis ici, en Alsace). Il est accompagné d'une courte lettre à l'écriture appliquée, comme en CM1 : *Nous joignons une bien modeste somme (cinq cents francs), en espérant que les gardes ne l'égareront pas au cours de leurs multiples contrôles... L'oubli n'entre pas dans les cœurs ! Malgré la "justice" des hommes, nos pensées vont vers toi. Nous t'embrassons bien affectueusement. Andrée et Danielle.* Sa mère lui envoie de l'argent aussi, deux mille francs. Hélène est relativement riche, désormais, mais il lui est interdit de faire parvenir à sa fille plus de deux mille francs par mois. Pauline achète des timbres, s'offre un petit plaisir luxueux, un mois d'abonnement à *Marie-Claire*, soit deux cents francs, et cantine le reste, pour manger autre chose que du chou et des patates. (Elle va encore grossir un peu les premiers temps, déboussolée et déprimée, jusqu'à atteindre soixante-sept kilos en 1955 (elle est pesée une fois par mois), puis va peu à peu retrouver son poids : soixante-quatre kilos en 1956, cinquante-neuf en 1957, cinquante-sept en 1959...)

Le 5 juillet, Pauline achève sa période d'encellulement. Sur son dossier, son éducatrice note : *Chaînes coupées.* Et commente : *Mais elle sait modérer sa joie, à cause de ses compagnes moins favorisées.* (Au bout de trois mois, il y a pourtant de quoi être un peu soulagée, yaha, hip hip hip. Mais elle se retient. À part ça, c'est connu, elle est profondément égoïste et insensible aux autres.)

Trois personnes donnent alors leur avis sur elle, afin que le directeur puisse déterminer à quel groupe de couleur elle va être affectée. Son éducatrice : *Polie. Maintien d'elle-même. Les conversations sont intéressantes. Elle est heureuse de parler.* L'assistante sociale : *Jugement droit. Volonté. Sensibilité. Bonne maîtrise d'elle-même. Hérédité lourde. Amendable.* Le directeur : *Aimable. Bien élevée. Pas sensible aux qualités de cœur des autres. Condescendante. Travailleuse.* L'homme est le seul à émettre des critiques (en soulignant ce qu'il y a en elle de « pas assez féminin » : le manque de sensibilité et la tendance à se croire supérieure), mais elle est tout de même classée en section Jaune I, ce qui est un bon résultat. Elle quitte son clapier et intègre un dortoir avec cinq autres détenues. Dont Colette Bigot. Cinq mois plus tôt, son amie de la Petite-Roquette a été placée comme elle en Jaune I. C'est un soutien essentiel, une raison au moins de se lever le matin : de l'amitié dans la journée. Parmi ses nouvelles compagnes de cellule se trouve également une certaine Paule Guillou, qui n'a pas eu plus de chance qu'elle (voire un peu moins) et deviendra aussi son amie.

Le 12 septembre 1945, à Vendays, dans le Médoc, une dame Cruchon vient apporter deux kilos de champignons, ramassés par son mari, à Armande Habasque, une jeune préparatrice de la pharmacie du village. Celle-ci les partage avec sa patronne, la mère Ferlut, puis rentre chez elle, en écarte certains qui lui semblent douteux et fait cuire les autres pour le repas du soir avec son mari. Dans son appartement au-dessus de l'officine, la vieille pharmacienne fait moins de chichis : elle met tous les siens à la poêle et les sert au dîner avec du poulet. Son ronchon de mari, soixante-seize ans, n'aime pas ça, tant pis pour lui ; leur fils Jean, un célibataire de trente-six ans qui vit encore chez eux, va se régaler. Il est médecin, plutôt bel homme mais veule de caractère, dadais quoique docteur, il se laisse porter par la vie, au gré de ce que les circonstances lui dictent. Son cabinet est mitoyen de la pharmacie, il donne souvent un coup de main à ses parents, qui commencent à sucrer les fraises et travaillent dans un bon bordel à l'ancienne : dans ce que le père Ferlut appelle son « armoire à poisons », par exemple, l'arsenic se trouve juste à côté d'un flacon parfaitement identique qui contient du vomitif (même si le vieux, presque aveugle, ne descend plus que rarement derrière son comptoir, il a expressément demandé à ses épouse et rejeton de ne pas modifier l'emplacement des potions, qu'il connaît depuis le siècle dernier). Dans la nuit, la mère et son fils sont pris de forts malaises. Jean, devinant que les champignons n'étaient peut-être pas tous bons, réunit ses forces pour aller chercher du vomitif dans l'armoire à poisons de son père, en donne à sa mère et en prend – sans effets notables. Il comprend atterré au matin, aucun des deux n'ayant vomi, qu'il leur a fait absorber de l'arsenic. Mais ce n'est peut-être pas si grave, la dose ne devrait pas être mortelle. Toutefois, il est maintenant trop tard pour lutter contre l'effet des mauvais champignons, et après vingt-quatre heures nauséeuses au lit, ils sont amenés tous les deux dans une clinique de Talence, tout près de Bordeaux, à soixante-dix kilomètres de chez eux. Ils sont pris en charge par un vieil ami de la famille, le docteur Boudou, et un médecin de la clinique, le professeur Aubertin. Le lendemain, mère et fils reçoivent la visite d'une jeune femme brune de Vendays qui vient aux nouvelles. Elle s'appelle Paule Guillou, c'est la sœur jumelle d'Armande Habasque, elle aussi est préparatrice à la pharmacie Ferlut. Elle a vingt-six ans, elle est plutôt belle, brune aux yeux noisette, clairs, et intelligente (elle devrait se méfier, belle et intelligente ensemble, ce n'est jamais bon), elle s'est mariée en 1938 à un marin du coin, enrôlé en 39, qui est revenu la mettre enceinte après la déroute nationale (leur fille mourra d'une bronchopneumonie à trois mois) puis a rejoint de Gaulle dans les Forces françaises libres. Elle ne l'a presque pas revu depuis (si ce n'est quelques jours en mai dernier, mis à profit pour concevoir un autre enfant), mais il lui a promis qu'il reviendrait à l'automne, et entrerait dans la marine marchande. Au début de la guerre, quand il est parti, Paule s'est fait embaucher à la pharmacie. Deux ans plus tard, après la mort de sa fille, seule et dévastée, elle est devenue la maîtresse du docteur Jean Ferlut. Depuis, ce n'est pas le grand amour, mais ça aide à tenir le coup. Cela dit, elle s'inquiète du retour prochain de son mari, il va falloir rapidement clarifier la situation ou tout cela risque de s'avérer un peu compliqué. Un jour à la sortie de la messe, la mère du jeune homme apprend la liaison coupable de son fils et décide de prendre le taureau du péché par les cornes : elle convainc Jean qu'il est temps pour lui, à son âge, de fonder un foyer, un vrai (pas avec une femme déjà mariée), et organise une rencontre avec une jeune pharmacienne parisienne qui cherche un bon parti. Le fiston accepte de la voir, elle n'est pas hideuse, ça passe, des fiançailles sont même prévues assez rapidement, pour la fin de l'été – autant ne pas traîner. C'est à ce moment-là que la femme Cruchon fait don de ses champignons.

Quand Paule vient lui rendre visite à la clinique de Talence, Jean, qui se pense en train de mourir, lui fait cette confidence dramatique : « Ne révèle jamais à personne ce que je vais te dire. Je me suis trompé, j'ai donné de l'arsenic à ma mère au lieu du vomitif, et j'en ai pris aussi. » Il se rétablit deux jours plus tard et rentre à Vendays, mais l'état de la vieille se détériore rapidement : les docteurs Boudou et Aubertin, lorsqu'il est clair pour eux qu'il ne reste aucun espoir, la font ramener chez elle, où elle meurt le 24 septembre.

Le 5 octobre, Jean Ferlut, qui allait mieux, est de nouveau pris de malaises : une fatigue intense, des troubles digestifs, un engourdissement des membres. Inquiet et perplexe, Boudou lui suggère de venir loger chez lui, à Bordeaux, où il pourra l'examiner quotidiennement et tenter de le soigner. Paule l'accompagne, elle sera sa garde-malade et fera ses courses.

Au mois de juillet précédent, Jean a souffert de divers problèmes de santé que les médecins ont eu du mal à comprendre et à soigner, une diphtérie en particulier. (Pendant tout l'été, pour tenter lui-même de combattre son état de faiblesse générale, il a fait une cure d'Arseniode Buriat, une préparation à base d'iodure d'arsenic aux vertus de laquelle il croit fermement. Sur la publicité, qui annonce que ce remède est recommandé dans les cas de *Lymphatisme, Asthénie, Convalescences* et qu'il *lutte contre la déchéance physique et intellectuelle*, on peut lire aussi : *Comme les vitamines, l'arsenic est indispensable à l'organisme.*) Selon le docteur Boudou, ce qui lui arrive est une polynévrite diphtérique tardive (j'aimerais pas), qui était en sommeil depuis juillet et a probablement été réveillée par l'incident des champignons. Son diagnostic effectué, il renvoie le jeune homme chez lui le 18 octobre. Mais dès la semaine suivante, ses mains et ses pieds se paralysent totalement, il s'alite, Paule s'occupe de lui, de sa nourriture, et Boudou finit par venir s'installer chez les Ferlut le 26 novembre, la santé de Jean empirant de jour en jour. Le 6 décembre, le professeur Aubertin rejoint son confrère à Vendays, accompagné par sa femme. Celle-ci est surprise par le dévouement et la présence permanente de Paule, qu'elle ne trouve ni très légitimes ni très naturels. Son mari tique à cette remarque et lui parle de *Thérèse Desqueyroux*, le roman de François Mauriac inspiré de la vie d'Henriette Canaby, une Bordelaise qui a tenté d'empoisonner son mari au début du siècle. Au procès, il se souviendra : « Quand ma femme m'interrogea sur ce que j'entendais par là, les arguments se précipitèrent à flots en moi pour lui démontrer que nous étions en train d'assister à l'épilogue d'une monstrueuse affaire criminelle. » Le 10 décembre, Jean Ferlut meurt.

Ses doutes se confirmant, Aubertin conseille au médecin de famille, le docteur Cotes, de ne pas délivrer le permis d'inhumer. On prévient la police, Aubertin suggère aux inspecteurs de s'intéresser de près à la petite Guillou qui ne lui paraît pas très catholique (il sera l'un de ses plus fougueux accusateurs lors du procès, lui qui n'a pas réussi à soigner correctement son jeune confrère au début de l'été, pas plus qu'en automne, mais qui tient dur comme fer, en grand lecteur et fin psychologue, à sa nouvelle version de *Thérèse Desqueyroux*), le fils Ferlut est autopsié par les docteurs Lande et Vitte : on trouve de l'arsenic dans ses viscères, ses ongles et ses cheveux. Tous les regards noirs du village se tournent évidemment vers Paule, sauf celui du vieux Ferlut, le plus concerné, qui la connaît depuis six ans : il est persuadé de son innocence (un an plus tard, au tribunal, Aubertin le spécialiste affirmera avec dédain qu'il était affecté de « cécité physique et mentale ») et le dit à tout le monde : « Si vous accusez cette jeune fille, vous allez commettre une erreur judiciaire. » On ne le croit pas. Le 15 décembre, le cadavre de la mère Ferlut est exhumé et analysé lui aussi : on trouvera de l'arsenic. (Le soir, Paule craque au dîner : elle éclate en sanglots et apprend à sa mère ce que lui a avoué Jean après l'empoisonnement par les champignons, qu'il a donné de l'arsenic à la vieille par erreur et qu'elle a promis de n'en parler à personne. La mère va prendre conseil auprès du curé du village : sa fille doit-elle trahir sa parole pour s'innocenter ? Peu soucieux des petites contrariétés policières et judiciaires d'ici-bas, le bonhomme d'Église lui répond : « Ce secret appartient à un mort, vous n'avez pas le droit d'en faire état. ») Le veuf continue à défendre son employée contre la rumeur, sans pour autant s'expliquer la présence de poison dans les corps de sa femme et de son fils, même s'il sait que sa pharmacie n'est pas un modèle d'organisation et de rangement. Le 16 décembre au matin, il coupe du bois. Il se rend ensuite à la messe. Il rentre chez lui, s'assied sur son fauteuil, dans la salle à manger, dit « Je ne me sens pas bien » et meurt. Le docteur Lande pratique l'autopsie et annonce qu'il a succombé à une crise cardiaque : trop d'événements pour son vieux cœur aveugle. Mais les enquêteurs ne vont pas se laisser abuser comme ça : le 27 décembre, ils réclament une analyse plus approfondie au docteur Vitte, qui déclare le soir même avoir trouvé quarante-cinq milligrammes d'arsenic dans le foie et l'un des reins du défunt. Elle en a tué trois ! Toute la famille !

Paule Guillou est arrêtée le lendemain matin chez elle. À neuf heures, elle est conduite dans les locaux de la police judiciaire à Bordeaux, avec sa sœur Armande et sa mère. L'interrogatoire commence. Elle est enceinte de sept mois. À 3 h 30 du matin, les deux inspecteurs qui se relaient inlassablement ne l'ont pas lâchée une minute, elle a reconnu sa liaison avec le docteur Ferlut, mais nie fermement avoir tenté de le tuer, ni lui, ni sa mère, ni son père. Compréhensifs (elle doit être un peu fatiguée, non ?), les flics l'emmènent se reposer dans une cellule minuscule et pleine de rats. Ils ne l'en sortent qu'à neuf heures du matin, lassés de l'entendre crier. Ça suffit, maintenant, cette comédie : si elle ne dit pas la vérité tout de suite, c'est bien simple, on envoie sa mère en prison à sa place. Elle résiste encore plusieurs heures, elle ne peut pas s'accuser de trois crimes qu'elle n'a pas commis, ce n'est pas possible. Si elle a besoin de réfléchir, elle peut retourner se détendre un moment dans la cellule avec ses petits amis, ça lui dit ? Après « toutes sortes de tortures morales et physiques », comme elle le dira dans une interview accordée le 4 mars 1960 à Pierre Desgraupes pour « Cinq colonnes à la une », elle finit par avouer. (Deux mois plus tard, le 20 février 1946, ces deux mêmes inspecteurs de la PJ bordelaise interrogeront un petit brocanteur de la ville, Roger Grangé, soupçonné du recel d'une montre de luxe volée à un notable. Il démentira, on le cuisinera un peu, il ressortira le lendemain matin sur une civière, la tête couverte d'ecchymoses, et décédera à l'hôpital. Le commissaire et ses deux subordonnés expliqueront que Roger était un ivrogne notoire, qu'il a été pris d'un genre de crise de démence provoquée par le manque et qu'il s'est mis à se frapper la tête partout, sur les murs et le plancher (comme font tous les alcooliques). L'affaire révoltera de nombreux journalistes, écrivains et avocats : les trois hommes seront finalement jugés, mais seulement huit ans plus tard, en avril 1954. Et seront acquittés. Ils étaient défendus par René Floriot.) À 16 h 30, épuisée, à sept mois de grossesse, par vingt-six heures d'interrogatoire virulent et cinq heures trente de rats, Paule Guillou déclare qu'elle a voulu tuer Jean parce qu'il la menaçait de révéler leur liaison à son mari (on ne sait pas pourquoi – lequel mari lui pardonnera d'ailleurs facilement cet écart commis durant ses longues années d'absence, et la soutiendra avec amour pendant l'enquête et le procès), qu'elle a d'abord empoisonné les champignons à l'arséniate de sodium, puis toutes les soupes et tisanes de son amant pendant qu'elle le "soignait" (elle donne des doses précises, qui concordent pile avec les quantités retrouvées dans les cadavres par le docteur Vitte, sa culpabilité ne fait donc aucun doute).

Incarcérée le soir même au fort du Hâ, à Bordeaux, à des détenues qui lui demandent ce qu'elle a fait, elle explique qu'elle a avoué des crimes qu'elle n'a pas commis parce qu'elle n'en pouvait plus (« Je n'avais qu'une idée en tête : en finir, en finir, après on verrait »), qu'on allait emprisonner sa mère, que la fatigue et la souffrance physique étaient insupportables (le professeur

Aubertin, présent durant une partie de l'interrogatoire, concédera qu'elle a été victime d'une sorte de syncope – simulée, selon lui), sans paraître se rendre compte des conséquences que cela aura pour elle : elle sait qu'elle est innocente, qu'on va s'en apercevoir, que tout se réglera vite. Ses nouvelles compagnes lui font comprendre qu'elle rêve. Paule ne cessera plus de répéter qu'elle est innocente, dans le vide. Elle accouchera de sa fille en prison, on confiera le bébé à sa mère.

Le 22 novembre 1946, elle est condamnée aux travaux forcés à perpétuité. L'accusation a fait défiler une longue procession de témoins de moralité (« Il y en avait même certains que je ne connaissais pas », dira-t-elle à « Cinq colonnes à la une »), tous venus s'indigner qu'elle n'ait pensé qu'à se donner du bon temps avec le jeune docteur alors que son courageux mari se battait pour la France, et qu'elle ait en outre perverti le fils des braves gens qui avaient la gentillesse de l'employer. On sait ce dont est capable ce genre de créature. (Pendant l'enquête, on a été jusqu'à exhumer et autopsier le corps de sa première fille, morte à trois mois quatre ans plus tôt. Pas d'arsenic. Elle a de la chance.) Ses deux avocats l'ont défendue sans grande énergie ni minutie : ses aveux pesaient trop lourd, de toute façon. Le procès ressemblait à celui de Pauline, acharnement rageur contre une sorte de fatalisme. Et comme pour Pauline, les jurés ont répondu oui aux trois questions. C'est-à-dire qu'ils lui ont aussi accordé les circonstances atténuantes. On se demande d'où ils les ont sorties, ce doit être simplement pour éviter d'avoir à prononcer la peine de mort : il y a tout de même pas mal de zones d'ombre dans cette affaire (pas de mobile qui tienne, entre autres, c'est embarrassant), il serait très regrettable de la guillotiner si ce n'est pas elle, on s'en voudrait toute sa vie. À l'énoncé du verdict, elle se lève et hurle : « Non ! Je suis innocente ! Je suis innocente ! » Deux gendarmes sont obligés de l'empoigner, l'un l'attrape par le bras gauche, l'autre a même la main sur son sein droit pour la retenir. La photo, sur laquelle elle a la bouche grande ouverte et semble chercher à se précipiter vers ses juges (« Je voulais sauter hors du box »), sera publiée dans tous les journaux. Elle soulèvera pas mal d'émotion, d'incertitude et de questions quant à l'éventuelle erreur judiciaire dont parlait le vieux Ferlut, mais n'empêchera pas Paule d'être emmenée pour le reste de sa vie dans les oubliettes de Haguenau.

Au moment où Pauline fait sa connaissance, huit ans plus tard, les choses semblent cependant prendre meilleure tournure pour elle. Après une longue période d'abattement, de solitude et de terreur (« Je suis devenue sauvage, je voulais mourir »), elle a repris confiance et courage – elle quittera bientôt le groupe Jaune I pour le Vert, puis celui de Confiance, et deviendra chef comptable de la prison. Son nouvel avocat, maître Camille Gay, est resté bouche bée face au dossier, et travaille activement pour obtenir la révision du procès. Il a découvert que Jean Ferlut avait fait une longue cure d'Arseniode Buriat et que, selon plusieurs témoins, il est tout à fait possible qu'il en ait prescrit aussi à sa mère ; mais surtout que le docteur Vitte avait oublié d'indiquer aux jurés qu'il avait remis les conclusions de ses analyses aux inspecteurs de la PJ de Bordeaux, avec les quantités exactes d'arsenic trouvées dans les corps, avant les aveux de la suspecte – qui perdent tout à coup un peu de leur valeur, basée sur la précision des doses qu'elle aurait ajoutées aux soupes et tisanes, et leur étonnante similitude, proportionnellement, avec celles que l'expert a relevées ; enfin, maître Gay s'est aperçu que les constatations du docteur Vitte n'ont jamais été mises en doute : aucune contre-expertise n'a été effectuée. Ça n'aurait pourtant pas été inutile. Il a déclaré avoir trouvé quarante-cinq milligrammes d'arsenic dans le foie et un rein du vieux Ferlut. Or dans le rapport d'autopsie du docteur Lande, il est clairement écrit que certains viscères ont été prélevés et conservés pour analyses, mais ni le foie ni les reins.

Malgré ces éléments qu'il est difficile de ne pas considérer comme des faits nouveaux, la justice refusera toujours à Paule Guillou la révision de son procès, pour ne pas avoir à reconnaître qu'elle s'est trompée. En échange, elle bénéficiera de plusieurs remises de peine et sera finalement graciée sous condition en décembre 1956, sur recommandation du ministre de la Justice, François Mitterrand. Après onze ans de prison dont dix de centrale, elle dira à Pierre Desgraupes qu'elle essaie de « tout réapprendre, le bruit, la foule, les voitures, les gens, la mode, tout a changé ». Elle n'y parviendra jamais : « Ça ne redeviendra pas comme avant. Je suis devenue sauvage, renfermée. Avant, j'étais très gaie, maintenant je n'aime plus sortir. » Elle poursuivra sa vie au Bouscat, près de Bordeaux, avec sa mère (qui l'appelle Paulette), son mari qui ne l'a jamais abandonnée, et leur fille Josette. Elle essaiera longtemps d'obtenir que son procès soit révisé, en vain : elle ne sera jamais innocentée.

Dix jours après avoir été libérée de ses chaînes, le 14 juillet, lendemain de la mort de Frida Kahlo, la peine à perpétuité de Pauline est commuée en vingt ans de travaux forcés, en raison de sa conduite irréprochable pendant les quatre ans qu'elle a passés en prison, mais aussi, comme pour Paule, de l'indignation publique suscitée par le procès et son verdict. Elle pourra donc sortir le 21 mars 1971.

Le 9 août, elle est autorisée à porter des chaussures, le bonheur pointe le bout de son nez. Elle s'en achète aussitôt deux paires, de modeste qualité car elle n'a pas encore pu économiser beaucoup d'argent : des tennis à 559 francs, et des espadrilles à 249. Elle décide de se passer de folies alimentaires pendant trois mois pour pouvoir s'offrir avant l'hiver une paire plus confortable, chaude et solide (elle n'a pas le choix : pour manger correctement, il faut cantiner environ 3 500 francs par mois, sa mère ne peut lui en faire parvenir que 2 000 et dans les ateliers on ne lui confie pas encore de travaux suffisamment bien rémunérés pour qu'elle puisse économiser sans se priver ; or rien n'est gratuit : une paire d'aiguilles à tricoter et douze pelotes de laine, par exemple, coûtent 2 558 francs).

Elle s'entend bien avec son éducatrice et se confie de plus en plus. Dans son carnet d'appréciations, celle-ci note : *A certainement des regrets de sa faute. Passé très lourd, qui a pu atténuer sa responsabilité.* Elle ne précise pas si elle parle de son éducation particulière, de sa jeunesse dans la forteresse de Dunkerque occupée ou de la tonte de ses cheveux, voire de l'éventuel viol collectif raconté par Serge Jacquemard, dont on ne saura jamais rien. Le psy de la centrale, lui, semble moins préoccupé par son enfance, il rapporte seulement que *son père l'aimait beaucoup et lui a inculqué ses principes*, et que *sa mère s'est laissé dominer de bonne heure* (brave femme, c'est bien).

Au mois d'octobre, elle commence à prendre des cours de sténodactylo, ce qui fait plaisir à son éducatrice : *De plus en plus ouverte. Un travail lent mais sûr se fait chez elle.* À l'atelier, depuis qu'elle est en Jaune I, on lui permet de gagner un peu plus d'argent : elle confectionne des ours en peluche pour la société Fischer, à quarante-neuf francs le gros et quarante-quatre le moyen. Elle en fait cinquante et un au mois de novembre, tout en continuant les boîtes de cubes pour la même maison, et encaisse ainsi près de quatre mille francs : elle en dépense trois mille sept cents pour s'acheter une bonne paire de chaussures. Le dimanche 12 décembre, elle écrit à sa mère une lettre dans laquelle on la sent presque détendue, si ce n'est heureuse de vivre. Elle lui parle de la neige qui tombe en permanence, depuis deux jours, derrière les barreaux des fenêtres et sur les cours de promenade, des chats qui se baladent dans la prison (dont plusieurs meurent parce qu'ils ont mangé des rats résistants qui avaient, eux, mangé de la mort aux rats – on veut tuer les rats, mais on tue en réalité les chats qui tuent les rats, il y a peut-être un petit symbole là-dessous), elle lui dit qu'elle *travaille* le soir dans son lit, cachée sous ses couvertures, lui demande si elle peut lui envoyer des livres de médecine, et surtout essayer d'en trouver un pour Georgette (la dame pupute en manteau de fourrure dans la neige), *pour Noël, une belle édition, sur les chiens, qu'elle adore, ou bien sur la Lozère, son pays natal, un joli livre, à peu près 2 500 francs. Ou sur de vieilles auberges, ou l'hôtellerie du bon vieux temps. Si jamais tu trouves ce qu'il faut, n'oublie pas d'effacer le prix.* (Devoir rappeler ça à sa mère...) *N'oublie pas non plus d'acheter du très joli papier pour l'emballage. On vend du papier de Noël dans toutes les papeteries. C'est très important, d'avoir un emballage agréable. En tout cas, dis à Georgette que je l'embrasse fort, et que je lui souhaite tout le bonheur du monde.* C'est dans cette lettre qu'elle évoque sa cousine Anne-Marie, écrit qu'elle voit rouge quand elle pense à elle et qu'elle dit du mal de son prochain sans aucun remords. Une lettre énergique, vivante.

Le 5 février 1955, on lui fait un rappel du vaccin contre la variole (car cet hiver-là, une épidémie, qui restera la dernière en France, déclenchée à Vannes par un militaire de retour de Saigon, a déjà contaminé soixante-treize personnes et en tuera seize). C'est bête mais ça me touche de lire ça dans son carnet de santé, d'imaginer la petite scarification, un samedi matin, sur son bras qui n'a pas vu le soleil depuis plus de quatre ans – ce bras qui aujourd'hui n'existe plus depuis longtemps. C'est douloureux, elle le supportera mal, fera une montée de fièvre et passera six jours à l'infirmerie de la prison.

Pendant ce temps, à Versailles, un procès passionne la foule. L'histoire est simple, biblique et bestiale. Au début de l'été 1951, Jean Ligier, un jeune homme de vingt-six ans, garçon parfait, bon fils, bon élève, bon communiant, bon employé, rencontre par hasard une jolie touriste anglaise en vacances à Paris, Jackie Richardson. Il tombe amoureux d'elle au deuxième rendez-vous dans un café et lui demande aussitôt de l'épouser – en réalité, il doit surtout avoir envie de lui faire son affaire et de connaître avec elle ses premiers émois sexuels, mais bien sûr, pour cela, il faut d'abord s'unir à elle devant Dieu. Elle refuse en riant, ces petits Français sont so fucking romantiques, mais elle accepte de bon cœur de devenir sa maîtresse s'il veut, don't be shy, sweetheart, let's have fun ! Cruellement partagé entre son éducation religieuse, la morale qui guide sainement son existence, et le désir fou de lui écarter les cuisses, Jeannot le maudit ne parvient pas à résister et tombe dans le piège gluant que lui tend le blond Belzébuth. (Épouvante.) Il s'en repent amèrement dix secondes après être ressorti du gouffre, il s'en flagellerait, mais ça ne servirait à rien, le mal est fait. Grâce à Dieu, elle repart dès le lendemain à Londres, il a peut-être encore une chance de sauver son âme si vraiment il n'y pense plus du tout. C'est mal connaître les femmes aux petits pieds fourchus. De retour chez elle, Jackie a réfléchi. Il lui plaît beaucoup, quand même, ce Frenchie un peu désuet, si pittoresque. Elle revient à Paris le 5 août, débarque chez lui et lui annonce qu'elle veut bien devenir son épouse, d'accord. Il se renfrogne : « Non, je ne veux plus ni femme ni maîtresse, l'amour me dégoûte. » Sans se démonter, elle réussit à obtenir de lui une promenade dans le bois de Saint-Cloud, on va discuter. Croyant n'y rien risquer, le naïf, il la suit en se disant qu'il doit ça aux convenances, une explication et on n'en parlera plus. Mais à peine sous les arbres, dans cette odeur forte et sournoise de terre et de végétation qui touffe, l'Anglaise s'excite et s'enflamme, elle est sur lui, elle a envie, elle le grignote, on dirait qu'elle a six ou sept mains. Et l'agneau cède encore. Là, au sol, sur l'herbe, comme une bête – sans doute pas comme un agneau : je suppose qu'il la baise à la bouc, furieusement (un prêtre illuminé changé en bouc pour exorciser une possédée : si l'on pilonne suffisamment la cavité vaginale, le malin sortira peut-être par les oreilles). Mais ça ne fonctionne pas : à peine rebraguetté, alors qu'il commence à s'éloigner, chancelant de s'être encore fait avoir, elle lui retombe dessus, on imagine la culotte aux chevilles, c'est pas possible, elle en veut encore, elle est malade, un dernier petit coup, please, darling, je t'aime, je t'aime. Cette fois (c'est plus facile pendant les cinq minutes de remise à niveau), il refuse sèchement : plus jamais ! Hors d'elle, ruisselante, elle le gifle. C'est trop. Il la jette à terre, lui saute à la gorge, l'étouffe, la frappe, l'étrangle, elle meurt. Ouf. Le péché est lavé, purifié par le sang, le vice gît. Jean tourne les talons et rentre chez lui sans même cacher le corps de sa victime, ni remonter sa culotte. Mais la nuit porte conseil, surtout aux justiciers, et il se dit tout de même le lendemain qu'il serait idiot de devoir croupir toute sa vie en prison pour une bonne action – de légitime défense, en plus. Les gens sont capables de lui reprocher d'avoir supprimé un démon qui veut baiser deux fois de suite. Il retourne donc à Saint-Cloud avec une pelle, creuse une tombe pendant des heures et y pousse le cadavre froid mais déjà odorant de la jeune et blonde Jackie Richardson. Huit mois s'écoulent ensuite paisiblement, il a pu reprendre sa vie de bon fils et de bon employé de bureau, jusqu'à ce qu'on finisse par le choper. Au tribunal de Versailles, le procès se déroule dans une atmosphère moins haineuse que celui de Pauline. C'est un homme, il est chaste, presque, et vertueux. La Pauline, celle qui nous pourrit le monde, c'est la victime. Le verdict est énoncé le 7 février 1955 en fin d'après-midi : sept ans de prison. Il en reste quatre, il est dehors dans deux ou trois.

Le 11 juillet, Pauline bénéficie d'une nouvelle remise de peine : deux ans de moins, elle sortira en 1969. En apparence, elle va presque bien, elle s'adapte à son milieu, travaille avec application (depuis le début du printemps, elle tricote des socquettes, à cent vingt francs la paire, et depuis le début de l'été, elle est employée à la bibliothèque (joie), à cent vingt francs par jour) et trouve de l'aide dans la présence quotidienne de Colette et de Paule Guillou. Elle se rapproche aussi, de manière moins complice d'un point de vue intellectuel, mais humaine et chaleureuse, de Léone Bouvier, sa disciple du Maine-et-Loire. Arrivée peu de temps après elle dans un état d'hébétude inquiétant, loque enchaînée, elle a été placée en section Rouge après son encellulement, non pour indiscipline ou comportement rebelle mais au contraire pour aboulie, mutisme et absence alarmante de pulsion vitale. Particulièrement surveillée (les tentatives de suicide sont fréquentes à Haguenau, de nombreuses détenues ne supportent pas les premiers mois, et moins encore la perspective écrasante des années à venir ; certaines réussissent – « Pas mal, pendant que j'y étais », dira mélancoliquement Paule Guillou), elle a été prise en charge par le médecin de l'établissement, décidé à sauver l'épave que lui a confiée la société : après plusieurs cures de sommeil et séances d'électrochocs, elle a ressuscité. Elle est devenue normale. Elle a pris beaucoup de poids et s'est inscrite au cours de couture. Rapidement upgradée en Jaune I, elle a de nouveau confiance en elle et en la vie. À ses parents, qui ne lisent sans doute pas beaucoup son courrier, l'apprentie couturière écrit : *Je suis heureuse, car lorsque je sortirai, j'aurai un métier en main. Je ne pensais pas que j'en étais capable.* Le papier à lettres est fourni par la prison. En en-tête, on peut lire : *Partout où est la volonté se trouve un chemin.*

Si Pauline paraît mieux depuis quelques mois, installée, petite femelle apprivoisée, son corps mis en sourdine envoie de légers signaux de désagrément : elle passe de plus en plus de temps dans le cabinet du médecin ou à l'infirmerie – quatre jours en juin, huit jours en juillet pour de la fièvre. Rien de grave, elle a principalement des problèmes de peau (des dermatoses aux mains et aux bras, le médecin lui prescrit des compresses d'acétate et du Mycodécyl) et des choses qui clochent aux yeux, notamment des chalazions répétés à la paupière supérieure droite (bains oculaires d'Optrex, souvent). C'est là que soudain, enfin, miracle transcendantal – je retire tout ce que j'ai dit au début sur la communion mystique – nous nous superposons à soixante ans d'écart, son fantôme, après lequel je trottais, se glisse et se positionne en moi : j'ai moi aussi, depuis peu, des problèmes de peau, des dermatoses aux mains (et comme des pustules – ainsi qu'aux pieds (je sais, c'est dégueulasse, je suis sûr que Stendhal ou Homère n'avaient pas de saletés genre mycoses aux mains et aux pieds, mais c'est la beauté de l'union magique entre deux êtres que plus d'un demi-siècle sépare)), et des choses qui clochent aux yeux, notamment un chalazion (ou un orgelet ou Dieu sait quoi, si ça l'intéresse) à la paupière supérieure droite. Enfin !

Cet été-là, Pauline croise parfois une détenue du groupe Rouge beaucoup moins docile que Léone Bouvier, qu'elle se souvient peut-être avoir aperçue à la Petite-Roquette, une vraie furie indomptable qui a pris cher, et depuis longtemps. Elle a quarante-trois ans, elle s'appelle Sylvie Paul. Avec Pauline et Denise Labbé, qui arrivera à Haguenau l'année suivante, elle est l'une des trois meurtrières les plus scandaleuses et célèbres des années cinquante. Le début de sa vie ressemble à celui de Colette, et de pas mal d'autres. Elle est née à Maisons-Alfort, dernière des cinq enfants – et première fille – d'un couple d'ouvriers alcooliques, son père se barre, elle arrête l'école après son certificat d'études, travaille dans une fabrique de savons et commence à voler, avec ses quatre frères, sous les ordres du nouveau jules de sa mère, qui les frappe à coups de nerf de bœuf si le butin qu'ils rapportent n'est pas assez conséquent. Elle fait ses premières fugues à onze ans, se sauve définitivement à seize. L'année suivante, elle est arrêtée une première fois pour vagabondage et vol, et passera la plupart des quatre années qui la séparent de sa majorité dans des maisons de correction, comme l'école de préservation pour jeunes filles de Fresnes (où elle perd sa virginité lors d'un – comment dire ? – examen médical), des patronages ou des centres pour mineures délinquantes contrôlées par des religieuses. Elle s'évade deux fois, se fait rattraper deux fois et enfermer plus soigneusement à l'école de prévention de Cadillac, en Gironde. Elle s'en évade, on la rattrape et l'enferme cette fois dans celle de Clermont-de-l'Oise, qu'elle appelle « le bagne, l'enfer des enfers ». Elle n'en sortira, libre et ébréchée, qu'à vingt et un ans. L'année suivante, en 1935, elle est incarcérée pour coups et blessures sur un enfant de six ans. C'est la fille de l'homme avec qui elle vit, un veuf proxénète. Sylvie a toujours affirmé qu'elle s'était dénoncée à la place de son bonhomme, qui frappait sa gamine au-delà de vingt pastis et qui, en tant que maquereau, aurait été condamné beaucoup plus lourdement qu'elle : la petite partait direct pour l'Assistance publique. Elle prend quinze mois à la Petite-Roquette. (Elle y côtoie Violette

Nozière, la parricide déjà mythique, qui a été condamnée à la peine de mort en octobre 1934 – deux mois plus tard, le président Albert Lebrun lui a généreusement accordé les travaux forcés à perpétuité.) À sa sortie, Sylvie mène une vie respectable du côté de Pigalle, elle est vaguement entraîneuse, un peu pute à l'occasion. Sous l'Occupation, elle est arrêtée à plusieurs reprises pour vols ou trafics divers et finit, énervée, par entrer dans la Résistance, en Normandie. Elle se fait encore serrer, par les Allemands cette fois, qui l'enferment à Saint-Lô puis à la prison du Cherche-Midi à Paris. Selon plusieurs de ses codétenues, elle montre un courage et une audace extraordinaires, chante *La Marseillaise* à tue-tête, défie ses geôliers, insulte les Allemands. Elle est en permanence au pain et à l'eau dans un cachot, et torturée toute une nuit dans un château de Maisons-Laffitte avant d'être relâchée. Elle retourne en Normandie, réintègre un réseau, et se fait surprendre dans la chambre d'un jeune officier allemand avec qui elle vient de coucher, en train de fouiller dans sa sacoche. Elle est de nouveau emprisonnée à Saint-Lô, puis à Caen et Lisieux. Peu de temps avant sa libération, elle insulte et frappe un maton et repart pour la prison de Caen, puis celle de Rouen, où elle se laisse "approcher" par des surveillants allemands pour permettre à des filles de s'évader pendant qu'elle retient efficacement leur attention, et où elle se bat avec une gardienne normande qu'elle pousse sous la douche glacée qui lui était réservée : en janvier 1943, ça suffit, elle est déportée au camp de Romainville. Elle y passe trois mois, dont deux isolée dans une casemate minuscule pour indiscipline, puis elle est envoyée à Ravensbrück, où elle fait la connaissance, entre autres, de Geneviève de Gaulle, la nièce du général, de Germaine Tillion et d'Anise Postel-Vinay – celle-ci dira d'elle : « J'aimais sa façon violente de parler contre les Allemands, et son attitude qui consistait à ne jamais baisser la tête quels que soient sa situation et son état physique. » Elle réussit à s'évader le 28 août 1944, rejoint Berlin et s'y cache quelques mois, mais un Français envoyé là par le STO la trahit : elle est ramenée à Ravensbrück et enfermée six mois au quartier disciplinaire du camp, fouettée quotidiennement et privée de tout. L'une de ses compagnes, Élisabeth Rival, témoignera : « Les Allemands ont fait avec Sylvie Paul une réussite totale de l'avilissement. Elle a été atrocement torturée. Lorsqu'une femme sortait du bloc disciplinaire, elle ne savait plus ce qu'elle faisait. Mais Sylvie s'est toujours montrée parfaitement digne. Elle avait le courage de ses actes. C'était une combative, une rebelle. » Elle est ensuite transférée à Bergen-Belsen, où elle restera jusqu'à la libération du camp, le 15 avril 1945, à s'occuper de son mieux des malades du typhus (qu'elle finira par contracter elle-même), parmi lesquelles Hélène Berr, la jeune Juive battue à mort dix jours avant l'arrivée des soldats britanniques, dont le journal sera publié soixante-trois ans plus tard. Après avoir été soignée à la Salpêtrière, elle se retrouve sans rien ni personne dans les rues de Paris, se fait héberger par d'anciennes amies des camps et, enceinte après quelques nuits passées avec un type qu'elle ne reverra jamais, vole un peu d'argent à l'une d'entre elles : elle est enfermée six mois à la caserne des Tourelles, dans le XXe, où elle fait la connaissance de Jeanne Perron, une hôtelière à tête de catcheuse incarcérée pour recel. Sa fille Pierrette naît peu de temps après sa sortie. Deux ans plus tard, en 1949, elle est à nouveau enceinte d'un amant de passage lorsqu'elle allège le porte-monnaie d'une amie chez qui elle passait sa grossesse (« Je ne voulais pas que l'enfant qui allait naître n'ait pas de layette, n'ait absolument rien ») : elle est envoyée, cette fois, à la Petite-Roquette, dont elle sera libérée juste avant de mettre au monde un petit José. Enfin, le 9 juin 1951, trois mois après la mort de Félix Bailly, elle attend encore un enfant, d'un jeune Algérien, Abdallah Souahli, lorsqu'elle tue, ou contribue à tuer, Jeanne Perron, la femme au visage ingrat qu'elle a connue à la caserne des Tourelles et qui tient un petit hôtel de seconde zone rue Neuve-du-Théâtre (cette rue n'existe plus, c'est aujourd'hui une sorte de passage piétonnier au milieu d'immeubles des années soixante-dix, à deux cents mètres à peine du 25 rue de la Croix-Nivert). Elles étaient devenues très proches, trop pour le mari de Jeanne qui a fini par faire sa valise en laissant sa place dans le lit à Sylvie. Mais quand cette dernière a rencontré Abdallah et, reprenant goût à la virilité épicée, l'a installé à l'hôtel pour pouvoir aller le retrouver discrètement la nuit, Jeanne est devenue de plus en plus acariâtre et pénible – c'est compréhensible. Le soir où sa belle lui a annoncé qu'elle était enceinte du parasite, elle s'est mise à hurler qu'elle n'accepterait pas ça, et puis quoi encore, tu vas me faire passer ce lardon au plus vite : Sylvie, qui a la fibre maternelle et n'aime pas qu'on l'embête, lui a donné un grand coup de bouteille sur la tête. Très fort. Elles étaient bien bourrées toutes les deux, ça joue. La croyant morte, elle confie à Abdallah, déclarera-t-elle, le soin de l'enterrer dans la cave de l'hôtel. Puis elle donne son fils José en garde à l'un de ses frères aînés, et s'enfuit avec Pierrette et Abdallah en Algérie, à Sétif, où la police la retrouve quatre mois plus tard, en octobre, avec Pierrette mais sans Abdallah – qu'on attrapera peu après. Puisqu'elle attend un enfant, on ne l'enferme pas à la Petite-Roquette mais à Fresnes, qui dispose d'un service spécialisé. Elle accouche d'une fille, qu'elle prénomme Simone (en hommage à l'une de ses avocates, maître Simone Cornec, qui deviendra la marraine de la petite), qu'on lui enlève après dix-huit mois au quartier des nourrices et qu'on confie à une œuvre catholique, son frère s'occupant déjà de ses deux autres enfants. (À la fin de l'été 1953, elle croise Albertine Sarrazin, qui vient d'avoir seize ans, s'appelle encore Albertine Damien et n'écrira *L'Astragale* que onze ans plus tard. Elle a été arrêtée après un hold-up dans une boutique de vêtements, au cours duquel son amie a tiré sur la vendeuse avec un pistolet qu'Albertine avait volé à son père adoptif (à sa naissance, à Alger, elle a été abandonnée à l'Assistance publique), un médecin-colonel en retraite. Elle sera jugée à Paris en novembre 1955, peu après l'arrivée de Sylvie à Haguenau, et prendra sept ans de prison alors que la vendeuse n'a été que blessée et que c'est son amie qui a tiré – celle-ci s'en sort avec cinq ans. Il faut dire qu'Albertine faisait déjà le trottoir à quinze ans, et se montrera lors du procès encore plus rétive que Pauline à l'autorité masculine et morale – au président du tribunal, elle dira : « Je n'ai aucun remords. Quand j'en aurai, je vous préviendrai. » Elle sera incarcérée à la prison pour femmes de Doullens, dont l'aumônier est Pierre Roy, le mari pasteur de la cousine de Pauline, Anne-Marie. Elle s'en évadera en avril 1957 (se cassant à cette occasion un os de la cheville, l'astragale, en sautant d'un mur de dix mètres) et mourra dix ans plus tard lors d'une opération du rein à Montpellier (l'anesthésiste ne s'étant renseigné ni sur son poids ni sur son groupe sanguin), à vingt-neuf ans.) Sylvie Paul retourne pour la troisième fois à la Petite-Roquette, où Pauline se trouve encore pour deux mois – je ne sais pas si elles se fréquentent, l'une est accablée, suicidaire (elle se tranchera les veines trois semaines après l'arrivée de Sylvie), l'autre pleine de colère, intenable, électrisée par l'instinct de survie. Le procès a lieu début décembre 1954. C'est l'épicurien docteur Paul, entre un bon "poulet docteur" chez Lapérouse et une naissance de bébé cocker, qui va le faire basculer. Car après l'autopsie des restes de Jeanne Perron, il affirme qu'elle a bien reçu un choc lourd à la tête, mais aussi qu'elle a été étranglée, et surtout, que c'est la cause de sa mort. On soupçonne Sylvie, qui plaidait jusqu'alors un geste d'emportement, un réflexe de femme enceinte (et saoule), d'avoir achevé froidement sa victime à la main. Elle se défend comme une tigresse attaquée par des crocodiles, elle crie, se lève, jure en serrant les poings qu'elle n'a pas touché le cou de la Jeanne, que c'est Abdallah qui l'a enterrée, qu'il a dû se rendre compte qu'elle était moins morte qu'il ne le croyait et terminer le travail pour ne pas avoir creusé pour rien, elle insulte les témoins lorsqu'ils mentent, selon elle, pointe des doigts accusateurs de tous les côtés et se débat sauvagement quand les gendarmes tentent de la ceinturer. Abdallah, lui, nie posément avoir le moindre lien avec la mort de Jeanne Perron, il affirme n'avoir pas transporté ni enterré le corps : son seul tort, reconnaît-il, est de n'avoir pas dénoncé le crime, qu'elle lui avait avoué. Elle le hache du regard. Finalement, grâce à une émouvante plaidoirie de maître Simone Cornec, qui rappelle son « parcours tragique » (on ne peut pas mieux dire) et les innombrables années qu'elle a déjà passées enfermée, dont plusieurs pour avoir voulu défendre la France, elle n'écope « que » de dix ans de prison. Abdallah Souahli est acquitté. Elle reste donc seule coupable désignée, mais les jurés n'ont pas osé ignorer le fort doute injecté dans leur esprit par le deuxième avocat de Sylvie Paul, René Floriot.

À Haguenau, où elle a effectué son temps d'encellulement au début de l'année 1955, elle ne quittera jamais le groupe Rouge. Pendant que Pauline tente de trouver un moyen de décaler sa trajectoire, Sylvie continue à se révolter, refuse de parler à son éducatrice et jette l'eau sale de sa toilette à la tête des surveillantes. On finira même par la considérer comme irrécupérable, Haguenau baissera les bras, elle sera transférée à Rouen, puis à

Montauban, sans plus de succès, et achèvera son temps de prison à la case départ : la Petite-Roquette. Elle ne bénéficiera, en Alsace ni ailleurs, d'aucune faveur ni d'aucune remise de peine – hormis un an "mécanique". Mais au bout du compte, là où la prison a toujours échoué avec elle, la vie, le temps, la société, toutes ces entités spectrales, moins concrètes et brutales que l'incarcération, plus perfides, réussiront : Sylvie Paul sera abrasée, aplatie, étouffée. J'ai pensé un moment qu'il pouvait s'agir de la Sylviane de Serge Jacquemard, la codétenue de Pauline qui aurait selon lui recueilli ses confidences à propos du viol collectif à la Libération – le prénom, les penchants lesbiens, le meurtre d'une femme, l'insoumission, le tempérament aventurier, tout correspond. Trop, d'ailleurs : il semble probable que l'écrivain se soit directement inspiré de Sylvie (au moment où il écrit *L'Affaire Pauline Dubuisson* pour « Fleuve noir », Jean Prasteau prépare, pour la même maison et dans la même collection, *L'Affaire Sylvie Paul*, qui paraîtra six mois plus tard). Mais ça ne peut pas être elle, et c'est pourquoi je pense que cette Sylviane n'existe pas. D'une part elles n'ont pas dû se côtoyer beaucoup à Haguenau, peut-être même pas du tout (en 1962, aidée par l'écrivain Roger Grenier, Sylvie Paul a publié un livre sur sa vie, dans lequel elle parle longuement de ses années à Haguenau mais ne dit pas un mot de Pauline), d'autre part, au moment où Jacquemard situe les péripéties de Sylviane au Maroc (dans les bras de la belle moukère dont le mari jaloux brandit, les yeux injectés de sang, un poignard au manche incrusté de pierreries) et sur la Côte d'Azur (dans ceux d'une étudiante allemande possessive), à cette période où elle aurait renoué des liens forts avec Pauline libérée, Sylvie Paul est dans un couvent près de Besançon, éteinte. Quand la centrale de Haguenau a été définitivement fermée, elle a fini sa peine à la Petite-

Roquette – il lui restait un an à faire. Lorsque Roger Grenier la retrouve quelques mois plus tard, en 1961, pour commencer la rédaction de ses Mémoires, il ne reconnaît pas l'irréductible révoltée qu'il a vue pour la dernière fois dans le box des accusés. Elle est devenue *une petite femme insignifiante : une silhouette grise, des talons plats, une vieille serviette de cuir à la main. Je trouve quelque chose d'étrange dans sa toilette. Je comprends, au bout d'un moment. Elle est vêtue à la mode d'il y a dix ans. Elle porte les vêtements qu'elle a dû laisser au greffe en entrant en prison : un tailleur gris-bleu aux épaules carrées, exagérément pincé à la taille.* Il ne reste en elle qu'une trace de ce qu'elle était : *ses yeux gris acier.* Si elle est dans cet état d'usure et de découragement, c'est en partie à cause de l'âge (elle a quarante-huit ans) et de la longue incarcération en cage disciplinaire, mais aussi parce qu'elle craint de ne jamais récupérer la garde de ses trois enfants. On lui a promis qu'elle pourrait les retrouver après une période de mise à l'épreuve de six mois, mais les six mois sont passés et l'administration ne bouge pas. La dernière, Simone, a maintenant dix ans. L'année suivante, quand Sylviane est prétendument surprise dans le lit de son amante marocaine par les frères du mari de celle-ci et fuit sur un bateau de contrebandiers, Sylvie travaille dans une usine de bouteilles à Issy-les-Moulineaux. Elle comprend qu'on ne lui rendra jamais ses enfants. Elle dit à Roger Grenier : « Je ne m'en sors pas, je n'en peux plus », et entre au couvent de Béthanie (où Robert Bresson a tourné *Les Anges du péché*), près de Besançon. Le photographe de *France-Soir* qui accompagne l'écrivain fixe le moment où elle franchit la porte, qui se referme. On n'a plus jamais eu de nouvelles d'elle. Si : une rumeur dit qu'elle serait ressortie du couvent en 1968 pour se marier avec un Allemand qu'elle aurait rencontré grâce à une agence matrimoniale, mais ce n'est qu'une rumeur.

En septembre 1955, Pauline devient contremaîtresse dans les ateliers. Bien joué. Le travail est moins répétitif et fatigant pour le dos et les yeux (depuis trois mois, elle doit porter des lunettes pour coudre), elle est mieux payée et, privilège enivrant, elle est la seule à être autorisée à parler pendant les heures de boulot (elle parle un peu toute seule, du coup, mais c'est déjà ça). En parallèle, elle continue à s'occuper de la bibliothèque, douze jours par mois – finis les petits cubes et les socquettes, elle ne fait plus que ça : contremaîtresse et bibliothécaire, la classe. Gagnant plus d'argent, elle accède à une existence fastueuse : elle mange mieux, peut se procurer toutes les pelotes de laine qu'elle veut, pour se détendre en tricotant le soir après les cours ou récupérer calmement après le sport (elle s'est inscrite au basket), et le 30 octobre, elle achète pour 7 833 francs de livres. Le 6 décembre, je lis dans son dossier qu'elle entre à l'infirmerie pour dix jours, je ne sais pas pourquoi.

Le 5 janvier 1956, à Bougival, Mistinguett meurt, à quatre-vingts ans, d'une congestion cérébrale, compliquée d'une double congestion pulmonaire.

Six mois plus tard, en juin, l'éducatrice de Pauline note : *Sérieusement amendée. Capable de mesurer les difficultés qu'elle rencontrera, mais prête à les vaincre pour se faire une nouvelle existence. Pauline Dubuisson semble mériter la récompense d'un classement à l'atelier vert.* Yes ! Elle laisse Colette chez les jaunes, mais la retrouvera bientôt. Pour quelques semaines, elle rejoint Paule Guillou, promue verte à la fin de l'année précédente, bientôt estampillée Confiance et libérée dans six mois. Léone Bouvier, elle ne la verra plus qu'à l'atelier.

Le 13 juin, elle passe avec succès son CAP de sténodactylo. Elle n'a que des 19 ou des 20 dans toutes les matières, sauf en dictée : 16 (elle est pourtant irréprochable en orthographe dans les lettres écrites à Félix et à sa mère, mais le 16 est sévère : sur deux pages, on lui retire deux points pour un accent circonflexe de trop (*nul n'eût songé*) et deux pour une simple rature). Le 30 juillet, sa peine est de nouveau écourtée de deux ans : elle sera dehors en 1967. À partir du mois d'août, le montant maximum des mandats mensuels qu'elle est autorisée à recevoir passe à 4 000 francs. Dès le premier envoyé par sa mère, elle s'abonne à *Modes & Travaux* et à *Science & Vie*.

Une autre détenue qui vient de faire la une des journaux pendant plusieurs jours (Jean Cocteau évoquera *le procès du siècle*) rejoint Pauline, Colette, Paule, Léone, Sylvie et les autres à la fin de l'été. C'est Denise Labbé, une jeune femme d'un an de plus qu'elle, qui a tué sa fille pour faire plaisir à son amant. Fille d'une lavandière et d'un facteur bretons, d'abord femme de ménage chez un médecin puis secrétaire à l'INSEE après avoir réussi un concours, mère célibataire à vingt-cinq ans, elle a le cœur foudroyé, au bal du 1er Mai 1954 à Rennes, par un sous-lieutenant qui sort de Saint-Cyr, Jacques Algarron – il est le fils naturel d'une femme qui a épousé, dix ans après sa naissance, un commandant d'infanterie de soixante-dix balais : il a accepté de donner son nom au garçon juste avant de mourir. À vingt ans, Jacques a déjà laissé deux fillettes derrière lui, à des maîtresses éphémères. Denise aussi a eu beaucoup d'amants jusqu'à présent (elle est d'une grande beauté, dans le genre classique, et moderne d'esprit), l'un d'eux lui a fait un enfant, une fille, Catherine (apprenant sa grossesse, il a proposé de l'épouser, elle a refusé parce qu'elle ne l'aimait « pas assez », la petite a été placée en nourrice près d'Arpajon, neuf jours après sa naissance, et Denise, que l'INSEE a mutée près de Paris, va passer tous les dimanches avec elle), mais celui du 1er Mai est différent des autres. Front haut, beau gosse (quoique avec un profil aigu d'oiseau), il est plus jeune qu'elle, il déborde de vanité, il a lu Sade, Gide, D'Annunzio et surtout Nietzsche, comme Pauline petite, il est fasciné par le mythe du surhomme – et donc, comme il ne comprend rien, de la surfemme et du surcouple. Il lui écrit des lettres lourdes de théories philosophiques vaseuses et emmêlées, pour lui engluer le cerveau, et bouffies de mauvaise poésie prétentieuse (*Mes ongles remontent le tendre sillon de votre dos, de la moiteur des hanches à la nuque diaphane*), mais dès le départ, leurs rapports sexuels sont très brutaux, il lui lacère le tendre sillon du dos, la poitrine et les fesses, lui donne même parfois de petits coups de canif (dans une lettre, elle se plaint, sans vraiment se plaindre, du temps que les plaies mettent à cicatriser). Il se lasse vite, lui demande de coucher avec d'autres hommes et de lui raconter ces infidélités forcées en détail. Ça ne l'amuse pas longtemps non plus. En août, elle lui annonce, joyeuse et fière, qu'elle est enceinte de lui. Il lui ordonne de se débrouiller pour avorter : sinon, c'est qu'elle ne l'aime pas. Incrédule, déchirée, elle finit par accepter, en pleurs. Puis, à la fin de l'été, il trouve l'enjeu parfait, celui qui va enfin donner un peu de vrai piquant à leur amour et les souder à jamais. Pour qu'elle prouve sa supériorité sur ses semblables, pour que leur couple soit plus fort et plus pur que tous les autres, Jacques demande à Denise, le 29 août dans un restaurant près de Notre-Dame, d'anéantir cette enfant de deux ans qui l'entache : « Il faut que tu immoles ton propre sang. Tu ne prendras conscience de ton amour que lorsque tu auras réussi cet acte hors mesure. Scellée dans le sang, notre union sera éternelle. » (Par la suite, il a toujours prétendu qu'elle n'avait rien compris, cette « pauvre fille » sans aucune culture, qu'il ne s'agissait que d'un jeu, de « quelques propos philosophiques » – au procès, il lui apprendra qu'en réalité il ne l'a jamais aimée. Quand elle dira au président du tribunal : « Une femme devait être sa chose », il ne le niera pas mais se lèvera pour préciser : « Une femme, mais pas vous, en tout cas ! ») Moins de cinq mois après leur rencontre, le 22 septembre, alors qu'elle est à Rennes chez sa mère, elle reçoit une lettre de rupture (dans laquelle il la vouvoie, comme toujours par écrit – elle, même en face, n'a jamais osé le tutoyer) : puisqu'elle n'est même pas capable d'un *acte extraordinaire* pour lui, autant arrêter tout de suite – *Soyez heureuse, vous n'êtes pas assez forte*. Elle sort sur le balcon, suspend sa fille au-dessus du vide, lâche une main, la retient au dernier moment. Le 27 septembre, elle jette la petite Catherine dans une écluse du canal d'Ille-et-Rance. Un jardinier qu'elle n'avait pas vu plonge et sauve la fillette. Le 5 octobre, elle avorte à Rennes chez une faiseuse d'ange (façon charcutière) et doit être hospitalisée le lendemain pour une importante hémorragie. Algarron est satisfait, mais ce n'était qu'une formalité sans réelle valeur. (Elle prendra six mois de prison pour cet avortement, lui rien.) Il lui écrit qu'il ne va pas attendre un siècle la *preuve d'amour suprême* qu'il lui a demandée, qu'il trouvera facilement une femme plus entière et passionnée qu'elle. Denise revient en banlieue parisienne et confie la gamine à sa nourrice, Mme Laurent (qui dira : « Elle aimait beaucoup son enfant, c'était une vraie maman, jusqu'au jour où l'autre lui a chaviré la tête »). Le 17 octobre, un dimanche où elle est venue voir sa fille comme chaque fin de semaine, elle rentre seule et hagarde d'une promenade avec elle. La nourrice affolée sort, cherche, et finit par trouver la petite Catherine presque noyée et grelottante sur une berge de l'Orge, toute proche, où le courant l'a échouée. Algarron se moque d'elle, elle n'est décidément bonne à rien. Il doit rejoindre son régiment à Chalon-sur-Saône, il lui écrit qu'il lui laisse une toute dernière chance mais qu'il ne voudra plus jamais entendre parler d'elle si, à son retour, *tout n'est pas en ordre*. Denise va alors passer quelques jours chez sa sœur à Vendôme, à côté d'Orléans. Avant de quitter Paris, elle écrit à son maître, dans le style qu'il lui a appris : *Je pars ce jour pour Vendôme, la vie se joue, la mort aussi. Dans quelques jours, notre couple sera.* Le 8 novembre, elle réussit enfin à tuer sa fille dans la cuisine de sa sœur, en lui enfonçant la tête suffisamment longtemps (« longtemps, longtemps », dira-t-elle) dans une lessiveuse remplie d'eau sale. Quand pompiers et gendarmes arrivent, elle leur fait croire qu'il s'agit d'un accident. Elle envoie un télégramme à Jacques : *Catherine décédée. À bientôt, peut-être.* Mais quand ils se retrouvent à Paris le 11 novembre, il se montre distant et contrarié : « Je suis très déçu, ça ne me fait rien. Je crois que ce n'est malheureusement pas suffisant pour que nous ayons une intimité totale. » Trois jours plus tard, il la quitte, la jette. Le 23 novembre, alertée par plusieurs témoignages concordants, la police convoque Denise Labbé. (Certaines coïncidences sont difficiles à expliquer. En faisant des recherches sur Internet, je suis tombé sur un scan du *Journal du Loiret* daté du 15 décembre 1914. À la rubrique des morts au champ d'honneur, on déplore le décès d'un jeune homme de vingt ans, le 23 novembre (quarante ans jour pour jour avant l'arrestation de Denise). Il s'appelait Jacques Algarron. Il avait été blessé une première fois le 24 septembre. Il est indiqué qu'il était le fils d'un chef de bataillon d'infanterie, qu'il avait été élève au lycée d'Orléans, qu'il était sous-officier et qu'il sortait de Saint-Cyr.) Le 6 décembre, elle finira par avouer – et tenter d'expliquer. Algarron sera arrêté aussitôt après. Au tribunal, à la fin du mois de mai 1956, Denise est défendue par Maurice Garçon, le premier avocat de Pauline, mais tout son art ne pourra rien. Comme si l'abomination et la bêtise de son infanticide ne suffisaient pas, elle est présentée de la même manière que, trois ans auparavant, celle qu'elle va bientôt rejoindre à Haguenau. On entend les mêmes mots à la barre : « Ce n'était pas une fille dont on pouvait faire son épouse. » Le père de la petite noyée (qui n'a jamais vu son enfant) vient déclarer, sans penser à mal : « C'était la fille sympathique, qui ne donnait pas d'importance à l'acte sexuel. » Elle est condamnée elle aussi aux travaux forcés à perpétuité. Jacques Algarron a également un allié de poids, l'éternel René Floriot – qui, pour une fois, va se louper (qui n'a pas ses petites baisses de régime ?) : il a demandé l'acquittement mais son client prend vingt ans. Selon la manière dont on regarde l'affaire, on peut estimer qu'il est honteux qu'il s'en sorte mieux qu'elle, alors que tout vient de ce sombre connard ; ou bien – et c'est le débat enflammé qui a eu lieu après le verdict – qu'il n'est que l'inspirateur presque romanesque du crime, qu'il ne l'a pas forcée, qu'on ne peut pas légalement le considérer comme le commanditaire, Denise était une grande fille, et qu'à ce compte-là, a-t-on lu dans les journaux et revues, on pourrait aussi condamner les auteurs qui l'ont inspiré, lui, les maîtres à penser dont il a bu les récits et théories comme un veau le lait de sa mère. Lors du procès, Maurice Garçon avait suggéré que le véritable coupable était peut-être André Gide, et ses *Caves du Vatican*. (Mais je ne suis pas certain que Gide, Nietzsche ou même Sade aient jamais suggéré à qui que ce soit qu'une petite fille correctement sacrifiée était la garantie d'une liaison amoureuse réussie.) Pour Jean Cau (dont le cœur restait froid quand il pensait à Pauline, bien qu'il se le soit longtemps et charitablement tâté), ce n'est pas la littérature qui est responsable, mais tout bêtement Denise (dont il écrit qu'*elle n'était pas une lumière*, qu'en revanche *elle aimait le lit*, et que lors du procès, elle donnait l'image d'une *pitoyable chose*) : sa thèse, qu'il avance tout de même prudemment, c'est que bien qu'étant son *esclave soumise*, elle finit par lasser son maître Algarron (tandis qu'elle, *elle n'est nullement fatiguée d'obéir*) ; pour se débarrasser d'elle, il a l'idée de lui demander une chose qu'il sait impossible ; quand elle admettra qu'elle ne peut pas aller jusqu'à tuer sa fille, il lui sera facile de lui annoncer qu'il la quitte, puisque malheureusement, elle ne l'aime pas vraiment. Clair comme de l'eau de roche. D'où, quand Jacques apprend l'accomplissement du crime, *sa stupéfaction et son indignation non feintes*, selon Jean Cau. (Il ne pouvait pas la quitter normalement, sans ce stratagème absurde ? C'est nul, comme thèse.) Algarron part pour une dizaine d'années à la centrale de Melun, ira ensuite se faire oublier en Afrique, obtiendra sa réhabilitation à son retour en France et refera sa vie dans le monde des affaires. Denise rejoint les femmes fautives à Haguenau. Elle sera ensuite transférée à Rennes, où elle restera jusqu'à sa libération conditionnelle. Elle changera de prénom, deviendra Marie et restera cachée en Bretagne, près de sa mère, terrée, jusqu'à sa mort.

Quoi qu'elles aient fait, je ne peux pas penser sans affection, ni sans un sentiment de deuil, à toutes ces filles réunies dans un même lieu parce que trop faibles ou trop fortes, intelligentes ou stupides, indomptables ou matées mais en tout cas écartées, confinées entre elles – sans Yvonne Chevallier. C'est près d'elles, en elles, que Pauline trouve ce qu'elle cherchait depuis longtemps : des raisons d'aimer l'humanité. Celle qu'on rejette. Il n'y a sans doute aujourd'hui pas moins de femmes incarcérées, voire plus, mais peut-être pas pour les mêmes motifs, pas pour tant de meurtres, d'actes violents et désespérés. Elles étaient dominées, malmenées, elles se débattaient comme elles pouvaient – mal.

Bien sûr, elles ont encore pas mal de descendantes dans les prisons françaises.

Denise Labbé ne s'en remettra jamais, on ne tue pas sa fille sur les ordres d'un petit coq sadique sans le payer toute sa vie, mais à Haguenau, elle suit le même chemin que Pauline, celui des calmes. Je ne sais pas si elles sont proches. (Denise est née un 17 mars, le jour de la mort de Félix.)

En janvier de l'année suivante, 1957, on accorde à Pauline le droit de recevoir du courrier qui ne provient pas des seules personnes accréditées par l'administration. Une dame Margeraud, de Paris, lui écrit : *Dernièrement, à l'occasion de la libération de votre compagne Paule Guillou, votre nom a été cité dans les journaux, et ce détail m'a remis en mémoire votre procès. À l'époque, j'étais encore célibataire – j'ai trente-deux ans – et, sans doute en fonction de cela, toute ma compréhension vous avait été acquise. C'était, en quelque sorte, le procès de beaucoup de jeunes filles de votre genre, plus intelligentes et mieux que tant d'autres, qui « loupent leur vie » (c'est l'expression consacrée) par excès de zèle pour la réussir.*

Au début de ce mois de janvier, grâce aux mandats de sa mère, à ceux d'autres membres de la famille (je pense qu'Hélène s'arrange pour que l'argent de l'héritage laissé par son mari parvienne à leur fille par le biais de différentes personnes) et à ses fonctions de bibliothécaire et de contremaîtresse, le solde de son compte s'élève à 33 332 francs. Son existence s'améliore – autant que possible. Elle cantine environ trois mille cinq cents francs par mois pour la nourriture, s'achète un porte-jarretelles à huit cents francs (c'est émoustillant (quoique indispensable et banal à l'époque), mais à ce prix-là, il doit être en corde), elle va régulièrement chez le coiffeur et s'abonne à *Elle* (200 francs par mois). Mais toutes ses économies ne sont pas pour le plaisir : en février, des séances chez le dentiste (ses molaires sont friables – les miennes aussi, mystère de la communion des âmes, et depuis tout petit : aujourd'hui, je n'en ai plus une seule d'origine) lui coûtent un bras, trente-quatre mille francs (manifestement, la sécu n'a pas franchi les portes de la centrale, tant pis pour celles dont la famille n'envoie pas de mandats – mais de toute façon, les pauvres ne peuvent manger que de la soupe, donc peu importe l'état de leurs dents). Elle semble s'être découvert une passion pour les minoches (des petits machins, genre quart ou sixième de chapeau, en plume, en dentelle, en tout ce qu'on veut, qui s'accrochent comme des broches dans les cheveux, sur le côté de la tête), elle retourne spécialement à l'atelier pour en confectionner, cinq francs cinquante l'une, elle en fait des centaines – ses molaires coûteuses ne sont sans doute pas étrangères à cette passion. Elle commence aussi à aller au cinéma (qui n'est pas bien loin, c'est pratique), une fois par mois, à cinquante francs le film. Le premier qu'elle voit est *La Minute de vérité*, de Jean Delannoy, avec Michèle Morgan, Jean Gabin et Daniel Gélin, sorti cinq ans plus tôt. Il y est question d'adultère, de mari médecin et de suicide au gaz, Pauline a forcément des pensées parasites qui l'empêchent de se détendre tout à fait. (Hasards absurdes et amusants, que personne évidemment, dans cette salle ni dans aucune autre en France, ne peut relever à l'époque : le mari s'appelle Pierre Richard et l'amant Daniel Prévost.) Les mois suivants, elle prend sa place pour *Fanfan la Tulipe*, *Les Vacances de M. Hulot*, *Maria Chapdeleine* (dans lequel Madeleine Renaud, lors d'un bal au Québec, rend chèvres et malheureux ses trois amants, en dansant successivement avec l'un et l'autre et le troisième), et *Si Versailles m'était conté...* de Sacha Guitry. Elle ne prête certainement que peu d'attention à une comédienne de dix-huit ans (Guitry en cherchait une « pas chère ») qui incarne Mlle de Rosille, maîtresse de Louis XV. Elle la voit s'approcher du roi (Jean Marais), qui lui dit : « Vous avez de bien jolis yeux, mademoiselle », ce à quoi elle répond : « Je les tiens à la disposition de Votre Majesté. » Pauline sourit peut-être, dans le noir, sans savoir que cette jeune inconnue, Brigitte Bardot, causera bientôt, involontairement mais définitivement, sa perte.

En dehors des heures de travail obligatoire, elle consacre une importante partie de son temps dit libre à des cours par correspondance, et ça paie : en mars, elle réussit l'examen de secrétaire de direction, en juin, elle obtient son CAP d'aide-comptable. Le même mois, elle accède à la prestigieuse section de Confiance. Elle a désormais droit à une cellule individuelle, et à des sorties hebdomadaires (le dimanche, de vraies sorties, en dehors des murs), accompagnée de son éducatrice : au parc, au musée… C'est cette dernière qui a sollicité auprès du directeur l'autorisation d'entrée dans le saint des saints. Dans son rapport de juin 1957, plus long que les précédents, elle écrit : *Loyale. Humeur égale. Désir de s'occuper activement. Cherche à donner sens à sa vie.* (Ça fait un bail.) *Se domine parfaitement. Essaie de réagir en travaillant, en lisant. Ne se déplaît pas en cellule. Très attachée à sa famille mais fuit tout ce qui lui rappelle son passé. N'a pas encore réussi à se mettre au-dessus de ce qu'elle craint devoir la faire souffrir. Reste cependant fragile, un fait anodin, se mettant en travers d'un projet, peut provoquer des réactions disproportionnées et lui faire perdre momentanément toute possibilité de raisonner froidement et de prendre les dispositions qui s'imposent. Pour l'avenir, a surtout peur de ne pas savoir se vaincre elle-même. Acquerra peu à peu plus de force sans doute. Apprendra à avoir confiance en elle-même le jour où, obligée de surmonter un obstacle qu'elle appréhende, elle constatera qu'elle a su en triompher.* (Pauline aura l'occasion de se mettre à l'épreuve sur ce point et de tester cette prédiction.)

Pourvue d'une volonté ferme qui lui permettra de mettre en pratique les résolutions qu'elle prend pour son avenir. Fait preuve en outre de beaucoup de délicatesse et d'une grande noblesse de sentiments.

Au mois d'août 1957, elle reçoit de sa mère une nouvelle qui la bouleverse : la mort de l'un de ses neveux. Je pense, sans en être certain, qu'il s'agit d'un fils de son frère Gilbert et de Solange, dont elle avait la photo dans son portefeuille au moment de son arrestation, peut-être son filleul, à qui elle léguait le produit de la vente de ses livres de médecine, sur le court testament qu'elle a rédigé deux jours avant de tuer Félix. Ce neveu, atteint d'une maladie osseuse ou musculaire depuis sa naissance, portait en permanence un corset fait de lames d'acier. À Malo-les-Bains, c'était un copain de plage du m'sieur Alfred avec qui j'ai discuté sur Internet. Malgré son handicap et le potentiel cercueil métallique qu'il ne quittait pas, ses parents le laissaient partir seul en canoë à plusieurs centaines de mètres de la plage – par négligence ou plutôt, on peut l'espérer, pour qu'il ne se sente pas trop différent des autres enfants. La mère d'Alfred avait interdit à son fils de l'accompagner. Un jour de ce mois d'août, il a chaviré et coulé à pic. L'éducatrice de Pauline écrit une dernière note avant de quitter la centrale et de laisser la place à une autre : *Elle en est très affectée mais réagit avec beaucoup de courage, pensant surtout à la peine des membres de sa famille et s'inquiétant affectueusement d'eux.*

Le 13 août, on lui accorde encore une remise de peine de deux ans : 21 mars 1965. Bien se conduire ici peut s'avérer très utile. Le 7 octobre, elle apprend qu'elle aura le droit, à sa sortie, de toucher l'héritage de son père. Le 24, elle s'achète pour deux cent cinquante francs de fleurs fraîches et trois cent trente francs d'oignons de jacinthes. En février de l'année suivante,

13 120 francs de vêtements et de tissu pour coudre : de la soie, du tergal…

Le 25 mai 1958 (six ans pile avant mon arrivée en fanfare sur terre), elle découpe un article de Bertrand Poirot-Delpech dans *Le Monde*. Ce sera le seul qu'elle conservera, avec celui de Laborde qui la traitait d'à peu près tous les noms. J'ai mis un peu de temps à comprendre pourquoi. Il concerne le procès d'un jeune Belge, Yvan Schaaf, meurtrier d'une étudiante japonaise, Setsuko Teramoto. Il vivait à Liège, elle à Tokyo. Il s'étaient rencontrés par une petite annonce qu'il avait passée en anglais dans le *Japan Times*, espérant trouver *une jeune femme japonaise en vue d'échanges culturels*. Au début de leur correspondance, il a vingt et un ans, il n'a jamais quitté la banlieue de Liège, il n'a jamais mis les pieds dans un musée et n'a pas ouvert un livre depuis *Petit Lapin tente l'aventure*, il est caporal dans l'armée mais rêvait de devenir pilote d'avion, de santé fragile (ce qui a brisé son seul rêve le jour de l'examen médical) et d'une timidité pathologique : il n'a jamais adressé la parole à une fille pour lui demander autre chose qu'un kilo de patates. Elle a vingt-huit ans, elle est fille d'un général d'aviation, passionnée de littérature, de peinture, de musique et de culture européenne. Elle a trouvé son prince, son héros (il est presque français !), elle l'appelle son « fiancé d'Europe ». Le 8 juillet 1956, au bout de près d'un an de courriers de plus en plus ardents et euphoriques, elle embarque pour la France, Paris, où ils se sont donné rendez-vous : la ville des arts et de l'amour ! Il lui faut près d'un mois de bateau pour arriver jusqu'à Marseille d'abord, un mois délicieux d'attente et de frissons (dans les mots parfumés qu'elle lui poste aux escales, elle l'appelle *mon petit mari*). Trois minutes trente après leur rencontre, elle comprend qu'elle s'est fourré le doigt dans l'œil jusqu'à l'épaule, qu'elle a frêle. Dès le lendemain, elle écrit une lettre à sa sœur : *Il est trop enfantin et manque d'intelligence. Dès que je l'ai vu, j'ai compris que c'était une bêtise.* Bien élevée, elle ne fuit pas tout de suite, et c'est elle qui doit lui faire visiter Paris. Alors qu'elle s'imaginait se laisser amoureusement guider du Louvre au Quartier latin et du Luxembourg à l'Opéra par un esthète érudit qui lui ferait découvrir les mille merveilles de « sa » ville, elle doit traîner dans les musées ce gamin balourd et inculte qui se plaint sans cesse d'avoir mal aux pieds, la dévore des yeux mais n'apprécie rien d'autre, ne connaît rien, ne comprend rien, ne parle de rien d'autre que de la date de leur mariage – et, en attendant, si elle acceptait de lui faire confiance, ne pourraient-ils pas, pardon d'être aussi direct, apprendre à, qu'est-ce que je veux dire, à mieux se connaître ? Dans l'esprit de Setsuko, il n'y a pas une chance sur vingt-neuf milliards qu'elle lui cède. Dès qu'il repart dans sa vieille Simca, pour un petit mois promet-il, vers sa caserne liégeoise, le 21 août, elle lui envoie une lettre de rupture diplomate mais ferme, où elle insiste surtout, par élégance et politesse, sur leur différence d'âge : *Vous êtes plus jeune que je ne l'avais pensé. Il sera trop difficile pour nous de vivre ensemble.* Quoi ? Non ! Le coup le laisse abasourdi et tout disloqué à l'intérieur. Il en fait part à son seul ami, son journal intime : *Je comprends combien on peut être malheureux en aimant quelqu'un. Je ne cesse de l'aimer. Je pense que si elle ne veut pas de moi, je ferai des bêtises.* Mais il ne désespère pas : que sont sept ans d'écart, quand les ailes de l'amour vous emportent ? À la prochaine perm, il retournera à Paris et saura le lui faire comprendre. Le 5 septembre, il écrit : *J'aurai une explication avec Setsuko. Si elle n'aboutit à rien, je la tuerai et je me tuerai après.* Il veut le bonheur promis – il le veut rageusement, comme un enfant. La jeune Japonaise, toujours impeccable, accepte une dernière explication. Le 19 septembre, ils se promènent dans le bois, non de Saint-

Cloud, comme Jackie Richardson et Jean Ligier, mais de Boulogne. Yvan gémit, pleurniche, trépigne, supplie et lui relit les si belles lettres qu'elle lui adressait depuis Tokyo – obtus, il ne se rend pas compte de l'effet qu'elles doivent produire aujourd'hui sur elle : c'est justement depuis qu'elle l'a rencontré que ces mots ne peuvent plus lui venir à l'esprit, que ces sentiments sont à des milliers de kilomètres d'elle (neuf mille cinq cents) ; ces lettres appuient, prouvent son erreur. Elle les lui prend des mains et tente de les déchirer. Fallait pas. Elles sont les seuls témoins de l'amour, le vrai, auquel il s'accroche. Il lui saute à la gorge, tente de l'étrangler, elle s'enfuit en courant dans les bois, il la rattrape, sort un couteau de chasseur de sa poche et lui tranche la carotide. Il a supprimé la fausse Setsuko, celle qui voulait prendre la place de sa fiancée du Japon. Il la laisse se vider de son sang dans l'herbe et retourne dans sa chambre d'hôtel parisienne. Là, assis sur le lit, il essaie de se tuer en se donnant quelques coups de couteau au pli du coude gauche, puis du droit. Mais ça ne marche pas (sur la photo pitoyable de son arrestation, il montre trois ou quatre lignes rouges sur ses bras, bien nettes et régulières, qui n'auraient pas tué un teckel), la mort traîne à venir, et puis ça fait mal. Il se ravise, se panse le bras et galope gare de Lyon, où il prend le premier train pour n'importe où, Marseille en l'occurrence. Alerté par son comportement agité, ses paroles incohérentes sur la mort de l'être aimé et ses crises de larmes, un contrôleur prévient les gendarmes, qui l'arrêtent dès son arrivée à la gare Saint-Charles. Il avoue tout de suite. Au procès, deux ans plus tard, l'accusation insiste sur la préméditation (il avait consigné dans son journal son projet de la tuer, a reconnu devant les flics marseillais qu'il en avait l'intention si elle continuait à le repousser, et l'enquête a permis d'établir qu'il avait acheté son couteau en Belgique trois jours avant le meurtre) et sur

« l'indifférence et le cynisme ignobles » dont il a fait preuve en la laissant agoniser à dix mètres d'une allée très passante du bois de Boulogne. Pourtant, sidérante clémence, il ne sera condamné qu'à cinq ans de prison. Pour avoir égorgé une gentille jeune femme dont le seul tort était de ne pas vouloir l'épouser. C'est sans doute pour cela que Pauline a gardé ce papier du *Monde* dans sa cellule. Et plus encore parce que le défenseur d'Yvan Schaaf était René Floriot. Elle doit se dire que si elle l'avait eu de son côté, la deuxième partie de sa vie n'aurait pas été la même. (Ce que rien ne permet d'affirmer : la peine infligée par la Justice n'est souvent pas la pire. Après sa courte punition, Yvan s'est marié et a eu trois enfants. Mais selon sa famille et ses quelques proches, il n'a jamais oublié Setsuko. À cinquante-trois ans, en 1988, plus de trente ans après avoir saigné son fantasme japonais, il s'est tiré une balle dans la tête.) Mais Pauline ne semble pas en vouloir à la Justice, aux jurés ni même aux avocats et magistrats. Elle écrit quelques lignes à propos de la difficulté de juger un être humain, sur une demi-page de bloc-notes qu'elle glisse dans la coupure de journal pliée en deux, je ne sais pas dans quelle intention, ni pour qui (pour moi, je suppose, quand je viendrai consulter son dossier de détenue dans la belle salle claire des archives de Rennes, cinquante-six ans plus tard) : *Il est heureux* (, Philippe,) *que je n'aie aucun rôle actif à jouer là-dedans, car la certitude où je serais de ne pas pouvoir discerner le vrai du faux, le juste de l'injuste, m'empêcherait d'agir avec un minimum de conviction intérieure. L'un des bons côtés de la profession médicale est que le devoir est le plus souvent évident. La position est donc confortable et, dans le fond, égoïste, bien qu'elle prenne souvent les apparences du dévouement à autrui.*

Au début du mois de juillet 1958, les écrouées reçoivent la visite du journaliste Jean Laborde, venu préparer un reportage pour *France-Soir* – qui sera présenté ainsi : *Une grande enquête de Jean Laborde au pays de l'expiation.* Il rencontre Léone Bouvier, dont il écrit que les électrochocs et les soins qu'on lui a prodigués ici ont *ranimé en elle la flamme de l'intelligence* – il lui fait dire : *« Je ne suis pas malheureuse. »* Il voit aussi Denise Labbé, qui est toujours dans le groupe Jaune et travaille aux ateliers, mais au sujet de laquelle les éducatrices nourrissent de bons espoirs. Une colonne est consacrée à Pauline, dont une grande photo prise au moment du procès illustre l'article (avec cette légende poétique où il n'est plus question de vamp ni d'étudiante perverse : *Pauline Dubuisson, les yeux baignés de larmes*). Jean, lui aussi, s'est pas mal amendé en cinq ans. Il ne porte plus sur elle un regard aussi accusateur, malveillant et ricanant. Dans son *geste meurtrier*, il voit toujours de l'orgueil, du dépit, mais également, à présent, *de la tendresse déçue.* Il la décrit comme une *détenue modèle* et une *championne de basket* (ce qui s'explique par le fait qu'elle est *vive, rapide, intelligente*). Il loue ses efforts et ses progrès, et rapporte, compatissant, que son grand regret est de n'avoir pas pu continuer ses études de médecine. (On lui propose de devenir dactylo, couturière, secrétaire, de quoi se plaint-elle ?) *Car c'est aussi cela, la prison, avec la privation de liberté : l'écroulement d'une vie.* Celui qui écrivait qu'elle était ce que l'on pouvait souhaiter de pire à un homme, et affirmait en professionnel des passions humaines qu'elle était incapable de connaître l'amour, achève son article sur une évocation tempérée, mais courageuse pour l'époque, des sentiments qui résistent et persistent partout, telles ces petites fleurs qui poussent dans les failles du béton, des *amitiés particulières* qui réchauffent les âmes, sinon les sens, et chassent le *cafard* en milieu pénitentiaire : *Des "couples" se forment, mais leur liaison s'arrête à des témoignages puérils d'affection, billets doux, échanges de regards, partage du "colis". Comment aller plus loin dans une existence quotidienne où jour et nuit un regard vous observe ? Amours platoniques* (qu'on se rassure), *qui témoignent de l'inépuisable besoin que tout être éprouve de sentir autour de lui une chaleur humaine. En prison surtout.*

En août, elle s'offre quatre mille cinq cents francs de lingerie. Volupté, chaleur humaine ! Tout lui sourit, on lui permet même de faire l'acquisition de manuels de médecine, qui lui étaient jusqu'alors interdits en raison de ses tendances suicidaires, signalées dans son dossier. Le 25 septembre, elle décroche son CAP de couture – bingo. Il semble que tout aille pour le mieux dans le meilleur des mondes carcéraux, mais c'est justement parce qu'elle est coupée de l'extérieur, et qu'elle a eu la chance de tomber d'abord sur une éducatrice ouverte et intuitive. Celle qui la remplace est moins amicale et indulgente : *Nature complexe. On a l'impression d'une attitude qu'elle essaie perpétuellement de contrôler sans y arriver toujours. Manque de simplicité et de naturel.* (Mauvais, ça. Une femme, détenue de surcroît, qui n'est pas facile à cerner et ne se montre pas naturelle en toute circonstance, ça file un mauvais coton.) Pas de remise de peine cet été-là, contrairement aux précédents (je ne sais pas si c'est lié), mais on lui accorde tout de même un an de moins le 24 février 1959. Cinq mois plus tard, en juillet (Billie Holiday meurt le 17 dans un hôpital de Harlem, à quarante-quatre ans, épuisée et ravagée par l'alcool, le tabac, toutes sortes de drogues et pas mal d'autres choses moins pratiques à pointer du doigt), Pauline est très *vexée* (c'est le mot choisi par sa nouvelle éducatrice, un autre serait sans doute plus approprié – frustrée ? furieuse ?) qu'on lui refuse l'autorisation de commencer des cours en vue d'obtenir une licence de droit. *Elle a du mal à contenir sa colère. Mais chez elle, tout est calculé. Elle ne se détend que lorsqu'elle sort.* (Comme c'est curieux. Une femme emmurée depuis huit ans semble très à l'aise dehors mais fait tout un foin à l'intérieur ? Comédienne !) La conclusion apparaît d'elle-même : *Si elle est libérée, cherchera certainement à profiter de tous les plaisirs de la vie « dont elle a été privée » pendant sa détention.* (J'aime ses guillemets, qui sous-entendent : *soi-disant privée…*) Bref, méfiance !

Pourtant, le 22 septembre 1959, sans aucun préavis, on lui demande de faire ses (maigres) bagages : elle part pour la Petite-Roquette. Là, elle apprend que son excellente conduite, dont le directeur de Haguenau s'est fait l'écho, n'a pas laissé insensible en haut lieu. Elle a été pour ainsi dire graciée, et après quelques mois de liberté surveillée, qu'elle passera assignée à résidence dans une sorte de refuge religieux pour condamnées en voie d'affranchissement, elle sera libre. Le matin du 31 décembre, elle quitte la prison parisienne dans un fourgon, en direction de La Ferté-Vidame, entre Dreux et Alençon, où le révérend père Courtois dirige l'œuvre Sainte-Marie-Madeleine, installée dans une dépendance d'un ancien château en ruine. C'est là, la première nuit, qu'elle entre dans les années soixante. Elle est entourée de plusieurs femmes qu'elle a connues en centrale. Elle y passera, avec elles et d'autres parias en fin de peine, trois mois auxquels elle pensera encore au moment de mourir.

En février, sur le carnet de Pauline à Haguenau, où il n'y a forcément plus rien depuis la mention de son poids de sortie (*57,5 kg*), le 22 septembre, sa dernière éducatrice note : *Donne rarement de ses nouvelles.* L'ingrate…

Le 21 mars 1960, elle sort de la dépendance du château et retourne d'où elle vient, à Malo-les-Bains, où tout a commencé, au 6 rue des Fusillés. Elle s'y installe, seule avec sa mère.

Chapitre quarante-et-un

Décharnée

Pauline le savait bien avant de retrouver sa chambre à Malo, elle y pense depuis des années sûrement : elle ne s'enterrera pas ici. De tout – les rues, la plage, la digue de Mer, les villas, les gens, l'hôpital, l'atmosphère – sourdent des souvenirs pas tous désagréables mais qui lui donnent la nausée. Elle n'est pas la seule à ne pas avoir oublié. Il suffit de quelques heures pour que la moitié de la ville soit au courant que la fille Dubuisson est revenue. Celle qui a sali toute une région, l'honneur de ses habitants et la réputation de ses femmes. Il n'y a après tout que quinze ans qu'elle a été tondue. Et sept que toute la France lui est tombée dessus. Il lui serait impossible de vivre ici autrement que cloîtrée dans la demi-pénombre de la maison de sa jeunesse.

Elle a d'autres projets. Elle veut reprendre ses études de médecine, c'est désormais son seul but : au-delà, c'est obscur, elle ne pourra devenir un jour médecin – pédiatre ou autre – que si elle obtient sa réhabilitation, ce qui risque de s'avérer long et surtout compliqué, ou aléatoire ; et à côté, la vie sociale, l'amour, elle n'y pense même pas, ce n'est plus dans son champ d'action, l'agressivité de l'opinion publique, la férocité du procès et la durée de l'emprisonnement ont éteint tout ce qui se trouvait autour d'elle. Elle ne peut qu'essayer de revenir au moment où tout s'est arrêté, redevenir étudiante où elle voulait l'être : à Paris.

Hélène n'a plus d'autre but, non plus, que de l'aider de son mieux. C'est-à-dire, principalement, être près d'elle, l'accompagner. Elles se rendent toutes les deux plusieurs fois dans la capitale, où elles logent dans un hôtel proche du boulevard Saint-Germain, et trouvent assez rapidement un petit appartement à acheter, avec l'héritage d'André, rue du Dragon. Munie de cette adresse parisienne, Pauline peut s'inscrire à la faculté, à quelques minutes à pied de leur nouveau domicile. L'annexe de la rue des Saints-Pères est ouverte depuis sept ans, mais elle suivra ses cours dans les bâtiments de la rue de l'École-de-Médecine, que Félix arpentait encore la veille de sa mort, sa sacoche de cuir à la main, son tournoi de hockey en tête. Elle reculera de quelques mois avant le jour où elle l'a tué, pour recommencer, en octobre, le début de sa quatrième année.

Plus personne ne la connaît à la fac, Bernard Mougeot et Jacques Godel sont médecins, et Paris n'est pas Malo-les-Bains, mais elle sait que son nom est encore tapi dans les mémoires, qu'il en ressortira forcément à la moindre stimulation, et que si elle ne se cache pas, elle n'a aucune chance de mettre à profit le peu de possibilité de vie qu'il lui reste. Elle obtient du juge aux affaires familiales de Dunkerque et du procureur de la République le droit de changer de prénom. Elle s'appelle désormais, officiellement, Andrée Dubuisson. J'ai lu, à peu près partout où l'on en parle, que c'était un hommage à son père. C'est beau et fort, du miel pour psys (elle ne lui en veut pas de l'avoir malformée, ni poussée discrètement dans le lit des Allemands – et même, apparemment, au contraire !), mais la vérité est plus bassement administrative : c'est simplement son deuxième prénom, elle s'appelle Pauline Andrée Dubuisson, elle n'a fait qu'inverser l'ordre – devenir Jacqueline ou Samantha aurait été plus difficile.

Au printemps 1960, les deux femmes effacées s'installent rue du Dragon. Pauline encaisse un choc visuel et auditif de magnitude considérable. Les femmes s'habillent bizarrement, librement, plutôt court et léger, avec de la couleur et de la fantaisie, Barbie vient de naître, le vichy rose de Bardot fait fureur, les tractions avant de Citroën, grosses et rondes et noires, ont été remplacées par des Ford et des Alfa Romeo sportives, jaunes ou vert pâle, Elvis a envahi le monde et Johnny Hallyday apparaît, le rock'n'roll et la télévision, imperceptibles en mars 1951, sont partout.

Elle ne le sait pas, très certainement, mais au mois de mai, dans les kiosques, on trouve le n° 172 du mensuel *Réalités*, un épais magazine d'information et de réflexion sur la société. La une est plus que sobre, sans autre texte que le titre, en caractères mauves et de taille modeste, en haut à gauche : sur un fond uniformément noir, impensable aujourd'hui, un ovale se découpe, dans lequel un officier genre Garde républicaine, moustachu, semble faire la cour à une soubrette pensive qui se touche le menton du bout de l'index (la photo est volontairement kitsch et réalisée dans un style vieillot, carte postale de début de siècle – ils posent devant un fond peint). Elle illustre un dossier de ce numéro, consacré à la possibilité, moderne, de choisir un métier, ou même d'en changer en cours de vie. Dans le sommaire, un court texte explique : *Autrefois, la profession était le plus souvent reçue avec la vie : c'était un état.* (Il est soldat, elle est femme de ménage.) *Aujourd'hui, dans une société en évolution, le métier est un moyen d'ascension. Cette montée, comment les Français la conçoivent-ils ?* (Dans l'article, on apprend entre autres que le métier que lesdits Français considèrent comme le plus prestigieux est chirurgien (il devance diplomate de peu), et le moins, terrassier (d'une courte tête devant tueur aux abattoirs) ; que le plus agréable est artiste peintre, et le moins, mineur (devant terrassier et tueur aux abattoirs, qui ne sont pas à la fête) ; au niveau de la *valeur morale*, le choix se porte sur médecin et ecclésiastique, et le rejet, sans hésitation, sur chiromancienne et croupier ; pour l'avenir, on pense surtout à ingénieur, chercheur scientifique, pétrolier et pilote de ligne, et on ne laisse que peu d'espoir à ébéniste, employée de maison (au féminin) et cordonnier. Interrogés, des lecteurs donnent plus précisément leur avis. Cafetier ? *« Ça paie bien mais ça encourage le vice public. »* Homme politique ? *« Réservé aux malins et aux crapules. »* (Et on dit que l'image de l'homme politique est aujourd'hui en pleine dégringolade ?) Acteur de cinéma ? *« Ces gens-là sont très survoltés. Ils mènent une vie complètement déréglée. »*) Dans ce numéro de *Réalités*, on trouve aussi des papiers sur le triomphe commercial des avions Caravelle, sur les renards, injustement décriés, l'Europe en train de se construire, les grands succès de la chanson française, la difficulté de vivre en Pologne, et celle de trouver un bon avocat : *Si vous étiez accusé, quel défenseur choisiriez-vous ? Les armes, les bottes secrètes et la stratégie oratoire des Quatre Grands du barreau de Paris.* Les Grands en question, à chacun desquels le mensuel consacre deux pages, sont Georges Izard (spécialisé dans les affaires politiques et financières), Maurice Garçon, René Floriot et Paul Baudet. Le texte qui dresse le portrait de ce dernier est sous-titré : *L'appel à la grandeur d'âme.* (Pour Floriot : *Le coup de poing de la logique.*) Il débute par cette phrase : *Paul Baudet n'a pas seulement le plus beau style du Palais, il y est aussi, en quelque sorte, le porte-flambeau du christianisme.* Trois photos illustrent la suite : la première du jeune Jacques Fesch au moment de son arrestation, la moitié du visage en sang, cerné par trois gendarmes ; la deuxième de Baudet plaidant (au second plan, un visage tragique et très pâle, celui de Pauline) ; la troisième, qui est aussi la dernière du dossier, dans le quart inférieur droit de la dernière page, de Pauline seule, le jour où elle a été emmenée pour la première fois au quai des Orfèvres, épuisée, la tête inclinée et les yeux fermés, enveloppée dans le grand manteau de Félix.

Un dentiste de la place Chefchaouni, à Essaouira (qui ne s'appelle plus Mogador depuis quatre ans), le docteur Boulier, passionné peut-être par la variété française, l'aviation, les renards ou les affaires criminelles, ou simplement fier que la profession de médecin soit considérée comme ayant la plus haute valeur morale (sa femme est généraliste – leurs deux cabinets se trouvent au premier étage d'un petit immeuble, leur appartement au deuxième), conserve ce numéro de *Réalités*. Il le pose sur la table basse de sa salle d'attente. On sait comme les journaux y restent longtemps, sur les tables basses des salles d'attente.

Les premières semaines, Andrée sort rarement. D'abord parce qu'elle a perdu l'habitude, ensuite parce que le regard des autres l'inquiète. Mais elle reprend peu à peu, avec prudence, confiance : en ce mois de juin, lorsqu'elle va faire les courses ou se renseigner à la fac, personne ne semble prêter attention à elle. On l'a oubliée. Ou plutôt, on ne fait pas le lien entre les unes tonitruantes des journaux de 1953 et cette passante blême et usée, à peine visible. Car elle a changé. Elle a maigri, ses traits se sont creusés et tirés – en sept ans, elle en a pris quatorze. Elle n'est plus la petite femelle qu'on a condamnée. Seul un ado du quartier se souvient d'elle, la "remet". Quand il la croise sur le trottoir de la rue du Dragon, il reconnaît immédiatement la femme dont il a conservé une photo de *Paris-Match* dans sa boîte à faits divers (car « Son visage m'effrayait, me fascinait, m'intriguait »). Il a quinze ans, il s'appelle Patrick Modiano, et depuis qu'il a huit ou neuf ans, il collectionne les articles sur ce genre d'affaires (ça paraît très jeune – à cet âge-là, je commençais à découper dans *Paris-Turf* ou *Spécial Dernière* les photos de mes chevaux de course préférés, Une de Mai, Bellino II, Fakir du Vivier...) : dans le *Paris-Match* n° 245, du 28 novembre 1953 (qui présentait, en couverture, la femme du dernier chah d'Iran, la belle Soraya, qu'on appelait *la princesse aux yeux tristes*), quatre pages étaient consacrées au procès, dont une partie à Raymonde Gourdeau, la jurée qui a sauvé la tête de l'accusée. On y trouvait deux photos de Pauline, celles qu'il a dû garder : sur l'une, elle avait les yeux baignés de larmes, comme disait Jean Laborde, sur l'autre, elle était debout dans son box, altière et impavide (en la regardant, on – a fortiori un enfant – peut effectivement se sentir effrayé, fasciné, intrigué). Rue du Dragon, le jeune Patrick est trop timide ou discret pour lui adresser la parole, mais cette rencontre platonique et furtive le marquera définitivement. Il en parlera encore à cinquante-huit ans, à soixante-cinq ans aussi, et à soixante-neuf ans toujours, après son prix Nobel. J'aime penser que Pauline, éphémère, préoccupée, l'a frôlé adolescent dans la rue, sans le savoir évidemment.

La vie avec Hélène est fade, monotone, la vie est triste, mais ça va. La rentrée universitaire se passe bien, anonymement. Reprendre les études est une joie, les amphithéâtres, les cours de biologie ou d'anatomie, une petite joie. Pauline oscille en permanence entre le déséquilibre et l'équilibre, tout paraît précaire, mais ça va. Andrée est une parmi des millions. (Après un dernier échange de courrier, sa dernière éducatrice à Haguenau inscrit un dernier commentaire, d'une rare sagacité (et teinté, me semble-t-il, d'une nuance de reproche un peu dépité), sur le carnet de comportement de Pauline Dubuisson, 282 TF : *On sent bien que ce qui l'intéresse le plus, c'est la vie à Paris.*)

Ça va, et soudain, le 2 novembre 1960, un film apparaît, plop, sort partout dans les salles parisiennes et françaises : *La Vérité*, d'Henri-Georges Clouzot. Le réalisateur ne l'a pas explicitement confirmé, mais on le sait, on l'écrit dans les journaux, c'est l'histoire de Pauline Dubuisson, souvenez-vous. Une histoire bizarrement retracée, comme toujours.

Peut-être à cause des problèmes qu'il a eus à la Libération (on ne lui pardonnait pas *Le Corbeau*, produit en 1943 par une société allemande et stupidement accusé de refléter une image trop noire des Français, que certains ont même assimilé à de la propagande nazie – il a été banni à vie du cinéma français, avant de retrouver le droit de réaliser des films en 1947, grâce à un comité de soutien composé de confrères et d'intellectuels), ou plus pragmatiquement pour simplifier le scénario, Clouzot a entièrement occulté la jeunesse de son héroïne : elle n'a pas grandi pendant l'Occupation, dans une forteresse bombardée tous les jours, elle n'a pas couché avec des Allemands ni n'a été sauvagement tondue. Elle n'a pas eu un père involontairement dévastateur (juste un butor autoritaire, comme tant d'autres). Elle n'est pas non plus étudiante en médecine. Pour que l'histoire soit plus crédible et compréhensible (qui va s'identifier à une jeune femme intelligente et cultivée ? ou bien qui va croire qu'une femme intelligente et cultivée puisse tuer un beau garçon prometteur, sain et droit ?), l'accusée est une jolie blonde sans beaucoup de cervelle, oisive (« Je fais un peu rien », dit-elle), insouciante et délurée, qui n'attend de la vie que de l'amusement.

D'un côté, c'est une bonne chose, Clouzot et ses cinq scénaristes (dont Véra, sa femme, et Christiane Rochefort) ne prétendent pas raconter l'histoire de Pauline, ils s'appuient dessus – en particulier sur son procès, qui est le corps du film, entrecoupé de flash-backs. C'est plus honnête. La meurtrière qu'on juge ne s'appelle pas Pauline Dubuisson, encore heureux, mais Dominique Marceau. On ne lui reproche pas d'avoir soulagé les Boches à treize ans, mais d'aller au cinéma trois fois par semaine (on voit le genre de fille), d'avoir lu *Les Mandarins* de Beauvoir à dix-huit ans seulement (un roman auquel, en passant, elle dit n'avoir rien compris : « C'était barbant ! ») et d'avoir pris un amant peu après, sans aucune intention de l'épouser. Dans l'ensemble, Dominique Marceau est Pauline Dubuisson comme moi Rembrandt, mais on souligne à plusieurs reprises ses deux principaux défauts, ceux que l'on a toujours prêtés à Pauline : l'orgueil et l'égoïsme. Elle est incarnée par Brigitte Bardot. Samy Frey joue Félix (Clouzot avait d'abord pensé à Jean-Paul Belmondo ou Hugues Aufray (ce dernier avait décroché le rôle, mais trouvant le réalisateur « d'une très grande brutalité verbale, pour ne pas dire d'une très grande vulgarité », il a quitté le tournage au bout de trois jours)) : il s'appelle Gilbert Tellier, c'est un jeune chef d'orchestre. Charles Vanel est un Paul Baudet plus cynique et détaché que le vrai, et Paul Meurisse un parfait René Floriot.

La nuit qui précède le dernier jour du procès, Dominique Marceau se suicide dans sa cellule (elle meurt le matin), après avoir rédigé, à l'intention du président du tribunal (Jadin, donc, qu'incarne Louis Seigner), une lettre qui commence par : *Je dois vous écrire dans le noir car je ne veux pas allumer ma veilleuse.* Même si les personnages sont différents et si une bonne partie de l'histoire n'a rien à voir avec celle de Pauline, de nombreux détails sont repris au geste ou au mot près, disséminés dans le film comme des repères qui permettent de garder l'original à l'esprit. Après leur séparation, il se passe six mois sans que Dominique cherche à revoir

Gilbert (ce qu'on lui reprochera, bien entendu), jusqu'à ce qu'elle apprenne qu'il va se marier (non pas avec une jeune et blonde étudiante en lettres, mais avec Annie (Marie-José Nat), la sœur brune, violoniste et sérieuse de Dominique). Quand elle soutient qu'elle a bien passé la nuit avec lui, avant qu'il ne la jette au matin, elle dit : « Il m'a prise dans ses bras comme autrefois. » Sa tentative de suicide après le meurtre est, selon les psychiatres, « théâtrale, nous n'avons pas dit simulée ». Paul Meurisse prononce le célèbre : « Vous ne réussissez que vos assassinats. » Mort, Gilbert est à genoux dans la même position que Félix, le buste appuyé non pas sur le coussin du fauteuil, mais sur une table basse au centre de la pièce. Les trajectoires des balles sont identiques à celles des balles qui ont tué Félix, les mots prononcés par l'expert à la barre sont extraits du véritable rapport d'autopsie. C'est là que c'est moins honnête : on comprend que la *vérité* cachée sous les apparences est celle de l'affaire Dubuisson – comme en lisant une fable de La Fontaine, on sait bien qu'il n'est pas réellement question de renards ni de corbeaux, et que les flatteurs n'attendent pas réellement des camemberts au pied des arbres. Sur certains points, on peut dire que le film est favorable à Pauline. Gilbert, pantouflard et jaloux, fait tout pour mettre Dominique sous clé (« C'est plus de l'amour, c'est de la conserve », lui dit-elle), ne pense qu'à baiser, mais avouera après leur dernière nuit : « Il me semble que je ne t'ai jamais aimée. » Lors de sa plaidoirie, Charles Vanel dit ce que Baudet, parmi tant d'autres choses, n'a pas dit : « Après leur rupture, qui s'effondre ? Lui ? » Gilbert-Félix profite bien d'elle une dernière nuit, avant de la balancer sans ménagement ni tendresse sur le trottoir – « Fais pas cette tête-là, quoi, c'est pas un drame ! » (En passant devant la fenêtre de la concierge, il lui appuie fort sur la tête pour qu'elle ne soit pas visible. Je n'avais pas pensé à ça, que Félix ait peut-être pu volontairement laisser Pauline à l'écart de la fenêtre de Mme Maitrot quand il est entré chercher son courrier. Ce serait sensé.) Au procès, l'affrontement des vieux contre la jeune, des hommes contre la femme, est fidèlement reproduit – Clouzot insiste même en faisant dire à l'un des amis de l'accusée, à la barre : « Il faudrait que Dominique soit jugée par des jeunes. » Certaines inventions des scénaristes vont aussi dans le sens d'un soutien à Pauline, aux jeunes femmes de l'époque, comme ce dialogue entre Dominique et le président :

— Je ne pensais pas au mariage, je voulais qu'on soit heureux, c'est tout.

— Et pour vous, le bonheur n'est pas compatible avec une vie honnête ?

— Je vois pas ce qu'il y a d'honnête à se faire épouser.

Mais sur un point principalement, l'impression qu'a le spectateur, suscitée par Clouzot, de pouvoir obtenir l'essence du vrai par le filtre du faux, joue contre Pauline – et pas de main morte. Au moment où l'on se dit : « OK, on a compris, derrière tous ces costumes, ce maquillage et ces artifices, c'est bien Pauline Dubuisson », vient la scène du meurtre. La thèse de Meurisse-Floriot (qui s'appelle, un peu facilement mais efficacement, maître Éparvier) est que la première balle a été tirée par Dominique dans le dos de Gilbert. Floriot n'en avait fait qu'une hypothèse vicieuse, Éparvier est résolument affirmatif, et surtout, c'est ce qu'on voit dans le flash-back, ce qui porte donc le tampon de l'authentique : Pauline place le canon sous son menton, Félix lui suggère de ne pas hésiter à appuyer sur la détente, lui tourne le dos, méprisant, et c'est à ce moment qu'elle fait feu sur lui, dans un accès de colère ou de désespoir, mais en traître, pour punir, pour exécuter. Il pivote ahuri, elle tire la deuxième balle dans le front. Dans le film, c'est crédible, puisque Gilbert est au milieu de la pièce, où se trouve la table basse sur laquelle il tombe, et Dominique près de la porte. Dans la réalité, ce n'est pas possible, je l'ai déjà écrit, étant donné l'endroit où on l'a retrouvé et les traces de poudre sur sa chemise : cela signifierait qu'il s'était inséré avec elle dans l'espace de quarante centimètres entre la table et le fauteuil, tout en lui tournant le dos.

En sortant du film, on a le sentiment de savoir. D'être allé, malin, au-delà des apparences. Je ne sais pas si c'est volontaire de la part de Clouzot. Mais déformer ostensiblement la réalité pour laisser croire que la vérité se cache quelque part sous la fiction, c'est précisément ce dont parlait Paul Valéry, plus faux que faux, pire que le mensonge. Ce qu'on garde en tête, avec la conviction d'être dans le vrai, c'est : Pauline, intelligente ou pas, bafouée ou non par Félix, était une fille légère et ne pensant qu'à son plaisir ; elle n'a pas supporté d'être quittée pour une autre ; elle aimait Félix, peut-être, c'est un crime passionnel, d'accord, mais finalement, une exécution glaciale, dans le dos.

(Après le tournage, le 28 septembre 1960, Brigitte Bardot, qui avait déjà fait une tentative de suicide dix ans plus tôt quand ses parents l'empêchaient de voir Roger Vadim, essaie à nouveau de se tuer en avalant des barbituriques avec du champagne, et en se tailladant au couteau les veines des deux poignets. (Quand elle reviendra dans la lumière, après plusieurs jours à l'hôpital et une longue convalescence terrée, on se moquera d'elle : c'était du cinéma, comme toujours, ça n'a trompé personne. Elle recevra une lettre anonyme qui rappelle curieusement, hasard ou pas, des paroles de René Floriot : *La prochaine fois, jetez-vous du septième étage. Ça fera une salope de moins sur terre.*) C'est le jour de son anniversaire, elle a vingt-six ans – la dead-line (qui porte bien son nom anglais) que s'était fixée Pauline. La presse, ironique ou mélodramatique, avancera qu'elle n'a pas supporté la dureté, la cruauté de Clouzot sur le tournage. (Dans la scène du matin après la dernière nuit avec Gilbert-Félix, Bardot n'arrive pas à pleurer suffisamment (elle est comme Pauline, ce n'est pas dans sa nature) – au contraire, elle rigole. Pour la remettre sur la bonne voie, Clouzot la gifle violemment devant toute l'équipe. La petite femelle lui rend sa baffe aussi sec et fort. On n'a jamais fait ça au maître, personne. Elle est en peignoir, pieds nus. Il lui écrase les orteils d'un coup de talon et crie : « Moteur ! » Mais elle refuse de jouer, elle quitte le plateau, en pleurs et boiteuse mais la tête haute. Il ne lui pardonnera pas et se montrera despotique et féroce jusqu'à la fin du tournage.) Cette explication me paraît bien tarte, Brigitte Bardot veut mettre fin à ses jours parce qu'un réalisateur a été méchant avec elle ? Elle est plus solide que ça. Mais sa vie privée vient de prendre une direction inattendue, elle est instable, vacillante en ce début d'automne. Et sa superposition avec Pauline a pu la déstabiliser au point de la faire tomber (Pauline Dubuisson, même quand on ne fait que jouer son personnage, on veut mourir). Dans ses Mémoires, lorsqu'elle raconte comment elle s'est concentrée avant son monologue dans le box, face aux vieux juges, elle écrit qu'elle s'est confondue avec son rôle : *J'attendis une seconde ou deux. Je les regardais, ceux-là, qui me jugeaient parce que j'osais vivre.* La jeunesse, le passé de BB sont aussi différents que possible de ceux de Pauline, la première a poussé dans le coton et les belles pierres, la seconde dans la boue et les ruines, mais leurs vies se croisent brièvement. Au début du tournage, Bardot est mariée depuis moins d'un an à Jacques Charrier (elle a porté ce jour-là une robe vichy qui a fait sensation), ils ont eu un enfant cinq mois plus tôt. Charrier ferait un bon Félix, en version extrême : il a vingt-trois ans (l'âge de Félix quand il a rencontré Pauline), il est jaloux et s'agrippe pathétiquement aux bonnes traditions phallocrates d'avant-guerre (il empêche sa femme de lire le scénario de *La Vérité*, qu'il considère comme dégradant pour elle, donc pour lui, pour sa famille tant qu'on y est, il intercepte tous les courriers envoyés par l'équipe de Clouzot, il lui interdit d'accepter ; elle parvient à manœuvrer dans son dos et signe pour le rôle ; vaincu, il essaie sans cesse de s'incruster sur le tournage, bélier désespéré, mais le producteur Raoul Lévy le repousse fermement : Charrier tombe en dépression et se fait hospitaliser un mois dans une clinique de Meudon, pour une cure de sommeil réparateur), *Paris-Match* le présente comme *le gentil et pur Jacques Charrier*, et le docteur Dupouy, qui veille sur lui à Meudon, témoigne : « Jacques est un timide, un idéaliste, il est doux, sérieux, passionné, incapable de calcul, maladroit et surtout hypersensible. » Il voudrait enfermer Bardot, le regard des autres hommes sur elle le rend fou, il les soupçonne tous de se l'envoyer entre deux prises, surtout Raoul Lévy, l'homme qui a produit *Et Dieu créa la femme*, un flambeur insouciant (qui a fini par se tirer une décharge de chevrotine dans le ventre à quarante-quatre ans, quand même), riche et brillant, irrésistible (il a les yeux de Casanova), noceur et sûr de lui : le professeur Blandin de l'histoire. La dépression de Charrier, feinte ou réelle, ne changera rien, n'aura pas l'effet escompté : sa femme, en un mois d'hospitalisation, ne lui rend visite qu'une fois, à peine cinq minutes. (Mais son médecin justifie ce détachement dans *Paris-Match* : « C'est en cela que consiste le traitement : soustraire le malade à tout ce qui l'entoure, pour lui permettre de restaurer ces forces nerveuses. Il faut sauver ce garçon. Il tourne en rond, son état passe par des alternatives de prostration totale et de périodes de surexcitation. » (Et on trouve que les journaux comme *Voici*, aujourd'hui, ne respectent pas assez la vie privée des "people" ?) Sur le tournage du film, Brigitte Bardot tombe amoureuse de Samy Frey, Gilbert, Félix. Il vivait avec Pascale Audret, la sœur d'Hugues Aufray, il la quitte pour Brigitte, Dominique – Pauline dans une moindre mesure. La star est mariée, mère d'un garçon de neuf mois, sa vie explose, retourne à zéro, même un beau zéro, elle vient d'incarner une femme dont la vie a explosé : elle superpose, peut-être, et se tue le jour de ses vingt-six ans. Mais il est certain qu'on ne sait jamais pourquoi les gens décident, follement, de mourir. (Mon amie Lucette me racontait hier, au comptoir, que son grand-père craignait d'avoir la tuberculose. C'était au début de l'Occupation. Il avait fait des analyses, il attendait les résultats, dans sa maison de Surgères, en Charente-Maritime. Il se voyait souffrir ignoblement pendant des mois avant de crever comme un misérable dans un lit d'hôpital sordide (dirigé par des Allemands ?), il se voyait en poids insupportable, et pitoyable, pour sa femme et ses enfants. Il avait si peur de découvrir le verdict du laboratoire – il se voyait ouvrir l'enveloppe et s'effondrer – qu'il s'est suicidé au gaz avant de le recevoir, pour s'épargner cette épreuve. Il est mort. Le courrier est arrivé le lendemain dans leur boîte aux lettres, le grand-père n'avait rien.))

Il est impossible de concevoir, de partager, ce que peut ressentir Pauline, Andrée, quand elle passe, le matin pour se rendre à la fac et le soir pour en revenir, devant les cinémas du boulevard Saint-Germain, à Odéon, sous la grande affiche du film (en noir et blanc avec un titre jaune, les couleurs de la Série Noire), sur laquelle le visage de Bardot, de trois quarts face, ses yeux dans le vide, égarés, sa bouche entrouverte, semblent se tendre vers quelque chose qui s'éloigne, qu'elle n'atteindra jamais. Et elle n'a pas fini de la voir, le film est un triomphe : le fait divers dont on se souvient ; le premier rôle tragique de BB (on parle de *métamorphose*, de *révélation*) ; son suicide à la fin du tournage, son amour passionnel avec Samy Frey ; et puis aussi, il y a du cul : on voit les fesses de Bardot en gros plan, son sein droit pendant un quart de seconde et, derrière une paroi de verre dépoli, les deux seins de Marie-José Nat en culotte. Plus de cinq millions de personnes s'entasseront dans les salles. Pauline est revenue dans tous les esprits.

Il est impossible de concevoir, de partager, ce qu'elle ressent un après-midi de novembre, rue de l'École-de-Médecine, à la sortie de ses cours, quand un homme d'une trentaine d'années s'approche d'elle d'un pas vif, s'arrête devant elle et lui demande : « Vous êtes Pauline Dubuisson ? »

Devant le succès du film, plusieurs rédacteurs en chef de journaux ont eu l'idée de demander à leurs limiers de retrouver le modèle de l'héroïne, dont on sait qu'elle a été libérée mais dont on a perdu la trace. Parmi ceux qui partent à sa recherche, le plus pro ou le plus intelligent peut-être est Pierre Joffroy, de *Paris-Match*. Je ne sais pas s'il a entamé son enquête du côté de Malo-les-Bains, en interrogeant les anciens voisins, peut-être la famille (Gilbert et Solange ?), ou bien si, perspicace et intuitif, il a compris qu'elle n'avait pu avoir d'autre désir que de reprendre ses études, pourquoi pas à Paris, derrière Félix, comme elle le voulait avant que tout ne s'arrête, s'il a appris qu'une Andrée Dubuisson s'était inscrite et, on ne sait jamais, fait le pied de grue à la sortie de la fac en scrutant, concentré, tous les visages – dont un moins jeune, moins enthousiaste, plus fermé, ces yeux pourraient être les siens.

Parce qu'il a l'air sympathique et sincère, ou parce qu'elle craint d'être poursuivie, harcelée si elle le rejette, elle accepte de lui donner rendez-vous le lendemain matin, au siège d'une association protestante dont elle est la secrétaire bénévole depuis deux mois, dans une petite rue sombre du Quartier latin. C'est elle qui lui ouvre la porte. Comme Roger Grenier avec Sylvie Paul, il a encore du mal à se convaincre que c'est bien *la fille solide, presque farouche, pleine de charme et de défi*, qui a tenté de faire face à la foule dans le box du Palais de Justice. Elle a *le visage décharné, creusé à la flamme, et le corps maigre*. Comme Sylvie Paul encore, ce sont les yeux d'Andrée qui gardent le souvenir de Pauline, et prouvent qu'elle n'a pas été complètement détruite : *mobiles, perçants, pleins de feu.* Il la pense nerveuse, mal à l'aise, mais constate que ses mains ne tremblent pas, elle se domine, sa voix est claire et posée – même si, il le sait, le perçoit, elle a peur. Elle lui parle franchement, directement : « Je travaille, j'apprends. J'ai repris mes études. Dans cinq ou six ans, je serai médecin, si on me le permet. J'essaierai d'obtenir ma réhabilitation, mais… » Elle le regarde dans les yeux, comme l'ancienne Pauline : « Le danger, c'est vous, les journalistes. J'ai changé de prénom, mais ce n'est pas assez. Il a suffi de ce film pour qu'on me retrouve. Comprenez-moi : je n'ai pas peur que l'on sache qui je suis sur le plan personnel, mais la foule, l'opinion, mes camarades de faculté, l'un ou l'autre, si vous parlez de moi, finirait par faire le rapprochement. » Sans se rabaisser, sans le supplier, elle lui explique que l'anonymat est sa dernière chance ; que son avenir, si elle en a un, ne tient qu'à ça. Elle veut pouvoir continuer à vivre. Elle le dit sans mélo, sans pathos, sans chercher d'effet d'émotion ni de compassion, elle en parle comme d'une condition au maintien d'un état, ce n'est presque qu'un constat technique. *C'était la même pudeur, la même retenue qu'autrefois, qu'on pouvait prendre pour de la sécheresse ou du cynisme. Ce n'est pas ainsi que je le pris. Sept ans après, la plaidoirie de maître Paul Baudet atteignait enfin quelqu'un : un journaliste au lieu des jurés… C'était un peu tard peut-être, mais ce n'était pas trop tard.*

Pierre Joffroy est un bon journaliste. Et un type bien. (C'est un ami et compagnon d'écriture, depuis ses vingt ans, d'Armand Gatti, qui a défendu Pauline lors du procès bien avant qu'on ne trouve – « Oh ! » – le châtiment exagéré.) Il n'a pas besoin de se tâter le cœur bien longtemps. Il n'écrira pas l'article qui lui aurait pourtant valu pas mal de félicitations et de tapes dans le dos, sacré Pierrot, toujours là où il faut, bien joué ! Il ne révélera même pas à son rédacteur en chef qu'il a retrouvé Pauline Dubuisson. Il ne l'avouera qu'un peu plus de trois ans plus tard.

Andrée est soulagée, temporairement, mais pas tranquille. Elle a le sentiment qu'on l'observe. Si un journaliste a réussi à la localiser, pourquoi pas un autre, trois, cinq ? Le film continue à faire beaucoup parler, en décembre encore. Elle se retourne dans la rue pour s'assurer qu'on ne la suit pas. Aux étudiants qu'elle côtoie, dont la plupart doivent être bien émoustillés par Bardot la bombe (« T'as vu son cul, mon vieux ? »), elle essaie de ne donner, si possible, que son prénom. En sortant de la fac, elle cache ses cheveux sous un foulard. Elle se demande si elle ne devrait pas porter des lunettes noires. Ce serait ridicule. Elle étouffe. Dans l'appartement, la vie avec la vieille Hélène prostrée ne l'aide pas à respirer – elle s'est confiée à Joffroy, qui évoquera, lorsqu'il racontera leur rencontre, *le long, l'interminable calvaire de sa mère*. Elle ne peut pas continuer comme ça, ce n'est pas la mort mais c'est moins que la vie – même qu'une vie pauvre et triste. Elle étouffe mais ne peut rien faire. La seule possibilité serait d'abandonner ses études et d'aller se tapir dans un coin de campagne, hors de vue du premier village. Autant mourir. Alors non. Elle est obligée de laisser passer les jours, à demi vivante, souterraine et anxieuse. L'avantage, c'est qu'elle consacre chaque minute de son temps aux études. Elle réussit brillamment ses examens de fin de quatrième année.

À l'automne suivant, elle pourrait se détendre, on l'a de nouveau oubliée. Le film n'est plus à l'affiche que dans une salle ou deux, les journaux se sont depuis longtemps désintéressés de son affaire, personne ne pense à elle. Mais le qui-vive est devenu pour elle un état permanent, elle n'arrive pas à se défaire de la sensation de n'être que provisoirement dissimulée, de l'angoisse qu'on barre le couloir étroit dans lequel elle avance, et que toutes les portes latérales se referment, définitivement. Elle a raison de se méfier.

Au printemps 1962, revoilà Madeleine Jacob, la tendre et juste. Elle publie un livre aux éditions Les Yeux ouverts : *À vous de juger* (elle nous met tous les éléments et preuves en main, ça devrait aller comme sur des roulettes). Elle y retrace des affaires qui l'ont passionnée, dont elle connaît tout, celles de Gaston Dominici, de l'abbé Desnoyers (l'immonde curé d'Uruffe, qui a éventré une paroissienne de dix-neuf ans qu'il avait mise enceinte, Régine Fays, a sorti de son utérus la petite fille de huit mois qu'elle portait, l'a baptisée parce qu'on n'est pas des sauvages puis lui a copieusement tailladé le visage, minuscule, pour éviter qu'on ne murmure : « Dis donc, il ressemble pas un peu au curé, ce bébé mort ? »), de Sylvie Paul, de Pierre Jaccoud (un avocat suisse accusé (probablement à tort) d'avoir tué à coups de fusil et de couteau le nouvel homme de son ancienne maîtresse, qu'il appelait Poupette (les journaux ont décrété que ce serait l'*affaire Poupette*, ce qui n'est sans doute pas étranger à son succès médiatique) : il était défendu par Floriot, et les jurés indécis l'ont condamné à sept ans de prison – c'est assez suisse), et de Pauline Dubuisson. Sur elle (qu'on voit en photo dans le livre, en gros plan), Jacob écrit un tas d'immondices. *Elle ne fit qu'échanger ses malsaines curiosités de gamine contre des désirs sans sincérité, sans passion, mais calculés, lourds d'une volonté destructrice, ravageuse, dévastatrice* (elle a un bon dictionnaire de synonymes). Elle pénètre dans son esprit, elle sait ce qu'elle pense : *Félix parti, elle l'oublie sans effort, sans douleur. Et le jour où elle apprend qu'il l'a oubliée, qu'il vient de se fiancer à une jeune fille, Mlle Mercier, étudiante en lettres, et que le mariage aura lieu, la nouvelle la trouve parfaitement sereine. À la réflexion, peut-être éprouvera-t-elle qu'elle est vexée. Mais elle ne s'attarde pas à ce sentiment qu'elle estime susceptible de l'amoindrir.* La grande dame offre à ses lecteurs ses déductions pour l'avenir : *C'est une fille qui n'aimera jamais. Elle demeure convaincue que c'est là justement sa force.* Elle sait que Pauline est toujours vivante et cherche sans doute à se faire oublier, elle sait que cette jeune femme qui tente de poursuivre ou de recommencer sa vie peut lire – va lire, même, c'est probable – ces mensonges sous lesquels elle l'ensevelit. Elle conclut ainsi ses dix-huit pages assassines : *Elle mène aujourd'hui une vie effacée. A-t-elle chassé de sa mémoire, de son esprit malade, les souvenirs sombres et désordonnés de sa jeunesse et de ce crime qu'elle a commis moins par jalousie passionnelle que par orgueil ?* Enfin, elle regrette qu'elle soit dehors : *La perpétuité n'a plus cours aujourd'hui. La perpétuité n'est qu'une formule. Pauline Dubuisson a repris sa route libre. Quelle route ?*

Quelle route ? c'est aussi ce que doit se demander Pauline. Le livre de Jacob connaît un certain succès. Même si elle a maigri depuis, la photo publiée la désigne comme une affiche *Wanted* au Far West. C'est elle, la fille à l'esprit malade, qui n'aimera jamais : retrouvez-la, que la perpétuité ait un sens ! Pauline se sent cernée, elle comprend qu'elle ne s'en sortira pas.

Jusqu'à ce qu'elle tombe, à la fac, sur une annonce affichée devant le secrétariat. Un hôpital français au Maroc cherche des internes – éventuellement des infirmières et même des médecins, toute aide est bienvenue. Le logement est fourni. Il faut envoyer un dossier de candidature au *docteur Joseph, médecin-chef de l'hôpital de derb Laâlouj à Essaouira (anciennement Mogador).*

Elle est en cinquième année, la prochaine sera la dernière du deuxième cycle, celle où à cette époque les étudiants doivent effectuer ce qu'on appelle un "stage interné" d'un an. Elle n'hésite que le temps de marcher jusqu'à la rue du Dragon. C'est ailleurs, Essaouira. Et loin. De l'autre côté de l'Espagne, de l'autre côté de la mer. Elle ne sera certainement pas heureuse, elle ne peut plus, mais au moins elle ne craindra rien, là-bas, elle se sera arrachée à la ville où elle a tué, au pays qui la condamne, au sol dans lequel elle s'enfonce. Pauline restera pour toujours dans les belles villas de Malo-les-Bains, dans sa chambre de la place du Temple à Lille, dans la cage d'escalier du 25 rue de la Croix-Nivert, floue dans les gestes de Brigitte Bardot et hideuse dans la tête de Madeleine Jacob ; Andrée travaillera loin d'elle, en blouse blanche, à l'abri dans une vieille médina pétrifiée de chaleur. (Mogador, le nom doit lui plaire : qui peut trouver Mogador ?) Elle fera le métier qu'elle aime, elle ne peut pas espérer mieux occuper le reste de son existence. Elle pourra continuer, même faiblement, même seule. Et même si cela signifie qu'elle doit abandonner sa mère. Aucune des deux femmes ne peut rien pour l'autre. Elles s'aiment mais ne parlent pas, ne s'aident pas. Hélène n'attend que la mort, le moment où elle rejoindra ses fils, son mari, ses frères et sœurs, son violon. Avec le peu d'énergie qu'elle a, elle encourage sa fille à partir, à tenter de recommencer.

Pauline constitue son dossier – sa candidature ne sera évidemment prise en compte que si elle réussit ses examens de cinquième année, mais elle n'est pas très inquiète sur ce point. Elle y joint une longue lettre de motivation dans laquelle elle a pris la décision délicate de ne rien cacher de son passé, du moins récent : elle ne revient pas sur son peu de résistance adolescente aux Allemands ni sur sa punition à la Libération, on n'est pas non plus à confesse, mais elle révèle qu'elle s'appelle non pas Andrée mais Pauline Dubuisson et, sans chercher à atténuer sa responsabilité, qu'elle a tué son ancien amant, qu'elle a été condamnée, qu'elle n'est sortie de prison que deux ans plus tôt. Elle n'y était pas obligée. Elle prend le risque, c'est peut-être le dernier geste de son ancienne vie, celle de la Pauline coupable. Elle termine sa lettre par : *J'ai une bonne santé. Ce que je veux, c'est un travail difficile. Aucune tâche ne me rebutera.* L'association protestante qui l'emploie bénévolement appuie sa requête, en fournissant un genre de certificat de bonne moralité.

Trois semaines plus tard, elle reçoit une réponse du docteur Joseph. Il accepte de l'accueillir dans son hôpital lointain. Il n'a peut-être pas trop le choix, il ne doit pas être submergé par les candidatures (depuis la fin du protectorat français, en 1956, le Maroc n'est plus une destination très prisée par les apprentis médecins (ni par les apprentis notaires ou boulangers), et en 1962, Essaouira est à peu près aussi touristique et attrayante que Tripoli ou Maubeuge), mais Pauline sent dans sa lettre une certaine sympathie qui l'encourage, elle devine un homme altruiste et bienveillant. Il l'informe qu'il a fait part de son "secret" à son épouse, mais qu'il n'en dira rien à personne d'autre, elle peut venir tranquille.

Au début du mois d'octobre 1962, à l'aéroport d'Orly, avec une ou deux valises, elle monte pour la première fois de sa vie dans un avion, à destination de Rabat ou Casablanca – probablement une Caravelle.

Chapitre quarante-deux

La fille aux cheveux rouges

En quelques semaines, Andrée a beaucoup changé. Elle n'est plus la créature osseuse qu'a rencontrée Pierre Joffroy, elle a repris quelques kilos, son visage s'est adouci, ses traits sont clairs et lisses : elle ne ressemble plus à une fille farouche, mais à une jeune dame (en ce qui me concerne, je préfère son air sauvage à son air convenable, mais il ne lui a pas vraiment porté chance, son air sauvage). Tout le monde ici pense qu'elle est médecin, on l'appelle « Docteur ». Ses cheveux, qu'elle a un peu coupés, ont éclairci au soleil : ils n'ont plus cette troublante couleur roux sombre (si sombre que sur les photos en noir et blanc, on parierait un œil qu'elle est brune comme une Espagnole). Les enfants d'Essaouira, qui l'aiment et dont elle est proche, la surnomment « la fille aux cheveux rouges ». (La décoloration est spectaculaire, au point que je me suis demandé si elle était naturelle – en noir et blanc, Andrée paraît à présent châtain clair. Mais le médecin-chef de l'hôpital dit qu'il a vu ses cheveux progressivement roussir au soleil. Comme s'ils participaient, dans la mesure de leurs moyens, à l'effort de changement.) Sur la poche de poitrine de sa blouse, où elle range son stylo Bic, sont brodées les initiales *A D*. Son regard est toujours particulier, intense.

Julien Blanc-Gras (le cinquième des bientôt légendaires Descendeurs de Ménilmontant, qui porte haut et bien son sobriquet de Va-Partout) m'écrit qu'*à Essaouira, le vent de l'Atlantique nettoie ton âme pour la repeindre dans le bleu de l'océan* – plus sérieusement, il dit : « C'est beau, Essaouira, il y a une ambiance particulière. » Andrée, en arrivant dans cette médina blanche et bleue protégée par des remparts ocre, a dû se sentir propulsée quelque part entre la lune et le paradis, elle qui n'a connu que Dunkerque, Lyon, Lille, Paris, Innsbruck et les prisons. (Quand on y pense, elle n'a pas beaucoup bougé, elle n'a pas pris d'autres vacances, ailleurs qu'à Malo, que deux semaines en Autriche, elle n'a pas beaucoup vécu, n'a pas encore eu le temps de découvrir grand-chose. Elle n'a jamais connu l'insouciance. Quand a-t-elle été heureuse ? Entre quatorze et seize ans ? C'est tout. Et seulement parce qu'elle était gamine et provocatrice : on ne peut pas être heureux sous les bombes, au milieu des corps éventrés, des cris de terreur et des unijambistes.)

Le décor de sa nouvelle vie n'est pas la petite ville endormie sous le soleil qu'elle imaginait. De nombreuses caravanes du désert y convergent, le port est très actif, les rues sont animées et bruyantes, l'agitation incessante dans la journée. L'hôpital se trouve derb Laâlouj, dans la médina, non loin des remparts qui la défendent de l'Atlantique (il n'existe plus, les bâtiments ont été reconvertis en commerces, restaurants et boutiques artisanales, autour de la petite place dans laquelle se regroupaient les malades en attente d'une consultation). La vieille médina ayant été construite sur une sorte de presqu'île, attaquée sur trois côtés par l'océan qui ronge les remparts, le vent y souffle puissamment en permanence – pour s'en protéger, et du sable qui va avec, les femmes s'enveloppent le corps et la tête dans un haïk, un genre de drap de tissu blanc de plusieurs mètres qu'elles enroulent autour d'elles et qui les fait ressembler à des fantômes paisibles se promenant dans les petites rues. Andrée est entrée dans un autre monde. Mais le vent n'empêche pas de lourdes odeurs de stagner dans le labyrinthe, des relents de poisson plus ou moins frais, forts et acides, et d'eaux usées qui croupissent. On pénètre dans l'hôpital, rue Laâlouj, par une grande et lourde porte en bois, peinte en bleu.

Le docteur Joseph a installé Andrée dans un deux-pièces, au premier étage d'un immeuble étroit où loge la plupart du personnel français de l'hôpital, au fond de la ruelle pavée qui passe derrière l'établissement, derb Zayan (une impasse en zigzag, dans laquelle il reste aujourd'hui un dispensaire, qui était à l'époque ce que les gens du coin appelaient « l'annexe des malades peu ordinaires »). Les premiers jours, elle a refait seule toutes les peintures, blanches, de son appartement, où le médecin-chef dira qu'elle « se plaisait beaucoup ». Seul le bois des fenêtres est bleu.

Elle nourrit un chat errant, une petite femelle qui saute de temps en temps sur la grande terrasse dont elle dispose côté cour, puis deux, trois, et beaucoup plus – les chats rachitiques et sales pullulent dans la médina. Un enfant qu'elle a soigné lui offre une petite tortue, un autre une grosse. Un couple, qui sait que cela lui fera plaisir, lui donne un fennec qu'il ne peut pas garder. (Brigitte Bardot a trouvé sa grande sœur.) Sa terrasse se transforme en une ménagerie : le docteur Joseph, qui parle d'un « amour irraisonné » pour les animaux, dit que si elle pouvait y accueillir un cheval ou deux, elle le ferait de bon cœur.

Elle devient rapidement assez populaire, les patients la trouvent attentionnée, douce et toujours disponible, les enfants, dont elle s'occupe en priorité, n'ont pas peur quand c'est elle qui les ausculte et les soigne, ils la tutoient et la considèrent presque comme une copine, et même si elle leur semble un peu « originale », tous ses collègues l'apprécient. Comme eux, elle travaille sans compter ses heures – « Pas question de roulement, nous sommes trop peu », dit Joseph – et ça l'arrange : en dehors de l'hôpital, elle s'ennuie. (Elle ne sort jamais de la médina, ou seulement, rarement, pour aller voir l'océan : elle marche vers la porte nord de la vieille ville, bab Doukkala, franchit les remparts et s'avance jusqu'à la plage, où elle regarde l'Atlantique, enfin, debout dans le grand vent. Marie-Claire Guers, une jeune interne qui est devenue son amie, lui propose un jour de l'accompagner, mais elle préfère y aller seule.) Elle fait des efforts, pourtant, elle se maquille avec soin et s'habille toujours avec élégance lorsqu'un dîner est organisé dans la petite communauté européenne, ou même simplement pour aller prendre l'apéro au Café de France, sous l'hôtel Beau-Rivage (c'est à trois cents mètres de l'hôpital, l'hôtel et le café existent toujours sous les mêmes noms), où se retrouvent les Français d'Essaouira. (Dans un coin de la salle, tous les soirs, toujours seule à la même table, est assise une vieille poivrote. Plus personne ne sait d'où elle vient, on l'appelle « Madame Phénix » : elle ne boit que de l'anisette Phénix. Une pensée pour elle.) C'est là qu'Andrée rencontre un ingénieur pétrolier de vingt-neuf ans, grand, sportif (quoiqu'un peu rond) et sérieux, Bernard Krief (je change le nom, pas le prénom). Il est né à Meknès, il est parti faire ses études à Nancy et, à son retour au pays, il a trouvé un bon poste chez Norafor, une société qui réalise des sondages et forages pour la Compagnie chérifienne des pétroles. Il habite Essaouira mais n'y passe que le week-end : la semaine, il dirige les travaux sur le gisement de Sidi-Rhalem, à quelques dizaines de kilomètres à l'est de la ville. Ce samedi soir du mois de janvier 1963, il n'a pas grand mérite à remarquer Andrée : elle est belle et mystérieuse (sans qu'on puisse expliquer ce qui donne cette impression), elle paraît à l'écart des autres même si elle est à leur table, on dirait une princesse en voyage, prête pour aller prendre le thé chez l'ambassadeur. Mais son regard est sombre. Elle lui sourit.

Quelque temps après son arrivée, Andrée s'est présentée au consulat de France, comme on le lui a conseillé, pour s'inscrire au registre des Français à l'étranger – ce n'est pas obligatoire mais vivement recommandé, ça aide en cas de problème. Elle a été reçue dix minutes par l'agent consulaire Maurice Contant, qui lui a indiqué les pièces justificatives à fournir pour se faire immatriculer. (Dans un rapport, il écrira : *Je remarque la beauté, puis l'extrême nervosité de Mlle Dubuisson.*) Il lui demande d'apporter, entre autres, une preuve d'identité et de nationalité françaises, un livret de famille... Mais l'agent consulaire Maurice Contant ne reverra jamais Andrée Pauline Dubuisson.

Chaque samedi, au Café de France, elle discute un peu plus longtemps avec Bernard. Ils font connaissance, s'approchent, ils s'entendent bien. Lui est incontestablement sous le charme, ferré, impatient, elle plus posée, prudente. Il ne peut que lui rappeler Félix et Bernard, c'est le même genre, un beau garçon raisonnable – quoiqu'un peu rond. Pendant la semaine, elle se rend peu à peu compte, je suppose, qu'elle attend le samedi.

Elle ne parvient pas à se mêler tout à fait aux autres médecins de l'hôpital, à partager leurs enthousiasmes, à rire des mêmes choses qu'eux, mais tous la considèrent, au moins professionnellement, comme l'une des leurs, et aucun ne détrompe les patients persuadés qu'elle est médecin (ils sont unanimes pour dire que son travail, notamment en pédiatrie, est remarquable). Le docteur Joseph et sa femme, les seuls au courant son passé, éprouvent une réelle affection pour elle, ils sont protecteurs et attentifs, la guident dans son nouvel environnement et l'invitent souvent à dîner – bien qu'ils ne la connaissent que depuis six mois, ils se comportent avec elle comme si elle était leur fille adoptive. Le docteur Caillens, qui fait office de second du médecin-chef et le remplace lorsqu'il est absent, ou Marie-Claire Guers, interne comme elle et spécialisée dans les maladies infantiles, sont aussi parmi ceux qui lui permettent de penser qu'une deuxième vie est encore possible – une troisième vie même, après la première à Malo, sanctionnée par la tondeuse, et la deuxième à Lille, achevée par le meurtre et la prison. Avec le docteur Boulier, la femme du dentiste de la place Chefchaouni, qui n'est à l'hôpital que trois après-midi par semaine, les rapports sont plus tendus. (J'ai changé le nom du couple, car un adolescent qui vit dans l'immeuble voisin du leur se souviendra d'eux et me dit cinquante ans plus tard qu'ils avaient une réputation désastreuse dans le voisinage, qu'ils étaient tous les deux toxicos, défoncés à peu près en permanence, qu'ils soignaient leurs patients comme des sagouins et les escroquaient tant qu'ils pouvaient – mais il n'y avait qu'un dentiste à Essaouira, on n'avait pas le choix. « Quand ils n'ont plus eu personne à arnaquer, ils ont tout simplement disparu. » N'ayant qu'une source (il n'est pas simple de retrouver des habitants d'un quartier après cinquante ans, à deux mille deux cents kilomètres de Paris – mais même rue de la Tombe-Issoire, je pense), je fais attention, je ne suis pas sûr, autant les appeler Trombone ou Boulier.) Denise Boulier ou Micheline Trombone déclarera dans plusieurs journaux : « Tout dans cette fille était bizarre. » (Elle ajoute, pour le démontrer : « Elle s'était liée avec des gens du bled et leur demandait de lui apporter des bêtes qu'on juge ici dégoûtantes. »)

Bizarre, c'est ce que tout le monde pense, mais sans ce « cette fille » qui siffle : de manière moins venimeuse, plus amusée. Tous ces animaux sur la terrasse, ces robes de bal ou presque, le soin maniaque avec lequel elle range le moindre objet dans son appartement et les repas somptueux qu'elle passe des heures à préparer quand elle invite à dîner chez elle deux ou trois collègues qui n'en demandaient pas tant : elle est particulière, quand même, le docteur Dubuisson. Mais on l'aime bien. Joseph avancera une hypothèse : « Elle était originale. Elle avait de petites manies, qui peuvent s'expliquer par le fait qu'à trente-six ans elle n'était pas mariée. » Elle vient de fêter ses trente-six ans, oui. Le fait qu'elle n'est pas mariée joue peut-être un peu, mais surtout, elle doit avoir du mal à savoir qui elle est maintenant, à se trouver une identité, un genre, une façon de vivre. L'opprobre national et neuf ans d'ascétisme et de soumission dans une prison lépreuse peuvent donner envie de s'installer dans un intérieur accueillant, impeccable, de se vêtir autrement que d'une tunique de toile grossière enfilée sur un porte-jarretelles en corde d'amarrage, et de cuisiner de bons plats qui épateront ses invités. Elle ne parle jamais de sa vie d'avant, ni de sa famille, sauf de sa mère.

Au début du printemps, elle couche avec Bernard Krief. C'est son premier rapport sexuel, son premier moment de plaisir et d'abandon (j'espère pour elle) depuis le mercredi 7 mars 1951, dans le lit de Félix – elle avait vingt-trois ans. De vingt-trois à trente-six ans, ça fait longtemps sans amour, et sans cul, de belles et bonnes années. La reprise doit être délicate. Bernard n'attendait que ça depuis janvier, elle a hésité des semaines, elle, la traînée qui se déshabille dès qu'on la regarde. C'est sa troisième chance, cadeau, partie bonus – mais peut-être la dernière, elle le sait. Après Félix, qu'elle a repoussé parce qu'elle était jeune et libre, avant de comprendre qu'elle l'aimait, après le premier Bernard, à qui elle a sorti le grand jeu de la femme câline et docile d'avant-guerre, avant de comprendre qu'elle ne l'aimait pas, il va lui falloir, avec le deuxième

Bernard, trouver l'équilibre. On ne peut pas savoir à l'avance, mais c'est possible. Il faut l'aimer (possible) et ne pas le repousser (possible).

Au mois d'avril, ils ne se cachent plus. À l'hôpital, et parmi la communauté française qui se réunit au Café de France, personne n'ignore qu'ils sont ensemble. Bernard franchit la grande porte de bois bleu pour venir la chercher le samedi quand elle enlève sa blouse, ils accompagnent parfois les autres à l'apéro mais s'éclipsent vite pour partir dîner en tête à tête, ils vont au cinéma, au Rif ou au Scala, avec ses sièges en bois, puis on sait, même s'ils restent discrets, qu'il passe la nuit chez elle, dans sa chambre aux étagères déjà couvertes de livres, ou elle chez lui. (C'est le début des années soixante, personne ne persifle, vive la liberté.) Ils ne peuvent pas se voir plus souvent, ils travaillent toute la semaine et du matin au soir tous les deux (il dort à Sidi-Rhalem, elle ne peut pas l'y rejoindre – après ses dix ou onze heures de consultations et de soins quotidiens, elle doit encore préparer ses examens de fin de sixième année (elle rédige des dizaines de petites fiches pour réviser), qui lui donneront accès au troisième et dernier cycle, celui de la spécialisation (sans savoir si elle obtiendra sa réhabilitation et donc l'autorisation d'exercer la médecine, la pédiatrie en l'occurrence)), mais c'est déjà un grand changement dans la vie d'Andrée. Ses collègues et amis sont contents pour elle : même si elle ne se plaignait jamais, essayait toujours de faire bonne figure (c'est comme le vélo (avec les petites roues), ça ne se perd pas), ils pressentaient que quelque chose n'allait pas, lui manquait, et comprennent que c'était – tout bêtement – de l'amour. Marie-Claire Guers, son amie interne, dira : « Toute la ville s'attendait à un mariage. Elle était transformée, depuis quelques mois. On la sentait enfin heureuse. » Elle ne se trompe pas de beaucoup. À cette période, en avril, Pauline écrit à sa mère une lettre qui commence par ces mots : *Ma petite maman chérie, ici je suis tranquille, et presque heureuse.*

Hélène trouve encore l'énergie de se réjouir pour sa fille, et même la force et le courage de prendre l'avion (elle a d'abord demandé à Pauline si elle ne voulait pas venir la voir à Paris, mais elle ne peut pas quitter son travail à l'hôpital – et de toute façon, revenir sur ses pas, dans le passé et la gueule du loup, lui paraît plus que risqué : inenvisageable). Elle passe un mois à Essaouira, dans l'appartement de sa fille, le mois le plus exotique de sa vie. Elle est là comme un sabot noir dans une boutique de tongs, mais elle se laisse faire, perméable. Elle trouve Pauline métamorphosée, elle la reconnaît à peine. C'est bon signe. Elle rencontre Bernard Krief, ils dînent plusieurs fois tous les trois, il est sérieux et poli, amusant parfois, et paraît très attaché à sa fille. Il lui fait très bonne impression. Hélène rentre à Paris, rue du Dragon, rassurée, toujours dévastée en profondeur mais allégée. Andrée aussi.

Cependant, place Chefchaouni, qu'on appelle aussi place de l'Horloge, le temps passe lentement à la terrasse du café, à l'ombre des deux gros caoutchoucs aux troncs boudinés, face à la pharmacie et au poste de police, et plus lentement encore au premier étage, dans la salle d'attente du dentiste Boulier, toujours en retard de trois quarts d'heure sur ses rendez-vous, quand c'est pas une heure, ras le bol, c'est pas possible. On poireaute assis depuis si longtemps, la joue qui gonfle et les dents qui lancinent, stridentes, qu'on attaque les vieux magazines du dessous de la pile, un dossier sur les nouveaux métiers, ça peut être intéressant, si seulement je pouvais penser à autre chose, le triomphe de la Caravelle, pour ce que je prends l'avion, tu parles, la difficulté de vivre en Pologne, qu'ils se débrouillent, mais qu'est-ce qu'il fout, les succès de la variété française, c'est déjà tout oublié, tout ça, ça date d'au moins trois ans…

J'ai cherché cette revue pendant des mois. Je savais qu'une photo de Pauline Dubuisson avait échoué sur la table basse d'un dentiste d'Essaouira, mais même après avoir fini par trouver le titre du mensuel, dans le rapport de l'agent consulaire Maurice Contant, ne connaissant pas la date de parution, ni même l'année (quelque part entre 1953 et 1963), je pataugeais. Sur Internet, quelques vieux exemplaires de *Réalités* sont en vente, sur des sites comme eBay ou PriceMinister, parfois des collections de douze ou vingt-quatre numéros, mais les sommaires ne sont pas précisément (ou pas du tout) indiqués dans les annonces, je ne pouvais pas tout acheter, ni demander aux vendeurs de feuilleter un à un plus de cent numéros, chacun comportant cent trente pages, pour y dénicher une photo dans un article qui n'avait peut-être pas de lien direct avec l'affaire (*La passion, cette grande inconnue* ? ou *Les enfants meurtris de l'Occupation* ?) Et puis j'ai découvert que la collection entière de tous les numéros de *Réalités*, du premier au dernier (de février 1946 à décembre 1978), était conservée dans un endroit en France : l'école supérieure de journalisme de Lille. J'ai contacté le responsable de la bibliothèque et de la documentation, je lui ai résumé l'histoire de Pauline et expliqué ce que je cherchais, en lui demandant s'il était possible de venir consulter son trésor. Pas la peine. Ce type formidable a eu la gentillesse de commencer à parcourir page à page tous les numéros, à rebours depuis juin 1963, jusqu'à celui de mai 1960 où il a trouvé l'article sur les quatre Grands du barreau, avec Pauline aux yeux fermés, enveloppée dans le manteau de Félix. *Pour l'anecdote*, il m'a appris que l'ESJ de Lille, au fond de laquelle dormait cette photo sur laquelle sont tombés, en fronçant les sourcils, plusieurs patients du dentiste d'Essaouira, occupe depuis 1981 le bâtiment de l'ancien institut de physique, dont l'imposante et belle façade de brique rouge, aux hautes fenêtres, donne, légèrement décalée, sur la place du Temple – le bâtiment que Pauline voyait tous les matins en ouvrant les volets de sa chambre du deuxième étage, chez Eva Gérard.

Dans la médina, une rumeur commence à circuler.

Chapitre quarante-trois

Traquée

J'ai vu Lucette hier soir, au bar, elle ne va pas bien. Elle est éteinte, découragée, elle se laisse sombrer. Elle ne rigole plus, ne sourit même plus, parle à voix basse. Le verre de bière posé devant elle sur le comptoir est resté presque plein pendant une heure. Il y a six jours, jeudi dernier, près de la station Jaurès, à 20 h 30, elle sortait du Monoprix, un jeune mec l'a bousculée et lui a arraché son sac à main. Elle est restée immobile et muette, stupéfiée, elle n'a pas appelé au secours ni crié au voleur, elle n'a pas fait un mouvement. Plantée sur le trottoir sans bouger, sans y croire. Lucette a quatre-vingt-six ans. Peut-être vingt-cinq dans sa tête, mais pas dans son corps, du moins en apparence – car physiquement, elle est solide et n'a pas de problème important, hormis des douleurs dans les genoux, qui cèdent. En apparence, disons qu'elle fait quatre-vingt-quatre ans. Elle ne mesure pas plus d'un mètre cinquante. Elle est pâle et frêle, sous ses cheveux blancs ébouriffés, on a l'impression qu'une tape dans le dos la briserait en petits morceaux de bois trop sec. Même si elle boit de la Seize et danse jusque tard dans la nuit, personne ne peut avoir plus qu'elle l'air de ce qu'on appelle “une petite grand-mère” (pardon Lucette). Et la voyant avancer à tout petits pas avenue Secrétan, un jeune connard de quinze ou dix-huit ans (dont j'espère qu'il aura une vie pourrie, n'obtiendra jamais ce qu'il veut, que la femme qu'il aimera lui crachera dessus et qu'il perdra un œil à trente-cinq ans – j'ai quelques pouvoirs de sorcellerie, je m'en charge) s'est dit qu'il allait lui tirer son sac, à la mémé.

Lucette n'avait même pas dix euros dans son porte-monnaie, les papiers elle s'en tape, elle les refera, et son sac n'avait aucune valeur particulière, pas même sentimentale, mais elle ne s'en est pas remise. Elle-même n'arrive pas à expliquer pourquoi. Ça l'a abattue. Après une vie si longue et pleine, la guerre, dactylo à dix-neuf ans, son mari, ses enfants, des voyages, la mort de son mari, le départ de ses enfants, la solitude, les sandwiches Subway mais les soirées au bar au milieu du monde, son fils qui vient la voir souvent, ses livres, cette résistance pour continuer gaiement, après ces quatre-vingt-six années, une pichenette en bout de course, une tape, le geste crétin d'un crétin, la fait basculer. Un choc, elle lâche prise et dégringole depuis six jours. Elle dépérit vite. J'ai passé près de deux heures à essayer de la remettre d'aplomb, c'est un petit événement qu'il suffirait d'oublier, de balayer derrière soi, j'ai dit tout ce que je pouvais, je ne sais pas si cela servira à quelque chose, ce ne sont que des mots, un peu de présence qu'elle doit sentir lointaine, inconsistante. Elle a fini par boire sa bière mais elle me dit qu'elle a le cafard, un cafard écrasant contre lequel elle ne parvient plus à lutter, elle ne pense plus qu'à la mort.

Je ne sais pas si Andrée remarque un changement autour d'elle, des regards plus appuyés ou soupçonneux, si son instinct la prévient que ça recommence, que ce qui la poursuit sous une forme ou une autre depuis ses dix-huit ans, ce qu'elle a passé la majeure partie de sa vie à essayer de fuir, réapparaît brusquement derrière elle et la rattrape, si elle devine qu'on murmure dans son dos ou si on lui en parle directement, un lourdaud ou une vipère : « C'est vous, Pauline Dubuisson, celle du journal ? » (Dans le rapport qu'il enverra plus tard au consul de France à Marrakech, l'agent consulaire Contant écrira : *J'ai appris qui elle était en feuilletant un vieux numéro de* Réalités *dans le vestibule d'attente du dentiste et, des trois ou quatre personnes mises au courant de la même façon, aucune n'a soufflé mot.* Si aucune n'a soufflé mot, comment sait-il qu'elles sont au courant ? En a-t-il beaucoup parlé autour de lui ? Quelqu'un qui ne souffle mot vient tout de même avertir le docteur Joseph qu'il devrait se renseigner sur cette femme à qui il confie des responsabilités dans son hôpital. Le couple Boulier a-t-il attiré plus ou moins explicitement l'attention de ses patients sur la page 93 du magazine ? On ne saura jamais, je suppose.) Mais il est sûr qu'elle comprend ce qui se passe. Son comportement change d'un coup au début du mois de juin, tout le monde s'en aperçoit, le docteur Joseph le premier, qui veille plus attentivement sur elle que les autres : « Elle avait l'air traquée. Je crois pourtant qu'elle avait le sentiment d'avoir sa conscience en règle. » Même la patronne du Café de France remarque sa transformation au début de l'été : « C'était une jeune femme très intelligente, très cultivée. Mais on l'a sentie perdre pied. Elle avait quelque chose de mystique. Le docteur Joseph et son épouse faisaient tout pour distraire le docteur Dubuisson, qu'ils considéraient un peu comme leur propre fille, mais elle paraissait profondément enracinée dans ses cauchemars. »

La machine autour d'elle se met en marche discrètement peut-être, silencieusement, mais inéluctablement. Des questions se posent derrière les murs, aux coins des rues. L'agent consulaire n'avertit pas son supérieur mais n'en pense pas moins. Il en fera part en temps voulu : *Dans toute cette lamentable affaire, il faut relever quelques anomalies. Jamais un condamné à perpétuité ne bénéficie d'une remise de peine après sept ans de détention* (neuf, Maurice, neuf). *Comment Mlle Dubuisson a-t-elle pu obtenir cette grosse part d'héritage de son père (mort à cause de son crime), des dizaines de millions ? Comment le tribunal de Dunkerque a-t-il pu aussi rapidement et aisément accorder le changement de prénom ? Il semble qu'il y ait là des complaisances répétées assez étranges...* Et puisqu'on est lancé, on peut élargir le champ de persiflage, même en racontant n'importe quoi, en dévoilant des complots souterrains, on a le droit, les malhonnêtes gens servent à ça, il ne manquerait plus qu'ils s'en plaignent : *Le docteur Joseph est protestant, comme Mlle Dubuisson. Mlle Causse, qui demeura deux ans en stage à l'hôpital, et que remplaça Mlle Dubuisson, est protestante. Mlle Guers, actuellement interne, est protestante. Mme Schmied, adjointe de santé, est protestante. Mlle Braemer, infirmière nouvellement arrivée, est protestante.* (Bon, six protestants sur tout un hôpital, ça y est, c'est l'invasion.) *Parallèlement... Les chirurgiens qui se succèdent à un rythme rapide à l'hôpital d'Essaouira, le docteur Labourgade, le docteur Courtois, le docteur Caillens, ne sont pas protestants. De là à conclure qu'ils ne sont pas bien en cour, pour cette raison, il n'y a évidemment qu'un pas, mais qu'on n'est pas obligé de franchir....* (Il y a bien cinq points de suspension.)

Andrée n'est pas simplement soucieuse ou affolée, elle déraille. C'est l'éternel retour de trop, elle perd la tête. Un soir de fin juin, elle invite Marie-Claire Guers et le couple Joseph à dîner, car elle s'efforce de résister, de continuer son existence ici comme si de rien n'était, avec entêtement – les derniers sursauts d'entêtement. Elle leur a préparé des entrées extraordinaires, ils sont sciés par ses talents culinaires et attendent le plat avec impatience et curiosité. Un rôti à sa façon, un bœuf bourguignon de l'espace ? Mais les minutes passent, les dizaines de minutes, Andrée discute et ne se lève pas de sa chaise pour aller chercher la suite. Quand le docteur Joseph ose une petite question, genre : « Ça ne risque pas de refroidir ? », Andrée s'aperçoit qu'elle a tout simplement oublié de cuisiner un plat principal. Ils lui disent que ce n'est pas grave, que les entrées étaient déjà bien copieuses, c'était délicieux. Elle s'excuse de son étourderie, en riant. Une autre fois, Marie-Claire la voit sortir de chez elle un soir de semaine, somptueusement apprêtée, dans une grande robe rouge, avec « des gants jusqu'aux épaules » (d'habitude, quand elle s'habille, elle est toujours très chic mais sobre). Elle lui demande où elle se rend, si joliment vêtue, Andrée lui répond qu'elle va « rejoindre M. Krief ! » L'épouse du médecin, gênée, lui rappelle avec des pincettes que M. Krief est sur son gisement, en plein désert, à trente kilomètres de là, et qu'il ne revient à Essaouira que le samedi. Andrée essaie de rire, mais ça passe moins bien. Elle remonte chez elle, se changer.

Ce n'est qu'au début du mois de juillet que le docteur Joseph, englouti dans ses occupations, réalise que son interne n'est pas partie passer ses examens de fin d'année en France, comme prévu. Quand il lui en fait la remarque, elle lui dit qu'elle a beaucoup de travail ici, qu'elle ne veut pas quitter ses patients, de toute manière elle n'a pas pu réviser vraiment comme elle le voulait, l'hôpital l'accapare trop, mais ce n'est pas grave, elle se présentera à la session de septembre, quand lui-même rentrera de vacances (sa femme et lui partent un mois tous les étés, voir leurs enfants à Lyon).

Bernard annonce à celle dont il est à présent fou amoureux, et qu'il considère déjà comme sa fiancée, qu'il va devoir partir pour trois mois dans les bureaux de Norafor à Rabat, à plus de quatre cents kilomètres d'Essaouira. Ils se verront beaucoup moins, une fois par mois seulement, il lui propose donc de l'accompagner là-bas et d'y passer quelques jours de repos avec lui. Elle les mérite, elle se dévoue entièrement aux malades, elle paraît épuisée. Pauline accepte après avoir demandé l'autorisation au docteur Joseph, qui la lui donne avec plaisir : il s'inquiétait pour elle, elle n'allait pas tenir longtemps comme ça.

Peu après la mi-juillet, Andrée et Bernard prennent ensemble l'autocar pour Marrakech, et de là, le train pour Rabat. Il s'installe dans l'appartement que sa société a loué pour lui en centre-ville, elle dans un hôtel voisin – ils prennent leurs précautions (c'est la fête, les sixties, mais au Maroc en 1963, on est encore à quelques océans du Swinging London), ils se voient surtout dans la journée, et un peu après le dîner. Dès le deuxième soir, dans un restaurant, ce qu'Andrée attendait, espérait et craignait à la fois, se produit : Bernard se déclare officiellement et lui demande si elle accepte de l'épouser. Elle n'a pas la réaction qu'il escomptait, elle ne lui saute pas au cou, et si elle vacille sur sa chaise, ce n'est pas seulement de bonheur. Elle sourit, peut-être, mais figée. Ensuite, elle semble absente, vague. Elle n'a pas répondu : ni oui, ni non. Elle sollicite un temps de réflexion, jusqu'à demain. Pas terrible, comme explosion de joie. Déconcerté, Bernard, devant son tajine ou ses briouats, doit ressentir un petit pincement de déception, quand même.

Que pense Pauline ? La nuit, seule dans sa chambre d'hôtel à Rabat. Après Domnick, Félix et Bernard Legens, il est le quatrième homme à lui proposer le mariage. Félix était le seul qui comptait vraiment, elle a refusé, plusieurs fois, et c'est selon elle ce qui a causé sa perte, son effondrement, la mort et la haine, la prison, le cauchemar dont elle commençait seulement, le mois dernier, à sortir. Elle a trente-six ans. Est-ce qu'elle aime

Bernard Krief ? Elle n'a pas vraiment le choix. Ou bien la solitude, pourquoi pas, une solitude apaisée. Non, elle l'aime. Autant que possible, quoi. Elle aurait peut-être été heureuse, ou pas loin, avec Bernard Legens. Non, même si elle n'aurait pas dû laisser s'éteindre leur histoire pour courir après Félix, elle ne l'aimait pas encore ou pas assez, mais maintenant ? Elle ne peut pas repousser Bernard Krief. Elle l'aime. Elle va se marier. Mais pas à n'importe quelle condition. Si tout s'arrange enfin, il faut que ce soit entièrement – de toute façon, étant donné ce qui est en train de se passer à Essaouira, il apprendrait un jour ou l'autre qui elle est. Si une nouvelle chance lui est réellement accordée par elle ne sait quel dieu, il faut qu'elle soit accordée à Pauline, pas à Andrée. Andrée lui aura servi d'enveloppe de transition, de cocon, elle doit redevenir Pauline. C'est Pauline qui va se marier.

Aurait-elle décidé de tout lui dire si son secret n'avait pas déjà été découvert dans la médina ? Est-ce qu'elle se dévoile par peur ou par besoin, s'y résigne ou le souhaite ? On ne sait pas. Qu'elle ne puisse plus se cacher ou qu'elle ne veuille plus se cacher, ça ne change que la cause, pas l'effet : ce qu'elle dira demain. Elle se rappelle peut-être, si elle l'a su, ce qu'avait écrit l'éducatrice qui l'aimait bien, à Haguenau, en juin 1957 : *Apprendra à avoir confiance en elle-même le jour où, obligée de surmonter un obstacle qu'elle appréhende, elle constatera qu'elle a su en triompher.*

Le moment est venu. Elle ne dort pas de la nuit, ou très peu. L'espoir est fort. Rien de pire que l'espoir, mais la vie ne peut pas être qu'une succession de claques, non plus. Et mieux, Bernard a pu déjà être mis au courant à Essaouira, entre deux portes, par des anges gardiens bien intentionnés qui en seront pour leur médisance, il sait qui elle est et veut l'épouser malgré tout ?

Dans *L'Envers du paradis*, Francis Scott Fitzgerald écrit : *La sentimentale pense que les choses vont durer, la romantique veut désespérément croire qu'elles vont finir.* Après tout ce temps passé à observer Pauline, d'un siècle à l'autre, je dirais qu'elle est romantique.

Non, Bernard ne savait pas. Devant ses briouats ou ses ghribas aux amandes (si elle a mis du temps à réunir son courage), il est livide et ne dit plus rien. Quand ils se sont assis, il lui a demandé si tout allait bien, si elle ne se sentait pas malade : il l'a quittée, le vendredi soir, étrange mais fraîche, il la retrouve le samedi harassée, fébrile, les yeux cernés. Il a aussi peur qu'elle, mais lui, simplement de sa réponse à sa proposition mariage. Qui ne vient pas tout de suite. Pauline a probablement cherché une bonne partie de la nuit comment lui annoncer "la chose", répété plusieurs entrées en matière. Elle choisit de lui demander d'abord s'il a vu *La Vérité*, le film avec Brigitte Bardot. Oui. Elle attend sans doute un regard entendu et un « Je sais », quelque chose comme ça, mais Bernard la dévisage sans comprendre – c'est le jour le plus important de sa vie et elle ne pense qu'à l'emmener au cinéma ? Elle se lance et lui raconte tout, l'affaire Dubuisson, dont il se souvient, le crime, l'histoire d'amour ratée avec Félix, sa légèreté dans la forteresse de Dunkerque, qui l'a poursuivie jusqu'au procès, ses cheveux rasés et ses années de prison, sa fuite au Maroc, sa crainte d'être rattrapée. Elle lui aurait appris qu'elle était un ancien boucher envoyé à Cayenne pour avoir désossé huit enfants, qui s'est échappé du bagne à la nage et a été opéré pendant seize heures par un chirurgien chinois clandestin pour devenir une jolie femme et laisser à tout jamais son passé derrière lui, il n'aurait pas été plus estomaqué. Ni effaré.

Pauline se tait, elle attend. Il a pâli, il a du mal à respirer. Les unes des journaux, le scandale et l'odeur du vice lui reviennent en tête. « Je ne sais pas, Andrée, je ne sais pas… » C'est tout ce qu'il réussit à articuler, plusieurs fois. Puis il se tait lui aussi. À bout de possibilités de réaction, il se lève avant la fin du repas et quitte le restaurant, la laissant seule – après avoir déposé quelques billets sur la table, j'imagine.

On a dit qu'il l'avait carrément envoyée au diable, sèchement, et même, bien qu'ils se soient rendus en train à Rabat, que cette conversation avait eu lieu dans la voiture de l'ingénieur et qu'il avait pilé net sur le bas-côté pour l'éjecter dans la poussière. C'est faux – il a raconté (sommairement) leur dernière entrevue. Il a simplement paniqué, il n'a pas su comment réagir, il s'est sauvé, comme un enfant qui pense qu'il va échapper à ses problèmes et à ses peurs s'il se cache et disparaît derrière un rideau. Un jour, en larmes, il dira au docteur Joseph : « Quand elle m'a avoué qui elle était, c'est vrai, j'ai hésité, hésité… » On ne sait pas s'il a hésité parce qu'elle le dégoûtait soudain, parce qu'il avait peur de l'opinion publique, d'être associé à cette criminelle collabo et dépravée, par lâcheté ou moins égoïstement parce qu'il pensait à leurs futurs enfants, qui devraient grandir, aller à l'école, aux anniversaires des copains, dans l'ombre nocive d'une mère honnie de tous. Mais quelle qu'en soit la véritable raison, il a hésité, il s'est levé, il est parti. Ensuite, il a continué à hésiter et n'a plus cherché à revoir son Andrée, jamais, il ne lui a même pas écrit une lettre.

Sous le regard des serveurs du restaurant, Pauline reste seule à table, assise, avec son passé.

Elle rentre à son hôtel, dort peut-être, et le lendemain matin, marche jusqu'à la gare avec sa valise, reprend le train pour Marrakech, puis l'autocar pour Essaouira.

C'était la première fois, après la camisole offerte par son papa, la mort de ses frères, les gros obus qui tombaient sur Malo-les-Bains, entre lesquels elle passait, les pseudo-résistants qui l'ont frappée et salie, Félix qui la fuyait et qu'elle a tué quand il s'est jeté sur elle, après la fureur du procès, les mensonges et le verdict destructeur, c'était la première fois depuis dix ans, depuis son nouveau départ dans les murs de Haguenau, encouragée par son éducatrice, depuis sa libération et sa renaissance, qu'elle se retrouvait devant un obstacle tangible, énorme, qu'on ne peut pas contourner ni fuir, qu'il faut franchir. Et elle n'en a pas triomphé. Du tout.

Chapitre quarante-quatre

Anormale

Pauline arrive à Essaouira le dimanche en début de soirée, rejoint son appartement en empruntant la rue Zayan, sans passer par la cour de l'hôpital, et s'y enferme. Elle ne mange pas, elle nourrit ses animaux, elle prend un somnifère mais ne dort pas. Elle se relève, met de l'ordre dans sa chambre, je ne sais pas, elle fait un peu de bruit, range les vêtements qu'elle avait emportés à Rabat, peut-être sa belle robe rouge et ses longs gants, aligne ses livres sur les étagères, se recouche, se relève dans la nuit, regarde ses tortues ou parle à son fennec, reprend un somnifère, se recouche.

Le lendemain dans la matinée, ne la voyant pas à l'hôpital mais sachant qu'elle est rentrée car elle l'a entendue la veille au soir, Marie-Claire Guers vient frapper à sa porte. Celle qu'elle pense être Andrée lui dit qu'elle ne se sent pas bien, qu'elle ne peut pas descendre travailler, ni demain sans doute, elle a peut-être mangé quelque chose de pas frais à Rabat, ou le voyage ne lui a pas réussi. Elle ne lui paraît pas désespérée ni même triste, juste fatiguée.

Le mardi, Pauline ne sort pas non plus. Le soir, dans un cahier quadrillé à moitié rempli (de notes sans grande importance sur son travail à l'hôpital, ses horaires, quelques adresses – c'est un genre de pense-bête), elle écrit une courte phrase. Et sur une feuille qu'elle arrache, quatre lignes, qu'elle date : *23 juillet 1963*.

J'ai lu qu'elle avait commencé la rédaction d'une sorte de journal, des mémoires plutôt, une centaine de pages de souvenirs. Mais non, c'est une invention de Jean-Marie Fitère, l'auteur de *La Ravageuse*, on ne retrouvera rien de ce genre dans son appartement : beaucoup de livres, un répertoire, un agenda, le cahier dont elle a écrit la dernière phrase ce dimanche soir, la page quadrillée arrachée, laissée en évidence, une autre posée à côté, toutes ses fiches cartonnées de révisions de cours, et des chiffres sur deux feuilles volantes, des calculs, c'est tout.

Elle tente de reprendre son poste le lendemain, mais ça ne va pas, ça ne passe pas, ce n'est pas possible. Tout le monde autour d'elle s'en aperçoit, elle fait peur. Elle n'est plus seulement étourdie, ailleurs ou décalée, elle tombe dans le vide. Le docteur Joseph dira : « À son retour de Rabat, elle était tout à fait anormale. Elle prononçait des paroles incohérentes. » On lui conseille de retourner se reposer. Elle s'isole de nouveau trois jours, sans bouger de son lit, comme autrefois, après le départ de Félix, lors de ses longs coups de cafard à Lille. Elle sait ce qui lui arrive, elle a l'habitude, elle en a parlé aux psychiatres à la Petite-Roquette. Elle est comme ça depuis qu'on l'a tondue. Des vagues de dépression. Mais cette fois, ça dure, c'est écrasant. Elle perd le contrôle d'elle-même. Elle ne parle plus à personne, même quand on vient la voir, elle ne sait pas quoi dire. Elle n'écrit plus à sa mère. Elle essaie de temps en temps de remettre sa blouse, début août, de retourner à l'hôpital, mais ses collègues l'en dissuadent après quelques heures, elle a des absences brusques en pleine conversation, des trous de mémoire inexplicables, elle ne peut plus s'occuper des malades, pas même des enfants qui l'aiment et qu'elle comprend, le docteur Joseph et

Marie-Claire Guers, attentifs et prévenants, sont obligés de le lui faire remarquer, ou parfois, elle abandonne d'elle-même son service en pleine journée et monte se réfugier dans sa chambre. Elle prend de plus en plus de somnifères, de calmants ou de stimulants quand elle espère pouvoir aller travailler, ça ne sert à rien, elle écoute de la musique classique toute la journée sur son électrophone, elle parle toute seule, on l'entend à travers la porte.

Si elle résiste encore, c'est qu'elle attend. Bernard ne lui a pas dit que c'était fini, qu'il ne voulait plus la voir. Il a été choqué, il a eu peur, mais c'est normal, il va prendre du recul, réfléchir : il l'aime, c'est certain, elle le sait, elle ne peut pas se tromper là-dessus. Il va se ressaisir, envisager leur avenir sous un angle plus objectif, moins mélodramatique, et lui écrire. Elle est la même femme, avec juste un passé en plus. Tous les jours, même les pires, elle descend à l'hôpital pour demander si une lettre n'est pas arrivée pour elle. Non, Andrée, pas aujourd'hui.

Finalement, même si elle a fait des erreurs, même si elle s'est montrée trop fière, ou distante, laissant passer le temps qui noie tout, finalement, de sa vie, elle n'a jamais rompu avec personne.

Mi-août, elle comprend que Bernard ne reviendra pas vers elle. Il fait le mort. Elle pourrait le relancer, elle, essayer encore, supplier, aller le chercher à Rabat. Mais elle ne le fera pas – et ce n'est pas de l'orgueil. Son agonie a commencé, elle va durer longtemps, tout l'été, dans la chaleur suffocante de sa chambre, au premier étage du petit immeuble de la rue Zayan, entre ses murs blancs.

Chapitre quarante-cinq

Dévitalisée

J'ai revu Lucette hier, je m'inquiétais, elle n'était pas réapparue depuis trois jours. Elle était pimpante, ça m'a fait plaisir – en chaussons (car elle avait enfilé d'épaisses chaussettes de tennis, très blanches, s'était rendu compte au moment de mettre ses chaussures que ça ne rentrait pas et avait eu la flemme de changer pour des chaussettes plus fines) mais lumineuse et de bonne humeur –, ranimée peut-être un peu par notre discussion de l'autre jour, mais essentiellement par son propre élan, sa joyeuse force de vie. Je lui ai demandé si elle avait réussi à surmonter le petit drame du sac arraché, elle m'a répondu : « Hop, ça y est, oublié. »

La dernière semaine d'août, le docteur Joseph et sa femme sont partis à Lyon. Autour de Pauline, tous savent maintenant qui elle est, on parle beaucoup depuis qu'elle a disparu des couloirs de l'hôpital. Elle ne sort plus de sa chambre. Elle reste en pyjama toute la journée, pas en chemise de nuit, un pyjama blanc et rose qui lui donne l'air d'une petite fille – malade. Sa voisine Marie-Claire vient parfois lui apporter à manger, tout en sachant qu'elle ne touche presque à rien. Elle a beaucoup maigri, elle s'assèche. *Je crois bien que ma famille est maudite et moi aussi.* Tous ceux qui ont appris à la connaître, qui ont de l'affection pour elle, même s'ils sont désormais au courant qu'elle est une ancienne détenue, une criminelle, sont en état d'alerte autour de son appartement, vigilants mais impuissants : ils ont conscience qu'elle veut mourir, qu'elle va mourir. S'ils l'avaient oublié, *Réalités* leur a rappelé qu'elle avait déjà tenté de se tuer à plusieurs reprises, ils savent que la mort est sa sortie de secours. Mais ils ne peuvent que venir frapper de temps en temps à sa porte, essayer de lui soutirer quelques mots. Elle donne le change, leur sourit même, explique qu'elle est simplement épuisée, qu'elle a trop travaillé ces derniers mois, qu'elle ne supporte pas la chaleur, ça va passer. Mais ils ont lu dans le mensuel des extraits de la plaidoirie de Paul Baudet : *« On lui a appris que sur son visage, rien ne doit trahir ses sentiments. »* Ils sont les spectateurs de son anéantissement. Ils assistent à sa fin sans pouvoir agir.

Chacun a son interprétation. Pour la jeune Marie-Claire Guers, c'est avant tout un chagrin d'amour, elle ne supporte pas que Bernard l'ait abandonnée, elle ne s'imagine pas vivre sans lui. Pour d'autres, comme le docteur Joseph, qui en a parlé à plusieurs de ses proches collaborateurs avant de partir en vacances pour leur demander de veiller sur elle autant qu'ils le pourront, c'est plus complexe et profond. Il pense que Bernard Krief n'est qu'un prétexte, un test, qu'elle s'est dit que peut-être, s'il acceptait de l'épouser, elle accéderait enfin à une vie "normale", mais que la volonté de mourir était antérieure à leur rupture : « Si vous voulez connaître le fond de ma pensée, elle avait décidé de se suicider depuis longtemps. Krief n'a été pour elle que l'alibi, l'occasion : elle avait raté trois suicides, cette fois-ci elle ne se manquerait pas. » Et moi, bien sûr, je n'en sais rien. Je crois que c'est un peu tout. Je pense qu'à Haguenau, et plus encore les premiers mois à Essaouira, après un moment de panique à Paris, elle a oublié la mort, la tentation de s'échapper définitivement, mais que dès les premiers murmures, les premiers signes de retour des fantômes, au printemps, elle a compris que c'était fini. Le départ de Bernard a tranché ses dernières réticences. Depuis qu'elle s'est tailladé les veines dans sa cellule de la Petite-Roquette, elle a été absorbée, occupée – par le procès invraisemblable, par la nécessité de s'en sortir en prison, d'évoluer dans les groupes jusqu'à la confiance et la sortie, par l'attente de sa libération, puis ici par la découverte du métier de médecin et l'omniprésence des malades en demande, enfin par l'amour de Bernard jusqu'à la mi-juillet. Depuis qu'il l'a laissée seule dans le restaurant et dans la vie, elle reste face à ce qui lui faisait si peur à dix-huit ans : le néant. Seule et debout au bord du néant.

Elle n'est même plus debout, elle est couchée, lucide et mourante. Pendant trois semaines, autour de Marie-Claire Guers et du docteur Caillens, qui remplace momentanément le docteur Joseph, cinq ou six personnes se relaient pour la surveiller et tenter l'air de rien de la sortir du trou, de la divertir, de l'intéresser. Mais ils n'ont aucun espoir. Ils savent que plus rien ne la retient, qu'elle n'est plus que vide et détresse (Pierre Joffroy, dans *Paris-Match*, emploiera un mot juste : *dévitalisée*), mais lorsqu'ils viennent la voir chez elle, sous un prétexte ou un autre, elle ne se prête pas à la compassion ni ne se laisse aller aux confidences, ils n'ont aucune prise sur elle, elle paraît détachée, résolue sans le dire, elle les rassure et leur sourit : c'est son arme (qui s'est toujours retournée contre elle). Pauline est une morte-vivante qui se déguise, et tous ceux qui s'approchent d'elle et l'entourent ne peuvent ni la démasquer ni la soigner : ils la regardent s'éteindre, désarmés.

Le dimanche 15 septembre, en début de soirée, le pharmacien de la place Chefchaouni, qui travaille aussi à l'hôpital et s'est pris d'amitié pour Pauline, frappe à sa porte. N'obtenant pas de réponse, il entre. On ne ferme jamais à clé, ici. Elle est assise sur son lit en pyjama, avec un verre d'eau et un tube de comprimés. Il remarque une seringue vide sur sa table de chevet. Il se précipite vers elle : qu'est-ce qu'elle fait ? Mais rien, elle le jure, elle s'apprêtait juste à prendre son somnifère pour dormir. Et cette seringue ? Oh, une vieille seringue qui traîne, elle est un peu négligente ces derniers temps, c'est à jeter. Pourquoi n'a-t-elle pas répondu quand il a frappé ? Elle n'a pas entendu, elle pensait à autre chose.

Lorsqu'il quitte l'appartement avec la seringue et, malgré les protestations amusées d'Andrée, les trois quarts des somnifères du tube, il est probable que Pauline, restée assise en pyjama sur son lit, pense à René Floriot, son adversaire : « Il est raté, votre drame passionnel, comme sont ratés vos suicides. Vous ne réussissez que… »

Le pharmacien n'est pas dupe – pas formel, mais pas convaincu. Il prévient les plus proches. La semaine suivante, tout l'hôpital, puis toute la communauté française d'Essaouira, ne parle plus que d'elle : on attend sa mort, figé. Que faire ? On multiplie vainement les visites chez elle, elle ne montre toujours rien. C'est un spectacle, si on peut dire, insupportable (comme la vue d'un gladiateur saigné qui meurt très lentement sur le sable de l'arène – un gladiateur qui serait un frère ou un ami), elle est belle et en pleine santé, elle ne veut pas les déranger ni les alarmer, mais c'est pour eux une épreuve inhumaine, qu'on a du mal à concevoir, un supplice par empathie – certains craquent, nerveusement, psychologiquement. Elle, elle tient le coup.

Le samedi 21 septembre, elle sort quelques minutes de chez elle, sobrement habillée. Ceux qui la croisent, à qui elle dit en souriant qu'elle a envie de prendre un peu l'air, en font aussitôt part aux autres, c'est une bonne nouvelle, on n'y croyait plus mais leurs efforts paient, elle est peut-être en train de reprendre le dessus.

En réalité, elle va poster deux lettres qu'elle a écrites la nuit précédente, dont elle sait qu'elles ne partiront au mieux que lundi : l'une pour dire adieu à sa mère (que ses mots achèveront – il n'en fallait plus beaucoup – mais qui devra vivre encore quinze ans sans sa fille), l'autre adressée à Bernard, pour lui dire qu'elle l'aimait mais qu'il ne s'en veuille pas, ce n'est pas de sa faute, elle n'en peut plus, c'est tout.

Marie-Claire Guers, encouragée par ce qu'elle vient d'apprendre, passe la voir dans l'après-midi. Pauline ouvre et l'espoir retombe en quelques secondes, brutalement. Il n'y a plus de lumière, même artificielle, dans ses yeux. Pour la première fois, elle lui apparaît triste, visiblement triste. Andrée, Pauline, n'a même plus le courage ou l'envie de prendre sur elle, de faire la légère, ni même de lui parler – comme si, à elle, elle avouait silencieusement que c'était terminé. Marie-Claire ressort de chez elle bouleversée. Elle reste longtemps devant la porte refermée, incapable de s'en aller. De l'autre côté, elle entend Pauline parler toute seule, d'une voix plus ou moins forte, entre colère, apparemment, et chagrin. Elle ne comprend pas vraiment ce qu'elle dit mais cela semble n'avoir aucun sens. Frapper de nouveau ne servirait à rien. Elle se précipite à l'hôpital, par l'entrée de la rue Zayan, trouve le docteur Caillens et lui explique ce qui se passe. Deux minutes plus tard, il est face à Pauline. Elle le laisse entrer. Elle réussit à faire encore un effort : elle lui paraît sereine, juste un peu surprise de le voir.

— On me dit que vous avez le cafard, mademoiselle. Qu'est-ce qui ne va pas ?

— Mais rien, docteur.

— Nous sommes vos amis, Andrée. Si vous avez des ennuis, de la peine, n'hésitez pas à nous le dire. Nous sommes là pour vous aider.

— C'est gentil de vous être dérangé, dit-elle très calmement, je vous remercie. Mais mes camarades ont tort de s'inquiéter pour moi. Je vais très bien, je vous assure. Si quelque chose ne va pas, je vous le dirai.

Le docteur Caillens en a vu d'autres. Il sait que lorsqu'ils ont réellement décidé de mourir, dans les tout derniers moments, les suicidaires ne se plaignent plus, arrêtent d'appeler au secours d'une manière ou d'une autre et rassurent ceux qui les entourent. Mon amie Mathilde, il y a près de vingt ans, qui dérivait dans la lassitude et la peur depuis des mois, réclamait de l'attention, parlait sans cesse, plus ou moins sérieusement, de ses projets de suicide, et s'est pendue un dimanche de fin de printemps, à trente ans, m'a appelé la veille pour me dire qu'elle allait mieux, qu'elle se sentait tirée d'affaire, presque en tout cas, délivrée de ses idées noires après une longue lutte, qu'elle avait envie de sortir (pas moi, je lui ai proposé de remettre à la semaine suivante notre dîner prévu ce soir-là) et que je n'avais plus à m'inquiéter pour elle.

Le docteur Caillens téléphone à Denise Boulier, chez elle, et lui demande si ça ne l'embête pas de faire un saut ici pour voir Andrée, d'essayer de lui parler un peu. C'est une femme, plus mûre que Marie-Claire Guers, elle saura peut-être mieux trouver les mots. Elle accepte et annonce qu'elle arrive. Après avoir raccroché, il appelle le docteur Joseph, à Lyon. Il lui explique la situation, leur sentiment d'impuissance, que peuvent-ils faire ? « Rien, je crois », répond sagement le médecin-chef. « Qu'est-ce qu'il faudrait ? La déclarer folle ? L'enfermer manu militari ? De quel droit ? » Il le confirmera plus tard à Pierre Joffroy : « Vraiment, on ne pouvait rien faire. »

Le docteur Boulier arrive chez Pauline. Avec elle aussi, la presque morte réussit encore à jouer la comédie, une dernière fois. Elles sont assises dans le salon, l'interrogatoire dure près d'une heure, Boulier lui parle sincèrement, froidement, comme un médecin, elle se dit que l'autorité peut fonctionner.

— Vous voulez vous suicider, tout le monde le sait. Pourquoi ?

— Me suicider ? Jamais de la vie. (C'est presque un jeu de mots.)

— Et la semaine dernière, quand le pharmacien vous a trouvée avec des cachets ?

— Mais je ne voulais pas me suicider, je prenais juste un Gardénal pour dormir.

— Et la seringue ?

— Il n'y a jamais eu de seringue, vous rêvez.

— Vous avez des problèmes d'argent ?

— Absolument pas.

— Quoi, alors ? Un chagrin d'amour ? Vous n'allez pas vous tuer pour ça. Andrée, quand on veut se suicider, c'est qu'on est malade. Il faut vous soigner.

— Non, madame Boulier. Il y a des gens qui se suicident en sachant très bien ce qu'ils font. Drieu La Rochelle, par exemple. (Après deux tentatives manquées, l'écrivain ne s'est pas raté la troisième fois, le 15 mars 1945, en associant le gaz et le Gardénal.)

Boulier réalise alors que, même si elle vient implicitement de reconnaître qu'elle va se tuer, elle pourrait lui parler toute la nuit, ça ne servirait à rien. « À ce moment, j'ai compris qu'elle allait le faire, immanquablement. Mais sa lucidité, sa maîtrise d'elle-même étaient telles que, médicalement, il nous était impossible d'intervenir. J'ai dû me résoudre à dire au docteur Caillens que je partageais l'avis du docteur Joseph : on ne pouvait rien faire. On ne pouvait que la laisser accomplir son destin. » On ne reverra plus Andrée, Pauline.

Dans la nuit du samedi au dimanche, elle sort d'un tiroir la feuille quadrillée datée du 23 juillet, juste après l'évaporation de Bernard Krief, et la pose sur la table de son salon : *Je lègue toute ma fortune à l'œuvre du Révérend Père Courtois, à la Ferté-Vidame, pour qu'elle serve à aider les condamnées, mes sœurs, à leur sortie de prison.* C'est son troisième testament. Le premier était en faveur de ses belles-sœurs et des enfants de sa famille. Le deuxième en faveur de Colette Bigot. Le dernier, plus généralement, en faveur de toutes ses sœurs.

Elle ajoute deux lignes, en dessous : *Je veux être enterrée ici, à Essaouira, dans une tombe anonyme, où il n'y ait rien.*

Sur le cahier, on retrouvera la courte phrase qu'elle avait écrite à son retour de Rabat : *Tout est monotone, 1963, 1973, comme 1983...*

Elle passe ensuite un long moment à faire des calculs précis sur des feuilles qu'elle arrache à son cahier et qu'on retrouvera par terre près de son lit : elle note des doses de Gardénal, d'Imménoctal et d'autres barbituriques, les combine, elle recommence plusieurs fois, jusqu'à être à peu près certaine d'avoir trouvé la bonne recette, l'équilibre nécessaire. Je ne sais pas si elle pense à tous ceux qui ont claironné, au Palais de Justice, dans la presse ou dans les épiceries, qu'elle n'avait jamais eu l'intention sincère de mourir, qu'elle n'était qu'une comédienne manipulatrice. Probablement pas.

Pauline ne se tue pas tout de suite. Elle attend. Le jour se lève. Elle a, cette fois, fermé sa porte à clé, et ses volets. Elle attend dans la pénombre, toute seule, longtemps. Elle pense, ou pas – elle attend. En fin de matinée, Marie-Claire Guers, inquiète de constater qu'elle n'a pas encore ouvert les volets des deux fenêtres qui donnent sur la rue Zayan, frappe à sa porte. Elle n'ouvre pas mais elle répond depuis son lit, elle est couchée, elle ne se sent pas très bien mais ça va.

En début d'après-midi, le dimanche 22 septembre 1963, premier jour de l'automne, Pauline met un disque sur son électrophone. Peut-être Mozart, quelque chose de ce genre. Certains journaux choisiront le *Requiem* (Jean-Marie Fitère, dans *La Ravageuse*, n'a pas honte de lui faire poser sur la platine *Non, je ne regrette rien*, d'Édith Piaf). Jacques Vergès, dans le *Dictionnaire amoureux de la justice*, en 2002, préfère la sonate opus 106 de Beethoven. Bref, de la musique.

Elle met un disque sur son électrophone et s'assied au bord de son lit. Elle avale un à un, avec de l'eau d'une carafe posée sur la table de chevet, les cachets des différents barbituriques, selon le savant dosage qu'elle a calculé pendant la nuit. Puis elle s'allonge sur son lit, dans son pyjama rose et blanc, et la jeune fille qui laissait volontairement tomber son soutien-gorge derrière une chaise pour faire rougir et enrager la femme de ménage, au deuxième étage de la villa Les Tamaris, à Malo-les-Bains, s'endort.

Chapitre quarante-six

Fantôme

Dans l'après-midi, Marie-Claire Guers revient devant sa porte. Elle entend de la musique et redescend l'escalier rassurée. Elle remonte en début de soirée, elle entend de la musique, encore. Elle reconnaît le *Requiem*, une symphonie de Mozart ou la sonate de Beethoven, c'est le même disque que des heures plus tôt. Pauline s'est acheté l'un de ces nouveaux électrophones qui permettent au bras du saphir, à la fin d'une face du 33-tours, de revenir automatiquement au début. Marie-Claire essaie d'ouvrir la porte, elle est verrouillée. Elle court jusqu'à l'hôpital et téléphone au docteur Caillens, qui loge un peu plus loin dans la médina. Il arrive vers vingt heures. Il parvient à enfoncer la porte. Pauline est allongée en pyjama sur son lit, sur le dos, l'air apaisée, morte.

La nouvelle n'apparaîtra dans la presse française que six mois plus tard, le 28 mars 1964. Le consulat n'a sans doute pas voulu ébruiter ce que son agent Maurice Contant appelait une *lamentable affaire*, mais un journaliste a dû tomber à retardement sur une dépêche, ou entendre parler de ce suicide à l'hôpital d'Essaouira lors de ses vacances de Pâques au Maroc, et tous ses confrères ont repris l'information en une : *Repoussée par celui qu'elle aimait, Pauline Dubuisson s'est suici-*

dée – Pauline Dubuisson a enfin échappé à ses mauvais fantômes – Pauline Dubuisson n'a pu oublier le passé – Qui donc est morte à Mogador : Pauline ou Andrée Dubuisson ? Interrogé par *Paris-Jour*, maître Paul Baudet se souvient d'elle : *J'ai connu Pauline comme un avocat peut connaître l'accusée qu'il défend, c'est-à-dire beaucoup moins bien qu'on se plaît à le croire en général. Si j'avais un portrait à tracer d'elle, je dirais qu'elle n'était pas d'un modèle courant. Est-ce trahir sa personnalité de la considérer comme une jeune femme romanesque ? Le fantôme intérieur qui l'obsédait a fini par la détruire.* Au début de l'année 1972, quand il apprendra qu'une réforme va moderniser les professions judiciaires, il quittera le barreau pour réaliser son rêve : entrer à la Trappe et finir sa vie dans le recueillement et la prière. Il n'en aura pas le temps, il mourra le 7 avril de cette année-là, à soixante-cinq ans. René Floriot le suivra trois ans plus tard, le 22 décembre 1975, à soixante-treize ans. Raymond Lindon tiendra plus longtemps, il les rejoindra le 25 janvier 1992, à quatre-vingt-dix ans.

Avec la mort de Pauline, Félix est vengé. Ça ne console certainement pas ses parents, sa sœur, ni sa fiancée, Monique. Mais une époque se termine, on enterre l'après-guerre, une autre débute, celle des années 60. Pauline n'est plus là et, peu à peu, d'autres filles comme elle vont pouvoir apparaître, exister, des filles qui ne louperont pas leur vie, comme le lui écrivait la dame Margeraud à Haguenau, des filles déterminées qui ne se laisseront pas ligoter – des milliers de paulines, le meurtre en moins.

Hélène a été prévenue par téléphone du décès de sa fille. Elle n'a pas la force de réagir, encore moins celle de se rendre au Maroc. Elle demande à sa cousine Henriette Raabe, la religieuse, marraine de Pauline, d'y aller à sa place et de s'occuper de l'enterrement.

Quelques jours plus tard, l'agent consulaire Maurice Contant voit entrer dans son bureau *un mastodonte sanglé dans un tailleur gris foncé, une femme au visage dur, l'air furieux (exactement le type de visiteuse qu'on aimerait voir sortir au moment où elle entre).* Elle est énervée, elle demande que la procédure soit accélérée, elle dit qu'elle est pasteur, qu'elle a en sa possession tous les papiers officiels l'autorisant à régler les obsèques et la succession de Pauline, elle veut savoir pourquoi des scellés empêchent encore l'accès à son appartement, pourquoi les policiers d'Essaouira font traîner ainsi l'enquête, c'est un suicide, il n'y a aucun doute, pourquoi toutes ces formalités ? L'agent consulaire promet au mastodonte d'intervenir pour qu'on ne perde pas de temps.

Deux cents personnes suivent le cercueil d'Andrée ou Pauline Dubuisson jusqu'au cimetière chrétien – presque toute la communauté française et de nombreux Marocains qu'elle a soignés, eux ou leurs enfants. Elle est allongée dedans, devant eux, l'adolescente à qui Hans offrait des fleurs au square Rombout, l'amazone dans les ruines de Dunkerque, le bonheur de Domnick, le fantôme de l'après-guerre à Lyon, la pin-up de la fac de Lille, l'étudiante brillante, la fière, le rêve inaccessible d'un jeune homme, la dépressive qui regarde son flacon de cyanure, la tueuse comme dans les films, la meurtrière de Félix Bailly, vingt-sept ans, la cible de tout un monde, bien droite dans le box, la détenue modèle de Haguenau, qui se faisait vacciner contre la variole et fabriquait des minoches, la femme vaincue, la petite fille qui écoutait son père dans le salon lugubre et sombre de la rue du Maréchal-Pétain. Froide, raide et grise dans le cercueil. Le docteur Joseph, revenu de France avec sa femme dès qu'il a appris la nouvelle, explique à tous que la fille aux cheveux rouges s'est tuée à cause d'un chagrin d'amour. Il paraît extrêmement affligé. Bernard Krief est dans le convoi, tête basse, décomposé. Quand il a reçu la lettre d'Andrée à Rabat, il a sauté dans le train pour Marrakech puis dans le car pour Essaouira, priant pour ne pas arriver trop tard, mais si. Depuis, il n'arrête pas de pleurer, on doit le surveiller à son tour, plusieurs membres du personnel de l'hôpital craignent qu'il envisage de se suicider lui aussi. À la tristesse, se mêle, malgré ce que lui a écrit Pauline, un sentiment de culpabilité dont il ne se débarrassera certainement jamais.

Les deux cents personnes et l'émotion n'empêchent pas une atmosphère de plus que mort, si c'est possible, de flotter sur le petit cimetière rectangulaire, entouré de murs blancs d'environ deux mètres de haut, au nord de la médina, de l'autre côté des remparts, tout au bord de la mer. Après avoir franchi bab Doukkala, on y entre par une étroite porte de bois peinte en bleu, au-dessus de laquelle est simplement écrit : *PAX*. On marche sur des touffes d'herbe sèche, entre les tombes dont beaucoup sont délabrées. Maurice Contant décrit ainsi l'enterrement : *Le monumental pasteur dit les prières, les fait suivre d'un interminable monologue, insipide, neutre et froid. La cérémonie est aussi glaciale que triste.* Il fait chaud, pourtant.

Au moment où Pauline est mise en terre et le trou recouvert d'une simple dalle, sans croix, sans nom, sans la moindre inscription, comme elle l'a demandé, je me rends compte, je ne sais pourquoi seulement maintenant, que si j'ai peut-être appris, à peu près, qui elle était, si je sais certaines choses sur elle, importantes ou non, il y en a une que je ne connaîtrai jamais, c'est le son de sa voix.

Après le long monologue d'Henriette Raabe, les deux cents personnes quittent lentement, convenablement, le cimetière ; le docteur Joseph et Marie-Claire Guers reprennent leur poste à l'hôpital, ils n'oublieront pas leur collègue et amie originale, en déséquilibre ; Bernard Krief retourne à Rabat, il n'oubliera pas la fiancée criminelle qu'il a abandonnée ; la marraine de Pauline rentre en France pour régler les questions d'héritage.

On se souviendra encore un peu d'elle dans les rues de la médina, mais dès le mois d'avril de l'année suivante, 1964, quand le journaliste Gérard Périot se rendra à Essaouira pour réaliser l'enquête qui servira de base à l'article de Pierre Joffroy dans *Paris-Match*, le gardien du cimetière ne saura déjà plus lui dire où se trouve la tombe de la Française dont il lui parle.

En 2013, la Fondation du Haut-Atlas obtiendra l'autorisation de rénover les trois cimetières d'Essaouira, le musulman, le juif et le chrétien, qui tombaient en décrépitude. Le cimetière chrétien, qui ne sert plus beaucoup, était dans un état lamentable. Au milieu des mauvaises herbes, il ne restait qu'une ou deux tombes à peu près intactes, les dernières en date, la plupart des autres étaient cassées ou avaient disparu sous le sable, la terre et la végétation sauvage. On a désherbé, replanté, retracé les chemins et augmenté la hauteur du mur qui sépare le cimetière de l'océan et du vent. Les pierres tombales encore visibles, surmontées d'une croix ou pas trop détruites par le temps, celles sur lesquelles on pouvait lire un nom, même en partie, une date au moins, ont été restaurées ou remplacées par les bénévoles, en majorité des jeunes de la ville. Mais quand, en creusant la terre un peu au hasard sous de vieux fragments de pierre grise, on a découvert quelques ossements enfouis et les restes pourris de cercueils dont presque plus rien n'indiquait la présence en surface, on n'a rien pu faire, on s'est contenté de délimiter respectueusement l'endroit rectangulaire par une basse bordure de ciment, peinte en blanc.

Lorsque je regarde les photos prises pendant la rénovation, au moment du défrichage et des fouilles, lorsque je vois des morceaux de pierre tombale cassée, dans la terre sèche, des bouts de bois épars entremêlés à des racines au fond du trou, je me dis que Pauline est là, quelque part, on ne sait où – c'est-à-dire, donc, nulle part, dissoute. Grâce à ses dernières volontés, elle a réussi à disparaître, à se sauver, ce qu'elle cherchait désespérément : on ne sait plus où elle est, ni même ses os, plus personne ne la retrouvera.

On peut toujours, en sortant du cimetière à gauche, franchir les remparts pour entrer dans la vieille ville, s'enfoncer dans la médina, traverser l'ancienne cour de l'hôpital en pensant à elle, entre les commerces et les restaurants, ou avancer dans l'impasse Zayan où cette fille comme une autre est passée, jusqu'à l'immeuble qui se trouve au fond, et lever les yeux vers les fenêtres bleues du premier étage ; ou, si on veut, non, on peut sortir du cimetière – où on ne l'a pas trouvée – de l'autre côté, vers la droite, le nord, s'arrêter au bord de la plage, dans le grand vent, et regarder un moment l'océan Atlantique.

Post-scriptum, un an plus tard

On peut faire de son mieux, on se trompe quand même. On peut avoir creusé et fouillé partout où c'était possible, s'être appliqué en tirant la langue sur le côté à ne pas inventer un seul détail, à ne pas modifier ni interpréter de travers un seul mot ou geste, à rester le plus strictement fidèle possible aux archives, aux reflets encore perceptibles d'une vie éteinte, et on peut avoir claironné, torse bombé, que les autres ne se sont pas gênés pour écrire à peu près n'importe quoi, on finit toujours, quand même, par avoir l'air un peu nouille (ça arrive aux meilleurs).

Depuis la sortie de *La Petite Femelle* en septembre 2015, j'ai rencontré, dans les salons du livre, les médiathèques ou les librairies, plusieurs personnes qui ont côtoyé Pauline à un moment ou un autre, qui étaient au collège ou à la fac avec elle, qui ont joué avec Félix dans les cours de récré à Saint-Omer, j'ai reçu des lettres et mails de parents plus ou moins éloignés, une cousine, un petit-neveu. Les témoignages de tous ces gens m'ont évidemment touché, et pas qu'un peu, mais m'ont aussi et surtout apporté des éclaircissements sur des points qui restaient pour moi obscurs, ou, parfois, ont corrigé quelques petites erreurs. Je ne vais pas en dresser la liste ici (on ne peut pas rejeter tout à fait l'hypothèse que le livre soit déjà assez long comme ça), mais deux ou trois rectifications me paraissent indispensables – il en va de ma conscience, ça ne rigole pas.

Un membre de la famille Dubuisson m'a gentiment (ce n'est pas ironique) fait remarquer qu'André, le père de Pauline, était catholique – alors que je l'avais, patate, bombardé protestant d'office – et surtout plus athée qu'autre chose. C'est sa femme Hélène qui descendait d'une longue lignée de protestants, dont pas mal de pasteurs, et à qui la religion tenait lieu de soutien, de bouée de sauvetage. Il m'a par ailleurs affirmé qu'André n'avait pas pu consciemment pousser sa fille de quatorze ou quinze ans dans les bras et le lit des Allemands pour s'attirer leur bienveillance et les contrats de construction qui allaient avec. Il m'a assuré que sous des dehors rigides (c'est le moins qu'on puisse dire) et peut-être sévères, le père de Pauline était un homme instable, un peu perdu et fragile, qui n'avait pas tout à fait les pieds sur terre et passait dans la famille pour un genre de rêveur, souvent déconnecté de la réalité. Il est, selon lui, plus que possible qu'il n'ait jamais pensé à se demander ce que faisait sa fille l'après-midi, pendant des heures, chez les officiers allemands et les jeunes matelots à leur service. On ne saura jamais.

Un autre considère qu'il n'est pas sûr du tout que Pauline ait été tondue à sa sortie de la forteresse de Dunkerque. Même si j'écris dans le livre que je n'en suis pas certain, plusieurs indices semblent pourtant indiquer qu'elle a bien été victime de la hargne virile et ridicule de bourrins pitoyables armés de tondeuses. Mais à la fin du mois de mai 1945, André a écrit une lettre à son demi-frère Émile, dans laquelle il lui raconte le long interrogatoire auquel ses deux enfants et lui ont été soumis devant un comité de résistants, et termine en disant qu'ils s'en sont bien sortis – qu'ils l'ont, en gros, échappé belle. On peut penser qu'André, très proche de son demi-frère, ne lui aurait pas caché un sale événement de cette gravité. On ne saura sans doute jamais.

On m'a permis de consulter des extraits de lettres que Pauline a écrites à sa tante Suzanne (la belle-sœur d'Hélène), en 1957, depuis la prison de Haguenau. Dans l'une d'elles, elle parle de la bataille d'Alger, entre l'armée française et les militants du FLN, qu'elle suit avec un peu de retard : « Je suis pessimiste et défaitiste, sans me fonder sur un événement quelconque. Beaucoup de gens vont encore mourir, et je pense tout bas : "pour rien". Il est vrai que presque tout le monde meurt pour rien. »

Enfin, j'ai reçu une photo. Un peu comme on reçoit un coup de massue médiévale sur le crâne. À la fin du livre, j'écris que Pauline a été enterrée au cimetière chrétien d'Essaouira sans croix ni nom. C'était l'une de ses dernières volontés, griffonnée sur un morceau de papier qu'on a retrouvé près de son corps en pyjama. Je n'ai pas imaginé qu'on avait pu ne pas la respecter. D'autant qu'un journaliste de *Paris Match* s'est rendu à Essaouira six mois après sa mort et a confirmé dans son article qu'aucune croix du petit cimetière ne portait son nom, et que le gardien lui-même ne savait déjà plus où elle était enterrée. Pauline avait enfin réussi à fuir pour de bon son passé crampon, à disparaître : personne ne la retrouverait jamais. Eh bien si. (Pourtant je m'en méfie, des journalistes. Mais on est toujours un peu trop naïf et crédule. J'aurais mieux fait d'y aller moi-même, à Essaouira. Ça m'apprendra.) C'est Greg Bourgeaux, un Français qui vit là-bas, qui m'a envoyé cette photo, prise il y a plus de dix ans par son ami Jean-Paul Gueutier – celui-ci s'en est souvenu en lisant un article sur le livre : la sépulture, sans pierre tombale, se trouvait à une dizaine de mètres du mur séparant le cimetière de l'océan. Une vieille croix de bois usée, rongée par l'eau, le vent, le sel et le temps, à demi avalée par la végétation : « P.A. Dubuisson 11.3.1927, 23.09.1963 ».

Henriette Raabe, la religieuse, cousine d'Hélène, dépêchée sur place pour s'occuper (d'une main de fer) des funérailles, a peut-être estimé que ça ne se faisait pas de passer l'éternité sans croix, et a balayé le dernier souhait de Pauline en levant les yeux au ciel. Je ne sais pas. En tout cas, Pauline n'aura finalement pas réussi à s'évaporer tout à fait au bord de l'océan. On sait où elle est. On sait du moins, précisément, où sont ses os, sa poussière. Le reste…

QUELQUES PHOTOS

Pauline à 13 ans,
sur le toit de la maison
de Malo-les-Bains.

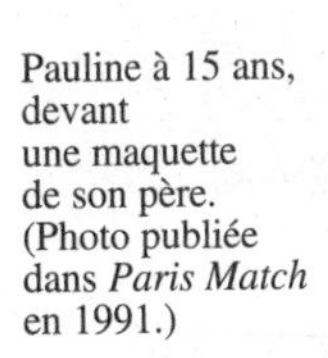

Pauline à 15 ans,
devant
une maquette
de son père.
(Photo publiée
dans *Paris Match*
en 1991.)

André Dubuisson, le père de Pauline.

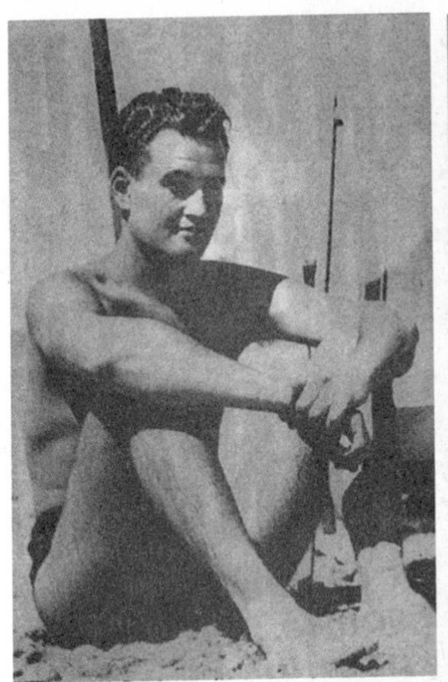

Félix Bailly, sans doute en 1946 ou 1947.

25 rue de la Croix-Nivert : à droite, le portail de l'immeuble de Félix ; à gauche, le bar-tabac où Pauline attendait.

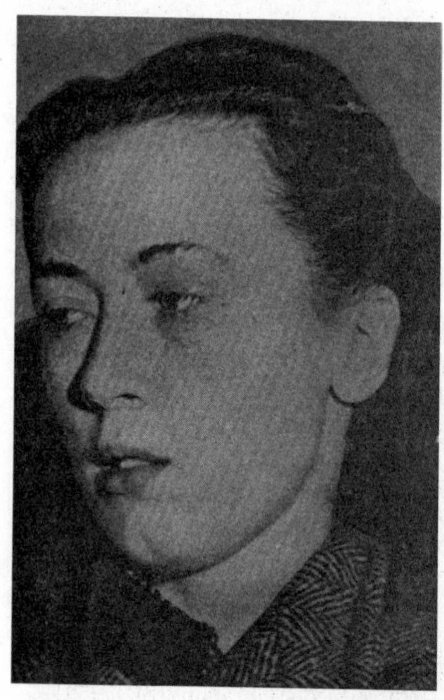

Pauline, quelques instants avant son premier interrogatoire.

Photo prise lors du procès, puis publiée dans *Paris Jour* le 1er avril 1964.

Pauline au début du procès. (Cette photo a été utilisée par de très nombreux journaux de l'époque, certainement pour souligner son côté arrogant et glacial.)

Pauline à la fin du premier jour du procès.

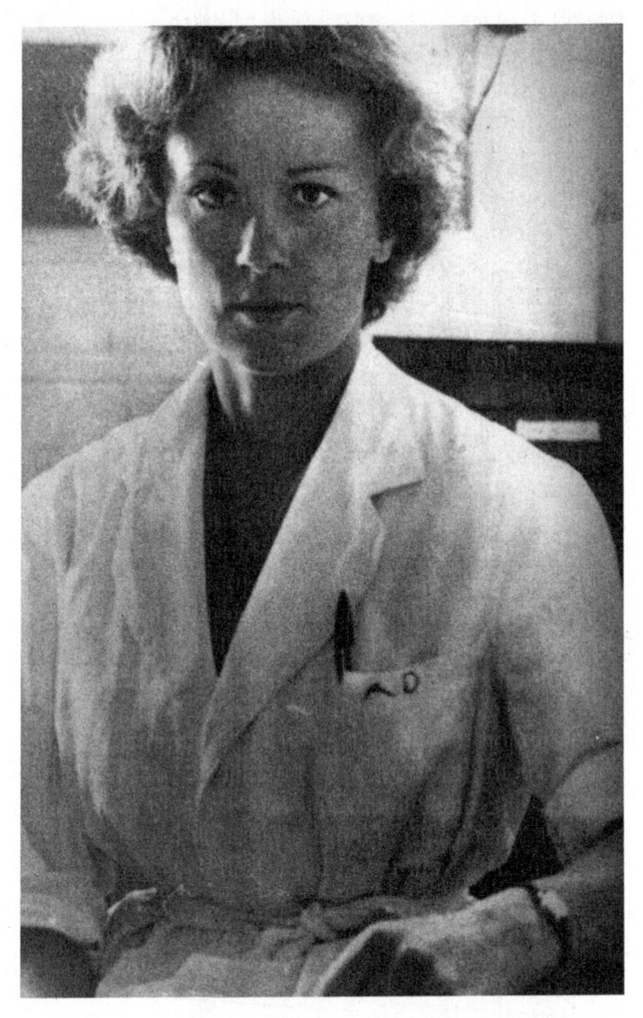

Andrée à Essaouira, printemps ou été 1963.

Remerciements

De nombreuses personnes m'ont permis d'une manière ou d'une autre d'écrire ce livre. J'ai souvent été surpris par leur disponibilité, l'attention qu'elles ont portée à mes requêtes, leur gentillesse et leur efficacité. Pour leur aide précieuse, à différents niveaux, je remercie en vrac et on ne peut plus sincèrement : Sylvain Manville, conservateur du Patrimoine, chef de la Mission des Archives nationales auprès du ministère de l'Intérieur ; Isabelle Rameau ; le commissaire divisionnaire Françoise Gicquel, responsable du département patrimonial au Service de la Mémoire et des Affaires Culturelles de la Préfecture de police de Paris ; Alhonko Tigoé, aux Archives départementales d'Ille-et-Vilaine ; Michèle Ludmann, aux Archives départementales du Bas-Rhin ; Gérald Monpas, responsable du département des recherches aux Archives de Paris ; Pierre Caroff ; Boris Dubouis, chef du Pôle archives de l'Administration centrale auprès du ministère de la Justice ; Claudine Bonnard, au Centre des Archives diplomatiques de Nantes ; Jérôme Delavenne, responsable du service Bibliothèque-Documentation à l'École Supérieure de Journalisme de Lille ; Patrick Oddone, président de la Société Dunkerquoise d'Histoire et d'Archéologie ; Isabelle Lemars, détective ; Jacqueline Jacquemard ; Jean-Baptiste Baronian ; Emeline Colpart ; Alix Penent ; Christophe Donner ; Fouad Laroui ; Pierre Pauc ; Alain Faure ; Catherine Raganeau ; Jean-Claude Vimont (criminocorpus.org) ; Diane Lenglet ; David Bouhadana ; « Monsieur Alfred » (39-45.org) ; Thierry Masbou ; Frédéric Chevallier ; Pupuce ; Corinne ; Magda Snarska-Boudy ; Brice Coladon ; Vanessa Springora ; Lucette ; Ernest, pour ses inquiétudes et encouragements quotidiens ; Anne-Catherine évidemment.

Bibliographie

– *Revue historique de Dunkerque et du littoral*, n° 35, décembre 2001, Société dunkerquoise d'Histoire et d'Archéologie.
– *Revue historique de Dunkerque et du Littoral*, Hors-série n° 5, *Dunkerque et les conflits contemporains*, octobre 2005. (*Les rapports des sous-préfets de Dunkerque sous l'Occupation (1942-1944)*, présentés et annotés par Patrick Oddone.)
– *Sur les chemins de la Libération – Dunkerque 1944-1945*, Patrick Oddone (éd.), Presses universitaires du Septentrion, 2005.
– *Dunkerque, Acteurs et Témoins de la Libération*, MEMOR, Association pour la mémoire de l'Occupation et de la Résistance en zone interdite, Ville de Dunkerque, mai 1995..
– *La France virile*, Fabrice Virgili, Payot, 2000.
– *L'Épuration sauvage*, Philippe Bourdrel, Perrin, 2002.
– *Amour, que de crimes...*, Jean Laborde, Gallimard, 1954.
– *Au grand jour des assises*, Pierre Scize, Denoël, 1955.
– *À vous de juger*, Madeleine Jacob, Les yeux ouverts, 1962.
– *L'assassin manque d'enthousiasme*, Bernice Carey, Le Masque, Librairie des Champs-Élysées, 1951.
– *Le Séducteur*, Gérard d'Houville, 1914, Librairie Arthème Fayard, 1946.
– *En cas de malheur*, Georges Simenon, Georges Simenon Limited, 1956, Le Livre de Poche, 1999.
– *La Tête dans le plat*, Stephen Hecquet, La Table ronde, 1989.

– *Dans le secret d'une photo*, Roger Grenier, Gallimard, 2010.
– *Les Dossiers extraordinaires Tome 1*, Pierre Bellemare, Fayard, 1976.
– *Justice et Littérature*, Jacques Vergès, Presses universitaires de France, 2011.
– *Dictionnaire amoureux de la Justice*, Jacques Vergès, Plon, 2002.
– *Comme un frère*, Stéphanie Polack, Stock, 2012.
– *La Ravageuse*, Jean-Marie Fitère, Presses de la Cité, 1991.
– *L'Affaire Pauline Dubuisson*, Serge Jacquemard, Fleuve Noir, 1992.
– *Femmes criminelles de France*, Serge Cosseron et Jean-Marc Loubier, De Borée, 2012.
– *Je vous écris dans le noir*, Jean-Luc Seigle, Flammarion, 2015.
– *Ne me jugez pas*, Sylvie Paul et Roger Grenier, Gallimard, 1962.
– Revue *Esprit*, janvier 1954, *Le Procès de Pauline Dubuisson*, Armand Gatti.
– Revue *Medium*, Communication surréaliste, nouvelle série nº 2, février 1954, *Face à la meute*.
– *Éloge de Paul Baudet*, discours de maître Benoît Chabert, premier secrétaire de la Conférence du stage du barreau de Paris, 1990.
– *En cas de malheur*, Claude Autan-Lara, Production Raoul Levy, Ray Ventura, 1958, DVD René Château Vidéo, 2002, distribution TF1 Vidéo.
– *La Vérité*, Henri-Georges Clouzot, production Raoul Levy, 1960, DVD René Château Vidéo, 2007, distribution TF1 Vidéo.

Table

DU MÊME AUTEUR

Le Chameau sauvage
Julliard, 1997
et « J'ai lu », nº 4952

Néfertiti dans un champ de canne à sucre
Julliard, 1999
et « Points », nº P2069

La Grande à bouche molle
Julliard, 2001
et « J'ai lu », nº 6493

Le Cosmonaute
Grasset, 2002
et « Points », nº P2705

Vie et mort de la jeune fille blonde
Grasset, 2004

Les Brutes
(dessins de Dupuy et Berberian)
Scali, 2006
et « Points », nº P2070

Déjà vu
(photos de Thierry Clech)
Éditions PC, 2007

Plage de Manaccora, 16 h 30
Grasset, 2009
et « Points », nº P2327

La Femme et l'ours
Grasset, 2011
et « Points », nº P2861

Sulak
Julliard, 2013
et « Points », nº P3301

La Vraie Vie
Éditions In8, 2015

Spiridon superstar
Steinkis éditions, 2016

Site de l'auteur : www.jaenada.com

RÉALISATION : IGS-CP À L'ISLE-D'ESPAGNAC
IMPRESSION : CPI FRANCE
DÉPÔT LÉGAL : OCTOBRE 2016. N° 131637-3 (3021850)
IMPRIMÉ EN FRANCE